JOHN SACK (ur. 1938) – współczesny pisarz amerykański. Ukończył uniwersytety Yale i Washington. W młodości nie stronił od doświadczeń metafizycznych – spędził dwa lata w zakonie trapistów w stanie Kentucky (był tam uczniem słynnego Thomasa Mertona), później udał się do Indii, gdzie medytował i poszukiwał oświecenia w świątyni Swami Muktanandy. Po powrocie do USA zarabiał pisaniem tekstów fachowych z dziedziny komputerów i astrofizyki. W dorobku literackim ma trzy książki – powieść dla młodzieży *The Wolf in Winter* (1985) oraz dwie historyczne: *Spisek franciszkanów* (2005) i *Śmierć anioła* (2009).

W serii LITERKA m.in.

Jeff Abbott
PANIKA

David Baldacci
KLUB WIELBŁĄDÓW
KOLEKCJONERZY TAJEMNIC

Theresa Breslin
PIECZĘĆ MEDYCEUSZY

Sam Bourne
TRZYDZIEŚCI SZEŚĆ DUSZ

John Case
KOD GENESIS
ARTYSTA ZBRODNI

Lee Child
JEDNYM STRZAŁEM
ECHO W PŁOMIENIACH

Lincoln Child
EDEN
GŁĘBIA

Jackie Collins
KOCHANKOWIE I GRACZE

Harlan Coben
TYLKO JEDNO SPOJRZENIE
KRÓTKA PIŁKA
BEZ SKRUPUŁÓW
JEDYNA SZANSA
BEZ ŚLADU

Nelson DeMille
NADEJŚCIE NOCY
ŚLIWKOWA WYSPA

Gonzalo Giner
PIĄTE PRZYMIERZE

Jean-Christophe Grangé
CZARNA LINIA
LOT BOCIANÓW

Stephen King
SKLEPIK Z MARZENIAMI
BEZSENNOŚĆ
CZTERY PORY ROKU
MARZENIA I KOSZMARY
ZIELONA MILA

Dean Koontz
INTENSYWNOŚĆ
OCALONA
APOKALIPSA

Frédéric Lenoir, Violette Cabesos
OBIETNICA ANIOŁA

Phillip Margolin
DOWODY ZBRODNI

Takashi Matsuoka
HONOR SAMURAJA

Frank McCourt
PROCHY ANGELI

Michael Palmer
PIĄTA FIOLKA
STOWARZYSZENIE HIPOKRATESA

Tony Parsons
MOJA ULUBIONA ŻONA

James Patterson
NA SZLAKU TERRORU
W SIECI PAJĄKA
RATOWNIK
DROGA PRZY PLAŻY
TRZY OBLICZA ZEMSTY

Mario Puzo
MROCZNA ARENA
SYCYLIJCZYK

Ian Rankin
ZAUŁEK SZKIELETÓW

Matthew Reilly
SIEDEM CUDÓW STAROŻYTNOŚCI

James Rollins
MAPA TRZECH MĘDRCÓW
CZARNY ZAKON

John Sack
SPISEK FRANCISZKANÓW

Mark Winegardner
POWRÓT OJCA CHRZESTNEGO

JOHN SACK

SPISEK FRANCISZKANÓW

Z angielskiego przełożył
JACEK MANICKI

Tytuł oryginału:
THE FRANCISCAN CONSPIRACY

Redakcja: Beata Słama

Konsultacja historyczna: prof. Zbigniew Mikołejko

Projekt graficzny okładki i serii: Andrzej Kuryłowicz

ISBN 978-83-7359-527-9

Wyłączny dystrybutor
Firma Księgarska Jacek Olesiejuk
Poznańska 91, 05-850 Ożarów Maz.
t./f. 022-535-0557, 022-721-3011/7007/7009
www.olesiejuk.pl

WYDAWNICTWO ALBATROS
ANDRZEJ KURYŁOWICZ
Wiktorii Wiedeńskiej 7/24, 02-954 Warszawa

2009. Wydanie IV (kieszonkowe – I)
Druk: OpolGraf S.A., Opole

Dziękuję

Northwest Writing Institute of Lewis i Clark College za udostępnienie mi Walden Residency i za cenny dar czasu.

Literatom z Blue Mountain oraz czytelnikom z White Cloud za nieocenione rady i zachętę.

A nade wszystko Franciszkowi, który nalegał, by ta historia została opowiedziana. *Grazie molte.*

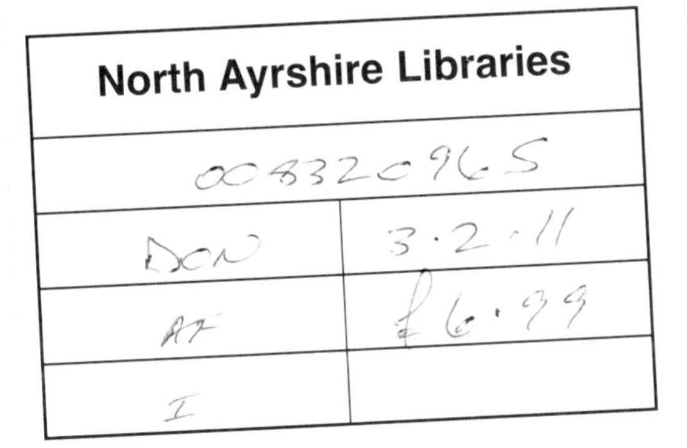

Beatus fráciscus duob; ánis ante mórte suá fecit quadra
gesimā i loco aliverne ad honoré beate virginis mrís marie dia beati
michael archāgli afesto asūptiōis scē marie virgis usq; ad festū scī
michael septēb 7 facta est sup eū manū dñi pr visione 7 allocuti
one seraphȳ 7 impssioné stigmatū x icorpe suo fec hes laudes ex alio
latere [illegible] cártule sc̄ptas 7 manu sua scpsit g'ās agēs dñō de bñficio sibi
collato
Benedicat tibi dñs 7 custo
diat te. ostē dat faciem
suā tibi 7 misereat tui
cōvertat vultū suū ad te
7 det tibi pace
Beat fráciscs scripsit manu sua istā bñdictionē m[illegible] leō
T dns bene
f le ote dicat
Simili modo fecit istud signū thau cū capite manu sua

Błogosławieństwo świętego Franciszka
dla brata Leona

Gdyby szatan istniał, dalsze losy zakonu założonego przez świętego Franciszka przyniosłyby mu najwyższą satysfakcję... Uwieńczeniem życia świętego Franciszka stało się powstanie jeszcze jednego opływającego w dostatki i skorumpowanego zakonu, umocnienie hierarchii i ułatwienie prześladowania każdego, komu miła była czystość moralna i wolność myśli. Mając na uwadze jego ideę i charakter, nie sposób sobie wyobrazić bardziej gorzkiego rezultatu.

Bertrand Russell

Nie mówcie mi, że Franciszek poniósł klęskę. Duch kompromisu ogarnął i okroił jego marzenie; ogarnął jego braci... i zmienił ich, tak jak od początku próbował zmienić jego, w zacnych, ale zwyczajnych mnichów. Ogarnął jego ciało i pochował je w jednym z najwspanialszych kościołów Italii. Ogarnął niebezpieczną historię jego życia i wtłoczył ją w ramy ocenzurowanych i zaadaptowanych biografii. Ale nie zdołał ogarnąć samego Franciszka... Franciszkowi się udało; to inni zawiedli.

Ernest Raymond

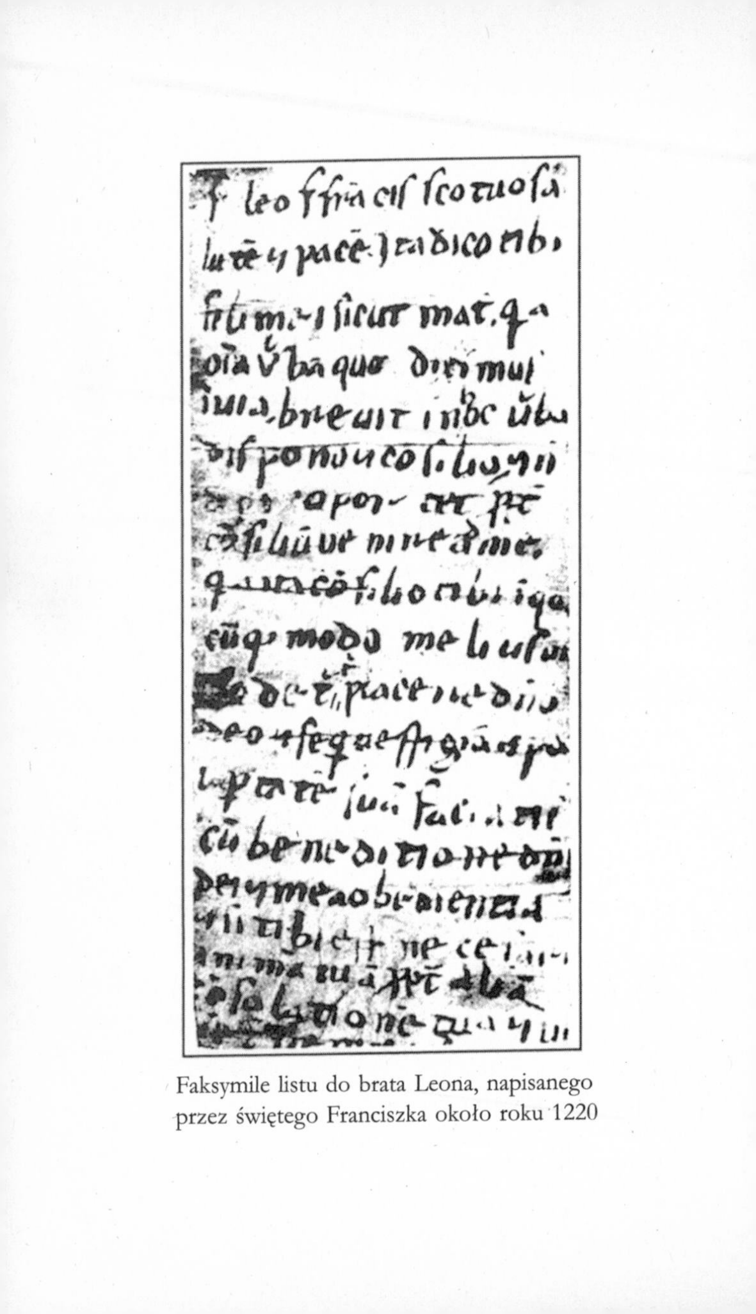

Faksymile listu do brata Leona, napisanego przez świętego Franciszka około roku 1220

Postaci

BRACIA MNIEJSI (FRANCISZKANIE)

Ministrowie generalni (1212—1279)

1212—1226 Święty Franciszek z Asyżu

Wikariusze: Pietro Caetani, 1212—1221

Eliasz Bonbarone, 1221—1227

Sekretarz: Leon z Asyżu

1227—1232 Jan Parenti

1232—1239 Eliasz Bonbarone

Sekretarz: Iluminat da Chieti

1239—1240 Albert z Pizy

1240—1244 Hajmon z Faversham

1244—1247 Krescenty z Iesi

1247—1257 Jan z Parmy

1257—1274 Bonawentura da Bagnoregio

Sekretarz: Bernard z Bessa

1274—1279 Girolamo d'Ascoli

BRACIA

Konrad da Offida, pustelnik z frakcji spirytualnej

Federico, gość w Asyżu

Lodovico, bibliotekarz w Sacro Convento

Salimbene, skryba i kronikarz
Tomasz z Celano, pierwszy biograf świętego Franciszka
Ubertino da Casale, nowicjusz
Zefferino, towarzysz brata Iluminata

ZE WSPÓLNOTY ASYŻU
Angelo di Pietro Bernardone, handlarz wełną
Dante, najstarszy syn Angela
Piccardo, syn Angela
Orfeo, żeglarz, najmłodszy syn Angela
Francesco di Pietro Bernardone (święty Franciszek z Asyżu), brat Angela
Giacoma dei Settisoli, owdowiała szlachcianka, dawniej z Rzymu
Roberto, lokaj Donny Giacomy
Neno, woźnica
Primo, kmieć
Simone della Rocca Paida, pan na głównej cytadeli Asyżu
Calisto di Simone, jego syn
Bruno, najemnik Calista
Matteus Anglicus, medyk z Anglii

Z FOSSATO DI VICO
Giancarlo di Margherita, dawny rycerz, były burmistrz Asyżu

ZE WSPÓLNOTY GENUI
Enrico, syn kmiecia z Vercelli

Z ANKONY
Rosanna, przyjaciółka brata Konrada da Offida

ZE WSPÓLNOTY TODI
Z Coldimezzo
Capitanio di Coldimezzo, donator działki pod bazylikę di San Francesco
Buonconte di Capitanio, syn Capitanio
Cristiana, jego żona
Amata, jego córka
Fabiano, jego syn

Guido di Capitanio, brat Buonconte
Vanna, jego córka
Teresa (Teresina), jego wnuczka
Z miasta Todi
Jacopo dei Benedetti (Jacopone), pokutnik
kardynał Benedetto Gaetani
Roffredo Gaetani, brat Benedetto
Bonifazio, biskup Todi, brat Capitanio di Coldimezza

Z WENECJI
Lorenzo Tiepolo, doża Wenecji
Maffeo Polo, handlarz klejnotami
Nicolo Polo, brat Maffea
Marco Polo, syn Nicola

PAPIEŻE (1198—1276)
1198—1216 Innocenty III, zatwierdził zakon braci mniejszych
1217—1227 Honoriusz III
1227—1241 Grzegorz IX (Ugolino da Segni, były kardynał protektor braci mniejszych, 1220—1227)
1241 Celestyn IV
1241—1243 Dwunastomiesięczny wakans
1243—1254 Innocenty IV
1254—1261 Aleksander IV
1261—1264 Urban IV
1265—1268 Klemens IV
1268—1272 Czteroletni wakans
1272—1276 Grzegorz X (Tebaldo Visconti di Piacenza, były legat papieski w Akce w Ziemi Świętej)

PROLOG

Asyż
25 marca, 1230

Simone della Rocca Paida wpatrywał się w wylot zaułka, z którego lada chwila mieli się wyłonić zakonnicy. Żwawiej, wynijdźcież tu do mnie, wy parszywe kościelne myszy. Niechaj się już stanie. Rycerz wyprostował się w siodle, sprawdził, czy miecz luźno chodzi w pochwie. Język wysechł mu na wiór.

Ta tłuszcza działała mu na nerwy. Przez cały poranek tłumy wlewały się na *piazza*, nie zważając na głębokie po kostki błocko i kolejną ulewę wiszącą w powietrzu. Burmistrz Giancarlo ogłosił dzisiejszy dzień świętem, i ludziom nie mogły popsuć radosnego nastroju ani wiosenny deszczyk, ani nawet wzniesiona w ciągu nocy zapora. Żołnierze straży miejskiej Giancarla naściągali belek i marmurowych bloków z na pół ukończonego górnego kościoła nowej bazyliki i sklecili z nich niski murek w poprzek placu. Teraz strażnicy zaganiali za ten murek mieszczan niczym ryby do stawu. Motłoch kotłował się i walczył na łokcie o miejsce, z którego najlepiej będzie widać. Ścisk robił się coraz większy, wrzawa narastała. Ten, kto wytężał słuch w nadziei, że w tym tumulcie wyłowi zawczasu śpiew mnichów, próżno się wysilał. Pozostawało mu jedynie patrzeć w tym samym kierunku co Simone.

W końcu z zaułka buchnęły kłęby kadzidlanego dymu i w tym dymie rycerz dojrzał kiwający się krzyż oraz piuski chłopców wymachujących kadzielnicami. Procesja wkraczała na plac. Za późno na rozterki.

Simone rozstawił już swoich konnych twarzą do kruchty górnego kościoła. Teraz dał jeźdźcom znak głową i pogładziwszy na szczęście pióropusz, nałożył hełm. Z suchym jak dratwa gardłem i dłonią na rękojeści miecza ścisnął kolanami boki wierzchowca i skierował go między ciżbę a procesję.

Mlaskanie błota pod końskimi kopytami i zwodniczo łagodne pobrzękiwanie rycerskich pancerzy tonęło w monotonnym śpiewie, z którym dwuszereg kardynałów w czerwonych sutanach i pelerynach sunął na podobieństwo barwnej stonogi po pomoście z desek ułożonym w poprzek placu. Ani oni, ani kroczący za nimi biskupi w gronostajach nie okazywali najmniejszego zaniepokojenia widokiem zbliżających się jeźdźców. Tak samo lud żegnający się i przyklękający za zaporą.

Bo i czym tu się niepokoić? Wszak to rycerze z Rocca Paida, twierdzy na szczycie wzgórza, czuwającej nad bezpieczeństwem miasta. O tym, że perugianie zamierzają wykraść szczątki świętego męża, słyszał tu chyba każdy. Taką przynajmniej nadzieję miał Simone. Zaskoczenie było jego najlepszym sprzymierzeńcem.

Za biskupami kroczyli bracia zakonni, a w połowie ich kolumny kolebała się dźwigana na ramionach trumna. Przecięli plac skrajem ograniczającej go od południa skarpy. Krucyfiks, kardynałowie i biskupi znikali stopniowo z oczu, zstępując po stromej ścieżce, która prowadziła do dolnego kościoła. Czoło procesji zatrzymało się już i czekało w szyku na jego podworcu.

Nadszedł moment, na który czekał Simone.

— *Adesso!* Teraz! — ryknął, kiedy trumna pochyliła się i też zaczęła znikać za krawędzią skarpy. Dźgnięty ostrogami perszeron stanął dęba i wierzgając przednimi nogami, tak jak go przyuczono do zachowania w bitwie, runął na pochód. Trzasnęła pękająca kość i jakiś mnich z okrzykiem bólu znikł pod wierzchowcem, inny, uskakując przed szarżującą bestią, sturlał się po skarpie. Simone, uśmiechając się pod hełmem, rozdzielał na prawo i lewo razy płazem miecza. Zawróciwszy konia w miejscu, dojrzał strażników miejskich staczających potyczkę z grupą mężczyzn próbujących przeleźć przez zaporę dla gawiedzi.

— Odciąć szczyt ścieżki! — krzyknął do najbliższego jeźdźca. Dwóch jego ludzi galopowało już za trumną, pędząc tych, którzy ją nieśli, ku podworcowi dolnego kościoła. Oszołomieni mnisi zachowywali się tak, jak to było do przewidzenia: biegli przed siebie, by schronić się za plecami burmistrza, który z resztą strażników czekał u stóp ścieżki, i szukać azylu w kościele. Lecz ludzie Giancarla przepędzali już pikami kościelnych dostojników z podworca dolnego kościoła, i ci pierzchali w furkocie infuł, ornatów i podkasanych sutann, pnąc się ścieżką na spotkanie trumny. Kiedy zakonnicy zrozumieli, że wzięto ich w dwa ognie, było już za późno.

Simone galopował ścieżką w dół. Przed nim jakiś mnich, ucapiwszy za ramię strażnika, wywrzaskiwał coś piskliwym głosem. Strażnik obalił go na ziemię ciosem żelaznej rękawicy i koń Simone musiał przeskoczyć nad staczającym się po pochyłości nieszczęśnikiem, żeby go nie stratować.

Rycerz obejrzał się dopiero u stóp wzgórza. Spod kaptura, który zsunął się mnichowi z głowy, wymknął się długi, gruby, czarny warkocz. Rzymska wdowa! A żeby ją pokręciło! Co robi pośród zakonników?! Krew ciekła jej po policzku, kiedy w końcu wstała, ale ona albo nie zdawała sobie z tego sprawy, albo o to nie dbała. Pogroziła mu pięścią, jej zielone oczy pałały.

— Jak śmiesz, Simone! — wrzasnęła. — Jak śmiesz podnosić rękę na naszego świętego!

Rycerz sapnął gniewnie na dźwięk swojego imienia. Od początku był zdania, że burmistrz powinien nająć do tej brudnej roboty żołnierzy z innego miasta.

Bez słowa zawrócił konia i pogalopował do drzwi kościoła. Strażnicy miejscy mieli już trumnę, odrywali właśnie od wieka ostatniego niepozornego mnicha, który uczepił się go jak rzep. To ani chybi ten pokurcz Leon, domyślił się Simone. Dźwigając drewnianą skrzynię, ludzie Giancarla, obrzucani przez sługi Kościoła obelgami, schowali się za plecy Simone. Rycerz zeskoczył z konia i podał wodze jednemu ze strażników.

— Będziesz się za to w piekle smażył, Simone! — krzyknął ktoś nad samym jego uchem. Odwrócił się i uniósł miecz, ale biskup Asyżu zasłonił się noszonym na piersiach krzyżem. Simone, przygryzając dolną wargę, wszedł do kościoła. Tuż za nim wpadł tam burmistrz. W kruchcie czekali już handlarz wełną i kasztelan ze wspólnoty Todi.

— Postawić trumnę! — krzyknął Giancarlo do swoich ludzi. Kiedy to uczynili, wypchnął ich na zewnątrz, by strzegli podworca, a sam zatrzasnął za nimi odrzwia i z pomocą rycerza zaryglował je grubą belką. Potem, dysząc ciężko, oparł się plecami o ich rzeźbioną powierzchnię, Simone zaś zdjął hełm i otarł pot z czoła rękawem pikowanego kubraka. Dopiero teraz, chowając miecz do pochwy, zobaczył na głowni krzepnące karmazynowe zacieki. Coraz gorzej, pomyślał ponuro.

Mrok panujący w kruchcie i stłumiona wrzawa dobiegająca sprzed kościoła działały nań kojąco. Potoczył wzrokiem po twarzach pobladłego kasztelana, kupca krzywiącego usta w pogardliwym grymasie, zaciskającego szczęki burmistrza, zachodząc w głowę, co też skłoniło każdego z nich do wplątania się w tę świętokradczą awanturę. Podejrzewał, że kupiec rad by wyprzedał szczątki kostka po kosteczce na relikwie, nic sobie nie robiąc z tego, że należą do jego jedynego brata.

— Prędzej — dobiegło z końca nawy. — Nieście tu trumnę. — Dwaj zakonnicy, mistrz mularski, brat Eliasz, i jego zausznik czekali po obu stronach głównego ołtarza. Smolne łuczywa płonące w uchwytach za nimi przywodziły Simone na myśl ognie piekielne, którymi groził mu biskup. Ich blask rzucał na kościół cień brata Eliasza o wiele większy niż ten drobnej postury spiskowiec, prowodyr kradzieży. Pomimo chłodnego cugu przepływającego przez kościół twarz Simone poczerwieniała z gorąca. Zastanawiał się, czy nim opuszczą świątynię, Eliasz, mimo że współwinien tego grzechu, będzie mógł udzielić mu rozgrzeszenia. Wzdragał się stawać przed zgromadzoną na zewnątrz tłuszczą z grzechem śmiertelnym na sumieniu.

Doszedłszy do czoła nawy, czterej spiskowcy stwierdzili, że główny ołtarz jest odsunięty, a w miejscu, w którym stał, zieje głęboka dziura wykuta w skalnym podłożu. Postawili trumnę na powrozach rozciągniętych równolegle do dziury i z pomocą zakonników opuścili ją do sarkofagu. Rzucili powrozy na wieko trumny i Eliasz obrócił jedną z ozdobnych miniaturowych kolumienek w tylnej części ołtarza. Dał się słyszeć cichy trzask i masywny blok jął obracać się z chrobotem kamienia trącego o kamień, nasuwając na dziurę. Na koniec zakonnik zamaskował ziemią szparę u dołu marmurowej podstawy i zatarł ją sandałem.

— Kamieniarze zaczęli wczoraj układać posadzkę w absydzie — powiedział. — Jutro dotrą tutaj. Nie pozostanie najmniejszy ślad. Nikt nie będzie wiedział, gdzie spoczywa.

Przyklęknął przed ołtarzem na jedno kolano i pochylił głowę.

— Najmniejszy ślad, ojcze Franciszku — powtórzył szeptem. — Zabrałeś swoją tajemnicę do grobu.

Simone wrócił myślami do spotkania w pałacu Giancarla, gdzie ten zakonnik, Eliasz, upierał się, że zwłoki trzeba ukryć nawet przed wiernymi, by uchronić je przed łowcami relikwii. Z początku z rezerwą podchodził do wytaczanych przez mnicha argumentów. Jego zdaniem Eliasz do tej pory nie mógł pogodzić się z porażką w wyborach na stanowisko ministra generalnego, wakujące od śmierci świętego Franciszka. Bractwo na sukcesora zmarłego świętego wybrało innego zakonnika, posuniętego w latach uduchowionego człowieka, którego cała wiedza o zarządzaniu zmieściłaby się w małym palcu Eliasza. Eliasz przekuł jednak porażkę w triumf, kiedy papież poprosił go osobiście o wzniesienie tej bazyliki. Teraz brał odwet na tych, którzy go odrzucili, ukrywając najcenniejszą relikwię zakonu tam, gdzie nigdy jej nie znajdą. Następnym razem bracia dobrze się zastanowią, zanim zagłosują przeciwko niemu.

Uprzątnąwszy podłogę wokół ołtarza, Eliasz skinął na swego zausznika.

— Bracie Iluminacie, przynieście szkatułkę.

Młodzian rozpłynął się w mrokach transeptu. Po chwili wrócił z małym złotym relikwiarzem. Eliasz uniósł wieczko i wyjął pierścień z bladoniebieskim kamieniem. Wsunął go z namaszczeniem na palec, a asystujący mu mnich rozdał podobne pierścienie wszystkim obecnym.

— Dnia dzisiejszego założone zostaje *Compari della Tomba*, Bractwo Grobu — rzekł uroczyście Eliasz. — Przysięgnijmy na nasze życie nie wyjawić nigdy miejsca spoczynku tych kości.

— I niechaj szczeźnie każden, kto odkryje to miejsce przypadkiem — dodał posępnym głosem Giancarlo. — Bóg nam świadkiem.

— Bóg nam świadkiem — powtórzyli pozostali. Uniosły się i zetknęły zaciśnięte w pięść dłonie. W blasku łuczyw zaskrzyły się pierścienie. Potem każdy z mężczyzn rozprostował palce i zacisnął je ponownie na nadgarstku sąsiada.

— Amen! Niechaj tak będzie! — zakrzyknęli chórem.

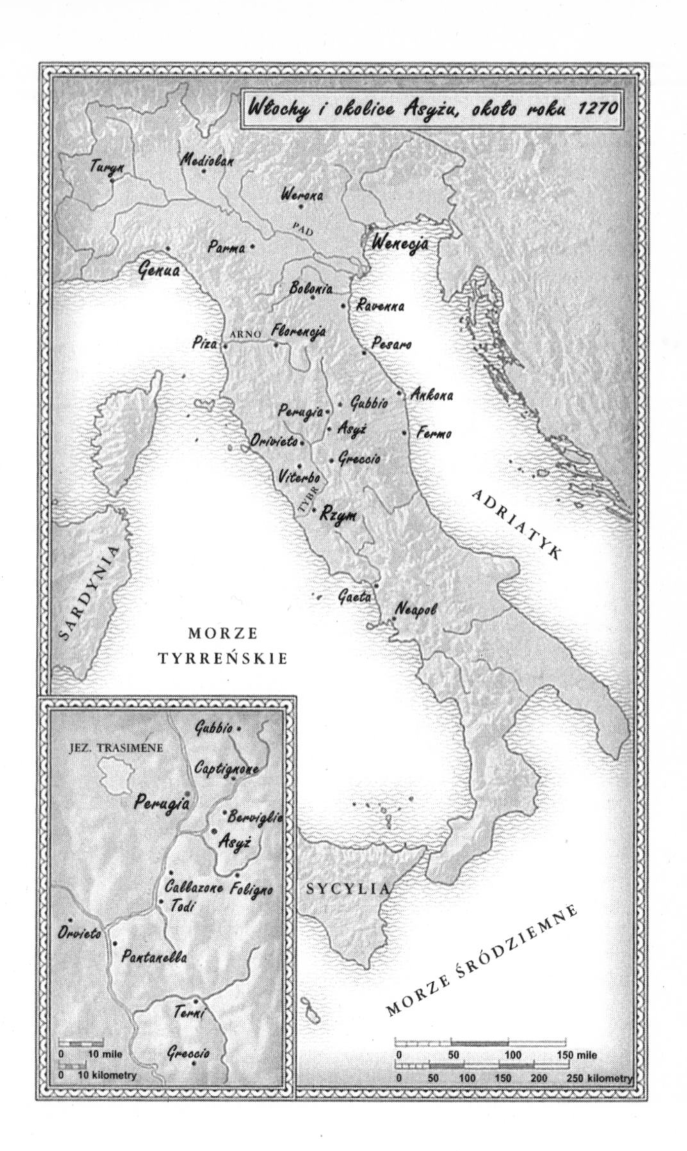
Włochy i okolice Asyżu, około roku 1270
Turyn
Mediolan
Werona
PAD
Wenecja
Parma
Genua
Bolonia
Ravenna
Piza
ARNO
Florencja
Pesaro
Ankona
Perugia
Gubbio
Asyż
Fermo
Orivieto
Greccio
Viterbo
TYBR
Rzym
ADRIATYK
SARDYNIA
Gaeta
Neapol
MORZE
TYRREŃSKIE
JEZ. TRASIMENE
Gubbio
Captignone
Perugia
Beroiglie
Asyż
Callazone
Foligno
Todi
Orvieto
Pantanella
Terni
Greccio
0 10 mile
0 10 kilometry
SYCYLIA
MORZE ŚRÓDZIEMNE
0 50 100 150 mile
0 50 100 150 200 250 kilometry

CZĘŚĆ PIERWSZA

Gryf

I

Dzieci świętego Remigiusza
1 października, 1271

Brat Konrad przystanął u szczytu ścieżki pnącej się zakosami ku jego chacie i patrzył, ściągając brwi. Wiewiórka, która na jego widok zamachała puszystym ogonem i zeskoczyła z parapetu okna, dawała mu do zrozumienia, że ma gościa i że nie jest nim nikt ze sług Rosanny.

— Sza, bracie Szary! — upomniał zwierzątko pustelnik, zrzucając z ramion wiązkę chrustu. — Witaj obcego, jak mnie samego. A nuż to któryś z aniołów bożych?

Wziął wiewiórkę na ręce i podrzucił ją lekko na poczerniały pień pobliskiej sosny. Wspięła się na wyższą gałąź, a Konrad przestąpił próg chaty.

Nieświadom tej pogwarki braciszek zakonny spał, złożywszy głowę na stole, jego twarz zakrywał kaptur. Konrad odchrząknął z zadowoleniem. Skoro ma już znosić czyjąś obecność i zabawiać gościa rozmową, to niech to przynajmniej będzie dyskurs na wzniosłe tematy. Skórzane sandały i miękki, nowy mysiego koloru habit przybysza mniej mu się już spodobały. Ani chybi konwentuał, jeden z tych rozpieszczonych braci, którzy swoimi zwyczajami bardziej przypominali klasztornych czarnych zakonników niż wolnych synów świętego Franciszka. Miał nadzieję, że rozmowa nie zejdzie na zadawniony spór o istotę prawdziwego ubóstwa. Był już nim zmęczony i wystrzegał się go; przynosił tylko ból.

Wrócił po zebrany chrust i podniósł wiązkę za biały postronek, którym była przewiązana. W te jesienne popołudnia słońce wcześnie chowało się za Apeniny, a nocami w górskim powietrzu czuć już było zapowiedź pierwszych przymrozków. Nazbierał suchych liści, sosnowych igiełek i szyszek i usypał z nich stosik na kręgu z płaskich kamieni, który zajmował środek izby i służył za palenisko. Kiedy krzesał ogień, z kąta doleciało senne mamrotanie.

— Brat Konrad da Offida? — Głosik był zadziwiająco piskliwy, mógłby należeć do chłopca przed mutacją śpiewającego w kościelnym chórze. Znaczy, gość to nowicjusz, domyślił się Konrad, a do tego pewnikiem nieletni. W zasadzie zakon nie przyjmował kandydatów poniżej czternastego roku życia, ale zwierzchność często przymykała oko na ten zakaz.

— Tak, to ja, brat Konrad — mruknął, nie oglądając się. — Niech Bóg ci darzy, młody braciszku. — Nadal klęczał nad paleniskiem.

— I wam. Zwą mnie Fabiano. — Dzieciak otarł nos grzbietem dłoni.

— Fabiano. Ładnie! Witaj. Zaraz rozpalę ogień, ugotuję zupy. Bób moczy się już w kociołku.

— Myśmy też przynieśli jadło — powiedział chłopiec i pokazał kciukiem siatkę zwisającą z krokwi. — Chleb, ser i winogrona.

— Wy?

— Przyprowadził mnie tutaj pachołek Monny Rosanny. Jego

pani przesyła wam więcej niż zwykle, na wypadek, gdybyście nie mieli mnie czym ugościć.

Konrad uśmiechnął się.

— To cała ona, szlachetna pani.

Ogień trzaskał już głośno na palenisku, w powietrzu rozchodził się aromat płonącej sośniny. Dym unosił się meandrami ku poczerniałej od sadzy powale i uchodził na zewnątrz przez wycięty w niej mały otwór. Blask ognia odbijał się w oczach przybysza, i te świeciły spod kaptura ciemną zielenią dojrzałych oliwek. Konrad zawiesił kociołek nad płomieniem i zdjął z krokwi siatkę z jedzeniem. Rosanna, niech błogosławione będzie jej dobre serce, przysłała też cebulę. Odkroił dwa plasterki, które zje później na surowo z serem, resztę zaś posiekał i wrzucił do zupy.

— Kto cię posłał do Monny Rosanny? — spytał chłopca.

— Moi zwierzchnicy z Asyżu. Kazali mi jej szukać w Ankonie i pod Ankoną spotkałem dwóch braci, którzy mi powiedzieli, jak trafić do domu *signory*. Bardzo się zaciekawiła, kiedy jej powiedziałem, że muszę się z wami widzieć... — Chłopiec zawiesił głos i spojrzał pytająco na Konrada.

— Wychowywaliśmy się razem — wyjaśnił pustelnik — byliśmy prawie jak brat i siostra. I ona... znaczy, ona i jej mąż, nadal dbają o mnie, jak potrafią. — Powróciły wspomnienia: dwoje dzieci dzieli się ciastkiem w porcie, a pod ich stopami skrzy się w słońcu woda. Obraz rozpłynął się momentalnie, tak jak ich odbicia tyle lat temu w zmarszczonej bryzą tafli, bowiem gość podjął:

— Jesteście sierotą? To dlatego mieszkaliście przy jej rodzinie?

Konrad wydął policzki i wypuścił powoli powietrze.

— Przeszłość moja, maluczkiego, jest nieważna — burknął. Nie był to wzniosły dyskurs, na który tak się nastawiał.

I na tym rad by zakończył temat, jednak na widok zawiedzionej miny Fabiana dodał:

— Tak. Mój ojciec był rybakiem w Ankonie. Bóg zabrał go

podczas sztormu, kiedy byłem jeszcze pacholęciem. Przygarnęli mnie rodzice Monny Rosanny. Posłali mnie do szkół, a kiedym skończył piętnasty rok życia, oddali do braci. Minęło piętnaście lat i siedzę teraz tutaj. Ot, i cała historia mojego żywota. — Zamieszał zupę i otarł rękawem łzy, które napłynęły mu do oczu. Już chciał obwinić o te łzy cebulę, kiedy chłopiec znowu go uprzedził:

— A gdzie była wasza matka?

— Pewnie w niebiesiech. Tato mówili, że umarła z imieniem Błogosławionej Dziewicy na ustach, wydając mnie na świat.

Izbę wypełniał powoli aromat gotującego się bobu. Młodzik wciągnął go z lubością, po czym podrapał się po głowie.

— Lubię słuchać żywotów ludzi. Chciałbym wędrować po świecie i zbierać takie historie. Jak brat Salimbene. Znacie brata Salimbene?

Konrad spojrzał na niego z przyganą.

— Brata Salimbene nie radziłbym ci naśladować — burknął. — Może mi wreszcie powiesz, co cię do mnie sprowadza? — Popatrzył znowu w ciemne oczy chłopca, które posmutniały nagle, zachodząc niemal łzami, i już wiedział.

— Ojciec Leon? — spytał cicho.

— Tak.

— Odszedł w pokoju?

— Tak, w tej samej chacie co święty Franciszek.

— Pewnie lżej mu było umierać.

Pustelnik przysiadł na piętach. Śmierć przyjaciela i mentora nie była dlań wielkim zaskoczeniem. Leon dźwigał już ósmy krzyżyk. Ale mimo wszystko był to cios.

Któż zdoła zgłębić boski plan? Leon błagał, by dane mu było odejść wraz z jego mistrzem, świętym Franciszkiem, a przecież Bóg kazał mu żyć jeszcze przez połowę stulecia, pracować i pisać. Ten niepozorny kapłan był osobistym pielęgniarzem założyciela, zmieniał mu opatrunki i nacierał maściami stygmaty, które otworzyły się na jego dłoniach, stopach i w boku po tamtej strasznej wizji na górze Alwernia. Leon sprawował również potencjalnie najwyższe w zakonie funkcje spowiednika i sekretarza świętego męża, które mógłby z powodzeniem wykorzystać, gdyby interesowała go władza. Lecz Franciszek wybrał go sobie na towarzysza przez wzgląd na jego niespotykaną skromność. Znany z upodobania do nadawania przydomków, Leona, czyli lwa, nazwał — *Fra Pecorello di Dio*, bratem Owieczką Bożą.

Nawet młodsi bracia, tacy jak Konrad, słyszeli o słynnej scysji Leona z Eliaszem po śmierci Franciszka, kiedy to Leon roztrzaskał w drobny mak wielką wazę, do której minister generalny zbierał datki na budowę nowej bazyliki. Eliasz kazał go za ten akt buntu wychłostać i wygnał z Asyżu. Leon usunął się w cień i zaczął pisać traktaty piętnujące rozprzężenie i nadużycia w łonie zakonu. Powołując się na reguły i nauki świętego Franciszka, stał się sumieniem braci i frakcja konwentuałów nienawidziła go za to.

Konrad był ciekaw, czy brat Bonawentura, ostatni w linii sukcesorów Eliasza, wzniesie się ponad tamten stary zatarg.

— Czy minister generalny godnie pochował brata Leona? — spytał.

— O tak. W bazylice, obok jego towarzyszy. Powiadają, że z najwyższymi honorami.

— Bo i zasłużył sobie na to — westchnął Konrad, wracając do mieszania zupy.

Chłopiec ściągnął kaptur. Włosy miał czarne, proste, krótko obcięte, dotykające czubków uszu. W migdałowych oczach malowała się łagodność łani, co podkreślały dodatkowo długie rzęsy. Mlecznobiała skóra policzków i skroni była tak delikatna, że aż przezroczysta, i nawet w tym słabym oświetleniu Konrad mógłby porachować pulsujące pod nią żyłki. Uśmiech chłopiec miał szeroki, nos długi i prosty z rozdętymi nozdrzami. Szlachetny nos, pomyślał Konrad. Za gładki ten dzieciak, by mieszkać pod jednym dachem ze starszymi braćmi, zwłaszcza tymi, którzy próbują naśladować czarnych mnichów. Bóg jeden wie, ile klasztornych przywar zdążyli już sobie przyswoić.

Kiedy Konrad przerwał mieszanie, chłopiec sięgnął po swoją sakwę, którą rzucił był pod stół, i wyciągnął z niej zwinięty pergamin.

— Mój opiekun kazał mi oddać wam to pismo. Brat Leon powiedział, że po jego śmierci musi ono koniecznie trafić do waszych rąk.

Pustelnik rozwinął welin z wyprawionej koźlęcej skóry i przysunął się z nim do ognia. Kilka razy przebiegł treść wzrokiem.

— Co tam stoi napisane? — spytał Fabiano.

— Nie ma pieczęci. Dziw, żeś jeszcze nie przeczytał. Twój opiekun nie nauczył cię liter?

— Nie wszystkich. Niewiele jeszcze słów potrafię przesylabizować. Poprosiłem braci, których spotkałem po drodze, żeby mi przeczytali, ale powiedzieli mi tylko, że nie ma tam niczego ciekawego.

Konrad wzniósł oczy do nieba. Ten chłopiec nie miał wstydu. I mógł być w swej naiwności niebezpieczny.

— Czy ci bracia podali ci swoje imiona? — spytał.

— Nie. Ale jeden był stareńki, a drugi miał jasne włosy. Mówi wam to coś?

Konrad wydął usta.

— Nic. — Niepokoili go ci dwaj. Oby tylko łatwowierność chłopca nie okazała się zgubna.

Jeszcze raz przebiegł wzrokiem welin.

— Może ty mi powiesz, czy w tym piśmie jest coś interesującego — rzekł. — Doradza mi się tu dobroć, co jest podobne do Leona, ale reszta nie wygląda mi na słowa, które skreśliłby ksiądz, którego znałem. — Przysuwając pergamin jeszcze bliżej ognia, przeczytał na głos:

Konradowi, memu bratu w Chrystusie, brat Leon, jego niegodny towarzysz, składa wyrazy szacunku w imię Pana naszego, Boga w Trójcy Jedynego.

— To jeszcze Leon. Ale posłuchaj dalej:

> Pamiętasz, jak doradzaliśmy ci uczyć się i zdobywać wiedzę? Czytaj oczami, poznawaj rozumem, sercem wydobądź prawdę zawartą w legendach. *Servite pauperes Christi.*

Konrad pokazał pergamin Fabianowi.

— *Servite pauperes Christi*. Służ biedaczkom Chrystusa? — Zawiesił głos, jakby oczekiwał od chłopca, że pojmie znaczenie tych słów, a potem machnął z rezygnacją ręką i doczytał do końca:

> Napisano w Asyżu, w czternastym roku administracji Bonawentury di Bagnoregio, generała zakonu braci mniejszych.

Pustelnik podrapał się w kark.

— Leon nigdy by mnie nie zachęcał do zdobywania wiedzy, nawet tej o życiu świętego Franciszka — jeśli ją mają oznaczać owe „legendy". Franciszek twierdził, że uczeni trwonią tylko czas, który mogliby lepiej spożytkować, modląc się. Co zaś do służenia biedaczkom, to właśnie Leon wysłał mnie w te góry. A teraz chce, żebym poświęcił się służbie? Dziwne to jakieś.

Postukał w welin paznokciem.

— I to nie jest nawet pismo Leona. Litery za duże, za koślawe. Leon był eleganckim skrybą.

Pustelnik po raz ostatni przyjrzał się w blasku ognia pergaminowi. Treść listu otaczała owalna obwódka, ale nadal nie dostrzegał w nim żadnego sensu. Przeczytawszy go, skłonny był przyznać rację dwóm podróżującym braciom. Nie było w nim niczego ciekawego.

Rzucił pergamin na stół i ten zwinął się z powrotem w rulon. Może to zwyczajny bełkot zdziecinniałego staruszka? Z drugiej strony Leon znał tyle tajemnic... Zważywszy na nieznajome pismo, mógł to być jakiś podstęp Bonawentury, ale w jakim celu sprokurowany? No tak, ale chłopak był z Sacro Convento, matecznika zakonu, i już samo to budziło podejrzliwość Konrada.

— Nakarmię cię i pójdziesz spać — odezwał się wreszcie do chłopca. — Pewnieś zdrożony. — Rozważy pismo, odpoczywając i może o pierwszym brzasku spłynie na niego olśnienie.

Nalał zupy do dwóch drewnianych misek. Włosy Fabiana, które ten czochrał w zamyśleniu, stały już dęba jak szpilki u jeża.

— Żal ci było ją porzucać? — spytał w końcu.

Ale Konrad ani myślał rozdrapywać tej rany z dzieciństwa. Przyłożył palec do ust.

— Podczas posiłku powinniśmy przestrzegać reguły milczenia, młody bracie. Nasz założyciel zalecał też swoim braciom oszczędność w słowach od wieczora do świtu. Dosyć się już nagadaliśmy jak na jeden dzień.

Leon, ten przebiegły bękart, wiedział od samego początku. Przez całe czterdzieści pięć lat wysiadywał tę wiedzę jak troskliwa kwoka, i to z takim samozaparciem, że miast po śmierci porzucić gniazdo i zabrać swoje tajemnice do grobu, jakby to uczynił każdy rozsądny człek, podrzuca owego niewyklutego zbuka jednemu ze zbuntowanych pustelników.

Brat Iluminat pacnął dłonią komara, który przyssał mu się do nadgarstka. Ach, gdyby z równą łatwością dało się rozgnieść tego eremitę. Ściągając cugle, zatrzymał osiołka i otarł czoło rękawem habitu. Nawet w październiku dzień spędzony na słońcu może wycieńczyć podróżnego, zwłaszcza tak jak on posuniętego w latach. Po śmierci Leona, z pierwszego pokolenia braci, którzy obcowali ze świętym Franciszkiem, pozostał tylko on.

— Muszę odpocząć, bracie Zefferinie — zwrócił się do towarzysza. — Moje stare kości dosyć się już dzisiaj wytrzęsły.

— Jak sobie życzysz, *padre*. — Młodszy zakonnik przerzucił nogę nad szyją osiołka, zeskoczył na ziemię i pomógł bratu zsiąść.

Iluminat wziął się pod boki i wygiął grzbiet, przeciągając się jak stary kocur. Potem rozprostował ramiona i kuśtykając, przeszedł kilka kroków, jakie dzieliły ich od szczytu wzniesienia.

— Przepięknie — westchnął, ogarniając zamaszystym ruchem ręki dolinę wyrzeźbioną przez rzekę Tescio. Szpaler lombardzkich topoli przystrojonych w jesienne złoto ciągnął się niczym dwuszereg strażników wzdłuż biegnącej dołem drogi. Wieczną zieleń bezkresnych iglastych lasów pstrzyły tu i ówdzie plamami żółci i brązów rozsiane z rzadka skalne dęby. Murowany kościół z dzwonnicą u stóp wzgórza otaczało skupisko drewnianych domów i gdzieś wśród nich droga się rozwidlała: ku północnemu zachodowi, do Gubbio, i na południowy zachód, w kierunku Asyżu.

Towarzysz Iluminata jedną ręką trzymał oba osiołki za uzdy, drugą opędzał się od muchy bzyczącej nad jego tonsurą wygoloną we włosach koloru słomy.

— Przenocujemy dzisiaj w Fossato di Vico? — zapytał. — Mam przyjaciela wśród kanoników z tamtejszej katedry.

— Czy przenocujemy? Nie, Zefferinie — odparł ksiądz. — Ty tej nocy nie zaznasz snu.

Iluminat spojrzał w zdziwione oczy braciszka.

— Nie mamy czasu do stracenia — podjął. — Ja tu zaczekam, a ty udasz się do wioski. Na wzgórzu, naprzeciwko katedry, zobaczysz *palazzo*. Zapytasz tam o *signore* Giancarla i powiesz mu, że dziś wieczorem zawita do niego *Amanuensis*.

— *Amanuensis*?

— Będzie wiedział, co to znaczy. Poproś go również, powołując się na to samo imię, żeby wymienił ci osiołka na wypoczętego wierzchowca, możliwie najszybszego. — Stary ksiądz wskazał na rozwidlenie. — Popędzisz co koń wyskoczy drogą na północ do domu braci w Gubbio. Powiesz przeorowi, że pustelnik Konrad schodzi z gór i zostanie u nich, by odpocząć. Musi go zatrzymać — jeśli trzeba będzie, siłą. Ja pojadę do Asyżu i ostrzegę generała.

— A jak przeor pozna tego pustelnika?

Iluminat zmarszczył porośnięty włoskami nos, oczy mu zabłysły.

— Ha! To radykał, jeden z tych cuchnących *zelanti*, szczycących się jak sam diabeł tym, że nigdy się nie kąpią. Wyczują go z daleka, zanim zobaczą. Nosi też czarną brodę niewiernego Saracena i szopę skołtunionych kudłów miast tonsury, jak na zakonnika przystało.

Splunął na zakurzoną drogę, by podkreślić swoją odrazę, i dodał:

— Może mu towarzyszyć tamten chłopiec, ale z nim nie powinno być kłopotu. Jego przeor niech też zatrzyma.

Iluminat odebrał od zakonnika cugle.

— Ruszaj, bracie, i niech Bóg cię prowadzi. Obu nas czeka za to nagroda.

Odprowadzał wzrokiem Zefferina zjeżdżającego na osiołku ze wzgórza, dopóki ten nie znikł mu z oczu za zakrętem drogi. Wtedy ruszył nieśpiesznie jego śladem, prowadząc zwierzę za uzdę. Omdlewały mu mięśnie starczych ud, chude pośladki też dosyć już miały wycierania się na oślim grzbiecie.

Czyż nie odradzał przed laty Eliaszowi chłostania tego zatraconego pokurcza Leona? „Niech sobie gada, co mu ślina na język przyniesie!", mówił. Ale to był rok 1232 i Eliasz, upojony nową władzą — wreszcie minister generalny zakonu — wygnał Leona z Asyżu, tworząc w ten sposób szczelinę, która rozrosła się teraz do rozmiarów piekielnej otchłani, gotowej pochłonąć obie frakcje zakonu.

Ksiądz zazgrzytał pieńkami zębów, zły na Eliasza i na siebie samego. Powinien odebrać chłopcu list Leona. Rozum mu chyba zaćmiło, że tego nie uczynił. W *palazzo* poprosi starego *signore* o pergamin. Musi spisać to, co zapamiętał. Stary Giancarlo nosi pierścień konfraterni; dołoży wszelkich starań, by zażegnać to najnowsze niebezpieczeństwo wyjawienia tajemnicy, której przysięgli strzec.

II

Konrad i Fabiano leżeli okutani w opończe po przeciwnych stronach paleniska. Chłopiec oddychał już miarowo, pustelnik zaś patrzył w powałę zmieniającą stopniowo barwę z cynobrowej na szarą. Myszy uwijały się po izbie w poszukiwaniu okruszków i skórek chleba. Więksi nocni łowcy buszowali w zaroślach na zewnątrz, a od odległego stawu dolatywał aż tutaj rechot żab. Od okna powiało chłodem i Konrad zadrżał. Normalnie spałby już snem sprawiedliwego, nie bacząc ani na zimno, ani na nocne zwierzęta.

Dzisiaj sen spędzał mu z powiek list od Leona. Nic się tu nie zgadzało — ani charakter pisma, ani użyte słowa, ani nawet ten kremowy welin, na którym je spisano. Leon czcił Panią Biedę tak żarliwie jak sam święty Franciszek. Gdyby miał pieniądze, nie przepuściłby ich z pewnością na drogi pergamin z koźlej skóry. Gdzieżby tam, oddałby wszystko jakiemuś biedakowi.

Zastanawiała też Konrada osoba posłańca. Nie mieściło mu się w głowie, żeby Leon mógł powierzyć misję dostarczenia jakiegoś ważnego pisma temu dzieciuchowi z Sacro Convento.

On nie ufał nikomu z tego matecznika. Przez ostatnie dziesięciolecia ukrywał skrzętnie swoje traktaty przed braćmi w obawie, że zostaną skonfiskowane. Nawet Konradowi, którego uważał za swojego duchowego syna, dał na przechowanie tylko jeden zwój. Resztę zdeponował u Ubogich Pań z San Damiano. W tamtejszym klasztorze, do którego z mężczyzn wstęp miał tylko spowiednik sióstr, jego manuskrypty były bezpieczne, pozostawały poza zasięgiem szpicli Bonawentury.

Z drugiej strony ten Fabiano przetrwał niebezpieczną podróż przez Apeniny i odnalazł Konrada w jego pustelni. Rezolutne musiało być z niego chłopię. O bracie Salimbene mówił tak, jakby go znał, chociaż Konrad nie wyobrażał sobie, co ta kijanka mogłaby mieć wspólnego z tamtą starą ropuchą. Pamiętał, jak kiedyś, w trakcie jednej ze swych niekończących się wędrówek, spasiony kronikarz zawitał do Sacro Convento. Gromada braci do wieczora słuchała z zapartym tchem jego rubasznych opowiastek. Na wspomnienie pucołowatej gęby i obwisłego podgardla mnicha — świadectwa biesiadowania na szlacheckich dworach — tego łysego, różowego czerepu, z którego w palącym słońcu ściekały strużki potu, Konrada, tak jak wtedy, przeszedł dreszcz odrazy.

Pustelnik spojrzał na chłopca śpiącego po drugiej stronie paleniska i w tym momencie Fabiano też się wzdrygnął. Dzieciak nie nawykł do zimnych górskich nocy. Konrad przekręcił się na bok i rozdmuchał dogasający żar. Spod popiołu strzeliły pomarańczowe iskierki. Dorzucił drew i poszturchiwał je patykiem, dopóki nie zajęły się ogniem.

— Przestań! — krzyknął nagle Fabiano.

Konrad znieruchomiał. Czymże tak wystraszył chłopca?

— Co mam przestać? — zapytał cicho.

Fabiano nie odpowiedział i Konrad domyślił się, że nowicjusz wcale się nie obudził, a ten okrzyk wydał przez sen, dręczony jakimś koszmarem. Teraz zawierzgał pod opończą nogami, jakby chciał nimi coś albo kogoś odepchnąć.

Konrad obserwował Fabiana, dopóki ten się nie uspokoił,

i na powrót znieruchomiał. Wtedy zamknął wreszcie oczy. Nie ściskało go już tak w dołku z niepokoju, serce tak nie waliło, galopada myśli zamierała.

Nie wiedział, ile czasu trwał tak na pograniczu snu i jawy, kiedy nagle pod jego zamkniętymi powiekami rozlała się bladoniebieskawa jasność. Pochylały się nad nim dwie niewyraźne sylwetki mnichów w obszarpanych habitach. Młodszy trzymał zakrwawioną dłoń na ramieniu starszego.

— Konradzie! — zawołał ten siwy, nie poruszając ustami. Łagodność i ciepło tego głosu sprawiły, że pustelnikowi mrówki przebiegły po krzyżu. Poznał po nim swojego mentora, a po ranie na dłoni jego towarzysza. „Bracie Leonie! Ojcze Franciszku!", chciał krzyknąć, ale żaden dźwięk nie opuścił jego gardła.

— Wydobądź prawdę zawartą w legendach — powtórzył Leon frazę z listu i te słowa odbiły się echem w głowie Konrada, chociaż Leon nie tyle je wypowiedział, co pomyślał.

— A więc to pismo naprawdę jest od ciebie? Wydało mi się jakieś...

— Bądź życzliwy dla tej, która ci je przyniosła. Kosztowało ją to wiele trudu. Nie zważaj na jej młody wiek. W wypełnieniu zadania, które przed tobą stoi, będziesz potrzebował jej pomocy.

Konrad otworzył oczy i zobaczył nad sobą majaczącą w mroku powałę.

Ona? Jej pomocy?

Usiadł gwałtownie i spojrzał ponad płomieniem na wąskie ramiona śpiącego plecami do ognia Fabiana. Czyżby to była krągłość biodra, której wcześniej nie dostrzegł?

Wizje bożych świętych trzeba traktować poważnie. Głosy słyszane podczas żarliwej modlitwy albo w głębokim śnie zawsze mówią prawdę. Teraz mówiły mu, że nie wolno mu pozostać w chacie z tym Fabianem. Czyż Jan Chryzostom nie ostrzegał: „To poprzez kobiety szatan dostaje się do męskich serc"?

Konrad wrzucił w ogień resztkę suchych patyków. Ściągnął opończę, okrył nią śpiącego nowicjusza i na palcach ruszył po zasłanym słomą klepisku ku drzwiom. Myszy rozbiegły się po kątach i czekały, aż przejdzie.

Zimne powietrze zaatakowało policzki i uszy pustelnika. Ukucnął pod ścianą przy drzwiach, skulił się, objął rękoma kolana i spojrzał w bezchmurne czyste niebo.

Leonie, cóżeś mi uczynił? Wiesz, że nie mam z kobietami żadnego doświadczenia. Był podrostkiem, kiedy rozstał się z rodziną Rosanny, i od tamtego czasu nie stykał się z niewiastami. Podczas ostatniego lata, jakie spędzali razem, nawet ona jednym sugestywnym uśmieszkiem albo powłóczystym spojrzeniem czarnych oczu potrafiła przyprawić go o szybsze bicie serca i zawrót głowy. Z biegiem lat wmówił sobie, że ból, jaki czuł, kiedy ich rozdzielono, był błogosławieństwem zesłanym przez Boga. Nie dane mu było nawet po ludzku się z nią pożegnać. W dniu, kiedy ojciec Rosanny odwiózł go ni z tego, ni z owego do domu braci w Offidzie, jej matka powiedziała, że dziewczynka zaniemogła i nie może zasiąść z rodziną do śniadania.

Jego wzrok przyciągnął błysk oka rocznej sarenki skubiącej trawę kilka kroków od chaty. Kiedy była jeszcze cielątkiem, nazwał ją Chiara — Jasna — bo miała lekki chód, a ruchy płynne. Uśmiechnął się po raz pierwszy od przeczytania listu Leona, szczęśliwy, że coś jednak pozostało na tym świecie takie jak dawniej.

Wyciągnął rękę i zwierzę podeszło. Drapał je przez chwilę po szyi, z której co tydzień wydłubywał kleszcze, a potem odepchnął lekko. Oto forma płci nadobnej, w której towarzystwie przystoi przebywać pustelnikowi. Boże, oszczędź mi towarzystwa kobiety, poprosił, znowu zapadając w drzemkę.

Zwykle Konrad z radością witał świt. Wdychał wtedy czyste chłodne powietrze i przy wtórze świergotu budzących się wróbli oraz pohukiwania turkawek odmawiał na głos poranną modlitwę. Dzisiaj jednak, kiedy światło pierwszego brzasku zaczęło przesączać się przez korony drzew, jego głowa wciąż była pełna myśli o kobietach.

Jeśli Fabiano w istocie jest dziewczyną, rozumował, to wyjaśniałoby to jego frywolne pytania. Ale jak Leon mógł powiedzieć, że będzie potrzebował pomocy tej gadatliwej dzierlatki?

Pamiętał, jak Leon kochał i czcił świętą Klarę. Założycielka zakonu Ubogich Pań wykazała się nieugiętą wolą i siłą charakteru, trwając w ubóstwie po śmierci Franciszka, czego nie dało się powiedzieć o braciach. Trawiona przez chorobę, wycieńczona postami i umartwieniami, przeżyła jeszcze trzydzieści lat i doczekała dnia, kiedy Ojciec Święty zatwierdził wreszcie surową regułę Ubogich Pań. Dwa dni po wydaniu bulli przez papieża Leon klęczał przy jej sienniku w San Damiano i patrzył ze smutkiem, jak Klara, ucałowawszy dekret, oddaje w końcu ducha Bogu. Ale ten sowizdrzał Fabiano — to chuchro — i błogosławiona Klara, prócz płci, nie mają ze sobą nic wspólnego.

Leon wyrażał się również z uznaniem o innej kobiecie — bogatej wdowie, która doglądała Franciszka na łożu śmierci. A potem przez dziesiątki lat pomagała Leonowi, dając mu pieniądze na habit, kiedy stary wisiał już na nim w strzępach, użyczając mu dachu nad głową podczas długich lat wygnania. *Donna* Giacoma dei... Konrad nie pamiętał, skąd dokładnie pochodziła, w każdym razie z jakiejś dzielnicy swojego rodzinnego Rzymu.

Rozcierając zdrętwiałe z zimna policzki, rozważał teraz jeszcze jedną możliwość. W takie wyborne materiały piśmienne mogła — i uczyniłaby to z ochotą — zaopatrzyć Leona *donna* Giacoma — jego dobrodziejka. Jeśli jeszcze żyje, bo była wszak w wieku Leona, a kiedy święty Franciszek ją poznał, już owdowiała. Gdyby jednak założyć, że to ona dała welin na list, to cała ta niejasna sprawa nabrałaby jakiegoś sensu.

Konrad usłyszał, jak nowicjusz — jeśli w istocie nim był czy była — wierci się na słomie. Zwiesił czym prędzej głowę i udał, że śpi. Zaspany Fabiano wyszedł z chaty i skierował się między drzewa. Konrada korciło, żeby podejrzeć, czy stoi, czy kuca, lecz powstrzymała go skromność.

Miał inny pomysł. Jak większość seminarzystów, czytał *Liber de contemptu mundi* (O pogardzie świata) papieża Innocentego. Pamiętał jeszcze ustęp wyrażający odrazę, jaką w tym wielkim słudze Kościoła budziła krew menstruacyjna. *Ziarno, które się z nią zetknie, nie wykiełkuje, krzewy zmarnieją, trawa uschnie, drzewa stracą owoce, a pies, który ją poliże, wścieknie się*. Jeśli Fabiano jest dziewczyną i jeśli okres dojrzewania ma już za sobą, a do tego jakimś trafem akurat teraz przypadło jej comiesięczne krwawienie, to wystarczy mu tylko spojrzeć potem na to miejsce.

Na samą tę myśl pustelnikowi krtań się ścisnęła, a żołądek podszedł do gardła — tak samo zareagował, kiedy pierwszy raz usłyszał od Rosanny o tym niewieścim przekleństwie, i jakiś czas potem, kiedy spotkał wiedźmy z Południa, które podobno dodawały tej złej krwi do swoich miłosnych wywarów. Miał jedenaście lat, kiedy Rosanna, o rok od niego starsza, wyjaśniła mu, dlaczego nie może z nim tego popołudnia pobiegać po wzgórzach. Weszła w wiek kobiecy, doroślejąc z dnia na dzień, i od tamtej pory patrzył na nią z szacunkiem.

Konrad podjął już decyzję. Nie będzie obcował z tą dziką pierwotną kobiecością. Podźwignął się na nogi i oddalił od pustelni w kierunku przeciwnym niż Fabiano. Musi znaleźć inny sposób na upewnienie się co do tożsamości nowicjusza.

Fabiano wydał mu się nadąsany, kiedy spotkali się potem w drzwiach chaty i skinęli sobie na powitanie głowami. Konrad wskazał gestem stół i zdjął z krokwi siatkę z jadłem. Napełnił dwa kubki wodą z glinianego dzbana, przekroił bochen chleba, położył na obie połówki po kilka plastrów sera, a na ser po kilka winogron.

— Czy opiekunem nowicjuszy w Sacro Convento nadal jest brat Hilarion? — spytał niby od niechcenia, podając Fabianowi deseczkę z tak przygotowaną pajdą.

— Oho, zatem przerywamy milczenie? — Fabiano sprawiał wrażenie bardziej zagniewanego niż zaskoczonego pytaniem pustelnika. — Bracie Konradzie, jeśli chcecie się czegoś dowiedzieć, pytajcie wprost. Widzę przecie, że podejrzewacie, iż jestem kobietą. Nie musicie uciekać się do głupich podstępów.

— Nnnie... nie rozumiem — wyjąkał zaskoczony Konrad.

— Obudziłam się przykryta drugą opończą, a wy spaliście przed chatą. Co miałam sobie pomyśleć? Dworny mężczyzna odkrył, że dzieli izbę z kobietą, oddaje jej więc swoje okrycie. Za to mu dziękuję. Z drugiej strony ten bezmyślny mężczyzna woli zamarznąć, niż znosić bliskość kobiety, bo to w jego mniemaniu się nie godzi, czmycha więc, by ratować swoją czystą duszyczkę. Za to mu nie dziękuję!

Oderwała kawał chleba i zatopiła w nim zęby z taką złością, jakby wyobrażała sobie, że to jego ciało.

— Przejrzałam was? — spytała. Mleczna skóra jej policzków i szyi nabrała różowego odcienia, czarne oczy zabłysły złowróżbnie.

Konradowi krew uderzyła do twarzy. Jej zuchwałość wprawiała go w konfuzję i zbijała z pantałyku. Zgoda, przejrzała go, ale wytykając mu nieporadne zabiegi, nie okazywała najmniejszego szacunku dla jego kapłańskiego stanu. Powinien ją za to zgromić, przywołać do porządku.

— Naprawdę mam na imię Amata — podjęła, zanim zdążył cokolwiek powiedzieć. — Imię Fabiano nosi, a raczej nosił, mój brat.

Jadła i jednocześnie, bawiąc się pergaminem Leona, mówiła z pełnymi ustami:

— Powinnam powiedzieć *suor* Amata. Jestem siostrą służebną z San Damiano. Sługa pewnej zacnej pani przyniósł ten list do naszego domu i matka przeorysza powierzyła go mnie. Załatwiam wiele jej spraw. — Spojrzała mu w oczy. — Czy wiesz, bracie, jak niebezpieczna nawet dla mężczyzny, nawet dla mnicha, jest przeprawa przez te góry? Gdyby szajka *banditi* stwierdziła, że w ich łapy wpadła kobieta... a nie tylko sakiewka srebra czy para nowych sandałów, to nie skończyłoby się na poderżnięciu mi gardła. Mój los byłby gorszy od śmierci, nawet od wiecznej męki w piekle.

— Miarkuj się, dziecko! Bluźnisz! — upomniał ją Konrad. — Nie ma nic gorszego od wiecznego potępienia.

Amata obrzuciła go ironicznym spojrzeniem.

— Wiem, co mówię, bracie, za to ty chyba nie. Taki jest świat, którego, jak podejrzewam, od lat nie oglądałeś. I jeszcze jedno, nie nazywaj mnie dzieckiem! Mam prawie siedemnaście lat. Gdybym nie wstąpiła do zakonu, miałabym teraz dom, męża, a mej sukni czepiałyby się raczkujące maleństwa. — Uśmiechnęła się, ale nie był to uśmiech wesoły. — Czyż twoja Rosanna nie wyszła za mąż, będąc w moim wieku?

Konrad poczerwieniał. Wara jej od Rosanny. Basta!

Jego przyjaciółka wyszła za mąż nawet wcześniej, mając zaledwie szesnaście lat. W drugim miesiącu pobytu u braci dostał od niej list. Donosiła w nim, że rodzice zaręczyli ją z kupcem Quinto, i prosiła o modlitwę oraz błogosławieństwo. Pościł przez kilka dni, by odpokutować myśli, które go naszły, kiedy to przeczytał. Dopiero tak oczyszczony, zaczął się modlić.

Amata rozprostowała łokciem list Leona, wolną ręką wrzucając sobie do ust winogrona. I nagle w jej oczach pojawiło się zaciekawienie. Rozdrażnienie opuściło ją tak szybko, jak marudzącego noworodka, któremu podano nową grzechotkę.

— Czy to są słowa? — zapytała, sunąc palcem po obwódce okalającej treść listu. — Widzę tu M, a to wygląda jak A.

— Gdzie? Pokaż.

Konrad wyrwał jej pergamin i jednym susem znalazł się przy drzwiach. Obwódkę rzeczywiście tworzył ciąg drobniutkich literek. Rozpoznawał charakter pisma Leona. Szukał wzrokiem miejsca, w którym tekst bierze początek i biegnie dalej szeregiem wyrazów i zdań układających się w logiczną całość, ale udało mu się tylko rozróżnić kilka oderwanych fragmentów.

Tekst obwódki zaczynał się od tego samego zalecenia, które kończyło główny list: *Servite pauperes Christi*. Zaczął czytać na głos:

> Służ biedaczkom Chrystusa. Brat Jakubina wiele wie o idealnej pokorze. Kto okaleczył Towarzysza? Skąd Serafin? Pierwsza Tomasza zaznacza początek ślepoty; Testament rzuca pierwsze okruchy światła. Prawda z dłoni martwego lepera przebija. *Servite pauperes Christi.*

Przeczytał całą owalną obwódkę dokoła, lecz nadal nie był mądrzejszy, niż kiedy zaczynał.

— Dlaczego on pisze zagadkami? — spytała Amata.

— Przypuszczam, że jeśli ja nic z tego nie pojmuję, to tym bardziej nie pojąłby Bonawentura, gdyby pismo wpadło w jego ręce. — Konrad zrolował pergamin i schował go za pazuchę habitu. — Tyle pojmuję. Muszę zapoznać się z legendami i testamentem, o których wspomina tutaj Leon. Są przechowywane w bibliotece Sacro Convento.

I powiedziawszy to, zesztywniał. Bracia tacy jak on, praktykujący bezwzględne ubóstwo, nie byli w mateczniku mile widzianymi gośćmi. Mieszkając tam jako młody ksiądz, popadł w poważne tarapaty, kiedy wytknął braciom fałszywe pojmowanie „własności".

Braciom nie wolno posiadać na własność niczego, ani domu, ani miejsca, ani w ogóle czegokolwiek — zacytował wtedy fragment z *Reguły świętego Franciszka*. — „A spójrzcie tylko na nasze miękkie szaty, rumiane lica i wykwintne jadło. Posiadamy księgi. Posiadamy ten okazały klasztor. Tylko żon nam jeszcze brakuje".

Było to siedem lat temu, w roku Pańskim 1264*, wkrótce po tym, jak wrócił z Paryża, a brat Bonawentura był już generałem zakonu po odsuniętym Janie z Parmy. Bonawentura nie tolero-

* W rzeczywistości św. Bonawentura został generałem z 1257 roku.

wał takich swarliwych niesubordynowanych braci jak Konrad. Natychmiast wtrącił młodego duchownego do jednego z ciemnych wilgotnych lochów, wydrążonych głęboko pod Sacro Convento. Gdyby nie wstawiennictwo brata Leona i gdyby Konrad nie obiecał, że wyprze się swoich słów krytyki i od tej pory żyć będzie w izolacji od świata, gniłby tam po dziś dzień — jak sam Jan.

— Jan z Parmy to żywy męczennik — powiedział. Tak przywykł mówić do siebie albo do zaprzyjaźnionej wiewiórki, brata Szarego, że zapomniał zupełnie o siedzącej wciąż przy stole Amacie. Spojrzał na nią. Przyglądała mu się, przekrzywiając głowę, w wyzywającej pozie, którą tak często przyjmowało zwierzątko.

— Niech się dzieje wola Boga — mruknął. — Muszę do Asyżu, siostro. Jeszcze tego ranka ruszam w drogę.

— Mogę iść z tobą? Czułabym się bezpieczniejsza, gdybyśmy podróżowali razem.

Konrad zawahał się. Kolejny orzech do zgryzienia. Święty Franciszek napominał swoich pierwszych uczniów, żeby nigdy nie podróżowali z kobietami, żeby nawet nie jedli z nimi z tego samego talerza wytwornym zwyczajem arystokracji. Kto wie, czy nie złamał już tej zasady, śniadając z nią dzisiaj przy tym samym stole?

— Obiecuję zachowywać się jak najobyczajniej — dodała Amata. Ułożyła usta w ciup, robiąc błagalną minkę, ale oczy jej się skrzyły, co nie uszło uwagi Konrada. Ta dziewka drwi sobie ze mnie, pomyślał. Ale co do bezpieczeństwa we dwoje, ma rację.

I tu pustelnik przypomniał sobie drugą wersję *Reguły Franciszka*, w której stało tylko, że bracia nie powinni obcować z kobietami w sposób mogący budzić podejrzenie. A kto będzie podejrzewał o coś mnicha podróżującego z nowicjuszem o imieniu Fabiano? Co więcej, święty Franciszek nakazywał wręcz swoim zakonnikom, by podróżowali parami, a zatem podejrzenie wzbudzałby dopiero zakonnik wędrujący bez towarzysza, tak jak pewnie wzbudziła je Amata u tamtych dwóch zakonników, których spotkała po drodze. I nie pogwałci nawet ducha *Reguły*, bo nic nie czuje do tego niesfornego elfa o niewyparzonym języczku. Pokusa ciała nie wchodziła tu w rachubę.

— Zobaczymy, czy dotrzymasz obietnicy — burknął i rozejrzał się po izbie, zastanawiając się, co też należałoby zabrać, a co zabezpieczyć przed wyruszeniem w drogę. Znowu się zawahał. — Nie zauważyłaś, czy mnisi, którzy czytali list Leona, odczytali również obwódkę?

— Mogli. Ten stary kręcił pergaminem na boki. Źle uczyniłam, pokazując im pismo?

— Obawiam się, że tak! Czy ten list może ściągnąć na nasze głowy niebezpieczeństwo czy nie, powiedzieć nie potrafię, bo nie wiem, co znaczy. Ale moi konwentualni bracia podejrzewają, że podżeganiem do buntu pachnie wszystko, co napisał Leon. I może mają rację.

Schylił się i z mroku zalegającego za stołem wyciągnął dzban i postawił go na ławie.

— Powinnaś wiedzieć, gdzie szukać traktatu Leona, na wypadek, gdybym ja nie mógł tu wrócić.

Zdjął z dzbana pokrywkę i wyjął ze środka cylindryczną paczkę. Po izbie rozszedł się silny odór gnijącej ryby miły dla nosa Konrada, który dzieciństwo spędził u boku ojca w ankońskim porcie. Ostrożnie odwinął zielonkawożółtą, zaimpregnowaną olejem tkaninę, a potem kilka warstw wyblakłego płótna, spod których wyłonił się w końcu gruby manuskrypt. Pustelnik rozwinął go na całą długość stołu. Amata ujęła jego róg między palce i potarła.

— To papierowy zwój — wyjaśnił Konrad. — Brat Leon powiedział, że to nowy materiał sprowadzony z Hiszpanii, podejrzewam, że przez tę samą damę, która dostarczyła jego list do San Damiano. Był nim zachwycony. Gładki i lekki, nigdy się nie skleja. Przysłał mi go tej wiosny, wiedząc, że jego dni są policzone. Prosił, żebym sporządził kopie tej kroniki dla braci spirytualnych ukrywających się w Romanii i w Marche. Tylko nasza garstka może ocalić prawdę od zapomnienia.

— Jaką prawdę?

— Prawdziwą historię braci mniejszych po śmierci świętego Franciszka. Nasz zakon stał się, niestety, potwornym gryfem. W połowie jest orłem, który szybuje na skrzydłach świętości i pobożności. Mogę ci wymienić tuzin braci, którzy na takich skrzydłach się wznoszą. Ale w drugiej połowie jest lwem i ukrywa pazury okrucieństwa i nieprawości. Leon był świadkiem cierpień braci, którzy pozostali wierni *Regule*. Eliasz, zostawszy ministrem generalnym, uwięził i torturował wielu z nich, a nawet zamordował ojca Cezarego ze Spiry. Później Krescenty, który nastał po Eliaszu, rozpędził ich grupę. Część zesłał na poniewierkę do Armenii Mniejszej. Bonawentura...

— Przecie brat Eliasz zbudował bazylikę — wpadła mu w słowo Amata. — Z całego świata ciągną do Asyżu tłumy, żeby ją zobaczyć!

Konrad odetchnął głęboko, nakazując sobie w duchu cierpliwość. Ta Amata najwyraźniej niewiele wie o podziale w zakonie. Wiele przed nią nauki, zanim będzie mógł liczyć na jej obiecaną przez Leona pomoc. Przyjął pobłażliwy ton nauczyciela:

— Eliasz, chociaż był ze świętym Franciszkiem tak samo blisko jak każdy z braci, nie zrozumiał celu, do którego przez całe życie zdążał nasz założyciel. Franciszek, w swej pokorze, prosił, by pochowano go poza murami miasta, na Colle d'Inferno, śmietnisku Asyżu, gdzie grzebie się przestępców. A co uczynił brat Eliasz? Doprowadził do tego, że zakonowi, który za życia swego mistrza nie posiadał niczego, podarowane zostało całe wzgórze, i wybudował na nim najwspanialszą w całym chrześcijańskim świecie bazylikę — olbrzymie mauzoleum dla *Il Poverello*, Biedaczka Bożego, jak nazywał go lud. Oto, jak opacznie Eliasz pojął nauki Franciszka.

Amacie pojaśniała twarz.

— Znam Colle d'Inferno — ożywiła się. — To mój dziadek Capitanio podarował je bratu Eliaszowi.

Konrad spojrzał na nią z niedowierzaniem. Najpierw twierdziła, że zna takiego upadłego brata jak Salimbene, teraz znowu ma czelność przyznawać przed nim, że to jej rodzina podarowała grunt pod wielką bazylikę?

Amata rozwinęła zwój.

— Nie zabierzemy tego ze sobą. Moglibyśmy go ukryć u matki przeoryszy.

— Nie. Gdyby nas z nim przyłapano, inkwizytorzy posłaliby nas na stos, a ta kronika posłużyłaby im za podpałkę. Zakopię ją w tym dzbanie. Że istnieje, wiemy tylko ty i ja. Gdyby nie dane mi było tu wrócić...

— O nie! — Amata zamachała rękami jak karczmarka opędzająca się przed komarami. — W tym ci nie pomogę. Nie wolno mi chodzić samej. Nie pozwolą mi drugi raz iść w te góry.

— Bóg jeden wie, dlaczego zostałaś wciągnięta w tę sprawę, siostro, ale skoro On chce, byś stała się Jego narzędziem, to ci to umożliwi.

Żeby włożyć manuskrypt z powrotem do dzbana, Konrad musiał wyjąć wpierw z niego płócienny woreczek przewiązany sznurkiem. Woreczek wysunął mu się z dłoni i upadł z klekotem na rozesłaną na klepisku słomę. Wysypały się z niego gęsie pióra, kałamarz z rogu, pumeks, linijka, rylec i kreda. Zawstydzony swoją niezgrabnością, pochylił się i zaczął zbierać przybory.

— Jak widzisz, mam wszystko, czego trzeba do sporządzania kopii, prócz pergaminu. Muszę poprosić Monnę Rosannę, żeby przysyłała mi po kilka arkuszy z każdą dostawą jadła.

Amata parsknęła śmiechem, ale to nie jego niezgrabność tak ją rozbawiła.

— I ty nazwałeś uczonych trwonicielami czasu?! Wiedziałam od razu, że sam w to nie wierzysz.

— Takaś sprytna? A po czym poznałaś?

— Wystarczy popatrzeć na twój habit. Na siedzeniu i łokciach bardziej wytarty niż na kolanach. Na zadku spędzasz tyle samo czasu, co skryba przy swoim pulpicie.

Konrad nie wiedział, czy się roześmiać, czy obrazić. Zdecydował się na to pierwsze.

— Przyznaję — powiedział. — Studiowałem w Paryżu i prowadziłem tam dyskursy z wielkimi tego świata. Nam, studentom, kiedy tak uczenie rozprawialiśmy, dzieląc włos na czworo, wydawało się, że w ręce wpadły nam klucze do wszechświata. Głowa mnie boli, kiedy wspominam tamte czasy.

Uśmiechnął się, wychodząc do ogródka po szpadel. I nadal nie wiem, ile odcieleśnionych dusz mieści się w misce do zupy, pomyślał.

— Zaczekaj tam chwilę! — zawołała przez okno Amata. — Muszę załatwić... pewną kobiecą sprawę.

Słysząc to, Konrad odwrócił się natychmiast plecami do chaty. Znowu te kobiece sprawy! Rozmyślanie o nich już wystarczająco popsuło mu dzisiaj apetyt.

Skorzystał ze sposobności i zapatrzył się na drzewa skrzące się wciąż milionami maleńkich iskierek rosy. Już teraz czuł, jak bardzo będzie mu brakowało tego lasu. Amata strasznie się grzebała, ale jemu nie było już tak pilno ruszać w drogę. Uświadomił sobie, że być może na zawsze opuszcza to miejsce, które pokochał i uważał za przedsionek nieba. Pragnął ten ostatni raz upoić się jego spokojem, pogodą ducha, którą tutaj czuł. Postanowił, że drzwi chaty zostawi otwarte na wypadek, gdyby jego leśni przyjaciele potrzebowali schronienia. Ciekaw był, czy będą za nim tęsknili, ale czy to aby nie herezja przypisywać ludzkie uczucia pozbawionym duszy zwierzętom?

— Jestem już gotowa! — krzyknęła w końcu Amata. — Wyręczyłam cię i powkładałam wszystko z powrotem do dzbana.

Pustelnik wykopał dołek w kącie, w którym stał stół, włożył do niego dzban i przykrył słomą. Amata przytrzymywała pokrywkę, kiedy go zasypywał i ubijał ziemię. Oczyszczając drewniany szpadel, Konrad odniósł wrażenie, że widzi na twarzy dziewczyny zdecydowanie, którego wcześniej tam chyba nie było. Czy to możliwe, żeby w tej impertynenckiej, dziecinnie zarozumiałej siostrze drzemała odwaga i stanowczość mężczyzny? Będzie jej potrzebne jedno i drugie, pomyślał, jeśli ma przetrwać burzę, która nadciąga. Bo ta burza na pewno się rozpęta.

I w tym momencie przed oczami stanął mu ojciec tonący w czarnej, spienionej szkwałem, morskiej kipieli. Boże, zmiłuj się nad nami wszystkimi, pomyślał.

III

Orfeo Bernardone otarł twarz szerokim rękawem arabskiego burnusa. Przeczesał palcami wilgotne, lepiące się do karku włosy i poprawił czerwoną lewantyńską czapkę, zwisającą mu jak sakwa nad prawym uchem. Słońce nad portem w Akce prażyło niemiłosiernie w ten nietypowy poranek, nietypowy, bo od morza nie nadlatywała najlżejsza bryza i Ziemia Święta kojarzyła się bardziej z rozpaloną pustynią niż Ziemią Obiecaną. Żeglarz mrużył oczy przed blaskiem bijącym od białych ścian mauretańskich domostw oraz rysujących się w dali na tle błękitnego nieba kopuł meczetów i pałaców. Wysokie palmy stulały rzadkie wiechcie postukujących o siebie liści, wieńczących wysmukłe pnie, jakby żałowały cienia przechodzącym pod nimi ludziom.

— Podziwiam cię, Marco — powiedział do swojego towarzysza. — Twój zawój jest tak samo suchy, jak w chwili, kiedy owijałeś nim sobie głowę. — Pociągnął za kosmyk jasnych kędziorów wymykających się spod nakrycia głowy młodego pana Polo. — A i teraz tylko jeden włos masz w nieładzie.

Młodzieniec odtrącił jego rękę.

— Początkujący kupiec nie może wyglądać na zgrzanego — rzekł. — Inny kupiec, widząc go spoconym, będzie się tym zawzięciej targował.

Weszli między ocienione stragany i przecinające się alejki bazaru. Orfeo zaciągnął się głęboko mieszaniną zapachów czosnku, kwiatu muszkatołowego i gałki muszkatołowej, worków cynamonu i imbiru z Indii, piżma z Tybetu. W Rzymie książęta dworu i Kościoła płacili za te przyprawy małe fortuny, a on mógł się rozkoszować tymi samymi wrażeniami zmysłowymi za darmo, przy okazji zwyczajnej porannej przechadzki. Cudowny Orient!

Po targowisku uganiała się obszarpana dzieciarnia, a nieśmiałe kobiety z zasłoniętymi twarzami i z dzbanami na głowach przypominały mu czerpiące wodę gospodynie z górskich wiosek jego rodzinnej Umbrii. W porównaniu z Akką Umbria była jednak zimna jak dziewicze śluby. W portowych uliczkach krzyżowcy ocierali się o Saracenów, czarni Mauretanie i Żydzi targowali się z Ormianami i nestoriańskimi chrześcijanami — a wszystkich, niby szprychy koła, łączyła piasta pieniędzy. Podobnie jak żeglarze przybijający do brzegu wyspy zamieszkiwanej przez zjadaczy lotosu, mieszające się tu rasy szybko zapominały o swoich świętych krucjatach i dżihadach, nawet o ojczystych krajach, i pragnęły tylko jednego — pozostać na wieki na tym rajskim wybrzeżu.

Jeszcze bardziej niż mieszkańcy miasta zadziwiała Orfea wszechobecna tu tolerancja. W Umbrii człowiek mógł spłonąć na stosie tylko za to, że obraził swoimi porwanymi łachmanami oko bogatego biskupa, albo za to, że w jakimś teologicznym wywodzie porównał niebo do gomółki sera. Tutaj, w Akce, każda kultura i filozofia traktowana była tak samo. W panoramie miasta minarety, z których muezini wzywali wiernych muzułmanów do modlitwy, sąsiadowały zgodnie z bastionami europejskiej obecności: wieżami księżnej Blois i króla Henryka II, szpitalników, templariuszy i teutońskich rycerzy, a tam gdzie mury miasta spotykały się z portem — wznosiły się zamki patriarchy Akki oraz legata papieskiego, Tebalda Viscontiego da Piacenzy. W labiryncie placyków i wąskich uliczek Orfeo napotykał Greków, Normanów, Aragończyków, Kurdów, Turków, no i oczywiście kupców z Pizy i Genui. Głównie przez wzgląd na tych ostatnich, swoich krajanów, obaj młodzieńcy mieli u pasa miecze.

Tego poranka ich celem nie był jednak bazar, lecz jeden z odchodzących od niego wąskich krętych zaułków, gdzie prowokujący śpiew grajków akompaniujących sobie na cytrach wabił do domu, w którym oczekiwały ich dwie ciemnoskóre kurtyzany bliźniaczki. „Jeszcze ten jeden raz i ruszamy w rejs do Laiaissy", obiecali sobie dwaj Italczycy poprzedniego dnia. Perspektywa pączkującej przygody podniecała ich tak samo, jak myśl o zaznaniu po raz ostatni rozkoszy z namiętnymi siostrami.

— Marco, dlaczego ociągasz się z wyjawieniem mi odpowiedzi twojego ojca? — spytał Orfeo, kiedy kluczyli między straganami. — Powiedz wreszcie, czy i mnie będzie dane zostać początkującym kupcem?

Twarz Marca stała się nieprzeniknioną maską.

— On myśli praktycznie, *amico*. Kieruje się logiką. — Teraz zrobił minę starszego Polo i tą maska sposępniała. — „Orfeo jest wioślarzem. Prócz pirackich napaści na statki genueńskich kupców, jakie ma doświadczenie we władaniu orężem? Taki człowiek miałby stanowić naszą zbrojną eskortę? Czy on w ogóle potrafi utrzymać się na koniu, nie wspominając o wielbłądzie? Czy Tatarzy nie wyśmieją nas, kiedy zobaczą, kogo nazywamy jeźdźcem?".

Posępność twarzy Marca udzieliła się duszy Orfea. Tego się właśnie obawiał. Od kiedy zaciągnął się na śmigłą galerę rodziny Polo, śnił o wyprawie z ich karawaną przez Armenię Mniejszą i Większą, Turcję i Kitaj, aż na dwór samego Kubłaj-chana. Jezusie, cóż by to była za przygoda! Był zaledwie kilka lat starszy od Marca i wróciłby pewnie bogaty, na tyle bogaty, by jak Marco wieść życie pełne podniet? Słuchając jednak z drugiej ręki trzeźwej opinii Nicola Polo, czuł się teraz bardziej niż kiedykolwiek skazany na szarą egzystencję wśród żeglarskiej braci. Nigdy nie odłoży tyle, by móc zostać kupcem, a już dawno zerwał wszelkie więzy ze swoim ojcem, który też był kupcem, i z braćmi. Zwiesił głowę i wpatrzył się w swoje sandały wzbijające pył z uliczki.

— Aha, a na koniec powiedział coś jeszcze — dodał Marco. — Cytuję słowo w słowo: „Z drugiej jednak strony, to przecież twój przyjaciel, synu. Skoro tak go kochasz, znajdziemy dla niego jakieś miejsce".

— Co?! Naprawdę?

Marco się uśmiechnął.

— Niech będą pochwaleni wszyscy święci spowiednicy! Ruszam do Kitaju! — wykrzyknął Orfeo. Porwał przyjaciela w ramiona, ucałował go w oba policzki, a potem uniósł w górę i uściskał z taką siłą, że ten jęknął z bólu.

— Masz mnie bronić, a nie łamać żebra — stęknął Marco.

Orfeo roześmiał się na całe gardło i nagle spoważniał.

— Kto wie, czy nie od zaraz — rzekł, obserwując ponad ramieniem Marca trzech nadchodzących mężczyzn w barwach Genui.

Ocenił ich jednym rzutem oka. Do rosłych się nie zaliczali, za całą trójkę na targu niewolników nie dano by pewnie stu drachm. Orfeo zaś miał posturę zapaśnika i chełpił się często, że potrafi powalić wołu. Lata spędzone za wiosłem zrobiły swoje. Inna sprawa, że tamtych było trzech i zapewne ani im w głowie się z nim mocować, od czego mają miecze.

Czy to podekscytowany dobrą nowiną przekazaną mu przez Marca, czy po prostu przejęty swoją nową rolą jego straży przybocznej, poczuł nieprzepartą pokusę wszczęcia awantury.

— Czyż nie jest prawdą, Marco, że Genuę zaludniają wałachy, którym brak wiary w siebie, i kobiety, niewiedzące, co to wstyd? — powiedział głośno, tak żeby tamci usłyszeli.

Patrzył przy tym na nich wyzywająco. Oni też na niego spojrzeli i jeden odparował:

— Nie, ale prawdą jest, że wszyscy Wenecjanie to liżący rzyci łgarze.

Marco odwrócił się na pięcie i stanął ramię w ramię z Orfeem twarzą do Genueńczyków. Cała piątka równocześnie dobyła mieczy.

— *Sior* Polo! *Sior* Polo! — rozległ się za nimi zdyszany piskliwy głosik. — Chodźcie prędko. Wasz ojciec każe wam wracać co tchu do obozu.

— Och, *sior* Polo — zakpił jeden z Genueńczyków, naśladując posłańca. — Biegnijcie lepiej, bo się jeszcze tatulo rozeźlą.

— Błagam was wszystkich, schowajcie miecze — zapiszczał eunuch. — To bardzo ważna sprawa.

— O co chodzi? — warknął Marco, nie odrywając oczu od trzech przeciwników i ich oręża. — Jaka to ważna sprawa?

— Mamy papieża, *sior* Polo! Po trzydziestu jeden miesiącach mamy wreszcie papieża!

Tebaldo Visconti da Piacenza, osuszając wonną haftowaną chusteczką wilgotne skronie, czekał w wielkiej sali swego zamku na braci Polo i ich towarzyszy. Jasne słońce wlewało się przez łukowate okna w zachodniej ścianie budowli.

Czyżby to już dwa lata, jak Nicolo ze swoim bratem Maffeem przybyli do Akki z posłaniem od Wielkiego Chana? Im był starszy, tym szybciej upływały mu miesiące. Pamiętał pierwsze wrażenie, jakie zrobili na nim ci dwaj weneccy kupcy: wykształceni, rzeczowi. Przywieźli Tebaldowi, legatowi papieskiemu w Akce, pismo od imperatora.

> Kubłaj-chan, naczelny wódz wszystkich Tatarów, zwraca się do Wielkiego Biskupa Rzymu z prośbą o przysłanie stu uczonych mężów, dobrze obeznanych z religią chrześcijańs-

ką, jak również z siedmioma sztukami, zdolnych dowieść rzetelną argumentacją, że bogowie Tatarów i bałwany, które czczą oni w swoich domostwach, są złymi duchami, oraz że wiara wyznawana przez chrześcijan opiera się na prawdzie lepiej ugruntowanej niż wszystkie inne. Wielki Chan prosi również o flakonik oliwy z lampy płonącej w grobie Pana Jezusa Chrystusa, którego głęboko poważa i uznaje za prawdziwego Boga.

Ale był to rok Pański 1269 i rok wcześniej zmarł papież Klemens IV.

— Jego fotel wciąż stoi pusty — powiedział Tebaldo braciom Polo. — Wracajcie do Wenecji. Odwiedźcie swoje domy i rodziny i czekajcie na elekcję nowego papieża.

Tak też uczynili i Nicolo stwierdził, że żona, którą przed piętnastu laty zostawił brzemienną, powiła mu syna. Dała mu na imię Marco, po świętym patronie miasta. Nicolo dowiedział się również, że zmarła, wydając chłopca na świat. W końcu, dwa lata po pierwszym spotkaniu z Tebaldem, bracia wrócili do Akki z Markiem. Powiedzieli, że nie mogą dłużej czekać. Zachodziła obawa, że Kubłaj-Chan uzna ich przedłużającą się nieobecność za afront, a skutki tego byłyby dla wszystkich chrześcijan opłakane.

I teraz, kiedy szykowali się już do powrotu na dwór Wielkiego Chana, konklawe kardynałów, nie ulegając naciskom przedstawicieli frakcji andegaweńskiej, optujących za papieżem Francuzem, ogłosiło swój wybór. Kolejnym papieżem został legat papieski w Akce.

Słysząc zbliżające się głosy i kroki, które odbijały się echem w kamiennym korytarzu prowadzącym do wielkiej sali, Tebaldo podniósł się z tronu z libańskiego cedru. Na czele rodziny kroczył Maffeo Polo. Ukląkł i pocałował pierścień na palcu Tebalda.

— Wasza Świątobliwość — rzekł — cóż za cudowna niespodzianka. Pod jakim imieniem będziemy was znali w przyszłości?

— Zdecydowałem się na Grzegorza. Grzegorz, dziesiąty papież tego imienia.

Usiadł, a goście stali przed jego tronem. Zawsze odnosili się do niego z szacunkiem jako do legata, ale najwyższy respekt, który malował się teraz na ich twarzach, krępował go. W swoich najambitniejszych marzeniach nie widział siebie w roli papieża. I teraz, kiedy wybrano go na pasterza całego Kościoła chrześcijańskiego, wolał określać się w myślach jedną ze skromniejszych definicji papiestwa: *Servus servorum Dei*, sługa Sług Bożych.

— Ta wieść nie mogła nadejść w stosowniejszym czasie — zagaił. — Jeszcze dzień, a odpłynęlibyście do Armenii Mniejszej. — Skinął na kleryka, który czekał w na wpół otwartych bocznych drzwiach. Kleryk dał znak ręką i do sali weszli dwaj korpulentni dominikanie.

— *Signori*, przydzielam wam brata Guielma da Tripoli oraz brata Nicola da Vicenzę. Z łaski Boga przebywali tutaj, w Akce, kiedy z Rzymu nadeszła wieść o moim wyborze. Nie jest to wprawdzie stu uczonych mężów, o których prosi Wielki Chan, ale obaj bracia biegli są w piśmie i naukach. — Naprawdę nie mógł zebrać liczniejszej grupy misyjnej w tak krótkim czasie i modlił się, żeby ta więcej niż skromna liczba misjonarzy nie stała się decydującą przeszkodą na drodze do nawrócenia pogańskich Tatarów na wiarę chrześcijańską. Przyglądając się dwóm pulchnym zakonnikom, zastanawiał się, czy w ogóle zniosą trudy podróży i dotrą żywi do Kitaju.

Do tronu zbliżył się kleryk i wręczył Tebaldowi welinowy pergamin z jego osobistą pieczęcią.

— Ten list papieski, prócz pozdrowień dla Kubłaj-chana, zawiera również upoważnienie dla tych tu braci do wyświęcania w moim imieniu księży, konsekrowania biskupów oraz do udzielania rozgrzeszeń. Macie moje błogosławieństwo, życzę wam zdrowia i bezpiecznej podróży. Wiem, że napotkacie na swej drodze lód, piasek, powodzie, wojny, barbarzyńskich zbójców i wiele innych niebezpieczeństw. — Te ostatnie słowa wypowiedział z myślą o dwóch dominikanach i zauważył, jak wymieniają nerwowe spojrzenia. Obawiał się, że jego wybór może okazać się niezbyt fortunny, ale naprawdę byli jedynymi doświadczonymi uczonymi, jakich tego dnia miał pod ręką w Akce. W ostateczności mógł jeszcze dodać braciom Polo swojego kleryka.

Załatwiwszy formalności związane z misją kupców, Tebaldo pozwolił sobie odchylić się na rzeźbione oparcie tronu. Odetchnął głęboko i znowu osuszył skronie.

— Szczerze mówiąc, przyjaciele, opuszczam Akkę bez żalu. Kupcy tacy jak wy, a nawet nasi dzielni krzyżowcy, przez cały mój pobyt tutaj przysparzali mi tylko kłopotów.

Na te słowa obecni zmieszali się, nie bardzo wiedząc, czy mają spuścić ze wstydem wzrok, czy okazać skruchę, ani w ogóle jakiej reakcji się od nich oczekuje. Widząc ich niepewne miny, Tebaldo uśmiechnął się ze znużeniem.

— Chyba mnie zrozumieliście? — podjął. — Ściągnęliśmy tu kwiat rycerstwa świata chrześcijańskiego, żeby odzyskać Ziemię Świętą. A przecież Bajbars Bandukdari i jego mamelucy nadal sieją śmierć i zniszczenie. Nie dalej jak tego roku zdobyli zamek templariuszy w Safedzie i wycięli w pień załogę. Złupili Antiochię i wymordowali osiemdziesiąt tysięcy mieszkańców. Ocalała jedynie garstka, która życie zawdzięcza temu, że żołnierzom Bajbarsa ręce omdlały od wywijania mieczem, i ci są teraz w niewoli. Nim minie dziesięć lat, spodziewam się go u bram samej Akki. I wiecie co? On ją weźmie, bo my, chrześcijanie, tak się między sobą wadzimy, że nigdy nie zdołamy się zjednoczyć, by stawić mu czoło. Wasi bracia Wenecjanie ślą Bajbarsowi broń. Genueńczycy pomagają mu w handlu niewolnikami. Templariusze i szpitalnicy kłócą się i niweczą nasze wysiłki w negocjacjach z Saracenami, odmawiając wydania muzułmanów, których wzięli w niewolę. „Potrzebujemy ich, bo są dobrymi rzemieślnikami", mówią mi. Nikt nie patrzy dalej własnego nosa. Za nic mają wolę bożą, a co dopiero nasze wspólne dobro.

Odchylił w tył głowę i westchnął głośno.

— Wybaczcie, *signori*. Wy tylko handlujecie drogimi kamieniami i dobrze służyliście naszej sprawie. Nie na was się skarżę. Pobyt tutaj zrobił swoje. Jestem już zmęczony i pragnę wrócić do ojczyzny. — Wyprostował się i spojrzał na obecnych. — Ach, a więc jest tutaj twój Marco. Ale młodzieńca, który stoi obok niego, chyba nie znam. To też twój syn, *sior* Polo?

— Nie, Wasza Świątobliwość. Pozwól, że go przedstawię. To Orfeo di Angelo Bernardone, przyjaciel mego syna i członek zbrojnej eskorty naszej wyprawy.

— A więc też Wenecjanin?

— Asyżyjczyk, Ekscelencjo — sprostował kupiec, a potem, żeby wybrnąć z niezręcznej sytuacji, dodał: — Jest bratankiem błogosławionego świętego Franciszka z tego miasta.

— Doprawdy?

Tebaldo zmierzył krzepkiego młodziana taksujacym wzrokiem. Uważał się za nieomylnego sędziego ludzkich charakterów. Mężczyzna dobrze się prezentował, Tebaldowi podobała się energia i ciekawość wyzierająca z jego brązowych oczu. Świadczyły o żywotności i inteligencji. Szkoda, że nie ma teologicznego przygotowania, pomyślał, i nagle coś przyszło mu do głowy.

— *Sior* Bernardone — rzekł — chciałbym, żebyś po wyruszeniu panów Polo w drogę popłynął ze mną do Wenecji. Mając cię na pokładzie, zyskamy sobie z pewnością ochronę twojego świętego wuja. Nie wątpię, że stoi bliżej tronu Boga niż jakikolwiek inny święty, nie licząc błogosławionej matki Pana Naszego.

Bracia Polo skłonili się szybko z aprobatą, lecz Tebaldo spostrzegł cień rozczarowania i zmieszania, który przemknął przez smagłą twarz asyżyjczyka. Nie wyglądał na zachwyconego pomysłem papieża. Marco spojrzał groźnie na przyjaciela i szepnął mu coś do ucha. Młodzieniec kiwnął głową i wystąpił sztywno naprzód. Ukląkł przed tronem, pochylając się, dotknął czołem białego jedwabnego pantofla Tebalda i ucałował kraj jego szaty.

— Jestem sługą twoim i Boga, Wasza Świątobliwość. Całego siebie i wszystko co mam oddaję do waszej dyspozycji.

IV

Konrad zatrzymał się pośród wielkich głazów prastarego skalnego rumowiska, położył na ziemi sakwę z prowiantem i czekał na Amatę. Słońce przebyło dopiero połowę drogi do zenitu, ale skały były już nagrzane i nadal się nagrzewały — zaczynał się jeden z tych dziwnych październikowych dni, które z uporem czepiają się lata. Przed ponad godziną zostawili za sobą linię drzew i od tamtej pory nie uświadczyli skrawka cienia, a słaby wietrzyk powiewający od czasu do czasu nad zboczem nie przynosił ulgi.

Pustelnik wypuszczał się niekiedy poza granice swego lasu, żeby zejść do którejś z nadmorskich wiosek albo wspiąć się tutaj, na to niegościnne pustkowie, ale czynił to rzadko. Jeśli wdrapywał się na jakiś szczyt, to zwykle po to, by uczcić tam kontemplacją jakiś szczególnie święty dzień. Z turni roztaczała się dzika panorama zachodzących na siebie błękitnych i purpurowych górskich pasm pokrytych śniegiem, tu i ówdzie przeciętych wodospadem. Konrad pełzł przez owo zapierające dech w piersiach świadectwo boskiej mocy stwórczej niczym mały szary pajączek, wędrujący po ścianie jego chaty. Mieszkańcy miast, stłoczeni w gęstych labiryntach uliczek i domów, które sami wznieśli, mogli czuć się kreatorami swojego otoczenia, ale czymże były dzieła ich rąk wobec majestatu boskich Apeninów.

Oderwał wzrok od widnokręgu i obejrzał się na ścieżkę, którą się tu wspiął.

— Nadal twierdzisz, że masz w sobie coś z górskiej kozicy?! — zawołał do wlokącej się za nim Amaty.

Dziewczyna klapnęła bez tchu na najbliższy głaz i przyłożywszy dłoń do falującej piersi, z trudem łapała w płuca nagrzane powietrze.

— Może ździebko przesadziłam — burknęła, odsapnąwszy nieco. — Nie zwykłam drapać się na takie wysokie góry.

— Czy mówiąc, że nie lękasz się wysokości, też przesadzałaś?

— Nie gadaj tyle, tylko prowadź. Dotrzymam ci kroku. Skoro twój skrót ma nam oszczędzić tygodnia podróży, to warta skórka wyprawki.

— Dojdziemy niedługo do ścieżki, którą kozice wydeptały w skalnej ścianie — uprzedził ją Konrad. — Najwęższy odcinek ma sto kroków, ale zrobisz jeden fałszywy i polecisz w przepaść. — Skrobiąc bezwiednie paznokciem kamyczek leżący na głazie i z rozmysłem unikając jej wzroku, dodał: — Po mojemu, tylko niewinna istota nielękająca się Sądu Bożego odważyłaby się tamtędy przejść. — Dziewczyna musiała to rozstrzygnąć w swoim sumieniu, a nie chciał śledzić tego procesu w jej oczach, będących wszakże zwierciadłem duszy.

— Skoro ty się nie boisz, to ja też nie — powiedziała Amata. — Ale wspinaczka byłaby łatwiejsza bez tych długich habitów. Kraj mojego zaczepia co rusz o kamień i potykam się. Słyszałam, że zakon zamierza wrócić do krótkich tunik, jakie nosili pierwsi bracia. Nie mogę się już tego doczekać.

— Pierwsi bracia pracowali na chleb jak zwyczajni robotnicy — zauważył Konrad. — My, ich następcy, większą część dnia, jak to słusznie dziś rano zauważyłaś, spędzamy na swojej tylnej części ciała. Bracia z Sacro Convento poszli w ślady czarnych mnichów i dorabiają sobie ostatnimi czasy kopiowaniem manuskryptów. A zresztą, jeśli nawet zakon przywróci krótkie tuniki, to tylko dla braci. Wy, siostry klasztorne, nadal w imię skromności nosić będziecie habity do samej ziemi.

— A szkoda, nie uważasz? — westchnęła za jego plecami Amata.

Konrad odwrócił się, żeby powiedzieć jej coś do słuchu. Stała uśmiechnięta od ucha do ucha, z habitem podkasanym powyżej kolan. Pustelnik czym prędzej zakrył dłońmi oczy i odwrócił twarz.

— Siostro! Na miłość najczystszej Dziewicy, okryj się!

— O co ci chodzi? — spytała rozbawiona. — Gdybyś był oraczem, a ja twoją oblubienicą, ubierałabym się tak codziennie, idąc z tobą do pracy w polu, żebyś miał czym oko nacieszyć.

— Ale ja nie jestem oraczem, a ty już na pewno nie jesteś moją oblubienicą. Jestem zakonnikiem i księdzem konsekrowanym na Sługę Bożego. Gdybym choć przez chwilkę cieszył oko widokiem twoich długich nóg, to ta chwilka mogłaby się stać pierwszym ogniwem łańcucha, który wciągnie mnie w otchłań. Obiecałaś w chacie zachowywać się obyczajnie.

Sam nie wiedział, dlaczego powiedział „długich" nóg. Nie dało się jednak ukryć, że wzburzyło go to, co zobaczył, i nie dziwota. Workowaty habit maskował skutecznie kobiece kształty. Do tej pory nie myślał o Amacie w kategoriach kończyn i tułowia — ani długości nóg.

A ona, jeśli nawet wychwyciła ten niuans, była na tyle wyrozumiała, że pominęła to milczeniem — co jego zdaniem świadczyło o tym, że jednak nie wychwyciła. Znał ją już na tyle, by wiedzieć, że nie przepuści okazji do wbicia mu szpilki. Kiedy ruszyli dalej, zmieniła, ku jego uldze, temat.

— Dziwny z ciebie ksiądz, wiesz? Nie wziąłeś jeszcze do ręki brewiarza, a tu już prawie południe.

Konrad się uśmiechnął. A to przechera, nic nie ujdzie jej uwagi. Gdyby nie urodziła się niewiastą, mogłaby z powodzeniem studiować prawo kanoniczne albo cywilne.

— Dróg do nieba jest wiele, siostro — odparł, przyjmując znowu ton mentora, którym wcześniej wyjaśniał jej kwestię Eliasza i bazyliki. — Jedni, na ten przykład, obierają drogę fizyczną i starają się zapewnić sobie zbawienie za cenę własnego ciała. Krzyżowcy, dajmy na to, odnajdują Boga w skróconych o głowę Saracenach albo w umartwianiu się. A tacy *flagellanti** biczują się rzemiennymi dyscyplinami przy wtórze pokutnych psalmów.

— Fuj! — skrzywiła się Amata. — Widziałam w dzieciństwie zgraję tych *flagellanti*. Przechodzili przez naszą wspólnotę w drodze do Todi. Krew pryskała na wszystkie strony. Było to tak odrażające, że zakryłam oczy.

— Przez ostatnich jedenaście lat pełno ich było wszędzie. Wielu ludzi myślało, że rok tysiąc dwieście sześćdziesiąty będzie rokiem apokalipsy. — Konrad wspomniał znowu Jana z Parmy uwięzionego w celi. I za co? Za to tylko, że nadal wierzył w przepowiednie obdarzonego darem jasnowidzenia opata Joachima z Fiore, które wśród kościelnej hierarchii wyszły już z mody. Po krótkiej przerwie na pozbieranie myśli podjął:

— Po drugiej stronie są zamknięci w klasztorach zakonnicy, tacy jak czarni mnisi od świętego Benedykta, którzy kroczą ku zbawieniu ścieżką pobożności, śpiewając i modląc się z książki. — Wyciągnął zza pazuchy brewiarz i przerzucił kilka stron. — Siedem razy dziennie i ósmy w środku nocy, jak zaleca psalmista. Sam próbowałem tej intelektualnej drogi, poczynając od *trivium* i *quadrivium*.

— Od czego?

---

* *Flagellanti* (wł.) — biczownicy; członkowie różnych chrześcijańskich grup pokutniczych, umartwiających się poprzez drastyczne biczowanie; pojawili się w IX w. jako ruch wewnętrzny w niektórych zakonach.

— Od siedmiu sztuk, które trzeba opanować, by studiować teologię: *trivium* — gramatyka, retoryka i dialektyka — oraz *quadrivium* — muzyka, arytmetyka, geometria i astronomia.

Zwolnił, by odetchnąć, bo ścieżka przed nimi wciąż pięła się stromo.

— Potem, ukończywszy studia teologiczne na uniwersytecie w Paryżu — podjął — wróciłem do Asyżu i w mateczniku zacząłem praktykować surowe reguły życia klasztornego. Dziwna rzecz, ale po siedmiu latach studiów i modlitw stwierdziłem, że coraz dalej mi nie tylko do Pana Naszego, ale i do moich braci. W zakonnym życiu czegoś mi brakowało. To wtedy zacząłem myśleć o braciach pustelnikach i zastanawiać się, czy nie żyją aby bliżej Boga niż reszta z nas.

Zapalił się do tego tematu. Tyle mógłby nauczyć Amatę.

— Dopiero w tych górach, siostro, zacząłem wreszcie dostrzegać Boga — wciąż jeszcze „jakby w zwierciadle, niejasno", jak to określił święty Paweł, ale chyba tak wyraźnie, że lepiej na tym padole już się nie da. I jak to osiągam, zapytasz? Siedzę. Tylko tyle, po prostu siedzę. Opieram się o ścianę mojej pustelni i czekam, aż Bóg do mnie przyjdzie. Jeśli siedzę z zamkniętymi oczami, On pojawia się we mnie. Jeśli otworzę oczy, widzę Go w każdym stworzeniu, które przechodzi albo przepełza przed moimi drzwiami. On jest w każdym drzewie, w każdym krzaczku, w każdym...

Amata przerwała mu machnięciem ręki. Zatrzymała się, wzięła pod boki i zmierzyła go spojrzeniem szlachcianki, która zastanawia się, czy kupić tego niewolnika, czy nie.

— Tak, dziwny z ciebie ksiądz, i okazuje się, że wielce wymowny. Coś mi się nie widzi, żeby pustelniczy żywot był twoim powołaniem. Może zamiast do braci mniejszych, powinieneś wstąpić do braci kaznodziejów od świętego Dominika?

Konrad, któremu przerwano w połowie zdania, słuchał tego z otwartymi ustami. Co go podkusiło, by rzucać perły przed to prosię? Uczony nie powinien pouczać żadnej niewiasty — a co dopiero zakonnicy.

Doszli do przepaści i dalej ścieżka wiodła skrajem pionowego urwiska. Nisko w dole po zielonej łące wiła się wąska, skrząca się w słońcu wstążeczka. Konrad, choć ubodła go przekora Amaty, zainspirowany tym widokiem, nie mógł oprzeć się pokusie udzielenia jej jeszcze jednej lekcji.

— Oto przykład przewag pustelniczego życia. Nawet mocarny Herkules nie zdołałby przerzucić kamienia przez rzekę, która płynie tam w dole. Drzewa nad jej brzegiem, które stąd wydają się zielonymi kropkami, są wyższe niż dziesięciu rosłych mężczyzn. Z tej wysokości widzi się świat oczyma samego Boga, w całej jego marności. To widok wart tomów filozoficznych rozpraw. Chłoń go, siostro, póki masz po temu okazję.

Czy naprawdę chłonęła, trudno było stwierdzić, ale przynajmniej nie wygłosiła żadnego uszczypliwego komentarza. Doprowadził ją skrajem urwiska do wąskiej półki biegnącej w poprzek zbocza na zachód.

— Oto nasza ścieżka. Zdejmij lepiej sandały i przywiąż je sobie do sznura. Idąc boso, będziesz się mogła przytrzymywać palcami u stóp — poradził jej, a potem dodał: — Stracimy tylko jeden dzień, jeśli stąd zawrócimy i jutro ruszymy od chaty inną trasą.

Amata patrzyła spod przymrużonych powiek na kozią perć. Poruszała przy tym ustami i Konrad ciekaw był, czy odmawia pacierz, czy tylko zbiera się tym sposobem na odwagę. Już chciał spytać, czy czułaby się bezpieczniej, trzymając się sznura, którym miał przepasany habit, ale uświadomił sobie w porę, że od tego tylko krok od kontaktu fizycznego, i ugryzł się w język.

— Gotowa? — spytał w końcu.

Dziewczyna przełknęła z trudem, wzięła głęboki oddech i kiwnąwszy głową, ściągnęła sandały.

— Nie patrz w dół — ostrzegł ją, kiedy przywiązywała je do sznura. On też przywiązał sobie do sznura sakwę z prowiantem. — Posuwaj się bokiem, twarzą do ściany, i wymacuj na niej występy, których można się przytrzymać. Nie niecierpliw się, jeśli to będzie długo trwało. Całą uwagę skupiaj na następnym kroku.

Przyglądał się jej twarzy. Była jeszcze bledsza niż zwykle. Przygryzała nerwowo wargę, ale w jej oczach płonęła ta sama determinacja, którą w nich widział, kiedy wyruszali z pustelni.

— No to raz kozie śmierć. Niech Bóg ma nas w swojej opiece — powiedział.

Przeżegnali się i ramię przy ramieniu wstąpili na krawędź świata.

Wcześniej Konrad wyczekiwał z utęsknieniem chłodzących powiewów wietrzyka, teraz dziękował Bogu, że powietrze znieruchomiało. Pot ściekał mu strumyczkami po karku i plecach, mruganiem odpędzał od oczu komary. Przez cały czas miał świadomość, że w każdej chwili silny wstępujący prąd powietrza może wydąć im habity jak żagle, oderwać od ściany i ponieść jak nasionka dmuchawca.

Sunąc bokiem, krok za kroczkiem, zgarniał stopą z półki drobne kamyczki, oczyszczając Amacie drogę. Trzymała się tuż za nim, milcząca jak te kamienie lecące w przepaść. Wiedział, że tak jak jego, ją też wszystko świerzbi. Poza tym jej nowy habit był o wiele cięższy od przetartego łachmana, który miał na sobie on. Chętnie by spytał, co chodzi jej teraz po głowie, ale nie chciał jej rozpraszać. Jeśli już się odzywał, to tylko pomrukami: „Kroczek... kroczek...".

Dotarli do zakrętu w połowie ścieżki. Wiedział, że za nim ścieżka nieco się rozszerza i wchodzi pod skalny nawis, w niszę, gdzie będą mogli odsapnąć i rozprostować omdlałe ramiona i barki. Odwrócił głowę, żeby powiedzieć to Amacie, i w tym właśnie momencie kamień, którego się przytrzymywała, został jej w dłoni. Krzyknęła i tracąc równowagę, zaczęła odchylać się od ściany. Konrad złapał ją za rękaw. Z góry doleciało grzechotanie i po chwili posypał się na nich grad drobnych kamyczków.

— Prędzej! Musimy przejść za ten zakręt — wycedził przez zaciśnięte zęby.

Amata odzyskała równowagę i przywarła do ściany. Kamyków leciało więcej i więcej, były coraz większe. Kamień wielkości jej głowy uderzył ją w ramię. Krzyknęła. Konrad objął ją w talii i chwytając pełną garścią materiał habitu, przyciągnął do siebie.

— Zostań ze mną! — pisnęła. — Nie zostawiaj mnie teraz.

Jej nogi zaczęły przesuwać się sztywno. Przytrzymując się wolną ręką czego popadło, Konrad przeprowadził ją przez zakręt, za którym ścieżka robiła się szersza. Pomógł jej usiąść pod ścianą niszy, po czym sam też usiadł i otoczył ją ramieniem. Drżała na całym ciele. Chciała coś powiedzieć, ale zęby tak jej szczękały, że z gardła wydobył się tylko szloch.

Widział już taki strach u lisa, który umykając przed sforą ujadających psów, wpadł kiedyś do jego chaty. Konrad zatrzasnął drzwi, zanim psy zdążyły dobiec do pustelni. Przytrzymując je ramieniem, czuł, jak dygocze przerażony zwierzak, który schował się za nim i przywarł do jego łydek.

— Sanktuarium! — krzyknął zza zamkniętych drzwi do zdyszanych jeźdźców, którzy przycwałowali z tętentem w ślad za psami. — Brat Lis obrał sobie tę pustelnię na swoje sanktuarium! — Przez dziurę po sęku obserwował grupę rozgrzanych łowami szlachciców z nadzieją, że powstrzyma ich reputacja ekscentrycznego świętego męża, jaką miał wśród okolicznej ludności. Czy dla głupiego lisa warto narażać się na jego przekleństwo i skazywać dusze na wieczne potępienie? Wściekłe spojrzenia utkwione w chacie złagodniały. Naradzali się przez chwilę, wciąż jeszcze niezdecydowani, aż w końcu zawrócili konie, odwołali psy i odjechali.

— Dreszcze zaraz ci przejdą, siostro — powiedział. — To taniec świętego Wita. Najdzielniejszych rycerzy nachodzą takie po zwycięskiej bitwie. — Zaczął ją łagodnie kołysać jak ojciec uspokajający przestraszone dziecko, i ku swojemu zaskoczeniu, nucić kołysankę. Odniósł wrażenie, że obejmuje cząstkę swojego dzieciństwa, bo zamrugawszy, wyobraził sobie, że obejmuje Rosannę. Rosannę taką, jaką zapamiętał, kiedy miała szesnaście lat, nie tę pulchną trzydziestoletnią kobietę po ośmiu ciążach i trzech szczęśliwych porodach, która raz w tygodniu przysyłała mu do pustelni żywność. Amata cuchnęła nawet trochę rybą, co przypominało mu dzieci z Ankony. Pewnie przeszedł na nią odór tkaniny nasączonej olejem, w którą owinięty był manuskrypt Leona.

Za zakrętem ścieżki widok się zmienił. Konrad wskazał dolinę. Tu i ówdzie na skalnych łysinach piętrzyły się głazy koloru umbry.

— To wioska Sassoferrato, a tam, na prawo, widać Fossato di Vico. Idąc na południe, dotarlibyśmy tam za cztery dni.

Jego serce wypełniała czułość. Nie dziwiłby się, gdyby działo się to podczas medytacji o Świętym Dzieciątku. Nie był jednak przygotowany na odczuwanie takich emocji wobec kobiety z krwi i kości. Ogarnął go nagle lęk, że jeśli ulegnie chociaż odrobinę temu impulsowi, Bóg strąci go ze skalnej grzędy, na której siedzą. Spróbował odnowić w sobie niechęć do tej dziewczyny, którą odczuwał, kiedy wchodzili na ścieżkę, ale jej bezradność wypłukała już do cna z jego duszy wszelką awersję. Pomimo całej swojej rezolutności i zuchowatości, potrzebowała jego opieki.

Dreszcze w końcu ustały i zabrał rękę z jej ramion.

— No, już dobrze — powiedział, siląc się na chłodny ton. Musiał zmienić nastrój, i to szybko.

— Jak twoja ręka? — spytał. — Możesz ją unieść?

Ujął ją za przedramię, żeby pomóc w tej pierwszej próbie. I zamiast ciała wyczuł przez rękaw habitu coś twardego, długiego i grubszego niż kość. Amata wyrwała mu rękę i skrzywiła się z bólu.

— Złamana nie jest — mruknęła. — Ale nie będzie ze mnie chyba wielkiego pożytku przy winobraniu, kiedy wrócę do San Damiano. — Podciągnęła pod siebie nogi i chciała się podnieść, ale bezskutecznie. — Ruszajmy dalej.

Dotykając tego czegoś, co ukrywała w rękawie, zmobilizował ją do działania. Chciał zapytać, co to takiego, ale uznał, że to nie najlepszy moment.

— Może byś jeszcze odpoczęła? Ludzie, którym śmierć zajrzała w oczy, nie dochodzą tak szybko do siebie. Zwłaszcza tacy wychuchani jak ty.

Poczerwieniała, zmrużyła oczy.

— Wychuchani? Co ty o mnie wiesz? — warknęła. Odwróciła głowę i spojrzała na odcinek ścieżki, który mieli jeszcze do przebycia.

— Czasami wyłazi z ciebie bezdenny głupiec, bracie, ale przypomniałeś mi właśnie, że mam jeszcze jeden powód, by wrócić do Asyżu cała i zdrowa. — Znowu spróbowała się podnieść, podpierając nadwyrężoną ręką.

— Posiedź jeszcze chwilę, siostro — powstrzymał ją. — Posiedź i wytłumacz mi, co chciałaś przez to powiedzieć. — A na usta cisnęło mu się: Gdybym wiedział o tobie więcej, nie robiłbym głupich uwag.

— Może wytłumaczę, jeśli bezpiecznie dotrzemy do końca tej ścieżki — powiedziała Amata.

Zaczynało się chmurzyć i od południowego wschodu dolatywały grzmoty nadciągającej burzy. Odległe granie nabrały złowróżbnego wyglądu, zerwał się wiatr, pociemniało. Zaraz lunie deszcz. A co gorsza, spadająca gwałtownie temperatura mogła wywołać wstępujące prądy powietrza, których tak obawiał się Konrad. Musieli ruszać dalej.

Wziął Amatę za łokieć i pomógł jej wstać. Kiedy złapała równowagę, rozwiązał sznur, którym był przepasany, i podał go jej.

— Przewlecz go pod swoim sznurem, a ja zawiążę sobie potem końce na nadgarstku — powiedział.

— Nie boisz się, że jeśli noga mi się omsknie, pociągnę cię za sobą?

— Cokolwiek się przydarzy, przydarzy się nam obojgu, siostro. Bóg połączył nas w tej misji. Wierzę, że chce, byśmy ją wypełnili, albo razem dokonali żywota.

— Ładnie powiedziane jak na księdza. — Amata się uśmiechnęła. — Jakże romantycznie by zabrzmiało, gdybym usłyszała to od zalotnika. — A potem, poważniejąc, dodała: — Dzięki za troskę. Wiem, że zalazłam ci za skórę. Nie mam szczególnego sentymentu do habitu, który oboje nosimy, ani do mężczyzn, na których natknęłam się w przeszłości. Jesteś dobrym człowiekiem i dobrze mnie traktowałeś. Zanim ruszymy dalej tą ścieżką, chcę cię za wszystko przeprosić.

— Ja ciebie też, za niechęć, jaką ci okazywałem.

Amata znowu się uśmiechnęła, ale jej oczy posmutniały.

— Mój brat, Fabiano, mawiał: „Całusek na pożegnanie, na wypadek, gdybym nie dożył następnego razu". — Konrad zauważył, że jest bliska łez. Pochylił się i musnął ustami jej czoło.

— Na wypadek, gdybyśmy nie dożyli, siostrzyczko — szepnął.

Amata zarumieniła się i spuściła wzrok. Międła przez chwilę w palcach sznur jego habitu, po czym przewlekła go pod swoim.

V

Osunęli się bez sił na ziemię na rozległym płaskowyżu, do którego doprowadziła ich ścieżka kozic. Amata leżała na wznak, wymachując ręką i śmiejąc się do rozpuku. Konrad, wciąż połączony z dziewczyną sznurem, wyciągnął się obok. Serce waliło mu jak młot, z członków powoli uchodziło napięcie.

— O Boże, przeszliśmy! — wykrzyknęła Amata.

— Ano przeszliśmy — wysapał pustelnik. — Bogu niech będą dzięki.

Jaśniejsza plama w powłoce chmur znaczyła miejsce, gdzie słońce chowało się za najwyższe szczyty.

— Trza nam znaleźć miejsce na obozowisko — dodał po chwili. — Dosyć się natrudziliśmy, jak na jeden dzień.

Z płaskowyżu roztaczał się widok na północ i wschód, jak również na południe. U podnóży gór przycupnęły wioski i pojedyncze zagrody. Do pierwszych ludzkich siedzib mieli jeszcze szmat drogi, ale powinni tam dotrzeć w jeden dzień.

— Musimy przejść aż za tamto najdalsze pasmo — wyjaśnił Konrad. — Jeśli wieczorem chmury się rozstąpią, bacz, gdzie będzie zachodziło słońce. Wskaże nam kierunek na Gubbio. Z Gubbio podążymy brzegiem Chiagio. Zaprowadzi nas do Asyżu. Będziemy tam za dwa, góra trzy dni.

Amata usiadła i spojrzała na góry rysujące się na północy.

— A będziemy przechodzili koło zamku Malatestów? Bardzo bym go chciała zobaczyć, choćby z daleka.

— Nic z tego — powiedział Konrad ze śmiechem. — To wiele mil stąd, prawie na samym wybrzeżu.

Amata wzruszyła ramionami.

— Nie cierpię dziedziców. A już najbardziej takich starych, pokręconych, złych dziedziców jak Gianciotto Malatesta.

Konrad znał tę historię, była tak wyborna, że nawet sługa Rosanny, przyszedłszy kiedyś z jadłem, nie wytrzymał i mu ją opowiedział. Otóż ród Malatestów z Rimini oraz rodzina Polentów z Ravenny zapragnęły zawrzeć sojusz i uradziły, że w tym celu połączą węzłem małżeńskim Gianciotta z Francescą Polentą. Konrad przypuszczał, że panna młoda musiała być mniej więcej w wieku Amaty. Malatestowie, obawiając się, że Francesca odrzuci posuniętego w leciech i szpetnego Gianciotta, wydelegowali jego młodszego brata Paola, *Il Bello*, by zastąpił go na zaślubinach. Jakiś czas po ceremonii Paolo i Francesca siedzieli w ogrodzie i czytali romans o sir Lancelocie. Poruszeni uczuciem, jakim darzył ów urodziwy rycerz zamężną Ginewrę, zaczęli się obejmować i całować. Nie dane im było czytać dłużej jak jeden dzień. Najwyraźniej namiętność wzięła górę nad ostrożnością, bo jeden ze sług Gianciotta zobaczył, co się święci, i doniósł o tym swemu panu. Skończyło się tragedią żywcem wyjętą z tych kiczowatych romansów, za którymi przepadają młode panny w wieku Amaty.

— Gianciotto z pewnością smażyć się będzie w piekle za zamordowanie żony i brata — orzekł Konrad. — Ale kochankowie też bez wątpienia odpokutują za swój grzech.

— Za swój grzech? To miłość jest grzechem? Czyż Jezus nie kazał nam się miłować?

— Ale tak jak On miłował nas, siostro. Mówiąc to, nie miał

na myśli cielesnej żądzy. Poza tym Francesca była żoną brata Paola.

— Ale nikt jej nie pytał, czy chce za niego wyjść. Ci zepsuci panowie poślubiają, kogo chcą, i nigdy nie czynią tego z miłości. Tylko za ziemię, dla pieniędzy, albo żeby przypieczętować jakiś traktat. Nigdy z miłości. Biorą, co chcą, i zabijają tych, którzy stają im na drodze. Nienawidzę ich z całej duszy!

— Tak czynią źli panowie, zauważ jednak, że istnieją również lordowie zacni, tak samo jak istnieją źli i zacni chłopi. Wszyscy oni są cząstką boskiego planu.

— Wiem, że istnieją również prawi mężczyźni. — Do głosu Amaty wkradło się rozmarzenie. — Mój ojciec taki był. Ale ludzie pokroju Gianciotta Malatesty... — Zacisnęła usta i posmutniała, a potem jej twarz wykrzywiła wściekłość. Konrad wyczuł, że zaraz ją z siebie wyrzuci.

Patrzył w milczeniu na powykręcane dęby na zboczu pod nimi. Między konarami uwijały się z ćwierkaniem jakieś ptaszki.

Wciągnął w nozdrza powietrze. Pachniało nadciągającą burzą i ptaki też ją chyba wyczuwały. Pierwszy deszcz o tej porze roku bywał zwykle ulewny. Będą przynajmniej mieli przy czym się wysuszyć. Pod drzewami leżało mnóstwo połamanych przez wiatr gałęzi; dębina pali się lepiej niż inne drewno.

Pomyślał o rzekomo szlachetnym wieśniaku, którym zapewne był ojciec Amaty — łatwo to było odgadnąć, bo przecież dziewięciu mężczyzn na dziesięciu utrzymywało się z pracy na roli. Wiedział z doświadczenia, że większość chłopów i dzierżawców nie zawraca sobie głowy wyższymi ideałami. Nie mają na to czasu. Ich religijność ledwie wykracza poza czary i zaklęcia na odpędzenie choroby i obfity plon. Kiedy nadchodzi dzień święty, miast wypoczywać po harówce od świtu do nocy i święcić go jak należy, upijają się, wszczynają burdy i oddają wszelkiej maści rozpuście. Będąc spowiednikiem, Konrad znał jednak wyjątki od tej reguły — chłopów pańszczyźnianych daleko przewyższających cnotą swoich panów.

— Czy pan bardzo gnębił twego ojca? — zapytał w końcu.
Amata prychnęła.

— Czy pan go gnębił? Mój ojciec modlił się do swojego Pana nieuzbrojony, z żoną i dziećmi, w rodzinnej kaplicy, kiedy wtargnął tam szatan w ludzkiej skórze i zarąbał go na śmierć. Mama rzuciła się na jego ciało, a wtedy brat tego szatana przeciął ich oboje mieczem. Mój brat próbował uciec przez okienko kaplicy... — Urwała. — Padł z moim imieniem na ustach i więcej się już nie odezwał. — Ukryła twarz w dłoniach. Jej ramionami i plecami wstrząsnął niemy szloch. — Nawet nie wiem, czy ich po chrześcijańsku pogrzebano.

Konrad odwrócił wzrok i zapatrzył się w gęstniejący pod dębami cień. Bał się zadać następne pytanie, ale usłyszawszy już tyle, musiał dowiedzieć się reszty.

— A jak tobie udało się ujść z życiem?

— Rzuciłam się do ucieczki, ale poślizgnęłam się na krwi rodziców. Cała posadzka kaplicy była nią zbryzgana. Pamiętam, jak pomyślałam, że ta krew i ta posadzka są prawie tego samego koloru. Że to tylko zły sen, z którego zaraz się obudzę i wszystko będzie jak dawniej. Przekręciłam się na plecy i zobaczyłam nad sobą uniesiony topór. Pomyślałam, że wybiła moja godzina, i przygotowałam się na śmierć. Ale niestety ich herszt krzyknął do rycerza, żeby zostawił mnie przy życiu. Miałam jedenaście lat i chciał mnie na służkę dla swej córki. Dosiedli koni, zabierając mnie ze sobą.

— I tej kobiecie usługujesz teraz w San Damiano?

— Tak. Nienawidzi tej bandy tak samo jak ja. — Amata wyprostowała się. Głos miała już spokojny. — Wniosła mnie do zakonu jako swój posag. Byłam wniebowzięta, chociaż po prawdzie nie zależało mi nic a nic na życiu. Zabiłabym się, gdyby mnie zostawiła ze swoim ojcem i braćmi.

— W ten sposób skazałabyś duszę na wieczne potępienie, Amato — przypomniał jej Konrad. — Czy wasze rodziny toczyły między sobą wojnę? Była między wami jakaś zadawniona waśń albo przelana krew?

— Nie. Poszło srebro i złoto. Zginęło troje ludzi. Co najmniej, bo nie wiem, jaki los spotkał nasze sługi. Nasz majątek leży tam, gdzie spotykają się granice okręgów Perugii, Asyżu i Todi. Nazywaliśmy go Coldimezzo — wzgórze pośrodku. Naturalnie pobieraliśmy opłatę od kupców, którzy przejeżdżali z towarem przez nasze włości. Handlarze wełną z Asyżu pomstowali i odgrażali się, ale tato i jego brat Guido tylko się śmieli. Moja pani powiedziała mi później, że to jeden z handlarzy wełną zapłacił jej ojcu, żeby na nas najechał.

Zdawała się obserwować cień podpełzający ku nim w górę stoku, ale Konrad domyślał się, że tak naprawdę ma przed oczyma skąpaną we krwi kaplicę w Coldimezzo. Po długiej chwili milczenia spojrzała na niego i wzruszyła ramionami.

— I takie to moje życie — westchnęła. Z jej głosu ulotniły się już strach i nienawiść.

I to pewnie powód, dla którego tak bardzo chce wrócić do Asyżu, pomyślał Konrad, i powód, dla którego on powinien zastać tutaj, na swoim odludziu. Gdzie dużo ludzi, tam zaraz wybucha wojna. Miasta i kraje walczą ze sobą o szlaki handlowe i terytoria. W obrębie murów miejskich zamożni mieszczanie i arystokracja wszczynają bunty, wypowiadając posłuszeństwo papieżowi i świętemu cesarzowi rzymskiemu. Rodziny biorą się za łby, żeby wyrównać jakieś porachunki sprzed wieków, a dzieci zabijają rodziców i siebie nawzajem, żeby szybciej zagarnąć schedę. Szlachetnie urodzeni giną zazwyczaj gwałtowną śmiercią, pojedynki zaś i procesy sądowe to teatr życia dla pospólstwa. Przybywa wdów, wdowców i sierot, a każde z nich pała żądzą zemsty. Iskra *vendetty* utrzymuje przy życiu wielu pokrzywdzonych w takich waśniach.

— A co z resztą twojej rodziny? — spytał w końcu. — Z wujem Guidem i jego bliskimi? Oni nie ucierpieli podczas tej napaści?

— Nie. Ci tchórze wiedzieli zresztą, że ich nie zastaną. Moja kuzynka, Vanna, miała wyjść za miesiąc za notariusza z Todi. Wuj i ciotka pojechali z nią do miasta, żeby poczynić przygotowania do uczty weselnej. My za kilka dni też mieliśmy tam jechać.

Położyła się na wznak i przymknęła oczy. Po chwili zaczęła nucić cicho znaną pieśń żałobną wieśniaków. Zatopiła się w sobie i Konrad zrozumiał, że nic więcej już od niej nie usłyszy.

Przez tych pięć lat musiała często wspominać tamtą tragedię i podsycając w sobie nienawiść, planować zemstę. Może zastanawiała się, dlaczego wuj nie próbował jej odbić. A on może nie wiedział nawet, gdzie jej szukać ani kto dokonał rzezi. Po powrocie z Todi zastał pobojowisko. Służba może się rozpierzchła, a nawet jeśli nie, to nie potrafiła wskazać napastników.

On też był ciekaw, co to za rycerz zgodził się za pieniądze dokonać mordu. I dlaczego Amata została w San Damiano? Dlaczego z narażeniem życia przyniosła mu list od Leona, skoro mogła machnąć ręką na powierzoną jej misję i zamiast do niego, bezpieczniejszymi i lepszymi drogami powędrować do Coldimezzo? Czyżby obawiała się tego, co może tam zastać? Im lepiej poznawał tę dziewczynę, tym bardziej go intrygowała i tym bardziej wydawała mu się tajemnicza.

Naszła go pokusa, żeby pogłaskać ją po głowie, jak wtedy tamtego dygoczącego liska po łepku. Wyciągał już rękę, ale uczucie mrowienia w lędźwiach odwiodło go od tego zamiaru.

— Bardzo ci współczuję, Amato — powiedział.

— Wsadź sobie w zadek swoje współczucie — odburknęła. — Nie wróci życia mojej rodzinie. — Zaciskała mocno powieki, ale widział łzy zbierające się w kącikach jej oczu.

Skorzystał z tej sposobności i przyjrzał się lepiej jej twarzy w nadziei, że znajdzie w niej coś, co pomoże mu zrozumieć tę tajemniczą kobietę dziecko. Zaciskała mocno szczęki, a łzy spływały jej po skroniach i skapywały na ziemię. Odsłoniła przed nim swoje najwrażliwsze miejsce i czuł się przez chwilę jak łotr, który bezwzględnie wykorzystał tę chwilę słabości. Lecz jej grubiańska odpowiedź w jakimś sensie go rozgrzeszała i przywołała do rzeczywistości. Patrzył z niedowierzaniem na swoją dłoń, tę, którą omal jej przed chwilą nie pogłaskał. A był już bliski zniweczenia wszystkiego, co osiągnął przez lata medytacji w głuszy.

W dzieciństwie nurkował często w ankońskim porcie po gąbki. Pewnego razu, podczas medytacji, zaczął porównywać te stworzenia do ludzkich dusz. Schnąc na słońcu, gąbka staje się lekka i zwiewna niczym dusza opromieniana oślepiającym blaskiem boskiego majestatu. Przed przybyciem Amaty wydawało mu się, że jego dusza również bliska jest osiągnięcia tego stanu. Ale przez dwa ostatnie dni znów przybrała na wadze i rozdęła się, nasiąkając troskami najpierw Leona, potem dziewczyny. Nagle zapragnął być sam.

— Idę poszukać jakiegoś schronienia — powiedział. — W nocy będzie ulewa. Niedługo wrócę.

Amata znowu zaczęła nucić żałobną pieśń. Rozwiązał sznury, wstał i otrzepał habit z kurzu. Schodząc z płaskowyżu ku drzewom, obejrzał się na samotną postać leżącą na szczycie, potem zwiesił głowę i zagłębił się w mrocznej dąbrowie.

Orfeo patrzył rozżalony, jak odpływ unosi przyjaciela ku otwartemu morzu. Poruszana wiosłami galera sunęła płynnie przez osłonięty falochronem portowy basen.

Żegnaj, Marco, pomachał. Powodzenia w podróży twojego życia. Będę o tobie myślał, spacerując po placach Wenecji, każdą kurtyzanę dedykował będę tobie.

Gdyby tak można było usunąć z pamięci opowieści starszego Polo o gładkolicych elegantkach z Kinsai, najpiękniejszych na świecie, noszonych w zdobnych lektykach, wpinających grzebienie z kości słoniowej w kruczoczarne włosy, a jadeitowe koła w uszy. Albo opowieści o damach dworu, które znudziwszy się wyścigami królewskich psów, zrzucają szaty i całkiem nagie kąpią się z chichotem w jeziorach niczym ławice srebrnych rybek.

Addio, compare, pomachał po raz ostatni do galery znikającej już za falochronem. *Addio, Kitaj.*

Nie zważając na unoszący się w powietrzu ostry zapach soli ani wrzask krążących w górze mew, powlókł się na koniec nabrzeża, gdzie cumował angielski okręt wojenny przygotowywany do rejsu do Wenecji. Angielski książę Edward, nowy wódz krzyżowców, dowiedziawszy się o wyborze Tebalda na papieża, przydzielił mu natychmiast eskortę swojej floty.

Żeglarz drzemiący w młodzieńcu nie mógł przejść obojętnie obok tej jednostki. Pokładnice wystawały południowym zwyczajem poza burty i zabezpieczone były czopami, ale stosunek szerokości do długości kadłuba wynosił mniej więcej trzy do pięciu, a nie jeden do pięciu, jak w przypadku wąskich galer weneckich. Ten okręt budowany był z myślą o trudnych warunkach żeglugi po burzliwych północnych morzach i otwartym oceanie, podczas gdy galera, którą pływał Niccolo Polo, sprawowała się lepiej na spokojnych wodach Morza Śródziemnego. Forkasztel i kasztel rufowy miały, podobnie jak karaki Saracenów, po kilka pokładów, przy czym najwyższy wznosił się ponad pojedynczy maszt. Łucznicy i procarze z tego okrętu mieli zdecydowaną przewagę wysokości nad załogami niskich galer. Jego budowniczowie między dulkami rozmieścili dodatkowo, w odstępie dwóch szerokości dłoni, otwory na wiosła, dzięki czemu dwustu wioślarzy mogło wiosłować w dwóch albo trzech rzędach. Przy silnym wietrze od rufy jednostka mogła rozwinąć do dwunastu węzłów. Żaden pirat nie ośmieliłby się zaatakować floty składającej się z takich okrętów.

Orfeo westchnął z żalem. Szkoda, piraci mogliby trochę urozmaicić podróż, która go czekała. Z ciężkim sercem i zwieszoną głową zawrócił w kierunku miasta. W wodach portu widział jak w lustrze falujące i rozpraszające się niczym miraż odbicia najeżonych wieżami bastionów Akki. Jeśli papież elekt nie myli się w swoich papieskich wizjach, z tych pomników potęgi za kilka lat nie zostanie kamień na kamieniu. Na razie jedno było pewne: z kaprysu tego samego arcykapłana w gruzach legł dopiero co wzniesiony gmach nadziei i marzeń Orfea.

Uniósł głowę i popatrzył na wieże portu. Stały wysokie, zimne i sztywne jak ojciec i starsi bracia, którzy zdominowali jego dzieciństwo. Uciekł do babki, kiedy próbowali stłamsić jego młodego ducha. Od tamtego czasu pociechę znajdował tylko w ramionach kobiet. Mężczyźni z jego rodziny, jego towarzysze i kamraci z załogi, zadawali mu tylko ból.

I dzisiejszej nocy też jej tam poszuka. Nie oglądając się na okręt wojenny, skierował kroki ku zaułkowi, ku któremu w takich wyśmienitych humorach zmierzali z Markiem tego ranka.

VI

— Zatracone błocko! Obesrany zatracony wół! — Primo rąbnął wielką jak bochen pięścią w deskę kozła dwukołowej fury. Ściągnął drewniaki, rzucił je na piętrzący się za nim ładunek chrustu, zlazł z wozu i zapadł się po golenie w błoto. Obrzucił wściekłym spojrzeniem najpierw wołu, potem pełne drewniane koła zaryte niemal po osie w błotnistej mazi. Burza, która przeszła nocą nad górami, rozmyła drogę, zmieniając ją w trzęsawisko. — Marne twoje widoki, jeśli znowu będę musiał zwalać ten chrust na ziemię. Tak skórę wygarbuję, że długo popamiętasz!

Brodząc wąską dróżką, podszedł do pobliskich sosen i ze złością odłamał kilka gałęzi. Podłożył je pod oba koła, żeby zyskały przyczepność, i stanął za furą.

— Hej-ho! — wrzasnął. — Z życiem, Jupiterze! — I postękując, pchnął wóz ze wszystkich sił. Osie zaskrzypiały, koła zrobiły ćwierć obrotu. — Rusz ten swój chudy zad! — Obrócił się tyłem, zaparł plecami o ładunek, wbił pięty w błoto i pośliznąwszy się, klapnął na tyłek. Fura z cichym jękiem cofnęła się w koleiny.

— *Porco Dio! Putana Madonna!* — Zaczerpnął garść czerwonej glinki i ulepioną z niej pecyną cisnął w kierunku dwóch nadchodzących traktem zakonników. Szli koleinami wyżłobionymi przez koła jego wozu. Ten słuszniejszej postury niósł na ramieniu sakwę i zdawał się nic sobie nie robić z rozmiękłego podłoża. Maszerował długimi krokami jak po suchym, podczas gdy młodszy, podkasując habit i unosząc wysoko nogi, pląsał obok niego w komicznym tańcu.

Merda! Tych mi jeszcze brakło! Diabli klechów nadali. I na dokładkę kwestarze. Primo spotkał kiedyś księdza i na drugi dzień śmiertelna choroba złożyła jego mamę. Pierwotna wiedza, jaką nosił w kościach, nie pozostawiała wątpliwości, że gdyby nie to niefortunne spotkanie, mama żyłaby do dziś. Podobnie jak ludziska z jego wioski panicznie bał się duchownych, ale w odróżnieniu od ziomków starał się zwalczać w sobie ten strach. I teraz patrzył na zbliżających się braciszków z nieskrywaną, płynącą z głębi serca niechęcią.

— Nie mam pieniędzy, nie mam żarcia na zbyciu i nie chcę zbawienia! — wywrzeszczał. Młodszy zachichotał piskliwie, prawie po dziewczyńsku. Wieśniak pokręcił ze zgorszeniem głową. Tfu, obraza boska. Księżulo sodomita ze swoim chłoptasiem nowicjuszem. Sam był jurny, jak zresztą każdy zdrowy na ciele mężczyzna, i nie było festynu, żeby po zmroku nie pochędożył sobie w krzakach — ale nie robił tego nigdy z młodymi chłopaczkami jak jakiś pogański Grek.

Primo złapał się dyla sterczącego z furki, podciągnął na nim i wstał. Chciał obetrzeć tunikę z błota, ale rozmazał je tylko po zgrzebnej wełnie. Glina zlepiała mu nawet gęste włosy na gołych łydkach.

Tamci dwaj zatrzymali się kilka kroków od fury.

— *Servite pauperes Christi*, ojcze — zapiszczał młodszy. — Jak ci przykazał Leon.

— Co on powiedział? — zapytał Primo. — Bo jak sobie ze mnie dworuje, to nowicjusz nie nowicjusz łeb rozwalę.

— Powiedział, że powinniśmy ci pomóc — odparł starszy braciszek.

Primo ściągnął z głowy okrągłą czapkę i otarł nią sobie twarz.

— Co? I ubrudzić sobie te święte paluszki? Myślałem, że wolno wam dotykać tylko świętych rzeczy i pieniędzy.

— Chcesz naszej pomocy czy nie? — spytał mnich bezbarwnym głosem. Najwyraźniej nie miał poczucia humoru.

— Wybaczcie, wybaczcie, ojcze. Pewnie, że chcę. Darowanemu koniowi nie zaglądam nigdy w zęby, jak mawiają.

Rzucił nowicjuszowi bodziec do poganiania wołu.

— Trzymaj, *fratellino**. Obaczym, czy zdołasz wykrzesać trochę życia z tego, pożal się Boże, wołu. My popchniemy z tyłu, jeśli ojciec pozwoli.

Mnich przyjrzał się zwierzęciu.

— Mały jakiś.

— A jużci. I w tym właśnie sęk. Drugi rok mu dopiero idzie, ale on jeden mi został. Resztę wziął pleban za pochówek, kiedy mama mnie odumarła. Samiście z tego złodziejskiego plemienia, to i wiecie, jak jest.

— Twój pleban miał prawo pobrać podatek od pochówku. Starym zwyczajem należy mu się najlepsze zwierzę z inwentarza rodziny zmarłego. — Mnich wlepiał w Prima bezbarwne oczy. — Bardzoś śmiały w gębie, jak na człeka w potrzebie.

Primo wyprostował się na całą wysokość i już miał mu puścić wiązankę, kiedy chłopiec krzyknął:

— Możecie pchać, ja jestem gotowy!

Mnich wciąż przewiercał Prima tymi strasznymi szarymi oczyma, które samym patrzeniem mogą rzucić na człowieka urok. Kmieć spuścił wzrok. Nie będzie sobie robił wroga z zakonnika w takiej chwili. Wskazał na tył fury.

— Wy przodem, ojcze.

Naparli ramionami na wielkie koła. Chłopiec, pohukując, zaczął ciągnąć wóz od przodu, a drugą ręką poganiać bodźcem

---

* *Fratellino* (wł.) — braciszek.

wołu. Gałęzie sosny zatrzeszczały pod kołami, wydzielając zapach, który natychmiast przytłumił odór potu strudzonego zwierzęcia. Fura drgnęła i ze skrzypieniem ruszyła powoli do przodu. Dzwonek na szyi wołu pobrzękiwał rytmicznie.

— Pchać, nie ustawać! — krzyczał Primo. — Podepchacie mnie na sam szczyt tego wzniesienia, to was podwiozę. Przez następne dwie mile jest z górki.

Cała trójka zdwoiła wysiłki i nawet wół jakby odżył, zachęcony tym, że coś się wreszcie ruszyło.

— Dobry wół. Dobry Jupiter. Chwackie chłopię. Ciągnij, pokaż, co potrafisz.

Na szczycie wzniesienia zakonnicy wydali okrzyki triumfu, a Primo walnął starszego w plecy. Mężczyznę na chwilę zatkało, ale zaraz uśmiechnął się od ucha do ucha.

— Dobra robota — wysapał.

Primo wdrapał się na kozioł. Był teraz w wyśmienitym humorze.

— Ktoś się zmachał? Mam tu miejsce tylko dla jednego.

— Nie, my zwykliśmy chodzić piechotą — odparł zakonnik. — Ale tak czy owak, dziękujemy.

— Ja bym tam pojechał — odezwał się nowicjusz. Wyciągnął prawą rękę. — Pomożesz mi? Boli mnie drugie ramię.

Primo chwycił wyciągniętą dłoń.

— Dajcie mu dubla w zadek, ojcze.

Chłopiec roześmiał się serdecznie.

— Słyszeliście, bracie Konradzie? Dajcie mi dubla w zadek.

— Fabiano! Bacz, do kogo mówisz.

Primo zaniósł się rubasznym rechotem i mocno szarpnął. Poderwany w górę chłopiec wylądował na koźle obok woźnicy. Zakonnik ściągnął gniewnie brwi, jego mars jeszcze się pogłębił, kiedy nowicjusz pokazał mu język.

— Mam nadzieję, że nie będzie ci ze mną za ciasno. Wąska ta deska — powiedział chłopiec.

— Miałem kiedyś krowę dwadzieścia razy taką jak ty — odrzekł Primo. — Bałem się ją doić przy ścianie, bo jakby mnie do niej przyparła, to przeleciałbym na drugą stronę. — Zerknął na chłopca spod oka. — Ale coś mi się widzi, że twój księżulo o ciebie zazdrosny. — Zmrużył oko, zadowolony, że udał mu się przytyk, i zaintonował jak gdyby nigdy nic:

Jedzie sobie Bovo przez las na dereszu,
A jego Rosabella dyrda obok pieszo.

— Fabiano! — warknął nagle zakonnik. — Nogi masz zdrowe, mogą cię nieść.

— Niech śpi ten zielonooki potwór, ojcze — powiedział Primo. Zachichotał i dorzucił: — Nie mam chrapki na twojego nowicjuszka.

Zakonnik poderwał gwałtownie głowę i otworzył usta, ale chłopiec go uprzedził:

— Jesteście żonaci, *signore*?

— Nie, ale od kiedy mamie się zmarło, gotów jestem do żeniaczki. Przywykliśmy z tatą, że po obejściu kręci się kobita.

— Ja też kiedyś o tym myślałem — westchnął nowicjusz. — Poślubić kogoś i mieć dzieci.

— No, dzieci narobić jeszcze możesz, jak cię w twoim klasztorze nie wywałaszą i pozwolą wychodzić — stwierdził Primo. — Niejeden mały bękart z naszej wioski ma niebieskie ślepka plebana. — Klepnął pasażera w chudą nogę z taką siłą, że chłopiec się skrzywił.

Zakonnik dosyć się już nasłuchał i napatrzył. Narzucił na głowę kaptur i ruszył szparko przed siebie. Nogi ślizgały mu się w błocie, ale brnął przez nie uparcie i po chwili wysforował się na sporą odległość przed furkę.

— Hej! Zaczekajcie, ojcze! — zawołał za nim Primo. — Mam do was pytanie. W poważnej kwestii.

Zakonnik zatrzymał się i czekał na furę, ale kaptura nie ściągał. Kiedy Jupiter się z nim zrównał i stanął, Primo zapytał z kozła:

— Słyszeliście to o tańcach na cmentarzu?

Kmieć nie widział twarzy zakonnika, ale gardłowy pomruk oznaczał, że ten słucha.

— Mieliśmy festyn z okazji święta Dziewicy, cała wioska spita jak wieprze pląsała między grobami i śpiewała. Przez całą noc tę samą śpiewkę: *Dzieweczko, miej litość*. I niektóre litowały się pod osłoną ciemności, no wiecie. I stary pleban przez całą noc nie zmrużył oka, bo to wszystko działo się pod oknami jego izby. Możecie sobie wyobrazić, jak wyglądał nazajutrz na mszy. Oczy przekrwione, musiał przytrzymywać się ołtarza, bo ledwie mógł ustać na nogach. Unosi oczy do nieba, żeby zmówić pacierz i zamiast: *Panie, zmiłuj się nad nami*, mówi: *Dzieweczko, miej litość*. — Primo ryknął śmiechem i znowu walnął nowicjusza pięścią w udo. — Taki wstyd. Do dzisiaj śmieję się do łez, jak sobie przypomnę.

Chłopiec złapał się z bólu za nogę, ale też się roześmiał. Jednak zakonnik, ku rozczarowaniu Prima, ruszył bez słowa dalej.

— Nie bierzcie tego do siebie, ojczulku! — zawołał za nim kmieć. — Zawsze kiedy siedzę tu na wozie i patrzę na zad Jupitera, przypomina mi się zaraz ksiądz, który pobrał ode mnie opłatę. Do ciebie nic nie mam. — Zgiął się na koźle wpół i zaniósł rechotem.

Zakonnik oddalił się już na dobre sto kroków i chłopiec zaczął się nerwowo wiercić. Drapał się po szyi, a do jego ciemnych oczu wkradł się niepokój.

— Za daleko się posunąłeś — powiedział do Prima. — Naprawdę się rozeźlił.

— E tam. Przeżyje. Skórę ma grubą, a ja po tej nocnej ulewie muszę się trochę rozweselić.

— Ale niekoniecznie jego kosztem. Pójdę z nim porozmawiać. Lepiej, żebyśmy trzymali się razem.

Zeskoczył z wozu i w rozbryzgach błota pobiegł za zakonnikiem. Kiedy go dogonił, Primo poczuł się jak na przedstawieniu. Ajaj, młodzianek obrywa teraz za swoje, pomyślał. I nie pozostaje dłużny. W tych ubłoconych habitach, kłócący się zawzięcie i wymachujący rękami jak cepami, dwaj mnisi przypominali mu kukiełkę Puncinella i jego żonę. Tylko patrzeć, kiedy ten dzieciuchowaty oberwie w ucho, tak jak mama od taty, kiedy zalazła mu za skórę. Ale może braciszkom nie wolno bić swoich kochasiów?

W końcu zakonnik zwolnił kroku i zaczekał, aż wół i furka się z nim zrównają.

— Dokąd zmierzacie, *signore*? — burknął.

Primo zdjął czapkę i przyjął uniżoną postawę.

— Do opactwa Sant'Ubaldo pod Gubbio, Wasza Wielebność. Wiozę to drewno tamtejszym mnichom. Za to będę mógł narąbać drewna na opał dla siebie z ich lasu. Jeśli znowu nie lunie i grzbiet Jupitera wytrzyma, przed wieczorem będziemy u bram.

— Znaczy służysz czarnym mnichom od świętego Benedykta?

— Gorzej! Nie posłuchałem kazania i służę dwóm panom. Nie mogę jednak powiedzieć, że jednego kocham, a drugiego nienawidzę, bo zaraz nie miałbym żadnego. Mój pierwszy pan, hrabia Alessandro, zabił jednego ze swoich kmieci za to, że nie dość szybko zszedł mu z drogi. Stratował go koniem. Wyspowiadał się, a jakże, i dostał rozgrzeszenie, bo kmieć był jego poddanym, ale jako pokutę użycza teraz mnichom kawałka swojego pastwiska, połowę lasów i połowę mnie. Patrzycie, ojczulku, na połówkę człowieka. Jedna moja połowa jest na każde skinienie mnichów, druga należy do hrabiego, ale nie potrafię ci powiedzieć, która ciężej haruje — za to o mnie jako całość nikt nie dba.

Zakonnik ściągnął kaptur. Kroczył obok furki zamyślony, nowicjusz został kilka kroków z tyłu. Przez dłuższy czas słychać było tylko dzwoneczek wołu, poskrzypywanie fury i mlaskanie błota pod racicami.

— Święty Franciszek słusznie prawił — odezwał się w końcu zakonnik. — Smutny to dzień, kiedy boży ludzie uznają, że potrzeba im czegoś na własność. A jeszcze smutniejszy, kiedy postanawiają zdobyć to coś na własność za cenę odpuszczenia grzechów.

— Wasz święty mówił wiela słusznych rzeczy, tyle że sam

był poniekąd odrażający w swoim żebractwie. Rozumiecie, o co mi idzie, ojcze? — Primo zerknął na twarz zakonnika. — Nie, widzę, że nie rozumiecie — podjął. — Był rok tysiąc dwieście dwudziesty piąty, kiedy mój wiekowy teraz tato widział na własne oczy tego świętego człeka. Braciszkowie prowadzili go na osiołku, ślepego jak nietoperz za dnia, ze stopami i dłońmi owiniętymi dla zasłonięcia chrystusowych ran.

— Nie ma niczego odrażającego w jego ślepocie i ranach — odezwał się zakonnik. — Choroby oczu nabawił się w Egipcie, próbując nawrócić sułtana na chrześcijaństwo. Co zaś do stygmatów ukrzyżowanego Chrystusa, to był to największy dar, jaki kiedykolwiek otrzymał syn śmiertelnika.

— Tak, tak, na pewno, ale nie dosłuchałeś mnie do końca. Mój tato patrzył na niego, jak już mówiłem, a tu naraz z krzaków wyłazi kulawy leper — no wiecie, trędowaty — potrząsa kołatką i wyciąga miseczkę na jałmużnę. „Podprowadźcie do mnie mego brata", mówi święty i maca w powietrzu ręką, szukając głowy żebraka. Znajduje jego lico, wargi, i całuje go jak najpiękniejszą z pięknych, najsłodszą ze słodkich. Mówcie sobie, co chcecie, ale po mojemu to obrzydliwe.

— Nie ty jeden tak myślisz — przyznał zakonnik. — Ja nie znalazłbym w sobie takiej siły. Święta gorliwość też jest darem od Boga.

Tak rozmawiając, pokonali zakręt błotnistej drogi. Poranna mgła unosiła się pośród błękitnych gór pierzastymi kłaczkami. Kmieć widział już odległe o kilka mil, wielkie, szare, monolityczne wieże opactwa wykutego w zboczu Mont'Ingino. Poniżej, u podnóża góry, przycupnęła wioska Gubbio.

— Widzicie, braciszkowie — powiedział, pokazując palcem. — Oto, gdzie kończy się mój dzień. Wy też dobrze byście zrobili, zostając tam na noc. *Dom* Vittorio dobrze karmi.

Mgła wreszcie się rozwiała i słońce szybko wysuszyło drogę na zaskorupiały margiel. Zaprzężona w wołu fura toczyła się po niej już bez przeszkód. Gdzieś między noną a nieszporami trzej podróżni stanęli u bram klasztoru.

Konrad podkurczył jedną, potem drugą nogę, żeby rozluźnić mięśnie łydek. Rad był, że kończy się drugi dzień wędrówki, rad, że uwolni się wreszcie od towarzystwa tego czupurnego kmiecia. Szkoda tylko, że nie pozbędzie się Amaty. Podbechtywana przez tego prostaka, cały dzień bawiła się kosztem Konrada. Jakimż utrapieniem musi być ta dziewczyna dla matki przeoryszy i jej siostrzyczek w San Damiano! Im szybciej odprowadzi ją za mury klasztoru, i im szybciej zostanie sam, tym lepiej.

Odetchnął głęboko, wciągając w płuca rześkie powietrze pachnące jeszcze deszczem. Chłodny wietrzyk zaszeleścił w pożółkłych liściach lasu i ucichł tak samo szybko, jak się był zerwał.

Z małej stróżówki przed drewnianym mostkiem przerzuconym nad wezbraną rzeką Chiagio i prowadzącym do masywnych, okutych żelazem wrót właściwego klasztoru, wyjrzał stary mnich. Grubych murów, z ambrazurami i szczelinami strzelnic, nie powstydziłaby się potężna twierdza obronna. Konrad podejrzewał, że za wrotami znajduje się nawet spuszczana krata.

W zbrązowiałych szuwarach po drugiej stronie rzeki unosiła się na falach samotna turkawka, co chwila wyławiając z wody jakieś nasionko strącone z drzewa przez burzę. To samo mnie czeka za kilka dni, pomyślał pustelnik. Jak ta turkawka wertował będę stare pergaminy z nadzieją, że znajdę w nich choćby jedno ziarno, które nada sens tej podróży.

Ostatnia godzina wędrówki, kiedy Amacie i kmieciowi znudziły się w końcu docinki, a słońce przygrzewało, upłynęła Konradowi na rozpamiętywaniu listu Leona. Przygnębiała go myśl, że wkrótce znajdzie się w Asyżu i nadal nie będzie wiedział, czego właściwie ma tam szukać. *Wydobądź prawdę z legend*, pisał Leon — substancji w tej wskazówce nie więcej niż w nasionku wyłowionym z wody przez turkawkę.

— Bywaj, Primo! — zawołał odźwierny. — Dawnośmy cię tu nie widzieli. Jedź z tym do północnej bramy i każ piwnicznemu utoczyć sobie czarkę.

Wymienili uprzejmości i fura potoczyła się dalej. Teraz stary mnich spojrzał pytająco na dwóch wędrowców.

— Niech ci Bóg błogosławi, bracie — pozdrowił go Konrad.

— I wam — odparł mnich. — Zostajecie u nas na noc?

To nie wchodziło żadną miarą w rachubę. Wprowadzenie niewiasty, nawet w przebraniu, w klasztorne mury, byłoby ciężkim grzechem. Zresztą Konrad nie miał pewności, czy Amata się czymś nie zdradzi. Nawet gdyby zaszyli się w gościnnych kwaterach zakonników, to w końcu i tak musieliby się z nimi zetknąć.

— Bóg zapłać za gościnność — powiedział pustelnik — ale jeszcze przed zmrokiem chcemy dotrzeć do Gubbio.

Kiedy to mówił, zadudniło i ziemia zatrzęsła się nagle pod ich stopami. Stary mnich nie okazał najmniejszego zaniepokojenia. Pokazał palcem dolinę, od której galopowało ku nim pod górę pół tuzina ciężko zbrojnych zakonników, i to nie na zwyczajnych wierzchowcach, lecz zwalistych bojowych perszeronach, które w kłębie sięgały rosłemu mężczyźnie po brodę, a piersi miały szerokie jak baryłki. Tuż za nimi, uskakując przed kopytami i rozbryzgami błota, gnała sfora psów. Konie, położywszy uszy po sobie, tocząc pianę z pysków, pędziły wprost na wędrowców. Przerażony Konrad zasłonił twarz skrzyżowanymi ramionami. Mnich pędzący na czele w ostatniej chwili ściągnął wodze i zapierając się w strzemionach, osadził konia w miejscu. Wyglądał na siłacza, a z wysadzanego klejnotami krzyża, który dyndał mu na piersi, można było wnosić, że to *dom* Vittorio, opat Sant'Ubaldo.

— Kogóż moje oczy widzą, braciszkowie! — huknął, stając w strzemionach i spoglądając na Konrada i Amatę. Można było odnieść wrażenie, że zwraca się do nich z wierzchołków drzew, które okalały jego łysiejącą głowę. — Boska opatrzność was do mnie pewnikiem sprowadza, znaczy ten dzień nie będzie tak do cna stracony.

Konrad wytrzeszczył oczy na widok pik i halabard w rękach zakonników, wypchanych strzałami kołczanów na ich plecach, maczug i kusz przytroczonych do siodeł. Oni polowali na grubszego niż jeleń zwierza.

Opat pobiegł za jego spojrzeniem.

— To ci przeklęci perugianie — wyjaśnił. — Bóg usmaży ich dusze w piekle. Najęli bandę zbójów, żeby grasowała po naszych drogach, ale nie natrafiliśmy dzisiaj na żaden ślad tej hołoty.

Konrad przypomniał sobie, że do opactwa Sant'Ubaldo należy większość ziem uprawnych i lasów w okolicach Gubbio, co, jak na każdego feudała, również na opata nakładało obowiązek przepędzania ze swego lenna wszelkiej maści grasantów i łupieżców. Jeszcze jedno przekleństwo własności, pomyślał. Jeszcze jeden dowód na to, że jego zakon słusznie wielbi Madonnę Ubóstwa. Przynajmniej teoretycznie.

Dom Vittorio machnął na swoich mnichów, wskazując klasztor. Ciężkie wrota rozwarły się ze zgrzytem łańcuchów i skrzypieniem zawiasów. Kiedy zniknął za nimi ostatni koń i ucichł tupot kopyt na moście, opat znowu zwrócił się do Konrada i Amaty. Pustelnik zrobił już kilka kroków w stronę Gubbio, Amata dreptała za nim.

— Zaczekajcie, bracia. Bądźcie dziś moimi gośćmi.

— *Grazie molte*, wielebny ojcze! — zawołał przez ramię Konrad. — W Gubbio mamy jednak dom naszego własnego zakonu. Tam przenocujemy. — W miasteczku znajdował się również klasztor Ubogich Pań, gdzie mogła zatrzymać się Amata. On tak czy owak spędzi tę noc w lesie. Będąc już tak blisko Asyżu, wolał uniknąć komplikacji.

— Bzdura! Zapraszam do nas, nalegam! — Nacisk, jaki położył opat na słowo „nalegam", świadczył, że ten człowiek zawsze stawia na swoim. — Odprawicie jutrzejszą mszę. Wszak to święto waszego założyciela.

To już czwarty października? Konrad nie mógł uwierzyć, że zapomniał o najważniejszym dniu w kalendarzu zakonu, dniu świętego Franciszka. Oto, jakie są skutki rozbratu z brewiarzem. Coś ścisnęło go w piersiach.

— Nie znamy waszego obrządku — odparł zdławionym głosem.

— Oj, ale lektury na nocnym czuwaniu potraficie chyba z brewiarza odczytać. Będę zobowiązany, jeśli się zgodzicie. — Z tonu opata można było również wnosić, że odmowę potraktuje jako osobisty afront.

Szach i mat! Jak tu odmówić zakonnikowi, nie wyjawiając, że od dwóch dni podróżuje z kobietą? Konrad zerknął na Amatę. Prosił ją oczami o wsparcie. Sprytu jej nie brak, może wykoncypuje jakieś wyjście z tej sytuacji i przyjdzie mu już teraz z zapowiadaną przez Leona pomocą.

Amata, odwrócona do opata plecami, posłała Konradowi przewrotny uśmieszek.

— Zostańmy, ojcze — rzekła z niewinną minką. — Nie nocowałem jeszcze w opactwie tych mnichów.

W tym momencie Konrad zapragnął oćwiczyć ją najgrubszym kijem, jaki zdoła oburącz unieść.

— Wielkie dzięki, młody bracie! — huknął z galanterią *dom* Vittorio z wyżyn swego perszerona. — Ugościmy was jak kardynała, co ja gadam, jak papieskiego wysłannika. A jeśli twój towarzysz upiera się przy kontynuowaniu podróży, to krzyżyk mu na drogę. Niech idzie.

Konrad pochylił głowę, by ukryć irytację, która ściągała mu kąciki ust. Pokonali go. Nie pozostawało mu nic innego, jak powlec się za opatem, który skierował już swego rumaka na most, i posłusznie drepczącą za nim Amatą. Musiał, choćby po to, by mieć na oku tę dziewkę. Bóg jeden wie, co mogłaby nawyczyniać pozostawiona samej sobie.

VII

Konrad, patrząc na dwuszereg zakonników wpływający po nieszporach do refektarza, naliczył około stu dwudziestu mężczyzn i młodzianków — klasztor był ogromny. Mnisi zajęli miejsca przy dwóch drewnianych stołach ciągnących się przez całą długość wąskiej prostokątnej sali. *Dom* Vittorio zaprosił Konrada, Amatę i swojego przeora do osobnego stołu na podwyższeniu pod krótszą ścianą refektarza. Ustalający w tym tygodniu porządek czytania lektor wspiął się po schodkach na ambonę.

Konradowi po całym dniu drogi burczało w brzuchu, ale nie spodziewał się obfitego poczęstunku. W klasztorach o surowej regule mnisi spożywali główny posiłek po południu. Z drugiej strony, *dom* Vittorio na surowego nie wyglądał. Bardziej przypominał kasztelana, jednego z tych gościnnych, zamieszkujących wieże reliktów zamierającej epoki feudalnej, jakim był pewnie również ojciec Amaty. Utwierdzały go w tej opinii smakowite zapachy napływające z kuchni.

Z nadejściem wieczoru ochłodziło się szybko, ale przewidujący brat kuchmistrz napalił już w kominku. Konrad zauważył, że refektarz pełni również rolę klasztornej zbrojowni. Blask ognia odbijał się w polerowanych kuszach, tarczach, napierśnikach i broni siecznej, którymi obwieszone były ściany. Można by pomyśleć, że wieczerzają w wielkiej sali księcia Spoleto.

Na znak dany przez *dom* Vittoria lektor zaczął odczytywać z nekrologium zakonu biografię jakiegoś benedyktyńskiego świętego. Szepty przy stołach natychmiast przybrały na sile, przechodząc w gwar. Głowy obracały się jedna po drugiej w ich stronę. Konrad zauważył, że coraz więcej spojrzeń kieruje się na Amatę; co gorsza dziewczyna odpowiadała na nie tym swoim szerokim ujmującym uśmiechem. Czyżby nie zdawała sobie sprawy, że nawet przebrana za chłopca, pośród tych rozbisurmanionych mnichów narażona jest na takie samo niebezpieczeństwo jak dziewczyna? Poczuł się jak Lot ochraniający swych anielskich gości przed mężczyznami z Sodomy i Gomory. Inna sprawa, że Amaty żadną miarą nie dało się porównać do anioła. Aliści był za nią odpowiedzialny. Nachylił się do dziewczyny i szepnął:

— Skromności, bracie, skromności.

Na szczęście w tym momencie podano do stołu. Zamiast skromnej mnisiej kolacji złożonej z cienkiej polewki, razowego chleba i suszonego groszku, jakiej spodziewał się Konrad, kucharz z małą armią kuchcików wnieśli półmiski z pieczystym i grubymi plastrami sera. Młody pomocnik postawił przed nimi wiklinowy koszyk z pajdami wybornego białego chleba. Drugi napełnił pucharki aromatycznym czerwonym winem, a *dom* Vittorio, uśmiechnięty od ucha do ucha, zachęcał gości:

— Jedzcie, bracia, jedzcie. Jutro znowu ruszacie w drogę. Musicie nabrać sił.

Wcześniejszy gwar jeszcze bardziej narósł, lektora nie było już prawie słychać. Między stołami kręciły się psy myśliwskie, których nie wiedzieć kiedy nalazło do sali. Od czasu do czasu któryś z mnichów rzucał w powietrze ochłap mięsiwa albo skórkę chleba, prowokując je tym do zażartej walki wśród powarkiwań i kłapania zębiskami. W końcu sali, gdzie siedzieli nowicjusze, trwała zabawa polegająca na rzuceniu skrawka jadła tak, by wylądował na brzegu stołu naprzeciwko, zmuszając braciszka nowicjusza do ratowania swego posiłku przed doskakującym psem.

Chociaż sumienie strofowało pustelnika za naśladowanie zakonników w żarłoczności, to domagający się swego żołądek zagłuszał te połajanki. Pochłonął do ostatniego kęsa gruby plaster pieczeni wieprzowej. Amata również pałaszowała z apetytem i na koniec posiłku wiwatowała wraz z mnichami, kiedy przechylono drewniane stoły. Opróżnione cynowe miski posypały się z grzechotem na posadzkę wraz z resztkami jadła, psy, jak to psy, rzuciły się ze skomleniem i ujadaniem dopełnić dzieła. Zakotłowało się, zrobił się harmider nie do opisania, lecz lektor na ambonie, jakby niepomny tego, że nikt go nie słucha, a nawet gdyby chciał, to nie usłyszy, nadal poruszał ustami. W końcu zamknął księgę i przeżegnał się znakiem krzyża.

Wieczerza dobiegła końca.

Kuchcikowie ustawili się pod ścianami i czekali, aż psy skończą. Mnisi, uformowawszy dwuszereg, podreptali do bazyliki opactwa na kompletę, ostatnie nabożeństwo dnia. Kiedy wchodzili do nawy i zajmowali przypisane sobie miejsca w ławkach, Konrad z Amatą odłączyli się. Stojąc w północnym transepcie, dwaj bracia szarzy przysłuchiwali się, jak czarni zakonnicy modlą się o spokojny sen i obronę przed Złym, który, jak ostrzegały ich psalmy, pośród nadchodzącej nocy będzie *sicut leo rugiens*, krążył jak ryczący lew, szukając ofiary do pożarcia. Konrad pochylił głowę. Żałował, że Amata nie zna tak dobrze łaciny, by wziąć sobie tę przestrogę do serca.

Od tak dawna żył poza jakąkolwiek religijną społecznością, że zapomniał już, jakie potężne wrażenie robi na słuchaczu chór tylu młodych i starszych męskich głosów. Przyznawał w duchu, że pomimo całego swego rozprzężenia, śpiewać ci mnisi potrafią. Zwłaszcza basy poruszały w jego piersiach czułą strunę. W bazylice robiło się coraz ciemniej, na wiernych opadał coraz gęstszy mrok, pozwolił więc łzom wzbierającego w sercu wzruszenia potoczyć się po policzkach. Nie wiedział, czy Amata je zauważyła, i nie dbał o to. Przez chwilę czuł się w zatłoczonej bazylice tak samo samotny jak ona, kiedy wczoraj zawodziła na płaskowyżu.

Przebrzmiał ostatni psalm, nastąpił czas cichej medytacji, a potem *dom* Vittorio odszukał w transepcie dwóch braci szarych i skinął, żeby za nim szli. Zaprowadził ich do łożnicy sąsiadującej z jego gabinetem.

— Zwykle ja tu sypiam — powiedział — ale tak się nieszczęśliwie składa, że nasz domek gościnny jest obecnie w remoncie. Odstępuję więc naszym szacownym gościom własne łoże.

Izbę oświetlała jedna świeca, ale nawet w jej nikłym blasku w oczy bił przepych, którego Konrad nie spodziewał się zastać w klasztorze. Pod oknem z oprawionymi w ołów szybkami stał głęboki fotel, a przy biurku opata wysoki wyściełany stołek. Kamienne ściany zdobiły dwa arrasy — jeden przedstawiający odyńca osaczonego przez myśliwych, drugi sokolnika zdejmującego kapturek z łepka sokoła. Ale największe wrażenie robiło łoże opata. Mnich powinien sypiać na prostym sienniku wypchanym słomą. To łoże miało drewnianą ramę unoszącą siennik wysoko ponad zimną posadzkę. Pomiędzy zasłonami uwiązanymi do słupków podtrzymujących baldachim widać było puchową pierzynę, a na niej poduchy wielkie jak wory na ziarno. Po spuszczeniu, zasłony chroniły w zimie przed cugami, w lecie zaś przed dokuczliwymi komarami. Bez wątpienia materac też był wypchany gęsim pierzem. Dla Konrada było to posłanie godne papieża.

Opat nachylił się do Konrada i zniżając głos, zapytał:

— Pomieścicie się na tym łożu czy mam kazać przynieść osobny siennik dla twojego nowicjusza? — Przyglądał się przy tym bacznie twarzy Konrada. Była to nie tyle propozycja, co test.

— O nie, nie! — wybąkał Konrad, cofając się do drzwi. — W jednej izbie? Nie uchodzi...

Opat kiwnął głową i uniósł ręce.

— Nic nie mów, bracie. Słusznie czynisz, pragnąc uniknąć nawet podejrzenia o zdrożność. Są pod moim dachem tacy, wyznaję to ze wstydem, którym umysły zaprząta zbytnio kwestia nieczystości cielesnej. Mogliby źle zinterpretować fakt dzielenia przez was jednej łożnicy. Chłopiec powinien nocować w dormitorium dla nowicjuszy. — Tu zwrócił się do Amaty: — Pójdź ze mną, synu.

Amata spojrzała na Konrada i wzruszyła ramionami, jakby chciała powiedzieć: Cóż począć? Nie ma innego wyjścia — i pospieszyła z uśmiechem za *dom* Vittoriem.

— Zaczekaj! — krzyknął Konrad. Bez zastanowienia złapał dziewczynę za bolące ramię. Pisnęła przeraźliwie z bólu, wprawiając całą trójkę w konsternację.

— Nie wspomniałem jeszcze, wielebny ojcze — wyrzucił z siebie wzburzony Konrad, by czym prędzej odwrócić uwagę mnicha — że Fabiano miał wczoraj przykry wypadek i uraził się w rękę. — Głos tak mu drżał, że zachodziła obawa, iż wszystko się wyda, ale jedyną nadzieję dla nich upatrywał w mówieniu. — Powinien spać na wygodnym posłaniu. Dla mnie zaś prycza w dormitorium nowicjuszy będzie więcej niż w sam raz. Zwykle sypiam na gołej ziemi.

Dom Vittorio, obrzuciwszy Amatę zaciekawionym spojrzeniem, ruszył za pustelnikiem do drzwi.

— Jak sobie życzycie, bracie Konradzie. — Obejrzał się jeszcze raz, kiedy wychodzili z izby. — Nie zwracajcie uwagi na dzwon wzywający na nocne czuwanie, braciszku, potrzebujecie wypoczynku. Jeśli to kontuzjowane ramię rankiem nadal będzie dokuczało, każę naszemu medykowi obejrzeć je przy świetle dziennym.

Amata skłoniła się — zdaniem Konrada trochę za gorliwie. Biedna dziewczyna bała się znowu odezwać, żeby nie zdradzić się głosem.

Konrad wiedział już, że nie zazna spokoju, dopóki nie znajdą się za bramą tego klasztoru. Szedł za opatem ze ściśniętym żołądkiem, soczysta, tłusta pieczeń wieprzowa gulgotała mu w kiszkach. Klapanie sandałów *dom* Vittoria i cichy tupot bosych stóp Konrada odbijały się od klasztornych murów niesamowitym pogłosem w mrocznej ciszy obcego otoczenia. Pustelnik rozglądał się niespokojnie po ciemnym podworcu. Wydawało mu się, że za każdą oświetlaną przez księżyc kolumną krużganka dostrzega czające się, przestępujące niecierpliwie z nogi na nogę, zakapturzone postaci. Błagam cię, Amato, bądź tej nocy rozsądna, powtarzał w duchu, ale ona tego, oczywiście, nie słyszała, układając się do snu w ogromnym łożu.

Konrad, nienawykły do nocnych hałasów donośniejszych od sporadycznego skrobnięcia gałęzi sosny o ścianę jego chaty, długo przewracał się z boku na bok na macie. Dormitorium podzielone było tak, by każdy nowicjusz miał swoją małą celę, ale przepierzenia wysokości dorosłego mężczyzny nie stanowiły żadnej bariery dla kakofonii, na jaką składało się chrapanie kilkudziesięciu śpiących tu zakonników.

Ale nawet gdyby było cicho jak w grobie, to i tak nie pozwoliłby mu zmrużyć oka niepokój o Amatę. O szybsze bicie serca przyprawiał go każdy szelest siennika, każde skrzypnięcie podłogi. Godzina za godziną rozbudzona wyobraźnia podsuwała mu wizje mnichów opuszczających cichcem prycze i wracających na nie ukradkiem. W końcu, w środku nocy, zmęczenie wzięło górę i zapadł w niespokojny półsen. Lecz nie na długo. Miał wrażenie, że dopiero co przymknął oczy, kiedy zakonnik z nocnej warty uderzył w dzwon na nocne czuwanie.

Półprzytomny z niewyspania Konrad powtórzył za psalmistą słowa, które poprzedniego dnia cytował Amacie:

— *Siedem razy dziennie będę Cię błogosławił, i w nocy wzywał imienia Twego**. — Przeklęty król David i jego bezsenność, wyburczał w duchu, ale natychmiast ofuknął się za tę bluźnierczą myśl i gnuśność. Rozleniwił się w swojej leśnej samotni. Zawstydzali go nawet ci rozpasani czarni mnisi. Przetarł oczy, przeciągnął się i powlókł za milczącymi braćmi do bazyliki. Idąc, rozcierał dłonie i ramiona; noc wyziębiła klasztor, a do wschodu słońca pozostało jeszcze pięć godzin. W kościele czarni mnisi ustawili się w cztery rzędy, po dwa z każdej strony nawy, ojcowie na stopniach ciągnących się pod ścianami, nowicjusze poniżej, przed nimi. Konrad, niemający swojej pozycji w tej hierarchii, zajął miejsce na szarym końcu jednego z rzędów ojców. Nie widział Amaty. Pewnie posłuchała rady *dom* Vittoria i pozostała w łożu.

Pustelnik uciął sobie króciutką drzemkę na stojąco, podczas gdy jego sąsiad zakładał jedwabnymi zakładkami stronice w Wielkim Psałterzu i antyfonarzu rozłożonym na pulpicie, który dzielili. Poczuł się trochę usprawiedliwiony, kiedy zmusiwszy się do otworzenia oczu, stwierdził, że nie tylko jemu kleją się powieki. Nawet *dom* Vittorio wyglądał na rozespanego. Oczy miał opuchnięte, policzki w plamach, a głos skrzypiał mu niczym zardzewiałe łańcuchy zwodzonego mostu, kiedy zaintonował błogosławieństwo na rozpoczęcie nabożeństwa: *Jube, Domine, benedicere.*

Z języka Konrada spływały jeden po drugim hymny, psalmy i antyfony, aż nadeszła wreszcie pora pierwszego czytania. Na znak *dom* Vittoria skłonił się i wszedł na ambonę za stallą opata. Jeden z zakonników otworzył już księgę na właściwej stronicy.

W miarę zagłębiania się w tekst, a były to pierwsze cztery lekcje z *Reguł dla spowiedników*, czuł się coraz pewniej i zaczynała mu się podobać rola, jaką odgrywał w tym nabożeństwie czarnych mnichów. Był dumny, że członkowie innego, czasami

---

* To swobodna trawestacja dwóch fragmentów Psalmu 119.

nawet współzawodniczącego zakonu, tak honorują świętego Franciszka. Kiedy jednak odwrócił stronicę, by przejść do czytania piątej lekcji, odjęło mu mowę. Trzy razy przebiegł wzrokiem nagłówek: *Lectio de Legenda Maior Ministri Bonaventurae.*

Czy to dlatego Bóg zesłał na mnie tę noc udręki? — przemknęło mu przez myśl. Tekst pochodził z *Legenda Maior* — *Życiorysu większego*, biografii świętego Franciszka pióra Bonawentury. Może tutaj znajdzie w końcu klucz do zrozumienia przesłania Leona? Stał oniemiały, z dłońmi zaciśniętymi na krawędziach ambony, a w głowie rozbrzmiewał mu znowu fragment listu mentora: *Czytaj oczami, poznawaj rozumem, sercem wydobądź prawdę zawartą w legendach.*

Do rzeczywistości przywołało go znaczące pokasływanie dobiegające spod ambony. Z oświetlonych łuczywami naw popatrywały na niego rzędy bladych zniecierpliwionych twarzy. *Dom* Vittorio ponownie znacząco zakasłał. Konrad skłonił się przepraszająco i podjął lekturę.

— *Franciscus, Assisii in Umbria natus* — zaczął. — Franciszek urodzony w Asyżu w Umbrii... — I po chwili znów wpadł w rytm, by zaciąć się ponownie w połowie siódmego czytania opisującej, jak to dwa lata przed śmiercią ukazał się Franciszkowi serafin o sześciu gorejących błyszczących skrzydłach i odcisnął na dłoniach, stopach i boku świętego rany ukrzyżowanego Chrystusa.

Prawdopodobnie Konrad w tym miejscu i tak by przerwał. Moment, w którym anioł odciska święte stygmaty na ciele świętego Franciszka, był najdramatyczniejszy i najbardziej podniosły w kronikach zakonu. Poruszyłby każdego mnicha. Lecz on przerwał, bo w tym momencie przypomniało mu się jedno z pytań Leona: *Skąd serafin?* Czyżby tego serafina miał na myśli Leon? Najprawdopodobniej nie, bo ten anioł przybywał przecież z nieba. Co więc rozumiał Leon pod sformułowaniem skąd pochodzi?

Najchętniej zrobiłby przerwę na poukładanie sobie tego wszystkiego w głowie, ale musiał czytać dalej. Dobrnął wreszcie do końca ustępu i kiedy mnisi śpiewali *responsorium* i *versicle**, spróbował zebrać myśli. Przeszkodziło mu w tym jednak zamieszanie, jakie nagle powstało w bazylice. Jeden z nowicjuszy przybył dopiero teraz i padł krzyżem przed głównym ołtarzem, by odpokutować spóźnienie. Po chwili zajął miejsce wśród innych nowicjuszy, osłaniając dłonią usta, szepnął coś na ucho sąsiadowi i obaj zachichotali. Konrad podążył za ich spojrzeniami i zobaczył wchodzącą do bazyliki Amatę. Dołączyła do rzędu nowicjuszy stojących naprzeciwko spóźnialskiego i (czyż to możliwe?) posłała mu ukradkowy uśmieszek. Konrad zmrużył oczy i wytężył wzrok. Czy naprawdę widział ten uśmiech, czy tylko mu się zdawało? W słabym migotliwym blasku łuczyw i z takiej odległości mógł ulec złudzeniu.

Audytorium znowu przypominało mu o obowiązku. Mnisi pokasływali unisono, nieco głośniej i z bardziej ostentacyjnym zniecierpliwieniem niż za pierwszym razem. Zaczął czytać ostatnią lekcję. Jego umysł, wciąż nie do końca rozbudzony, a do tego obciążony bagażem tylu nowych pytań, pracował powoli i ociężale jak wół Prima.

Co go w końcu obchodzi, co robi Amata? Kończył ostatni ustęp tekstu, kiedy niespodziewanie wezbrał w nim gniew. Scena śmierci świętego Franciszka nie mogła konkurować z natłokiem kłębiących się w jego głowie myśli.

Czy słusznie się gniewam? Mimo wszystko jestem za nią odpowiedzialny.

Ale nie do końca. Bóg dał jej, tak jak każdej ludzkiej istocie, wolną wolę. A poza tym, nie spałaby tu dzisiaj, gdyby nie jej przewrotność.

---

* *Responsorium* (łac.) — wyrażenie brewiarzowe składające się z dwóch zdań, z których pierwsze odmawia (śpiewa) kapłan, a drugie — czyli *responsus* — chór albo reszta kongregacji, recytująca określoną godzinę kanoniczną, zwaną *hora canonica*.

Versicle — w chrześcijańskim obrządku łacińskim fraza lub sentencja z Pisma Świętego, której ton podaje sprawujący uroczystość oficjant, a która zostaje następnie podjęta przez chór lub całe zgromadzenie.

Lecz kobieta jest słabszym naczyniem. Potrzebuje mojej siły. Powinienem był obmyślić jakiś sposób chronienia jej łożnicy.

Udało mu się jakoś zakończyć czytanie i zszedł po schodkach z ambony. I wtedy ten natrętny wewnętrzny głos zasugerował: Bracie Konradzie, czyżbyście byli zazdrośni?

Absurd! Ruszył nawą na swoje miejsce. Mijając Amatę, posłał jej wściekłe spojrzenie. Dziewczyna drgnęła, a on szybko odwrócił głowę.

Stanąwszy w rzędzie obok sąsiada, spojrzał z góry na krótko ostrzyżoną, pochyloną głowę na końcu rzędu nowicjuszy. Czerwony rumieniec krasił tył jej smukłej szyi, wąskie ramiona drżały ledwie zauważalnie. Kiedy wokół rozbrzmiała gregoriańska pieśń, pustelnik westchnął ciężko i przeniósł wzrok na złote tabernakulum zdobiące główny ołtarz.

Boże, wybacz mojemu podejrzliwemu sercu, poprosił. Skrzywdziłem ją, bardzo skrzywdziłem.

VIII

— Konradzie, weź ode mnie tę sakwę! Ramię strasznie mnie rwie. — Amata i pustelnik zeszli dopiero co z mostu pod klasztorem i wciąż znajdowali się w zasięgu wzroku starego odźwiernego.

— *Mi scusi*, siostro. Cierpliwości. Musimy pokazać *dom* Vittoriowi, że z twoim ramieniem już lepiej. Inaczej pośle cię do medyka.

— Nie uczyni tego — odparła z przekonaniem dziewczyna.

— Skąd wiesz? Słyszałaś, co mówił wczoraj.

— A ja nadal twierdzę, że nigdzie mnie dzisiaj nie pośle. Zauważ, że nie jesteśmy już w opactwie. — Krzywiąc się z bólu, ściągnęła ciężką sakwę z ramienia i podała ją pustelnikowi. Piwniczny hojną ręką uzupełnił ich zapasy.

Tam, gdzie trakt zaczynał opadać ku miastu, Amata zatrzymała się i wskazała za siebie na czarny bastion Sant'Ubaldo, rysujący się na tle różowiejącego nieba. Szare chmury, wiszące nad opactwem niczym ubłocone baranki, też zaczynały różowieć.

— Nie wydaje ci się dziwne, że słońce zawsze wstaje na wschodzie? — zapytała.

— Co? A co to ma...

— Nigdy się nad tym nie zastanawiałeś? Każdego wieczoru słońce znika za zachodnim skrajem świata, a o brzasku znowu jest z powrotem tam, gdzie się wyłoniło. Jak tam w ciągu nocy przechodzi? Nie zastanawia cię to?

— Nie, nie zastanawia. Wiem, że dla Boga nie ma rzeczy niemożliwych, i to mi w zupełności wystarcza.

— A więc przez cały ten czas, kiedy mu śpiewaliśmy po ciemku, słońce ogrzewało już nowego papieża. *Dom* Vittorio powiedział, że on żegluje teraz pewnie przez morze z Ziemi Świętej do Wenecji. Modliłeś się dziś rano o jego bezpieczeństwo i bezpieczeństwo wszystkich młodych żeglarzy, którzy z nim płyną?

— O elekcji dowiedziałem się dopiero po prymie, kiedy przerwaliśmy milczenie. Ale jak najbardziej życzę nowemu Ojcu Świętemu pomyślnych wiatrów. Tak... i tym, którzy z nim żeglują, także.

Amata uśmiechnęła się, i takiego afektowanie skromnego i błogiego uśmiechu Konrad jeszcze u niej nie widział. Od nocnego czuwania starał się być dla niej łaskawy, uważając, że to pokuta za wcześniejsze posądzenie. Nie komentowała tej zmiany w jego nastawieniu, ale bez wątpienia ją zauważyła i była mu wdzięczna. Wciąż jednak, zadając niby to niewinne pytania, nawiązywała do nocy, którą spędziła w łożnicy *dom* Vittoria. Konrad podejrzewał, że celowo się z nim droczy, na co z pewnością sobie zasłużył, podejrzewając ją o najgorsze. Zdawał sobie również sprawę, że wypytywanie ją o spóźnialskiego nowicjusza byłoby stratą czasu.

Krętym traktem doleciało z dołu bicie w dzwon na *Angelus*, będące dla nocnej straży miasta sygnałem do otwarcia bram. Rozciągające się na dnie doliny Gubbio przywodziło na myśl wielką zakurzoną stopę z wielkim paluchem wciśniętym w wąwóz między górami Calvo od zachodu i Ingino, na której teraz stali. Poza murami Konrad widział ruiny starożytnego rzymskiego amfiteatru. Wyglądało na to, że Iguvium, jak zwało się miasto za rządów cezarów, rozciągało się daleko na równinę rzeki Chiagio — i dopiero wieki wojen z wrogimi miastami-państwami zmusiły je do wycofania się w obręb obecnych murów.

W senną ciszę świtu wdarł się przeraźliwy skrzyp zawiasów rozwierających się bram miejskich, obwieszczając nastanie nowego dnia. Pustelnik wspomniał swoją ostatnią bytność w Gubbio. Było to wiosną tamtego roku, kiedy brat Leon powierzył mu manuskrypt.

— Słyszałaś o *Corso dei Ceri*, siostro? — spytał.

Amata pokręciła głową.

Konrad zatrzymał się i położył sakwę na ziemi.

— Widziałem go kiedyś. Piętnastego maja każdego roku, w wigilię święta swego patrona, gubbiańczycy urządzają wyścig od tej tam bramy, pod górę Ingino, aż do opactwa. Trzy drużyny, po dziesięciu mężczyzn każda, pną się tym traktem, dźwigając trzy ogromne świece z drewna. Świece są wysokie na sześciu chłopa i ciężkie jak z żelaza, każdą zaś wieńczy woskowa figura świętego — jedną świętego Ubalda, ma się rozumieć, drugą świętego Jerzego, a trzecią świętego Antoniego Opata. To przepiękny festiwal. Drużyny wspinają się, posapując i postękując, święci kołyszą się na swoich świecach-słupach, a za nimi biegnie całe miasto. To przepiękny widok.

— I który święty wygrał, kiedy tu byłeś?

Konrad wzruszył ramionami.

— Tak po prawdzie, to nie jest wyścig. Święty Ubaldo, jako patron miasta, musi być zawsze zwycięzcą. Święty Jerzy dobiega zawsze do mety drugi, a święty Antoni jest zawsze ostatni.

— To po co się ścigają? — roześmiała się Amata.

Pustelnik schylił się po sakwę i ruszył traktem w dół.

— Musisz zrozumieć, siostro, że rytuał ten służy tylko podtrzymywaniu wiary wśród wieśniaków. W odróżnieniu od biskupów i księży są niepiśmienni i nie mogą czerpać natchnienia z Pisma Świętego. Oni potrzebują obrazu albo przedstawienia, które ich przyciągnie i porwie. I owo *corso* odświeża każdej wiosny drzemiącą w nich wiarę. Ten doroczny wyścig jest dla ich dusz tym, czym powracające ciepło dla ich pól.

Byli już w dolinie, dwa tysiące stóp poniżej klasztoru. Pozdrowili strażnika przy bramie i wkroczyli do miasta. Mały chłopiec na chudych podrapanych nogach przepędzał obok stadko kóz. Dzwoniły hałaśliwie dzwoneczki na szyjach koźląt brykających wesoło obok swoich mlecznych matek albo trykających się między sobą małymi łepkami w udawanych pojedynkach. Konrad spojrzał krzywo na zwierzęta. Był za pan brat ze wszystkimi stworzeniami żyjącymi w lasach otaczających jego pustelnię, nie wyłączając kozic, ale podzielał powszechną niechęć do ich udomowionych krewniaków. Nie to, żeby zaraz widział w nich demony, ale w tych niesamowitych żółtych oczach czaiło się jednak coś szatańskiego. Z rozrośniętymi klatkami piersiowymi, zakręconymi rogami, dyndającymi wymionami albo jądrami i zmierzwionymi rzadkimi bródkami miały w sobie coś ze starożytnych satyrów, a niektóre bestiariusze utrzymywały, że ich krew jest tak gorąca, że roztopi diament. Konrad wzdrygnął się i na wszelki wypadek przeżegnał.

W tej wyżej położonej części miasta wiele domów wzniesionych było z kamienia. Otwierały się drzwi i okiennice, służące rozpoczynały poranną krzątaninę. Wąskie, strome, niewybrukowane uliczki były jeszcze rozmiękłe po ulewie, jaka przeszła nad okolicą dwie noce temu, musieli więc dobrze patrzeć pod nogi, żeby się nie poślizgnąć albo nie wdepnąć w kałużę nieczystości, które wylewano przed domy drzwiami i oknami.

Konrad dobrze znał plan Gubbio. Zamierzał przeciąć Piazza Grande, ulicą Paola dotrzeć do Piazza del Mercato, minąć targowisko i przez Porta Marmorea jak najszybciej opuścić miasto. Źle się czuł w Gubbio. Te stojące jeden przy drugim budynki i wąskie uliczki przyprawiały go o klaustrofobię. Jednak Amata była w Gubbio po raz pierwszy i wszystko ją interesowało. Wypytywała go o każdy okazalszy budynek, od robiącej wrażenie katedry Santi Mariano e Jacopo Martire, jakby osadzonej tylną ścianą w zboczu wzgórza, po Palazzo Praetorio. Zachwycało ją wszystko — i strzelające w niebo ślepe mury warownych wież szlachetnych rodów, i drewniane rudery niższych stanów stłoczone w ciasnych zaułkach. Zanim dotarli do Piazza del Mercato, kupcy zdążyli już pootwierać kramy i zachwalając z animuszem swój towar, burzyli resztki porannego spokoju.

— *Buon giorno*, braciszkowie — pozdrowiła ich wesoło kobieta z dzbanem na głowie. Za nią dreptała malutka spłoszona dziewuszka, dźwigająca bochen chleba wielki jak ona sama. Dziecko było w habicie i barbecie zakonnicy, bez wątpienia wypełniało jakiś ślub złożony przez rodziców. Bose stópki miało zaróżowione z zimna i Konrad oburzył się w duchu, że matka nie sprawi córce butów, choć sama je nosi. A może mała była tylko sługą?

Wiejski piekarz tradycyjnie jako pierwszy rozłożył się ze swoim towarem i Konradowi ślina napłynęła do ust, kiedy w nozdrza podrażniła go smakowita woń świeżego pieczywa. Amata spojrzała nań błagalnie i złożyła dłonie jak do modlitwy, ale zbył ją wzruszeniem ramion.

— Wszak wiesz, że nie mamy denara przy duszy, siostro. A jedzenia u nas dostatek, więc żebrać nie musimy. — Udał, że nie widzi jej nadąsanej minki. Jakaż ona frywolna dzisiejszego ranka!

Ruszył skrajem placu, kierując się ku wznoszącemu się po drugiej stronie Convento di San Francesco. Dawniej przedłużyłby może podróż, by odwiedzić braci zakonników z Gubbio, ale teraz, po latach, które spędził w samotności, byli mu już właściwie obcy. Kiedy mijali mur klasztoru, doznał dziwnego uczucia niepokoju i zimny dreszcz przebiegł mu po plecach. Przed sobą widział już otwartą Porta Marmorea, a za nią pusty gościniec prowadzący do Asyżu. Przyśpieszył kroku, ta narastająca wrzawa i tumult działały mu na nerwy.

Byli już prawie po drugiej stronie placu, kiedy nagle z przeciwległego rogu dobiegł świdrujący uszy dźwięk trąbki, w którym utonęły pokrzykiwania kupców.

— Okażcie skruchę! Okażcie skruchę! — huknął męski głos. — *Penitentiam agite!* Królestwo Niebieskie blisko, bliżej niż myślicie.

Poranni klienci targujący się przy straganach stracili zainteresowanie zakupami i ruszyli tłumnie tam, skąd dobiegał głos.

— To Jacopone! — wołano do ludzi wystawiających głowy z drzwi i okien.

Kilku chłopców, zniechęconych bezskutecznymi próbami spędzenia z daszku kota, który się tam przed nimi schronił, ożywiło się i z garściami pełnymi kamieni wmieszało między dorosłych. Powetują sobie z nawiązką nieudany pościg za kotem, obrzucając kamieniami obłąkanego. Stanowił łatwy cel, bo przewyższał o głowę gromadzących się wokół niego ludzi.

— Wynośmy się stąd, dopóki są czymś zajęci — rzucił przez ramię Konrad. Nie słysząc odpowiedzi Amaty, obejrzał się i stwierdził, że pobiegła za urwisami.

Wypatrzył ją w pierwszym rzędzie kręgu gapiów i przepchnął się tam przez tłum. Człowiek zwany Jacopone stał na podstawie marmurowej fontanny pośrodku placu i wodził rozpłomienionym wzrokiem po zbiegowisku. W otaczających plac domach otwarto już wszystkie okna, a kilka bladolicych szlachcianek wyszło nawet na balkony, pokazując się publicznie, co nieczęsto czyniły. Takie wielkie damy, żeby bez potrzeby nie tytłać sobie w błocie trenów strojnych sukien, z domu wychodziły jedynie w niedzielę na mszę. Z niewiast na ulicy spotykało się w zasadzie tylko służące i kobiety z gminu.

Jacopone wzniósł ręce do nieba i okręcił się powoli, sunąc płonącymi, głęboko zapadniętymi, nabiegłymi krwią, orzechowymi oczyma po zgromadzonej gawiedzi. Z wychudzonej twarzy sterczały mu wydatne kości policzkowe, których nie była w stanie zamaskować nawet bujna zmierzwiona broda. Na sobie miał tylko przepaskę na biodra i płaszcz z czarnej owczej skóry z wielkim czerwonym krzyżem wymalowanym na plecach od kołnierza po kraj i w poprzek ramion.

— Przybywam prosto z Rzymu — zaczął. — Udałem się tam obaczyć papieski dwór.

Paru mieszczan zachichotało, ale nie był to śmiech szczery i sąsiedzi szybko ich uciszyli. Nie więcej niż trzech słuchaczy mogłoby powiedzieć o sobie to samo. Jacopone nie zwracał uwagi na dobiegające z tłumu pomruki.

— Opowiem wam, jak wygląda dzień pracy kardynałów z Rzymu, *cardinales carpinales*. Każdego ranka, po papieskim konsystorzu, na którym rozprawiają o królach, procesach sądowych i innych przyziemnych sprawach, ci *grabinales* obżerają się i chlają jak tuczniki. Potem kładą się na swoich miękkich sofach i ucinają sobie południową drzemkę. A całe popołudnie snują się po swoich pałacach zmęczeni bezczynnością albo zabijają czas, doglądając swoich psów i koni, swoich drogich kamieni albo szlachetnie urodzonych bratanic i bratanków.

Dotąd przemawiał spokojnie. Przerwał na moment, a potem oskarżycielskim gestem wskazał kościół San Giovanni Battista stojący przy placu i zagrzmiał:

— Czy to dziwota, że Frankowie odgrzebali straszny list, list z najgłębszych otchłani piekieł spisany krwią przez samego Lucyfera i adresowany dwornie do jego najlepszych przyjaciół, hierarchów Kościoła? „Nie wiemy, jak wam dziękować — stoi w nim — za wszystkie te powierzone waszej pieczy dusze, które nam przesyłacie".

Konrad nie słyszał o żadnym takim liście. Przerażenie przykuło go do miejsca, w którym stał, zupełnie jakby jakiś zły duch z podziemnego świata przeniknął jego ciało, pozostawiając po sobie *rigor mortis*. Na tłum padł niemal namacalny strach. A Jacopone wywrzaskiwał dalej swoją oskarżycielską mowę:

— Czy to tylko przypadek, że słowa *prealatus* i *Pilatus* są do siebie tak podobne, skoro bogaci i szlachetnie urodzeni prałaci swoimi poczynaniami ukrzyżowują zubożałego Chrystusa tak samo skutecznie, jak uczynił to przed dwunastoma wiekami zły Piłat?

Znowu zawiesił głos i czekał, aż te słowa dotrą do słuchaczy, ale tym razem jakaś szlachcianka w karmazynowej sukni krzyknęła drżącym głosem z drugiej strony placu:

— Łżesz! Nigdy nie byłeś w Rzymie, bo nie wygadywałbyś takich rzeczy o tamtejszych świętych mężach! — Przyciskała dłoń do falującej ze wzburzenia piersi, przebierając w palcach przypiętą do niej pięknej roboty broszę. Na balkon wyszedł za nią sługa i okrył nagie ramiona pani zimową *mantello* o obszytych czarnym futerkiem brzegach.

— Mów dalej, Jacopone! — zawołała jakaś kobieta z tłumu. — Jej wuj jest właśnie takim spasionym kardynałem!

Jacopone otulił się ciaśniej płaszczem, popatrzył na balkon i przymknął oczy.

— Powiem wam o kobietach, o *vanitas feminarum** — zaintonował śpiewnie że wciąż zamkniętymi oczyma, jakby przywoływał z pamięci jakąś pieśń albo wiersz. — Kobieto, posiadasz moc zadawania ran śmiertelnych. Bazyliszkowe spojrzenie zabija, twoje jednako. Ale bazyliszek, jeśli człek na niego przez nieuwagę nie nastąpi, nikomu krzywdy nie wyrządzi, ty zasię chadzasz po tym świecie samopas, bez przeszkody, i zatruwasz spojrzeniem. Malujesz sobie lico — dla męża, powiadasz, żeby się tobą zachwycał. Ale to nieprawda. Jemu na nic twoja próżność, bo wie, że upiększasz się dla innych.

Ty jednak jesteś szczwana, szatańsko szczwana. Marnością będąc, potrafisz udawać stateczną damę. Twoja blada cera nabiera kolorów od pudru, a twoje czarne włosy jaśnieją, kiedy nałożysz perukę ze śmierdzących włókien. Wygładzasz lico, wcierając w nie mazie dobre do smarowania starych pomarszczonych butów. A kiedy wydasz na świat córkę i jej nosek nie jest taki jak trzeba, będziesz go szczypała i wyciągała, dopóki nie nabierze pożądanego kształtu. Nie staje ci sił do walki, ale

---

* *Vanitas feminarum* (łac.) — próżność kobieca.

słabość ramienia z nawiązką rekompensujesz sobie cietością języka.

Jacopone mówił to z pogodną twarzą i nie otworzył oczu, nawet kiedy szlachcianka krzyknęła:

— On jest niespełna rozumu! Przepędźcie go za mury!

Chłopiec stojący obok Konrada wziął krzyk kobiety za sygnał.

— *Pazzo!* — wrzasnął — *Pazzo!* Wariat! — Uniósł rękę, żeby cisnąć w kaznodzieję kamieniem, ale Konrad złapał go za nadgarstek i kamień, nie osiągając celu, potoczył się z klekotem po podstawie fontanny.

— To nie wariat. To święty *bizzocone* — powiedział Konrad, używając słowa, jakim określano wędrownych pokutników. — W tym, co mówi, jest mądrość skierowana nawet do takich jak ty niedorostków.

Jacopone otworzył oczy i sprawiał wrażenie jakby dopiero teraz dostrzegł Konrada i Amatę. Jego oblicze posmutniało. Pochylił głowę i podjął z przygnębieniem:

— Bracie Rinaldo, dokąd odszedłeś? Czyś w chwale, czyś jeszcze bardziej zapalczywy tam, gdzie teraz jesteś? A przebywasz teraz tam, gdzie Prawda jest oczywista, karty na stole, zło i dobro oddzielone. Za późno na układanie sofizmatów, prozy czy rymów. Zrobiłeś w Paryżu doktorat. Wielki to był honor i wiele cię to kosztowało, ale teraz nie żyjesz i zaczyna się ostatni egzamin. Do ciebie tylko jedno pytanie: czy naprawdę powodem do chluby jest żywot ubogiego i pogardzanego zakonnika?

Te słowa wzburzyły Konrada. Piętnowanie próżności kobiet owszem, ale naigrawać się ze zmarłego zakonnika?!

— Kalasz pamięć dobrego człowieka, *sior* Jacopone — powiedział na tyle głośno, żeby wszyscy wokół usłyszeli. — Studiowałem z bratem Rinaldem w Paryżu. Nigdy nie szukał dla siebie zaszczytów. Bóg obdarzył go skromnością.

Jacopone nie odpowiedział od razu. Przymknął znowu powieki, złożył dłonie jak do modlitwy. I dopiero wtedy, ku zaskoczeniu Konrada, odezwał się głosem do złudzenia przypominającym jego własny:

— Jestem zakonnikiem. Studiowałem Pismo Święte. Modliłem się, z pokorą znosiłem chorobę. Pomagałem biednym, dotrzymywałem ślubów posłuszeństwa, ubóstwa również, nawet czystości... — Tu Jacopone otworzył jedno oko i mrugnął do Amaty. — ...na ile mi woli stawało, bez skargi znosiłem ból i chłód, wstawałem wcześnie, by odmawiać pacierze, budziłem się na nocne czuwanie i śpiewałem hymny pochwalne. — Nagle głos pokutnika stwardniał, a lico pociemniało od gniewu. — Ale niech ktoś rzeknie słowo, które mi nie w smak, wnet zieję z ust ogniem. Macie tutaj naoczny przykład, co uczynił z tego mnicha habit. Usłyszę jedno słówko, które mnie urazi, a nie zapomnę już i nie przebaczę.

Jacopone patrzył spokojnie na Konrada, a gawiedź buczała pogardliwie. Pchnięty przez kogoś w plecy, poleciał do przodu i znalazł się pośrodku kręgu gapiów, omal nie wpadając na pokutnika.

— Ułożyłem jeszcze jeden hymn wychwalający pokorę — szepnął mu nad uchem Jacopone. — Chcesz posłuchać?

Konrad dygotał z furii, lecz gardło miał tak ściśnięte, że nawet gdyby chciał, nie mógł odpowiedzieć. Ktoś wziął go pod rękę i pociągnął.

— On ma rację, *padre* — usłyszał głos Amaty. — Bardzoś porywczy. — Ułagodzony uśmiechem dziewczyny przestał się opierać i pozwolił, by wciągnęła go w tłum.

Reszty kazania słuchał już jednym uchem. Słowa Jacopone i Amaty obudziły w nim skruchę. Ludzie wokół zaczęli szlochać i bijąc się w piersi, błagali o przebaczenie Boga i siebie nawzajem, a Konrad przepraszał w duchu za pychę, którą okazał. Zawodzenie przybrało na sile, a potem nagle ucichło.

Jacopone przysiadł, wyczerpany, na brzegu fontanny.

— Idźcie, dzieci — machnął ręką. — Jestem zmęczony. Idźcie w pokoju i służcie Bogu. — Nabrał w garść wody i wychłeptał ją. Mieszczanie wracali między stragany wolniej i stateczniej, niż kiedy stamtąd biegli, bo słowa kaznodziei dały im do myślenia.

Kiedy środek placu się wyludnił, Konrad podszedł do pokutnika.

— Wybaczcie, *sior* Jacopone. Sam nie wiem, co we mnie wstąpiło. Od lat się tak nie uniosłem. Dużo jeszcze muszę nad sobą pracować.

Przerwał mu stłumiony chichot. Stanęła przed nim podparta pod boki Amata.

— Bracie Konradzie — powiedziała zrzędliwie — nie uniosłeś się tak od lat, bo nie miałeś na kogo. — Spojrzała na Jacopone i przewróciła oczyma. — Właśnie ściągnęłam go z gór.

— Jesteś pustelnikiem? — spytał Jacopone.

Konrad skinął głową.

— I postanowiłeś wrócić do miasta?

— Na jakiś czas. Mam misję do wypełnienia. W Asyżu. Nie wiem, jak długo tam zabawię.

— Ja też wolałbym być pustelnikiem, ale widać pisane mi spędzić życie wśród ludzi. Musisz pamiętać, bracie Konradzie, że jeśli człowiek dobrze czyni, to Bóg tak naprawdę jest w nim i towarzyszy mu wszędzie, takoż na ulicy pośród przechodniów, jak w kościele, na odludziu czy w celi anachorety. Taki człowiek widzi tylko Boga, myśli tylko o Bogu i prócz Boga nie istnieje dla niego nikt ani nic. I nie może rozeźlić go żaden śmiertelnik, bo dla niego ważny jest tylko Bóg. Człowiek, który musi szukać Go za pomocą specjalnych rytuałów albo w specjalnych miejscach, taki człowiek nie dostąpił jeszcze łaski obcowania z Nim.

Konrad spuścił głowę i zaczerwienił się jak mały chłopiec napominany przez nauczyciela.

— I tak jest ze mną — przyznał.

— I tak jest z każdym, kogo spotkałem na swej drodze — powiedział pokutnik. — Nawet ze mną.

— Dokąd się teraz wybierasz? — spytał Konrad.

Jacopone wzruszył ramionami.

— Wszędzie. Nigdzie.

— Chodź zatem z nami. Spragnionym spirytualnego dyskursu.

— Jeśli taka twoja wola. Widać Bóg ma jeszcze wobec mnie jakieś plany na dzisiaj. — Jacopone podniósł się sztywno z cembrowiny i strzepnął fałdy ciężkiego płaszcza.

Od jakiegoś czasu rozmowie mężczyzn przysłuchiwał się z pewnego oddalenia jasnowłosy kilkunastoletni chłopiec. Teraz, widząc, że gotują się do drogi, podszedł do nich nieśmiało, ale nadal się nie odzywał.

— Pokój niech będzie z tobą, synu — zwrócił się do niego Konrad. — Życzysz sobie czego?

— Na imię mi Enrico — wybąkał chłopiec. Zawahał się, wyraźnie zaskoczony, że starczyło mu śmiałości na wyduszenie z siebie aż tylu słów naraz. Przełknął nerwowo, zebrał się znowu na odwagę i zapytał: — Mówiliście, że idziecie do Asyżu?

— W rzeczy samej.

— Czy mógłbym się do was przyłączyć? Też tam zmierzam... by zostać zakonnikiem w Sacro Convento.

IX

Enrico wyciągnął zza pasa arkusz pergaminu.

— Mam tu list od biskupa Genui. Prosi w nim generała braci, żeby przyjął mnie do nowicjatu.

— Od razu poznałem, żeś z północy — wtrąciła się Amata.

Chłopiec uśmiechnął się i już trochę swobodniejszy, pociągnął się za kosmyk włosów.

— Tak, z parafii Vercelli. Chyba nieczęsto widujecie blondynów tu, w Umbrii.

Dziewczyna odwzajemniła uśmiech.

— Mniej więcej tak często, jak dostajemy nowego papieża. Chociaż cztery dni temu spotkałem zakonnika o jasnych włosach i niebieskich oczach.

Podobał jej się. Z filcowych łapci, krótkiego wełnianego kaftana i kapuzy z kapturem wnioskowała, że jest chłopskim synem. Na pewno wie, co to ciężka praca; świadczyły o tym spękane dłonie i umięśnione nogi. Jak wielu ludzi z północy był również mocnej budowy. Kiedy zmężnieje, dorówna być może posturą potężnemu *dom* Vittoriowi. Uśmiech też miał miły, może tylko zbyt często się uśmiechał. Jednak najbardziej intrygowały ją te jasnolazurowe oczy — czyste i piękne. Ale czegoś w nich brakowało, jakiejś iskry żywotności. Bez tej iskry zdradzały jego nieśmiałość, słabą wolę urodzonego poddanego.

Łagodne niebieskie oczy maminsynka, pomyślała Amata. Jemu zawsze kobieta będzie musiała podpowiadać, co ma począć ze swym życiem. I jeśli nawet odejdzie z zakonu, będzie mężem, na którym nie można polegać.

Uśmiechnęła się do siebie. Chłopak ma za dwa dni zostać zakonnikiem, a ja już go widzę w roli pantoflarza.

Konrad oddał Enricowi list.

— Nie muszę go czytać. Naturalnie, że możesz się do nas przyłączyć. Opowiemy ci po drodze o zakonie. Na początek powinieneś wiedzieć, że jeśli pragniesz przestrzegać reguły świętego Franciszka, to Asyż niekoniecznie jest najlepszym do tego miejscem.

Amata ziewnęła. Stary poczciwy Konrad. Zawsze wierny swej obsesji — wlezie zaraz na ambonę i zacznie rozprawiać o przepaści dzielącej braci konwentualnych i spirytualnych. Jacopone dotrzymywał mężczyznom kroku, jego też to wyraźnie interesowało. Jej nie. Kiedy opuszczali miasto, została trochę z tyłu. Wolała obserwować budzącą się do życia okolicę, wieśniaków pracujących w podmiejskich winnicach. Sądząc po ponaglającym porykiwaniu długorogich wołów, dzieci z zagród jeszcze ich nie nakarmiły. Na łąkach suszyło się słodko woniejące, świeżo skoszone siano, ułożone w stożkowe stogi wokół wbitych w ziemię żerdzi i dociśnięte gałęziami. Na dachach chat dojrzewały dynie, z gałęzi drzew zwisały worki z suszącym się ziarnem. Chłodny wietrzyk przyniósł klekot kołatek i gniewne pokrzykiwania — to grupka kmieci przepędzała z pola jelenia. Niedługo nadejdzie zima. Jak to opisywał ją ojciec? Pora roku, która oddziela zadowolenie z obfitych zbiorów od wiosennej chuci.

Znudzona podziwianiem okolicy, zajęła myśli wyobrażaniem

sobie skrytych pod ubraniami ciał trzech idących przed nią mężczyzn. Jacopone pod płaszczem do ziemi był chudy jak szkielet. Tyle już wiedziała. Przepaska, którą nosił na biodrach, nie pozostawiała wyobraźni pola do popisu — można się było co najwyżej zastanawiać, czy długość tego, co zasłaniała, jest proporcjonalna do jego wybujałego wzrostu. To by dopiero był widok! Konrad, z drugiej strony, był drobnej budowy, nie więcej niż o grubość kciuka wyższy od Enrica i prawdopodobnie nie cięższy. Pomimo przyjaźni z Monną Rosanną nadal pewnie był prawiczkiem. Chód miał sztywny, ruchy pozbawione płynności. Ale przecież pewnie zdążył już zapomnieć, że nadal żyje w tym ciele. Och, ale Enrico... Przyglądała się z podziwem jego pięknie umięśnionym łydkom i wyobrażała sobie, jak też muszą wyglądać jego nogi wyżej, jak przechodzą w wąskie biodra i jędrne pośladki... Rozkosznie było tak fantazjować.

Jeszcze jeden dzień i znowu znajdzie się w San Damiano, znowu stanie się siostrą Amatą. Przygnębiła ją ta myśl. Dobrze jej było przez te cztery dni z Konradem, pomimo jego fochów i gburowatości. Dobrze się czuła w towarzystwie tych trzech mężczyzn, chociaż wlokła się z tyłu nieciekawa ich rozmowy. Mężczyźni nie czuli albo nie zwracali uwagi na drobne skaleczenia, z którymi siostry jak dzień długi przybiegały z płaczem i skargą do matki przełożonej. Jednak swoim darem wymowy tych trzech mogło zaimponować co najwyżej ograniczonym poczciwym kmieciom, których teraz mijali.

Boże, jakże nie chciało jej się wracać do klasztoru! Nie żeby matka przełożona źle ją traktowała. Wprost przeciwnie, w porównaniu z pełną wyrzeczeń egzystencją zakonnic z powołania, żyła jak pączek w maśle. Dokąd by jednak poszła? Nie miała rodziny, nie miała pieniędzy, nie potrafiłaby się obronić ani utrzymać.

Pozostawało jednak prawdą, że świętość i boża miłość nigdy jej nie kusiły. Miłość ludzka, miłość, której matka zaznawała z ojcem i do której ją przygotowała — oto, czego pragnęła doświadczyć. Prawdziwej miłości, nie lubieżnych obmacywanek stryjecznego dziadka Bonifazia czy brutalnej żądzy Simone della Rokki i jego synów. Przyłożyła skryte w długich rękawach habitu dłonie do podbrzusza i zaczęła się pocierać, fantazjując. Jęk, który mimowolnie wydała, dotarł do uszu Konrada. Pustelnik zatrzymał się i obejrzał.

— Brzuch cię boli, bracie Fabiano? — zapytał ze szczerą troską.

O święta niewinności!

— Tak, ojcze — wyjęczała. — Można to tak nazwać. — Skrzywiła się, żeby uwiarygodnić swoje cierpienie. — Ale nie zwalniajcie kroku z mego powodu. Nadążę.

Ruszyli dalej.

— Nie, Enrico — podjął przerwaną rozmowę Jacopone — wiersz nie wyraża tak po prostu uczuć, wiersz opowiada o doświadczeniu. Żeby ułożyć jedną linijkę, poeta musi wpierw odwiedzić wiele miast, poznać wielu ludzi. Musi ryć i kwiczeć ze zwierzętami, szybować w przestworzach z ptakami, przeciągać się najdrobniejszymi ruchami budzącego się pączka kwiatu. Musi podjąć podróż pod prąd czasu ku obcym drogom i przypadkowym spotkaniom, wrócić do dziecięcych chorób, a nawet — wybacz, ojcze — nawet do upojnych miłosnych nocy, z których żadna nie jest podobna do innych, i do jasnej skóry kobiet... kobiet... śpiących w pościeli.

Ledwie wspomniał o miłości, głos mu się załamał. Odwrócił głowę i Amata zobaczyła w jego zapadniętych oczach udrękę. Po arogancji i pewności siebie okazywanych na placu nie pozostał ślad. Pobladł, przygarbił się.

Matko Boska, pomyślała Amata. Tamta kobieta z balkonu miała rację. On jest szalony — szaleje z rozpaczy po utraconej miłości jakiejś damy. Nie sądziła, żeby Konrad i Enrico to zauważyli.

Wędrowcy długi czas szli w milczeniu. W końcu Jacopone odchrząknął i odezwał się znowu, słychać jednak było, że mówienie nadal sprawia mu trudność i wciąż targają nim emocje.

— Poeta musi siedzieć przy łożu konającego, słuchać zawodzenia dolatującego zza otwartego okna i nierównego oddechu w izbie. Na sam koniec zaś musi pozwolić swoim wspomnieniom zblaknąć, a potem czekać cierpliwie, aż powrócą.

— I z tych wspomnień rodzą się strofy? — spytał Enrico.

— Jeszcze nie, synu. Jeszcze nie. Strofy zrodzą się dopiero, kiedy te wspomnienia wejdą mu w krew i ciało, staną się bezimiennymi myślami i jego nierozróżnialną cząstką. Wtedy, w tej najczystszej, najrzadszej z chwil, poeta może wydestylować z nich pierwsze słowo strofy.

— *Skosztujcie i zobaczcie, jak dobry jest Pan** — zacytował Konrad.

Amatę rozbawiła zakłopotana mina Enrica. Jacopone też ją zauważył.

— Brat Konrad chciał powiedzieć, że Psalmista, którego zacytował, będąc poetą i mistykiem, rozumiał, że doświadczenie jest dla obu tych ról podstawą. Nie wystarczy czytać o Panu w Piśmie Świętym ani słuchać, co prawią o Nim kaznodzieje. Musisz Go skosztować, doświadczyć Go samemu. Kmieć może ci zachwalać niezrównany smak swoich oliwek, ale jego słowa nic nie znaczą, dopóki jednej nie przegryziesz. Doświadczenie jest esencją wszystkiego.

Też wybrał sobie chwilę, żeby mu to mówić. Wszak chłopiec ma się właśnie zamknąć w klasztorze na Bóg jeden wie ile lat, pomyślała Amata. Jeśli jest inteligentny, zrobią z niego scholastyka, tak jak to próbowali z Konradem. Czego wówczas doświadczy? Długich, do niczego nieprowadzących dyskursów! Lepiej dla niego będzie, jeśli okaże się matołkiem. Wtedy przynajmniej nigdy sobie nie uświadomi, co traci.

Pięli się drogą, która łączyła Gubbio z Perugią i biegła granią gór Gualdo. W przerwie w ciernistym żywopłocie, oddzielającym od gościńca ciąg zagród, Amata zobaczyła, daleko na

---

* Psalm 34,9 — wszystkie cytaty pochodzą z Biblii Tysiąclecia, wydawnictwo Pallotinum, Poznań 1986 r.

południu, Asyż. Gubbio zrobiło na niej wrażenie miasta ponurego, brązowego, błotnistego. Za to Asyż, wzniesiony na skale, zawieszony między Monte Subasio a dolinami rzek Tescio i Chiagio, przywodził na myśl przezroczysty wisior spoczywający na zielonym filcu. W porannym słońcu połyskiwały obłożone różowym i koralowym marmurem kościoły, mury i wieże. Ciepło promieniujące z tego miasta kontrastowało ostro z ponurym Gubbio, podobnie jak balsamiczne powietrze, unoszące się z dolin Asyżu, w niczym nie przypominało zimnych wiatrów hulających wokół górskich warowni Gubbio.

Filozofowie poezji, zajęci rozprawianiem o przewagach doświadczenia, przegapili ów widok. Próbowała go im pokazać, ale Konrad powrócił do swojego ulubionego tematu.

— A jakże, Enrico, idź do Sacro Convento. Dowiedz się, ile możesz, o naszej tradycji, naucz się czytać i pisać, ukończ studia w Paryżu, jeśli zechcą cię tam posłać. Lecz nie zapominaj, że nadejdzie taki dzień, kiedy staniesz przed wyborem: czy chcesz być prawdziwym synem świętego Franciszka i żyć w zgodzie z jego regułą i testamentem, czy podążyć łatwiejszą ścieżką braci konwentualnych? Ale wiedz również, że gdybyś postanowił przyłączyć się do braci spirytualnych, wybrać drogę całkowitego ubóstwa, wstąpisz tym samym na drogę prześladowań. Bracia umierali już za ten wybór.

Amata jęknęła. Powinni go nazywać bratem Ponurakiem! Korciło ją, żeby podbiec na palcach, złapać go od tyłu wpół, unieść w górę i nie postawić z powrotem na gościńcu, dopóki nie obieca, że każdego dnia roześmieje się przynajmniej dwanaście razy. Gawiedź się z niego śmiała, nawet on sam śmiał się z siebie, opowiadając jej o swoich uniwersyteckich czasach, ale ten podział w zakonie zgasił w jego duszy radość życia. Co gorsza, im bliżej byli Asyżu, tym gęstszym całunem zdawał się go spowijać ów ponury nastrój.

A może on się zwyczajnie boi? Może, rozmawiając w takim tonie z Enrikiem, przypomina sobie, że sam dokonał już wyboru, i przygotowuje się na to, co z tego wyniknie.

Mężczyźni bywają dziwni. To, co uważają za sprawy najwyższej wagi, sprawy, za które gotowi byli cierpieć — nawet umierać — jej wydawało się mało znaczące. Jak mogą dyskutować o doświadczeniu, skoro cały czas spędzają w swoich głowach? Tępi brutale! No, może nie wszyscy, poprawiła się. Jacopone jest myślicielem, ale najwyraźniej zna życie, a namiętność o mało go nie zabiła. Enrico, skoro odważył się wychylić nos zza tatowej stodoły, a miał oczy i uszy otwarte, też powinien wiedzieć coś o świecie.

Kiedy obserwowała rozbujaną tunikę chłopca, przyszła jej do głowy rozkosznie zdrożna myśl, nieprzyzwoita. Może pod osłoną tej nocy, w jakimś ciemnym lasku, w którym zatrzymają się na nocleg...

Uświadomiła sobie nagle, że tamci trzej znowu się zatrzymali i na nią czekają.

— Tutaj zejdziemy z gościńca — oznajmił Konrad. — Ta ścieżka zaprowadzi nas do rzymskiego mostu na dnie wąwozu.

Jak większość górskich ścieżek, ta też była stroma i wąska. Amata nie dała po sobie poznać, jak ją to uradowało, bo byli teraz zmuszeni iść gęsiego, co położy na jakiś czas kres kazaniom Konrada. Znajdą się również w cieniu drzew, a słońce wspięło się już prawie na sam środek bezchmurnego nieba i mocno przygrzewało. Daleko w dole widać było wijącą się, zamuloną po ulewie sprzed dwóch dni rzekę Chiagio, a na jej brzegach wieże Santa Maria di Valffabrica oraz zamek Coccarano.

Amata znała te okolice z konnych przejażdżek ze swoją panią. Domyślała się, że pustelnik będzie chciał ominąć szerokim łukiem Valffabricę — jeszcze jedno opactwo czarnych mnichów — i bardzo prawdopodobne, że zamek również. Noc spędzona w Sant'Ubaldo zbyt wiele kosztowała go nerwów. Bez wątpienia będzie czuł się o wiele bezpieczniej, nocując wśród dzikich leśnych zwierząt. Cóż, ona nie miała nic przeciwko temu, byle tylko przez całą noc płonęło spore ognisko. A w ciemnościach może się też wydarzyć wiele przyjemnych rzeczy. Zwalczyła pokusę położenia dłoni na barkach idącego przed nią Enrica pod pretekstem, że się potknęła, i pokusę zagrania tym sposobem jeszcze raz na nerwach Konradowi. Cierpliwości, Amato. Wszystko w swoim czasie.

Czy to myśl o dzikich zwierzętach sprawiła, że w pewnej chwili zatrzymała się i rozejrzała po zacienionym lesie, a potem obejrzała na ścieżkę za sobą? Odniosła przelotne wrażenie, że są śledzeni, ale ścieżka była kręta i widziała tylko krótki jej odcinek. Wzdrygnęła się i pobiegła za mężczyznami. Odechciało jej się zostawać w tyle.

Myślała, że tam, gdzie ścieżka się poszerzała, Konrad zatrzyma się i otworzy sakwę z prowiantem, ale on, oczywiście, nie raczył jeszcze poczuć głodu. Maszerował przed siebie dziarsko, jakby go coś goniło. Pewnie bliskość opactwa tak go nastrajała. Miała nadzieję, że nie ma to żadnego związku z jej osobą. Z tym że pojutrze opinia, jaką sobie o niej wyrobił, nie będzie jej ani ziębiła, ani grzała. Ona znajdzie się z powrotem w San Damiano, a on zajmie się rozwikływaniem zagadki Leona.

Jezu Chryste! Powrót do Asyżu ją też przytłaczał, i to o wiele bardziej, niżby się spodziewała. Będzie za murami klasztoru tęskniła za wolnością, za wędrowaniem drogą, chociaż tyle na niej niewiadomych i tyle czyha niebezpieczeństw — kto wie, czy za tymi niewiadomymi i niebezpieczeństwami nie będzie tęskniła najbardziej. Brakowało jej takich podniet w monotonii klasztornego życia San Damiano.

Tak jak się domyślała, prowadzeni przez Konrada minęli po południu Valffabricę i szli dalej. Jacopone i Enrico rozprawiali o prawie cywilnym, jakby się na nim znali, ale pustelnik maszerował, milcząc, zatopiony w myślach. Zatrzymał się dopiero pod wieczór, kiedy również Enrica rozbolał brzuch. Jacopone ogryzał korę z odłamanej po drodze gałązki, ale poza tym wydawał się być tak samo uodporniony na głód jak Konrad. Prawdopodobnie potrafiłby przeżyć niczym jakiś nawiedzony prorok o samej szarańczy i miodzie albo żywiąc się jedynie powietrzem, gdyby nie dało się inaczej.

W głębi gęstego dębowo-sosnowego lasu Konrad wreszcie się zmiłował.

— Tutaj odpoczniemy — oznajmił. — Niedaleko jest jaskinia. Przed zapadnięciem zmroku zdążymy jeszcze nazbierać chrustu. — Uśmiechnął się do nich z dumą. — Szmat drogi dzisiaj przeszliśmy. Jutro do południa będziemy w Asyżu.

— Ja zacznę — powiedział Konrad, kiedy się posilili. Siedzieli we czwórkę wokół ogniska. Przed jaskinią pohukiwały dwie sowy. — Dla mnie wzorem cnoty jest pewien święty ubóstwa...

A jakżeby inaczej, pomyślała Amata.

— ...ale to nie brat mniejszy, jak sobie zapewne pomyśleliście, ani żaden członek religijnego zakonu — ciągnął pustelnik. — Bankier Donato zawstydza nawet tych z nas, którzy złożyli formalne śluby ubóstwa. Był kiedyś bogatym człowiekiem, ale miłość do Boga obudziła w nim takie współczucie dla innych, że rozdał biednym wszystko, co posiadał. Gdyby wstąpił do naszego zakonu, poszedłby tylko za przykładem naszego brata Bernarda, pierwszego towarzysza świętego Franciszka. On jednak posunął się dalej. Sprzedał się w niewolę, a pieniądze, które za siebie uzyskał, takoż samo rozdał biednym.

— Ja też słyszałem o jednym takim — mruknął Jacopone. — Był toskańskim lichwiarzem i zwał się Luchesio z Poggibonsi.

Pokutnik zwiesił głowę. Dym z ogniska okadzał jego zgarbioną postać, ale jemu to widać nie przeszkadzało. Wydał się Amacie nieruchomy jak kamień, na którym siedział. Ale przypomniała sobie wnet, że już raz tego dnia dostrzegła w tym kamieniu pęknięcie.

— Wyznaję ze wstydem, przyjaciele, żem w swoim poprzednim życiu był lichwiarzem — zaczął. — Wbrew prawom Boga i Kościoła pożyczałem pieniądze, żądając niebotycznych odsetek, a nie tylko tym jednym grzeszyłem. Podobnie jak w młodości Luchesio, nie przebierałem w środkach, by piąć się po drabinie społecznej, za szczeble mając swoje i nie swoje pieniądze. Udało mi się awansować na tyle wysoko, że zostałem jednym z pierwszych w gildii naszego miasta. — Podniósł wzrok i z ironicznym uśmieszkiem potrząsnął połą swojego wystrzępionego płaszcza. — Trudno w to uwierzyć, prawda? — Ale *sior* Luchesio miał nade mną jedną przewagę. Będąc dopiero na początku tej ścieżki głupoty, spotkał na swej drodze świętego Franciszka, który nakłonił go do okazania skruchy. Sprzedał wszystko, co posiadał, i całą uzyskaną sumę przeznaczył na wspomaganie wdów, sierot i pielgrzymów. Potem na osiołku obładowanym lekami wyruszył na objęte zarazą moczary. Żona z początku go wyszydzała i nazywała idiotą — czego można się było spodziewać po opływającej w dostatki kobiecie, która nagle dowiaduje się, że zubożała z dnia na dzień wskutek szczodrości męża. Z czasem jednak zrozumiała, co nim kieruje, i włączyła się w jego dzieło, zapracowując sobie na przydomek *buona donna.*

A jak ty zubożałeś? — miała na końcu języka Amata. To rada bym usłyszeć. Jej ciekawość pozostała jednak niezaspokojona, bo Jacopone znowu pogrążył się w milczeniu. Wpatrywał się tępo w płomienie, a potem w jego oczach jął stopniowo odżywać ból, który widziała w nich po drodze.

— A ja mam przykład na sprawiedliwość — odezwał się Enrico, unosząc rękę jak uczeń, który wyrywa się do odpowiedzi.

Konrad skinął przyzwalająco głową.

— Mój ojciec był kiedyś strażnikiem u bram Genui. Opowiadał mi, jak to ojcowie miasta zawiesili na murach przed bramą dzwon powództwa. Kto czuł się niesprawiedliwie potraktowany, mógł uderzyć w ten dzwon i sędziowie rozpatrywali wtedy jego sprawę. Po paru latach sznur do pociągania za dzwon przetarł się i urwał, i ktoś zastąpił go pnączem winorośli.

Wkrótce potem zdarzyło się, że pewien rycerz, któremu szkoda było pieniędzy na spyżę dla swojego bojowego konia, puścił zwierzę luzem na łąki za murami, żeby samo szukało sobie posiłku. Koń był tak wygłodzony, że zaczął skubać tę winorośl i dzwon się rozdzwonił. Przybyli sędziowie i uznali, że koń domagał się wysłuchania swoich racji. Zbadawszy sprawę orzekli, że rycerz, któremu koń w młodości tak wiernie służył, ma obowiązek utrzymywać go również na starość. A król przyznał im rację; zagroził również rycerzowi, że jeśli nadal będzie głodził swego konia, to wtrąci go do lochu i podda torturom.

Jacopone otrząsnął się z zadumy, podniósł zapadnięte oczy i zachichotał.

— Dobrze opowiedziane, chłopcze — pochwalił. — Co się zaś tyczy sprawiedliwości, to mam dla was zagadkę. Powiedzcie mi, jak byście rozsądzili ten przypadek.

Otóż pewien słynny kucharz pozywa do sądu swojego kuchcika — dodam, że kuchcika o bardzo dużym nosie — no więc pozywa go do sądu, bo w jego mniemaniu chłopak, skoro tym swoim ogromnym nosem wdycha dzień w dzień niebiańskie aromaty unoszące się z przyrządzanych przezeń wykwintnych potraw, to powinien mu za tę zmysłową rozkosz zapłacić. Należało mu się odszkodowanie czy nie?

— Powinni wtrącić tego kucharza do ciemnicy za zawracanie ludziom głowy — obruszyła się Amata.

Enrico rozłożył ręce. Konrad też zbył to pytanie prychnięciem.

— Nigdy nie pojmowałem zasad, którymi kierują się sądy, wydając wyroki — mruknął.

Jacopone potoczył wzrokiem po twarzach towarzyszy i mrugnął porozumiewawczo.

— Dlatego właśnie jedni zostają sędziami, a inni nie. Ten sędzia wykazał się rzadko spotykaną mądrością, o wiele większą niż ja, kiedy mój mistrz po raz pierwszy zadał mi tę zagadkę. Przyznał rację kucharzowi.

— No, nie! — żachnęła się Amata.

— A tak. — Jacopone uśmiechnął się. — I kazał wielkonosemu kuchcikowi zapłacić za zapachy potrząśnięciem kilkoma monetami tak głośno, żeby kucharz usłyszał, jak brzęczą.

Enrico i Konrad parsknęli śmiechem.

— Sprawiedliwy wyrok — stwierdził pustelnik. — Salomon by się nie powstydził.

— To wy sędzią też byliście, *sior* Jacopone? — spytała Amata.

— Notariuszem, bracie, ale sędzią nigdy. Należeliśmy wszyscy do tej samej szacownej gildii jurystów, ale nie mogę z ręką na sercu powiedzieć, bym uczciwie wypełniał swoje powinności. — Szybko zmienił temat. — No, a ty? Masz dla nas jakąś przypowiastkę?

Amata zerknęła na Konrada, lecz szybko uznała, że woli mówić, patrząc na Enrica.

— Mam. O głupocie.

— O głupocie? — W głosie Konrada pobrzmiewała miła dla jej ucha nutka nerwowości.

— Tak. O głupocie wędrownego kupca. Opowiedział mi to Salimbene.

— Salimbene? — ponownie powtórzył za nią jak echo zakonnik. Teraz był już nie na żarty zaniepokojony.

— Był sobie raz wędrowny kupiec — zaczęła Amata, zanim zdążył jej przeszkodzić — który wybrał się w daleką podróż. Wrócił po dwóch latach i zastał w domu nowe niemowlę. „Hola, żono! — krzyknął — a skąd się wzięło to dziecię? Bo na pewno nie jest moje". „Och, drogi mężu — żona na to — wybacz mi moją beztroskę. Wybrałam się pewnego zimowego popołudnia samojedna w góry i pobłądziłam. A wtedy spadł na mnie znienacka Król Śnieg i wziął gwałtem. Stąd, jak mniemam, ten chłopczyk".

Kupiec nic nie powiedział, ale płynąc kilka lat później w interesach do Egiptu, zabrał ze sobą chłopca i sprzedał w niewolę. Kiedy wrócił do domu, żona pyta: „A gdzie mój syn, mężu?". „Niestety, moja wierna żono — załkał kupiec — przez caluśki tydzień tak zlewaliśmy się potem w tych tropikalnych krainach, żeśmy byli bliscy delirium. Ale twój nieszczęsny chłopiec, będąc synem Króla Śniegu, znosił upał najgorzej z nas wszystkich i w końcu zupełnie się rozpuścił".

Enrico parsknął śmiechem, a Konrad wyburczał:

— I jaki, według brata Salimbene, płynie morał z tej przypowieści?

— Że kupiec postąpił jak ostatni głupiec, pozostawiając żonę odłogiem na dwa lata.

— Przypowieść miała być o cnocie... — zaczął gniewnie Konrad, ale urwał w pół zdania.

Pokutnik siedzący po drugiej stronie ogniska szlochał z twarzą ukrytą w dłoniach. Amata dotknęła jego ramienia.

— Co wam, *sior* Jacopone? — spytała. — Tak źle opowiadałem?

Jacopone pokręcił głową i otarł oczy rąbkiem płaszcza.

— Darujcie, bracia — powiedział, uspokoiwszy się trochę. — Myślałem o Umilianie de Cerchi, której historię uważam za wzór pokuty, i chciałem ją tu wam przytoczyć.

Zaczął opowiadać, wyrzucając z siebie słowa:

— Mieszkała w izbie bez żadnych sprzętów na tyłach jednego z najbogatszych domów bankierskich we Florencji i wiodła tam żywot pustelnicy... poszcząc i wypłakując oczy... by odpokutować za oszukańcze machinacje swoich zamożnych braci zza ściany. — Powiódł znowu wzrokiem po twarzach towarzyszy. Rozpacz malująca się w jego oczach omal nie doprowadziła Amaty do łez. Machinalnym gestem odpędził sprzed oczu dym.

— Taką samą kobietą, swego rodzaju świętą, była też moja ukochana żona. Podczas gdy ja zarabiałem w moim kantorze wielkie sumy, podczas gdy ja zarządzałem majątkami i kontami swoich klientów... zawsze z korzyścią dla siebie... podczas gdy ja ryzykowałem swoje zyski i dobre imię rodziny, grając w kości... przez cały czas zmuszając tę pobożną kobietę do strojenia się w najfrymuśniejsze fatałaszki i błyskotki i grania roli bezmyślnej ozdoby mojego prestiżu — ona pokutowała skrycie w nadziei, że wyrwie moją zbłąkaną duszę ze szponów Księcia Zła.

— I dlaczego już z nią nie jesteś? — spytała Amata. — Gdzie ona przebywa teraz?

— Odeszła, dziecko. Od czterech lat nie żyje. Pewnego wieczoru posłałem ją na ucztę weselną mojego klienta, by mnie tam reprezentowała. Pochłonięty księgami i liczeniem bogactwa, powiedziałem jej, że przyjdę później. Kiedy wchodziła na salę, balkon nad wejściem zarwał się, nie wytrzymując ciężaru stłoczonych na nim weselników.

Przynieśli jej zmasakrowane ciało do naszego domu. Kiedy jej pokojówka i niańka naszego dziecka zdjęły z niej drogą suknię, by obmyć nieszczęsną przed pochówkiem, okazało się, że pod spodem nosiła szorstką włosiennicę. Przez cały rok naszego małżeństwa katowała za moje grzechy swą delikatną skórę. Nigdy nie znałem jej od tej strony. Przez myśl mi nawet nie przeszło, że tak się dla mnie umartwiała.

Zamknął oczy, tak jak tego ranka na Piazza del Mercato, i zaintonował śpiewnie:

— Pamiętam kobietę o oliwkowej skórze, miękkich kruczoczarnych włosach, strojnie odzianą. To wspomnienie wciąż mnie prześladuje; tak bardzo chciałbym z nią porozmawiać!

Amata przysunęła się do pokutnika. Najchętniej otoczyłaby kobiecym gestem jego ramiona i pocieszyła — ale nie mogła. Z tych stoickich mężczyzn jeden tylko Konrad wiedział, że nie jest chłopcem i nie ma na imię Fabiano. Mogła jedynie szepnąć:

— Tak wam współczuję, *sior* Jacopone.

Nikt inny się nie odezwał. Na dłuższą chwilę zaległo brzemienne bólem tego mężczyzny milczenie. Przerwał je w końcu pustelnik:

— Czas spać — powiedział cicho — ale jeden z nas musi czuwać i dorzucać do ognia. Będziemy się zmieniali.

Po całodziennym marszu w narzuconym przez Konrada forsownym tempie Amatę bolały wszystkie mięśnie, lecz teraz, kiedy nastrój wieczoru nieco się poprawił, przypomniała sobie swój dzisiejszy sen na jawie — sen o spędzeniu tej ostatniej nocy na wolności na jakiejś ustronnej polance obok muskularnego ciała Enrica.

— Ja i tak bym teraz nie zasnął — zgłosiła się na ochotnika. — Brzuch mnie wciąż boli. Wezmę pierwszą wartę. — Jej fantazje byłyby po dwakroć słodsze, gdyby widziała w chłopcu choć cień namiętności Jacopone.

Wędrowcy zaczęli mościć sobie z dala od ogniska, poza zasięgiem strzelających iskier, posłania z nazbieranych wcześniej sosnowych gałązek. Uporawszy się ze swoim, Amata ruszyła na czworakach ku wylotowi jaskini. Przełażąc przez posłanie Enrica, szepnęła do niego:

— Postaraj się nie zasypiać. Mam coś jeszcze do opowiedzenia, ale nie jest to przeznaczone dla uszu tych dorosłych.

X

Orfeo zwlókł się z koi tuż przed świtem. Niebo miało zmatowiały połysk cynowej tacy, w ciemnościach nie można było rozróżnić konturów okrętu. Kajuty sypialne w kasztelu rufowym, które dzielił z papieżem elektem Tebaldem i resztą jego świty, skropiono obficie perfumami, żeby zabić smród unoszący się z pokładu wioślarzy. W odróżnieniu od Wenecjan, którzy mustrowali na swoje galery wioślarzy spośród wolnych ludzi, Anglicy, zwyczajem genueńskim, obsadzali okręty wojenne tureckimi niewolnikami. Za dnia przykuci łańcuchami do wioseł, a nocą do pokładu sypialnego, nurzali się we własnych odchodach i z radością witali każdą wyższą falę przelewającą się przez nadburcie. To, że żeglarze króla Edwarda tolerowali ów odór, utwierdzało tylko Orfea w nie najlepszej opinii, jaką miał o ludziach z północy.

Pozdrowił sennym skinieniem głowy sternika pełniącego wachtę pod baldachimem rozpiętym nad kołem sterowym, przeszedł na palcach między ławkami śpiących galerników na dziób okrętu, wspiął się na pomost na najwyższym poziomie forkasztelu i z lubością wystawił twarz na podmuchy wiatru. Rześka morska bryza oczyszczała płuca, uspokajała i przywracała chęć do życia. Usiadł, opierając się plecami o parapet, i podciągnął kolana pod brodę.

Przez ostatnie dwie godziny przewracał się na koi z boku na bok, zaciskał pięści i nasączał pościel swoim potem. Brakło mu powietrza. Kiedy w końcu zmorzył go sen, przyśniło mu się, że jest oblegany przez hordę pozbawionych twarzy, zakapturzonych postaci, które atakują z gęstej mgły i szybko z powrotem w nią odskakują, a on wciąż nie wie, jaką taktykę obrony obrać. Również teraz, choć już nie spał, przeczucie zagrożenia nadal go nie odstępowało. Morze było jednak spokojne, na niebie ani jednej chmurki. Wiatr ledwie wydymał prostokątny żagiel. Konwój płynął nienapastowany — trzy okręty wojenne i galera z zaopatrzeniem. Żeglarz nie mógł sobie wymarzyć spokojniejszego świtu.

Na reling naprzeciwko niego padł świetlisty prążek. Orfeo spojrzał w kierunku rufy. Spoza wschodniego horyzontu wyłaniał się rąbek wstającego słońca, w jego pierwszych promieniach mienił się ślad pozostawiany przez statek na powierzchni morza. Podstawił dłoń pod wiązkę słonecznego światła i patrzył, jak skóra zmienia odcień z różowego na koralowy, potem na pomarańczowy, zupełnie jakby jego palce wciąż ociekały barwnikami z farbiarni wełny ojca.

Orfeo wyciągnął przed siebie nogi i oparł stopy o masywną żelazną kotwicę. Znowu zamknął oczy i spróbował sobie przypomnieć, co właściwie mu się śniło. Czy naprawdę coś mu grozi? Może Bóg chce go przed kimś ostrzec? Na przykład przed tym spasionym mordercą, którego nazywał kiedyś „sir". Czyżby ojciec odszedł w końcu na wieczne potępienie? Spróbował przywołać z pamięci jego twarz, lecz bez powodzenia. Zamiast niej przed oczyma stawały mu, jedna po drugiej, twarze braci. Nie, to nie one mu się śniły. Skupił teraz wyobraźnię na Marcu, który wędrował przez Armenię w nieznane, ale i tym razem intuicja pozostała w uśpieniu. Przyszła kolej na tamtą dziewczynę — właściwie dziecko jeszcze — której nawet nie poznał. Na to wspomnienie puls mu przyśpieszył. Znowu ona!

Widział ją tylko raz, kiedy stała na jednej z wież strzegących bramy zamku jej rodziny, patrząc na niego ciemnymi oczyma w kształcie migdałów. Przez ramię miała przerzucony długi czarny warkocz, związany na końcu rzemykiem. Kiedy ich ojcowie wykłócali się o nałożone przez kasztelana myto, Orfeo odwiązał z ramienia żółtą jedwabną szarfę i uformował z niej kukiełkę. Potem wsunął w tę kukiełkę palec i zgiął go w geście wyszukanego ukłonu. Kiedy naśladując dworność kukiełki, sam też się skłonił, dziewczyna uskoczyła spłoszona za blankę.

Stąd mogło tryskać źródło jego sennego koszmaru. W miarę jak z każdym dniem żeglugi zbliżał się do ojczystej ziemi, coraz dokuczliwiej dręczyło go wspomnienie wydarzeń, w następstwie których kiedyś ją opuścił. Często stawał mu przed oczyma obraz zamku po napaści: skruszone mury, drewniane chaty podgrodzia w ogniu, mieszkańcy zasieczeni albo błagający w przedśmiertnych konwulsjach o dobicie, wśród nich tamta urocza dziewczynka z wieży. Simone della Rocca, zbir jego ojca, był równie skrupulatny, co bezwzględny.

Czy muszę wciąż na nowo to wszystko przeżywać? — pomyślał. Czy to dlatego, Panie, odebrałeś mi nadzieję, odarłeś z marzeń? Zadygotał i skulił się, bo przesycone solą morskie powietrze nagle wydało mu się chłodniejsze.

Z papieżem ma dopłynąć tylko do wyspy Negropont, a stamtąd do Wenecji, przypomniał sobie. Ojciec Święty tylko o to go prosił. Potem zaciągnie się na jakąś galerę wracającą do Lewantu.

Poderwał głowę na dźwięk gongu budzącego galerników. Chrobot i szczęk łańcuchów zmieszał się z chórem postękiwań i jęków. Orfeo, sam będąc wioślarzem, dobrze wiedział, jakie katusze cierpią w tej chwili niewolnicy. Znał tę poranną sztywność członków. Znudzony rolą pasażera, zazdrościł niewolnikom ich pracy, ale współczuł męki.

Biedaczyska! Znienawidzili wiosła. Symbolizowały ich upadek i poniżenie, podczas gdy on widział w nich ucieczkę od przeszłości. Orfeo mógłby godzinami obserwować wioślarzy, jak równocześnie wstają, odpychając od ciebie trzony ciężkich wioseł najdalej jak się da, a potem przyciągają je powolnym płynnym ruchem, siadając jak jeden mąż z powrotem na ławkach. Fascynował go ten taniec w rytm wybijany przez sternika na gongu.

Pocieszał się myślą, że przed nowym rokiem wróci na morze. A tam, wyczerpany harówką od świtu do nocy przy wiośle, zasypiał będzie kamiennym snem i uwolni się wreszcie od tego natrętnego koszmaru.

Konrad i Jacopone spali, posapując cicho. W domu mama i tato swoim chrapaniem nie dawali mu spać. Łóżko, które Enrico dzielił z braćmi, stało na wyciągnięcie ręki od łóżka rodziców, w tej samej izbie, w której rodzina gotowała i jadła. Zdarzały się noce, kiedy to chrapanie urastało do ryku. Wstawał wtedy i przeszedłszy po omacku przez niską furtkę w przepierzeniu oddzielającym część mieszkalną chaty od obory, układał się do snu na słomie między zwierzętami.

Spojrzał w ciemność zalegającą przed jaskinią. Fabiano spacerował gdzieś tam sam jeden. Podziwiał odwagę tego nowicjusza. Bracia podjudzali go często, by dowiódł, że nie jest tchórzem podszyty, spędzając noc w lesie, pod którym stała ich chata; z dwojga złego wybierał zawsze ich drwiny i docinki

Enrico próbował walczyć z sennością, bo ciekaw był opowieści chłopca, ale obawiał się, że długo już nie strzyma. Powieki coraz bardziej mu ciążyły i w momencie kiedy ostatecznie opadły, usłyszał ciche wołanie Fabiana:

— Bracie Konradzie? *Sior* Jacopone?

Chwilę potem nowicjusz ukląkł przy jego posłaniu i położył mu palec na ustach. Enrico przekręcił się na bok i uniósł na łokciu. Fabiano dał mu znak ręką, żeby za nim szedł.

— Zaczekaj tutaj — powiedział, kiedy wymknęli się z jaskini. — Dorzucę tylko do ognia i zaraz wracam.

Drzewa w poświacie bliskiego pełni księżyca, zmieszanej z blaskiem ogniska, który wysączał się z jaskini, wyglądały upiornie. Szeleściły cicho liście poruszane lekkim wietrzykiem. W ciemnościach, tam gdzie światło nie sięgało, coś chrumkało, popiskiwało, chrobotało, zza pni wyglądały to zapalając się, to gasnąc, pary błyszczących ślepi. Enrico odetchnął z ulgą, kiedy Fabiano wreszcie wrócił. Chłopiec wziął go za rękaw i pociągnął za sobą, oddalając się od jaskini.

— Nie lepiej to zostać blisko ognia? — spytał szeptem Enrico.

— Znalazłem polankę po drugiej stronie drogi. Chyba nie boisz się ciemności, co?

— Miałeś tu czuwać — mruknął Enrico, uchylając się od odpowiedzi.

— Będziemy w pobliżu. A opowieść nie jest długa.

Kiedy zagłębili się w ciemne zarośla, kroki Enrica stały się mniej pewne, pod jego ciężarem pękła z trzaskiem sucha gałązka. Fabiano zatrzymał się i obejrzał na jaskinię.

— Uważaj, bo się obudzą.

Dotarli do polanki i nowicjusz odwrócił się twarzą do Enrica. W księżycowej poświacie wydawał się o wiele niższy niż za dnia. Stali tak blisko siebie, że musiał zadrzeć głowę, by spojrzeć Enricowi w oczy.

— To opowieść o młodym pustelniku Rusticu i pięknej dziewczynie imieniem Alibech.

— Nie o pustelniku Konradzie?

— Nie. Zdecydowanie nie o pustelniku Konradzie!

Fabiano zachichotał.

— No więc ta Alibech — zaczął — mając kilkanaście lat, uciekła z domu, bo nie chciała wychodzić za mąż. Jej pragnieniem było spędzać życie na modlitwie z dala od ludzi. Wędrowała od jaskini do jaskini i prosiła zamieszkujących je pustelników, by nauczyli ją, jak obcować z Bogiem. Każdy mądry starzec, zdając sobie sprawę, że nawet on może ulec pokusie, obdarowywał ją ziołami i korzonkami, dzikimi jabłkami i daktylami, i odsyłał na naukę do innego pustelnika. I tak trafiła w końcu do jaskini Rustica.

Rustico, w swej młodzieńczej pysze, postanowił wystawić swoją wolę na próbę, i przyjął Alibech do swojej jaskini. Wkrótce jednak stwierdził, że nie może się oprzeć jej urodzie i niewinności, odkrył bowiem, że nie wiedziała zupełnie nic o mężczyznach. Po kilku dniach uległ wreszcie żarowi, który palił go w lędźwia. Powiedział dziewczynie, żeby przed nim uklękła, a on nauczy ją, jak wepchnąć diabła do piekła.

Fabiano pociągnął za przód tuniki Enrica.

— Uklęknij — powiedział. — Będziesz odgrywał rolę Rustica.

Enrico zrobił, co mu kazano, nowicjusz też ukląkł. Suche liście zatrzeszczały głośno pod ich kolanami, ale tym razem Fabiano nie zwrócił na ten hałas uwagi.

— „Najpierw — powiedział do dziewczyny Rustico — musimy zdjąć z siebie habity i to, co mamy pod nimi".

— Ja też muszę? — spytał płaczliwym głosem Enrico. — Zimno tutaj, z dala od ogniska.

— Słuchaj, jak będziesz na wszystko wybrzydzał, zepsujesz mi całą opowieść.

— Przepraszam. Nigdy jeszcze czegoś takiego nie robiłem.

Nowicjusz uśmiechnął się.

— To widać.

Enrico ściągnął przez głowę kapuzę z kapturem i tunikę. Słyszał, jak Fabiano czyni to samo. Dygocząc z zimna, spojrzał pytająco na nowicjusza... i dech mu zaparło.

Widywał już młodszą siostrę nago, ale jej piersi dopiero pączkowały, podczas gdy te, które miał teraz przed sobą, były w pełni dojrzałe i kołysały się, prawie tak samo wielkie jak cycki mamy, kiedy karmiła nowe dzieciątko. Przesunął wzrokiem w dół po smukłej kibici do bioder, a potem w poprzek ud i zatrzymał na gęstwie czarnych włosków, która aż się prosiła o pieszczotę, i na pępku głębokim jak wir. Przybliżył dłoń do miękkiego brzucha, by namacalnie przekonać się, czy nie śni, ale go nie dotknął. Chciał coś powiedzieć, ale dziewczyna znowu przyłożyła mu palec do ust. A potem, jak gdyby nigdy nic, podjęła wątek swej opowieści:

— „Rustico — krzyknęła Alibech — a cóż to takiego, czego ja nie mam, a przed tobą sterczy jak drąg?!". „Otóż to, córko — odparł Rustico. — To właśnie ów *il diavolo*, ten diabeł, o którym wspominałem. Bóg zesłał na mnie tę bestię, przez którą przez całe dnie cierpię takie męki, że często wydaje mi się, że już nie zdzierżę. Ale widać wysłuchał wreszcie moich modlitw i przysłał mi ciebie. Bo tobie dał coś, czego nie mam ja: piekło, do którego wystarczy wsadzić tego diabła, a moje katusze się skończą".

Dziewczyna sięgnęła do krocza Enrica.

— Pewnie ci zimno — wymruczała. — Mnie też, ale z odwrotnym skutkiem. — Przyciągnęła jego dłoń do piersi i przytknęła czubek palca wskazującego do twardego nabrzmiałego sutka.

— Nie mogę ciągnąć dalej swojej opowieści, dopóki nie zaczniesz wczuwać się w rolę Rustica. Słyszałeś, co powiedziała Alibech? Musi ci stanąć jak drąg — upomniała go łagodnie. — Denerwujesz się? Musisz się rozluźnić. Pamiętasz, co mówili Konrad i Jacopone? Powinieneś doświadczać życia. Nawet nocy z jasnoskórymi kobietami.

Enrico z zaciekawieniem, delikatnie, żeby nie zadać jej bólu, ścisnął sutek między palcem wskazującym a kciukiem. Dyszał teraz ciężko, płytko, krew pulsowała mu w skroniach. Zamrugał, bo pociemniało mu w oczach.

— O, już lepiej — wymruczała dziewczyna, wciąż go pocierając. — Nie bój się, to nic złego. Nie składałeś jeszcze żadnych ślubów. O tak, o wiele lepiej. Będę na ciebie wołała „duży Rico". A ty możesz mi mówić Amata, tak naprawdę mam na imię.

Enrico roześmiał się i obiema dłońmi zaczął miętosić jej piersi.

— Duży Rico — powiedział. — Tak jak *sior* Jacopone.
Przytrzymała wolną dłonią jego ręce.
— Jacopone? Czemu wspominasz o nim w takiej chwili?
Enrico otworzył oczy.
— Jacopone to jego przydomek, nie prawdziwe imię. Powiedział mi, że to znaczy „duży Jacopo". Mieszkańcy jego miasta tak go przezwali, bo jest wysoki.
Ręka Amaty znieruchomiała. Palce jej zesztywniały, ścisnęła go mocno.
— Au! Co ja takiego powiedziałem?
Puściła go.
— Mieszkańcy jakiego miasta? — spytała. — Gubbio?
— Nie. Nie Gubbio. Powiedział mi, że jest z Todi, z najdalszego zakątka Umbrii.
Dziewczyna usiadła na piętach, oddalając się od jego dłoni. Objęła się w talii rękami i zaczęła zawodzić.
— Boże, dlaczego? — jęknęła. — Dlaczego zabierasz każdego, kto jest mi drogi?
Wepchnęła sobie pięść do ust i wbiła zęby w kłykcie. Usta miała rozwarte szeroko, jak do krzyku, ale jej cierpienie wypływało z takich głębi, że dźwięk nie mógł go wyrazić.
— Co ci? — spytał zdziwiony Enrico.
Ale on już dla niej nie istniał. Wciąż ściskając się za brzuch i jęcząc, przewróciła się na bok na leśną ściółkę i zwinęła w kłębek.
— O, moja biedna kuzynko, umrzeć taką straszną śmiercią...
Bredzi, pomyślał Enrico. Przemknęło mu przez myśl, że te lamenty mogą obudzić Konrada i Jacopone. Ubrał się szybko. Tego by tylko brakowało, żeby przyłapali go na golasa, i to z dziewczyną. Zastanawiał się już, czy nie lepiej by było wrócić już do jaskini, kiedy Amata przekręciła się na plecy.
Che bella! Che grazia di Dio! Jej skóra lśniła w blasku księżyca, idealna, nieskazitelna, a wypełnione łzami oczy skrzyły się jak klejnoty. Wyciągnięta na czarnym torfie, przypominała mu istotę z bajki, leśną nimfę. Pogładził ją po brzuchu.

— Nie. — Odepchnęła jego rękę. — Nie mogę teraz.

— Co się stało?

Nie odpowiadała. W Enricu zrodziła się obawa, że zaraz zaczną ich szukać. Kiedy uznał w końcu, że najwyższa pora wracać do jaskini, Amata przemówiła:

— *Signore* Jacopo Benedetti z Todi, słynny notariusz. — Wypowiedziała to nazwisko powoli, z szacunkiem. — Tak mówili o nim, kiedy był jeszcze przy zdrowych zmysłach. Najwyższy mężczyzna w Todi. Kiedy zabierano mnie z domu, był zaręczony z moją kuzynką Vanną. Dzisiaj po raz pierwszy go zobaczyłam. Enrico, to moją ukochaną kuzynkę zmiażdżył tamten balkon. Była dla mnie jak starsza siostra — najwspanialsza siostra, jaką może mieć dziewczyna. Ona najlepiej mnie rozumiała.

Usiadła i zaczęła się powoli ubierać. Enrico patrzył w milczeniu, jak to czyni, zaintrygowany nie tyle częściami garderoby, co przedmiotami, które miała pod nimi podczepione — coś białego i szeleszczącego na brzuchu, czarna pochwa w rękawie, na wysokości przedramienia. Podniosła wzrok i podchwyciła jego spojrzenie.

— Ten zwój to kronika dziejów braci mniejszych — powiedziała uroczystym tonem. — Oddam to jutro w San Damiano. Kilka sióstr stamtąd potrafi pisać. Poproszę, żeby skopiowały mi ten zwój, bo chcę zrobić niespodziankę bratu Konradowi, a więc nic mu nie mów. Ten zaś nóż noszę dla obrony — powiedziała z dumą i wyciągnęła rękę, żeby mógł pomacać. — Mężczyzna, który dotknął mnie ostatnio bez mojego przyzwolenia, nie może się teraz doliczyć dziesięciu palców.

Była już całkiem ubrana. Przewiązała się w pasie sznurem i wzięła Enrica za rękę.

— Przepraszam, Enrico. Nie wyszło tak, jak sobie umyśliłam. Może jutro dokończę ci tę opowieść. Ale zapamiętasz przynajmniej *suor* Amatę i to, co tej nocy widziałeś. — Zdobyła się na melancholijny uśmiech.

— Amata — powiedział. — Kochana. Pasuje do ciebie. Już wiem, że cię kocham.

— Nawet o tym nie myśl. Miłość do mnie przynosi pecha. Naprawdę. — Spojrzała mu poważnie w oczy, uśmiech zniknął z jej warg. — Musimy wracać.

Ruszył za nią w stronę drogi i migotliwej poświaty sączącej się z jaskini. Nagle zatrzymała się i dała mu znak, żeby był cicho. Poszedł za jej przykładem, kiedy przykucnęła za pniem drzewa.

Nasłuchiwała przez chwilę, a potem zaklęła pod nosem.

— Jacyś ludzie nadchodzą drogą.

Amata naliczyła pięć ciemnych postaci. Przypomniał jej się *dom* Vittorio, wracający ze swoimi ludźmi z pościgu za zbójami nasłanymi przez perugiańczyków, by napadali na podróżnych. Czyżby to ci zbójcy szli za nimi aż od Gubbio? Tamto przeczucie, które naszło ją po drodze... Modliła się, żeby to nie była ta sama ani żadna inna banda, ale wiedziała, że nic to nie da. Tylko złodzieje i rzezimieszki mogli iść drogą ciemną nocą, wypatrując ognisk. Ogień chroniący śpiących przed zwierzętami mógł też zwabić takich jak ci złoczyńców.

Mężczyźni zatrzymali się nieopodal drzewa, za którym skryła się z Enrikiem, i zaczęli naradzać się szeptem. Po chwili rozwinęli się w szeroką tyralierę, pewnie żeby podkraść się do jaskini z kilku stron. Amata widziała maczugi i piki, a domyślała się, że pod opończami mają również ukrytą inną, krótszą broń.

— Zabiją Konrada i Jacopone — szepnęła chłopcu do ucha. — Muszę ich ostrzec. Zaczekaj tutaj.

Z duszą na ramieniu i szeroko otwartymi oczyma podpełzła na czworakach na skraj drogi. Wzięła kilka głębokich oddechów, odsuwając w czasie ten nieunikniony moment, kiedy będzie musiała podjąć próbę przedarcia się między zbójcami. Pomyślała o Konradzie. On też narażał życie, pomagając jej na ścieżce kozic podczas przeprawy nad przepaścią. To wspomnienie zadecydowało.

— Bracia, obudźcie się! — wrzasnęła, zrywając się na równe nogi. — *Banditi!* Obudźcie się!

I jak wystrzelona z procy popędziła ku drzewom po drugiej stronie drogi. Niestety, jeden z mężczyzn złapał ją za rękaw, zatrzymał i zamachnął się maczugą. Amata doskoczyła do niego, umykając instynktownie spod spadającej broni. Zderzyli się. Drab stęknął, a zaraz potem zawył z bólu i wypuszczając maczugę, złapał Amatę obiema dłońmi za nadgarstek ręki, którą wbiła mu nóż w brzuch. Usiłował odepchnąć ją od siebie. Strumień ciepłej krwi oblał zaciśniętą na rękojeści dłoń Amaty. Nagle mężczyzna puścił jej rękę, zataczając się pod ciężarem lądującego mu na plecach Enrica.

— Uciekaj, Amato! — krzyknął chłopiec ściągany ze zbója przez dwóch jego kamratów.

Napastnik słabł i Amata naparła mocniej, wbijając nóż po samą rękojeść. Ostrze dosięgło serca. Zbójca z nieopisanym smutkiem w oczach osunął się na kolana, a potem padł twarzą do ziemi. Schyliła się po maczugę. Enrico wołał gdzieś z plątaniny cieni o pomoc.

W ostatniej chwili dostrzegła biegnącego na nią mężczyznę z piką i odskoczyła. Uniknęła pchnięcia o włos; ostrze rozpruło jej habit na wysokości brzucha i ześliznęło się po zwoju Leona. Kiedy zbójca zamierzał się piką do następnego pchnięcia, w krzakach za Amatą zakotłowało się, wypadł z nich Konrad i z całym impetem runął na złoczyńcę, zbijając go z nóg.

— W imię Boże, odejdźcie! — krzyknął.

— Oni się Boga nie boją! — wrzasnęła Amata, wpychając mu maczugę w dłoń. — Bierz to i walcz albo poleć duszę niebu.

Człowiek z piką zawahał się.

— Ku mnie, bracia! — zawołał.

Do herszta podbiegli dwaj ludzie, którzy przed chwilą odciągali w ciemność Enrica. Zły znak, pomyślała Amata. Nie dbali już o chłopca. Do bandy dołączył czwarty zbójca i mieli ich teraz czterech przeciwko sobie. Konrad stał nieruchomo z maczugą w opuszczonej ręce. Nastąpiła chwila zawieszenia broni, herszt bandy, ten z piką, oceniał sytuację.

— To nasz człowiek — warknął wreszcie. — Kończmy, pocośmy tu przyszli, i wracajmy.

Amata, chwyciwszy rękaw habitu Konrada, cofnęła się ku drzewom, pociągając za sobą pustelnika. Ale ten zaparł się, ani myślał ustępować pola.

— Co mnie czyni waszym człowiekiem? Znacie mnie? Nie jestem Umbryjczykiem.

Przeraźliwy sygnał trąbki Jacopone dobiegający od strony jaskini przerwał pełne napięcia zawieszenie broni. Amata, widząc przestrach na twarzach napastników, znowu spróbowała odciągnąć Konrada. Tymczasem Jacopone szarżował już ku nim przez zarośla z pohukiwaniem, rykiem i trzaskiem łamanych gałęzi.

— Święci pańscy! Aniołowie ich strzegą! — wrzasnął herszt.

— *Un drago!** — zawył inny.

Amata obejrzała się i zobaczyła dwoje wielkich płonących ślepi, ani chybi jakiejś bestii zbiegającej z pagórka.

Zbójcy na chwilę zmartwieli, wybałuszając przerażone oczy na zbliżającą się zjawę, i zanim się opamiętali, Jacopone wpadł jak burza między nich. Jedną płonącą gałąź wraził człowiekowi z piką w twarz, drugą przejechał po jego opończy. Zbójca zawył nieludzko, odskoczył i oślepiony, pognał w las niczym żywa pochodnia. Pozostali trzej rzucili się do ucieczki drogą w kierunku Valffabriki, ścigani, w swoim przekonaniu, przez ryczącego, ziejącego ogniem smoka. Jacopone podpalił jeszcze opończę na jednym z nich, po czym zaniechał pogoni.

Kiedy zbójcy zniknęli im z oczu, Konrad ukląkł przy mężczyźnie, który zaatakował Amatę. Przewrócił go na plecy i przyłożył dłoń do zbroczonej krwią piersi.

— Za późno na ostatnie namaszczenie — mruknął. — Jego dusza odeszła już w zaświaty.

---

* *Drago* (wł.) — smok.

— Mam nadzieję, że do Hadesu — dodała Amata.

— To ty go zabiłaś?

Dziewczyna wychwyciła w jego tonie nutkę podziwu.

— Nie był z niego wielki wojownik — odparła.

Zostawiwszy Konrada klęczącego przy martwym zbójcy, przebiegła kawałek drogą w kierunku Asyżu i z powrotem.

— Enrico! — wołała. — Enrico!

W blasku pochodni niesionych przez wracającego Jacopone dostrzegła nieruchomy kształt na skraju zarośli. Nie mogła się zdobyć na dotknięcie go, ale był to zdecydowanie człowiek. Żołądek podszedł jej do gardła, poczuła, że zaraz zwymiotuje.

Padła na klęczki przy leżącym.

— Nie, Rico, nie! — zaskowyczała. — Tylko nie znowu! Tylko nie ty!

XI

Konrad ukląkł obok Amaty i jak wcześniej zabitemu, tak teraz przyłożył dłoń do piersi Enrica. Potem pochylił się i przyjrzał bacznie twarzy chłopca.

— Dycha jeszcze, ale ledwie — orzekł, zwracając się do Amaty, która splótłszy dłonie, modliła się i rozpaczała jednocześnie. — Gdzie *sior* Jacopone?

— Już wraca, *padre* — powiedziała płaczliwie. — Tutaj jesteśmy! — zawołała do nadchodzącego drogą pokutnika. — Żywiej!

Zbliżywszy się do nich, Jacopone uniósł wysoko obie pochodnie i wydał ryk triumfu.

— Uffff, nie nawojowałem się tak od czasu, kiedyśmy przepędzali z Todi Benedetta Gaetaniego i jego zgraję gibelinów* — wysapał.

---

* Gibelinowie, gibelini — stronnictwo popierające cesarzy niemieckich, zwalczające zwolenników papiestwa, gwelfów, w XII — XV wieku we Włoszech.

— Nas, jak widać, ocaliłeś, bracie — przyznał Konrad. — Ale dla Enrica odsiecz przyszła chyba za późno. Jest jedną nogą na tamtym świecie. Musimy go stąd zabrać, zanim *banditi* wrócą. — Wskazał ruchem głowy las. — Zostaw Fabianowi jedną pochodnię, *sior* Jacopone, a z drugą rozejrzyj się za dwoma długimi mocnymi gałęziami, które zdałyby się na żerdzie do noszy.

Jacopone patrzył przez chwilę na chłopca, zdałoby się, dopiero teraz go zauważył, po czym odwrócił się bez słowa i pognał z powrotem między drzewa. Konrad przygarbił się i wsparł czoło na dłoni. Trwał tak w zamyśleniu jakiś czas, potem jął się rozglądać, jakby czegoś szukał.

— Chodź ze mną, siostro — powiedział w końcu, wstając z klęczek. — Nie godzi się obdzierać trupa, ale potrzebna nam opończa tego złoczyńcy na nosze dla Enrica. Żerdzie przewleczemy przez rękawy.

Powlokła się za nim otępiała. Po głowie tłukła jej się tylko jedna myśl: gdyby nie ona, Enrico nie leżałby teraz półżywy przy drodze. Z kolei gdyby nie on, sama mogłaby już nie żyć. Ale tak by chyba było lepiej. Nie dało się ukryć, że Bóg postanowił doświadczać każdego, na kim jej zależało.

Konrad, zanim przystąpił do rozbierania nieboszczyka, kazał jej się odwrócić. Posłuchała i wpatrzyła się w mrok. Z otępienia wyrwał ją okrzyk pustelnika:

— *Dio mio*, siostro! Cóżeś najlepszego uczyniła?! Zabiłaś zakonnika.

Amata obejrzała się. Konrad ściągnął już z martwego opończę. Mężczyzna miał pod nią szary habit przepasany takim samym sznurem, jakim przepasywała się ona. Na jego piersi spoczywał prosty drewniany krzyż uwiązany do splątanego skórzanego rzemienia.

— On chciał mnie zabić — wykrztusiła ochrypłym szeptem, czując, że traci władzę we wszystkich członkach. Nie miała nawet sił się bronić. Opuszczała bezwiednie płonącą pochodnię, aż ta dotknęła niemal łysej czaszki mężczyzny i oświetliła zastygłe rysy jego twarzy.

— *Padre!* Ja go znam! Widziałam go dziś rano!

— W Gubbio?

— Tak. Na *piazza*. Stał na skraju zbiegowiska z kilkoma braćmi z naszego zakonu. Miał ściągnięty kaptur i pamiętam, jak pomyślałam, że chyba lubi chłodzić sobie głowę.

— Ale co miała znaczyć ta napaść?

Amata uniosła ręce.

— Jeden z nich mówił, że szukali ciebie. — Obejrzała się na leżącego nieruchomo Enrica i szarpnęła Konrada za rękaw. — Lękam się o ciebie, *padre* — powiedziała. — Proszę cię, zaniechaj wizyty w Sacro Convento. Wchodzisz w paszczę lwu.

— Sam podjąłem tę decyzję — przypomniał jej — i nie widzę na razie innego sposobu. — Przyglądał się przez chwilę martwemu zakonnikowi. — Zresztą, czyż życie jest aż tak ważne? Gdyby tym ludziom udało się dzisiaj mnie zabić, byłbym już razem z bratem Leonem i świętym Franciszkiem. — Poklepał się z uśmiechem po piersi i dodał: — I wiedziałbym, co znaczy ten list.

— Ale brat Leon chce, żebyś żył i rozgłosił to, co odkryjesz. Jestem tego pewna.

Z krzaków wyłonił się Jacopone, wlokąc za sobą dwa młode mocne drzewka z poobłamywanymi już gałęziami. Położył je obok Enrica i podszedł do Konrada i Amaty.

— Nim ruszymy w drogę, trzeba wpierw pogrzebać tego brata — powiedział Konrad.

— Pogrzebać? — żachnęła się Amata. — Nie mamy na to czasu! Musimy czym prędzej zabrać stąd Enrica.

— Ten człowiek był zakonnikiem. Należy mu się chrześcijański pochówek. Zgrzeszylibyśmy, zostawiając ciało na pastwę padlinożerców. — Konrad zdjął zabitemu krzyż z szyi i wręczył go Amacie. — Potrzymaj, zaznaczymy nim jego mogiłę. *Sior* Jacopone, pomożecie mi ściągnąć z niego habit. Owiniemy go w opończę i usypiemy nad nim kopiec.

— Przynieście jego sznur — powiedziała Amata. — Potrzebny mi.

Mężczyźni wciągnęli trupa do lasu, a ona została na drodze z pochodnią w jednej i krzyżem w drugiej ręce. Co i rusz popatrywała niespokojnie w stronę zakrętów z obu stron, za którymi droga znikała z oczu. Obawiała się powrotu bandy. Trzech uciekło w kierunku Gubbio, ale ten z piką mógł się tu jeszcze gdzieś kręcić. Jego wrzaski dawno już ścichły w chłodnym nocnym powietrzu. Wytężała słuch, starając się wychwycić jakieś podejrzane odgłosy, które mogły tonąć w szeleście dobiegającym z zarośli, gdzie Konrad i Jacopone przysypywali trupa ziemią, suchymi liśćmi i sosnowymi igiełkami. Nadstawiała też ucha pełna nadziei, że leżący nieopodal Enrico wyda jakiś jęk, okrzyk bólu czy jakikolwiek odgłos świadczący, że wciąż żyje. Ale wokół panowała cisza i to jeszcze bardziej ją niepokoiło.

W końcu z ciemności wyłonił się Jacopone, wręczył jej bez słowa sznur od habitu, a od niej wziął krzyż. Amata podbiegła do Enrica i nazbierała szybko suchych gałązek, ułożyła z nich stosik i podpaliła pochodnią. Kiedy płomyk prześlizgiwał się z patyka na patyk, przyjrzała się twarzy chłopca. Gładką skórę miał podrapaną i posiniaczoną, krzepnąca krew sklejała jego jasne włosy w lepką strzechę. Był taki młody, tyle lat miałby teraz jej brat Fabiano. Usiadła przy nim na ziemi i zaczęła gładzić po czole, rozczesując palcami zbite w lepki kołtun włosy.

Chłopiec zatrzepotał powiekami i otworzył szeroko oczy.

— Amata — mruknął. — A więc żyjesz.

— Och, i dzięki Bogu ty też, Rico! — zawołała cicho.

— Nie jestem tego taki pewien. Wszystko mnie boli. I czuję się taki słaby.

— Dzielnie się sprawiłeś, skacząc na plecy temu zbójowi.

Spróbował się uśmiechnąć.

— To był mój pierwszy bohaterski czyn w życiu. I chyba ostatni.

— Sza. Nie mów tak. Do Sacro Convento już niedaleko. Zakonnicy cię wykurują.

Jego powieki znowu opadły. Pokręcił na boki głową, usiłując zachować przytomność. Amata usłyszała wracających mężczyzn.

— Pamiętaj, że mam na imię Fabiano, nie Amata — wyszeptała, ale on znowu stracił przytomność.

Konrad i Jacopone zmajstrowali z żerdzi i habitu prowizoryczne nosze, przenieśli na nie bezwładnego chłopca i dźwignęli na ramiona. Amata z pochodnią zajęła miejsce na przedzie, żeby oświetlać wykroty i wyżłobione kołami wozów koleiny.

— Niech Bóg ma w opiece jego i nas — westchnął Konrad. — Ruszajmy.

Droga, choć wyboista, biegła przynajmniej w płaskim terenie i tak przez blisko milę, aż do rozstajów przed Porziano. Tam, na polance po prawej, zamajaczyły zarysy fasady małej wiejskiej kapliczki. Postanowili poszukać w niej schronienie. Mężczyźni zdjęli z ramion nosze, postawili je na ziemi i Konrad, uchyliwszy drzwi, wsunął głowę do środka. Po chwili skinął na Amatę, żeby mu poświeciła, i wszedł.

Jakieś małe stworzenie, spłoszone blaskiem pochodni, czmychnęło po ścianie ku powale. Powietrze nad nimi wypełniło się trzepotem skrzydeł i stadko nietoperzy uleciało w noc przez dziurę w dachu. Amata stała bez ruchu w drzwiach, dopóki nie ustało całe to zamieszanie, potem podeszła za Konradem do ołtarza. Unosił się tu swąd spalonego mięsa. Słyszała opowieści o Żydach, którzy zarzynają zwierzęta i składają z nich na ołtarzach całopalne ofiary. Tak właśnie musi śmierdzieć w ich świątyniach, pomyślała.

Pustelnik starł rękawem kurz z kamiennego ołtarza i otworzył drzwiczki tabernakulum.

— Nie jest tu bezpiecznie — orzekł. — Ten przybytek nie służy już za kościół. Nie ma eucharystii, która by nas chroniła.

— Ale odpocząć możemy. Enrico nie zniesie długo takiego wytrząsania.

— Odpocząć możemy, kiedy wstanie dzień. Niebezpiecznie jest zatrzymywać się po ciemku.

Nagle z mroku zalegającego za ołtarzem dobiegł jęk. Konrad wyrwał Amacie pochodnię i uniósł ją wysoko nad głowę.

— Jeśliś człek, nie zwierzę, mów, coś za jeden! — zawołał.

— Niech będzie przeklęta twoja zelocka dusza, Konradzie da Offida — rozległ się chrapliwy głos. — Nie chcieliśmy zrobić ci krzywdy. Kazano nam tylko cię pojmać.

Konrad obszedł ostrożnie ołtarz i zajrzał za niego. Pod ścianą siedziała skulona postać. Mężczyzna nastawił pikę, ale był zbyt osłabiony, żeby zrobić z niej użytek.

— Odrzuć broń, jeśli chcesz naszej pomocy.

— Pomocy? Mało brakowało, a by mnie wypatroszył! — oburzyła się Amata.

Mężczyzna nie opuszczał piki.

— Odrzuć ją, powiedziałem. — Konrad wolno zatoczył pochodnią krąg. — Mało ci jeszcze ognia?

Pika wyleciała zza ołtarza i upadła z głuchym stukotem na klepisko. Konrad postąpił krok, ale Amata zagrodziła mu drogę ręką.

— Uważaj, on może mieć nóż.

— Podnieś więc jego broń i miej na niego oko. Życie chyba mu jeszcze miłe.

Amata odszukała w półmroku pikę i przyłożyła jej ostrze do piersi mężczyzny. Konrad zbliżył pochodnię do jego głowy.

— Tego też znasz? — zapytał.

— Nie widzę twarzy. Ściągnij mu kaptur.

Mężczyzna zaskowyczał, kiedy dłoń Konrada musnęła jego twarz. To od niej właśnie bił swąd spalonego ciała tak drażniący nozdrza Amaty. Była zwęglona nie do rozpoznania, stanowiła wielką, zaczynającą już ropieć ranę, z której spozierało na nią wrogo jedno oko. Konrad ściągnął mu kaptur. Mężczyzna miał włosy koloru słomy z wystrzyżoną tonsurą.

Amata, przytrzymując się ołtarza, nachyliła się nad nim.

— To chyba jeden z tamtych mnichów, którzy wskazali mi drogę do Monny Rosanny. Przynajmniej włosy ma takie same.

— Nie może być! Szli pieszo?

— Nie. Jechali na osiołkach. Mówiłam ci przecież. Ten drugi był bardzo stary. Mogli dotrzeć wczoraj do klasztoru w Gubbio. Bogu dzięki, że tam nie nocowaliśmy.

Konrad ponownie przysunął pochodnię do twarzy mężczyzny.

— Wiesz, co znaczy list brata Leona?

— Nie. — Poparzony zaniósł się kaszlem. Z warg na pierś ściekła mu krwawa flegma. Odezwał się chrapliwym głosem, z trudem cedząc słowa:

— Mój towarzysz powiedział mi tylko... że generał... byłby nam wielce zobowiązany, gdybyśmy mu... dostarczyli ten list i... ciebie. — Spróbował unieść rękę, ale ta opadła mu na pierś.

— Imię tego towarzysza!

Wargi mężczyzny wykrzywiły się w kpiącym uśmiechu.

— *Amanuensis.*

— To nie jest imię — warknął Konrad. — To zajęcie.

— *Amanuensis* — powtórzył mężczyzna.

Konrad ściągnął brwi.

— I chyba powiedział prawdę. Bonawentura uważa mnie za mąciciela. Nie byłby zadowolony z mojego powrotu. Ale to jeszcze nie powód, żeby mnie uwięzić.

Mężczyźnie flegma spłynęła chyba do krtani, bo znowu się rozkasłał.

— Na miłość boską, pomóż — wykrztusił błagalnie. — Wyspowiadaj mnie. Muszę oczyścić duszę.

— Tak też zrobię, bracie — odparł Konrad. — Zaczekaj na zewnątrz, Fabiano, i nie bój się. Obiecuję, że zachowam bezpieczną odległość.

Amata wycofała się z piką z kapliczki, ale zatrzymała zaraz za drzwiami, skąd słyszała pomruk dwóch głosów. W blasku księżyca zobaczyła Jacopone siedzącego w kucki przy noszach i jej niepokój wzrósł. *Domine Jesu!* Dlaczego Konrad stawia zawsze obcych przed swoimi? Chmura przesłoniła na chwilę księżyc i sylwetka pokutnika rozmyła się w ciemności, ale zaraz z powrotem się z nich wyłoniła. Konrad nadal rozmawiał przyciszonym głosem z poparzonym mnichem. W końcu wyszedł z pochodnią zza ołtarza, mówiąc:

— Odpoczywaj teraz w pokoju i nie zaprzątaj sobie myśli grzechem. Gdy tylko dotrzemy do Asyżu, przyślę tu kilku braci, żeby się tobą zajęli.

Oddał pochodnię Amacie i z Jacopone dźwignęli znowu nosze na ramiona. Dziewczyna próbowała utrzymać płonącą głownię jedną ręką, ale w palce łapały ją kurcze, zmuszona więc była odrzucić pikę w las.

Zaraz za kapliczką droga zaczęła się piąć pod Nocigliano, ostatnie wzgórze na drodze do Asyżu. Amata wyczuwała pod sandałami ścięte, prawie zmrożone błoto i nie mogła się nadziwić, jak to możliwe, że idącym boso mężczyznom nie marzną stopy. Imponowali jej ci dwaj asceci. Niższy od Jacopone Konrad szedł pierwszy, dzięki czemu stromizna nie spowalniała marszu. Amata przypomniała sobie, jak ojciec opowiadał jej o starożytnych Spartanach, najwytrzymalszych i najwaleczniejszych wojownikach w dziejach, których dieta składała się z podrobów, owsianki i innych tego rodzaju paskudztw. Podobnie jak ci dwaj, stronili również od kobiet. Wolała nie myśleć o implikacjach.

Księżyc schował się za góry na zachodzie, ale droga przed nimi pojaśniała. Na szczycie wzgórza zamajaczyły drzewa i Amata usłyszała pierwsze trele budzących się ptaków.

— Szczyt już blisko, *sior* Jacopone — wysapał Konrad. — Tam odpoczniemy.

Kiedy otworzyła się przed nimi panorama basenu rzeki Tescio, zatrzymali się wreszcie i położyli nosze na ziemi. Za górami dniało i Amata ujrzała w dole mały wszechświat miasteczek, wiosek, pojedynczych zagród i pól uprawnych rozciągający się aż po góry po drugiej stronie doliny. Najbliżej z miast leżał Asyż i na widok głównej wieży oraz najeżonych blankami murów górującej nad nim ponurej twierdzy Rocca

Paida wezbrał w niej gniew. Zgasiła pochodnię, wbijając ją w błoto. Och, żeby z taką samą łatwością można było zdławić Simone della Roccę i jego synalków!

Mężczyźni przeciągali się i wymachiwali zdrętwiałymi ramionami. Jacopone podszedł do najbliższego krzaka i sięgnął pod opaskę na biodrach, żeby sobie ulżyć. Konrad pociągnął go za płaszcz.

— Trochę głębiej w las, bracie. Pójdę z tobą.

Amata uśmiechnęła się. A więc Konrad zamierzał ciągnąć tę maskaradę — i swój dylemat — do samego końca. Wtem usłyszała za sobą jakieś poruszenie i obejrzała się. Enrico rzucał się na noszach i wymachiwał rękami.

Doskoczyła do niego.

— Jestem tu, Rico — powiedziała. — Do Asyżu już blisko. — Chwyciła go za nadgarstki i docisnęła ręce do piersi.

— Wszyscy tu jesteśmy — dorzucił wracający Konrad. Przyłożył dłoń do czoła chłopca i spojrzał mu w twarz. — Wysłuchałem niedawno spowiedzi pewnego rannego człowieka i jeśli sobie życzysz, twojej także wysłucham.

— Życzę sobie, *padre*. Wyspowiadaj mnie. Wiem, że umieram.

— Nie możesz z tym zaczekać, aż dotrzemy do klasztoru? — spytała Amata.

Chłopiec przeniósł na nią wzrok.

— Przepraszam. Muszę się wyspowiadać. Teraz. Do klasztoru mogę nie dotrwać.

— Enrico ma rację — zwrócił się Konrad do Amaty. — Nie można ryzykować. Odejdź kawałek drogą i zaczekajcie tam z Jacopone. Niech chłopiec wyspowiada się bez świadków.

Amata odwróciła się i oddaliła. Czuła, że jej obolałe serce więcej już nie zniesie — ani straty kogoś drogiego, ani zyskania sobie jeszcze jednego wroga — i modliła się, żeby to się wreszcie skończyło. Konrad, wysłuchawszy spowiedzi Enrica, na pewno ją znienawidzi.

Z trudem powstrzymywała łzy. Jacopone zbliżył się od tyłu i położył jej swoje ogromne dłonie na ramionach.

— Chrapliwy oddech umierającego. Grzeszenie i grzechów odpuszczanie. Z tego tkana jest poezja, bracie. Całe życie jest niemającym końca epickim poematem.

— Panie Jezu Chryste, Synu Boży, zmiłuj się nade mną, grzesznikiem. Panie Jezu Chryste, Synu Boży, zmiłuj się nade mną, grzesznikiem.

Wargi Jacopone poruszały się bezgłośnie, powtarzając tę samą modlitwę, którą tyle milionów razy odmawiał przez ostatnie cztery lata. Stała się dla niego czymś tak naturalnym, jak oddychanie. Siedział na wielkim głazie ze zwieszonymi nogami, z rękoma złożonymi na podołku, z półprzymkniętymi oczyma. W kałuży na skraju drogi walczył o życie lśniący czarny żuczek.

— Gdzie Fabiano? — spytał ksiądz Konrad, podchodząc do niego. Twarz stężała mu w grymasie gniewu. Wyrzucił z siebie to pytanie jak pewien znany Jacopone, surowy sędzia z Todi.

Pokutnik pokazał kciukiem za siebie, na Asyż. A wtedy szare oczy zakonnika wypełniły się łzami. Otarł przedramieniem zarośnięte policzki, rozczapierzył palce, wzniósł oczy do nieba, po czym opuścił ręce i zwiesił głowę.

— Enrico odszedł — wycedził przez zaciśnięte zęby. — Nie żyje, bo temu samolubnemu wyuzdanemu Fabianowi nie chciało się pełnić jak należy warty.

— Dzieci rzucają kamieniami w żaby dla zabawy, ale żaby umierają z całą powagą. — Jacopone zeskoczył z głazu jak żaba. — Nazwał mnie *cuz*.

— Kto?

— Twój nowicjusz. „Żegnaj, *cuz* — powiedział. — Łączę się z tobą w bólu". Nie wiem, co przez to rozumiał. Moja żona miała kuzyna imieniem Fabiano. Ale on nie może być nowicjuszem u braci szarych. Vanna przez wiele miesięcy opłakiwała swoich kuzynów. Z ich powodu odłożyliśmy nasz ślub. Że też w ogóle się pobraliśmy! Że też nasi rodzice musieli nas ze sobą poznać! Żyłaby, biedna, do dzisiaj. — Spojrzał na księdza, ale jego oczy zasnuwała mgiełka. — Wszystko poplątane, wszystko w supłach. Jesteś światłym człowiekiem, bracie Konradzie. Czy coś z tego pojmujesz?

XII

Owszem, Konrad pojmował. Wiedział doskonale, dlaczego Amata nazwała pokutnika kuzynem. Usłyszał to przed chwilą od konającego Enrica. Nie mógł jednak wyjawić Jacopone, co łączy go z dziewczyną, bowiem usta zamykała mu święta tajemnica spowiedzi.

Przykro mu było, że nie potrafi wykrzesać z siebie większego współczucia dla Amaty tak przeżywającej stratę ukochanej kuzynki, ale gniew, którym zapłonął, dowiedziawszy się o jej nieodpowiedzialnym postępku, nie dopuszczał do głosu żadnych łagodnych uczuć. Próbował sobie tłumaczyć, że Amata, będąc niewiele starszą od Enrica, właściwie jest jeszcze dzieckiem, ale to nie pomagało. Chciało mu się wyć. Chciało mu się płakać z żalu po zmarłym chłopcu, ze współczucia dla Jacopone, który stracił swoją Vannę, z gniewu na płochą Amatę, z poczucia bezsilności, które ogarniało go, kiedy patrzył, jak cały ten nieszczęsny rodzaj ludzki miota się w amoku, niepomny zbliżającego się dnia Sądu Ostatecznego. I nad swoją gwałtownością. Do wypadków tej strasznej nocy nigdy by nie doszło, gdyby nie dał się wciągnąć w labirynt tajemnic Leona, gdyby został w swojej chacie. *Chi non fa, non falla*, mawiał trzeźwo patrzący na świat ojciec Rosanny. Kto nic nie robi, nie popełnia błędów.

Wybór, którego dokonał, przyniósł tragiczny skutek i teraz musi ponieść tego konsekwencje. Zatroszczyć się o zwłoki Enrica.

Poklepał pokutnika po plecach.

— Chodź, przyjacielu. Dopełnijmy naszego obowiązku. — Powiedział to ze spokojem, odsuwając od siebie na moment smutek, który ciążył mu na duszy. — Chłopcu należy się pochówek w Sacro Convento. Zakonnicy powiadomią rodzinę.

Dźwignęli znowu nosze i ruszyli w dalszą drogę. Schodzili teraz w dół i wyższy Jacopone kroczył pierwszy. Trakt do miasta biegł wzdłuż szpaleru drzew, które stykając się w górze koronami, tworzyły mroczny tunel przywodzący Konradowi na myśl któryś z tych podziemnych korytarzy prowadzących do piekieł. Oczyma wyobraźni widział już, jak przydrożne zarośla zmieniają się w legendarny złotogłów zatruty czarnym jadem, skapującym z pysków trójgłowego Cerbera — roślinę, z której wiedźmy sporządzają śmiercionośne wywary. Niczym tamten starożytny poeta Orfeusz ze swoją lirą, schodzili w trzewia Hadesu, szukając utraconej... właśnie, czego?

Mityczny poeta miał przynajmniej swoją Eurydykę, to dodawało mu determinacji i odwagi do stawienia czoła czyhającym nań niebezpieczeństwom. Konrad nie widział przed sobą aż tak namacalnego celu, który by go mobilizował — co najwyżej kilka mglistych odpowiedzi, sam nie bardzo wiedział na co. Nie odstępowało go przeczucie, że zmierza nieuchronnie ku katastrofie, ku osobistej tragedii.

Martwił się też o chudego jak szkielet poetę, schodzącego przed nim traktem. Od wygłoszenia tamtego płomiennego kazania na *piazza* w Gubbio Jacopone popadał w coraz głębszą melancholię, otrząsając się z niej tylko na krótko, by odeprzeć napad na jaskinię. Co czeka pokutnika w Asyżu? Jeśli miasto ujrzy w nim skruszonego grzesznika, nic mu nie grozi, jeśli jednak uznany zostanie za szaleńca, to obejmie go to samo prawo, co trędowatych przyłapanych w obrębie murów. Ludzie będą go obrzucali kamieniami albo jeszcze gorzej. To prawo znały nawet tamte urwipołcie z Gubbio.

Konrad nie miał również pewności, co jego tam czeka. Skoro spodziewali się go mnisi z Gubbio, to czy bracia z Sacro Convento także są przygotowani na jego przybycie? Jedno wiedział na pewno: tylko po tamtej stronie klasztornej furty ma szansę rozwikłać zagadkę postawioną mu przez Leona.

Zgromił się w duchu za swoją lękliwość. Powtórzył frazę z *Pater Noster*, która od czasu, kiedy opuścił swoją chatę, tak często przychodziła mu do głowy: *Bądź wola Twoja, Ojcze. Amen, amen.* Zresztą najgorsze, co mogłoby go spotkać ze strony zakonników, przyśpieszyłoby połączenie z tymi, których najbardziej kochał — bratem Leonem i świętym Franciszkiem.

Wyszli w końcu z lasu i znaleźli się na nagim skalistym zboczu. W dole, na wprost, widać było bramę prowadzącą do północno-wschodniej części miasta. Tamtędy wiodłaby najkrótsza droga do Asyżu, lecz widok obszarpanego pustelnika i ponurego pokutnika, niosących ulicami martwe dziecko, z pewnością przyciągnąłby żądną sensacji gawiedź.

— Skręć w tę ścieżkę po prawej — zawołał do Jacopone.

Wąska i kręta jak strumyczek ścieżka wiła się zboczem ponad cytadelą i północnymi murami miasta. Dotarłszy do najbardziej na zachód wysuniętego narożnika, gdzie w doskonałej izolacji od reszty miasta wznosiły się bazylika Świętego Franciszka oraz Sacro Convento, zaczęli schodzić, zapierając się piętami o nieliczne kępki trawy, której udało się przebić przez luźny łupek. Kiedy zbliżyli się do Porta di San Giacomo di Murorupto, Jacopone wyraźnie się ożywił; uniósł głowę i mocniej ścisnął żerdzie noszy. W paszczę lwu, pomyślał z rezygnacją Konrad.

— Niech Bóg ześle ci pokój, bracie! — zawołał pustelnik do strażnika miejskiego, kiedy przechodzili przez bramę.

Strażnik zagrodził im drogę i ostrożnie poszturchał piką ich martwe brzemię.

— Co tu się stało?

— Nocowaliśmy w lesie — odparł zakonnik. — Napadło nas kilku ludzi i śmiertelnie zraniło naszego towarzysza. Niesiemy ciało do Sacro Convento.

Strażnik zmrużył oczy i obrzucił Jacopone niechętnym spojrzeniem. Być może szukał liszajów na zniszczonej skórze pokutnika. Obszedł ich wkoło, drapiąc się z namysłem po klatce piersiowej, co stanowiło odpowiednik gładzenia brody przez człowieka o bardziej filozoficznej naturze. W końcu machnął ręką, że mogą przejść.

— Będę patrzył, czy idziecie, gdzie powiedzieliście — uprzedził. Ze swojej wartowni miał niczym nieprzesłonięty widok na górny kościół bazyliki po drugiej stronie *piazza* i schody prowadzące do kościoła dolnego oraz Sacro Convento.

Ruszyli przez plac. Przedłużające się milczenie Jacopone coraz bardziej niepokoiło Konrada i wzbudziło nawet nieufność strażnika. Twarz, która pojawiła się w okratowanym okienku klasztornej furty, kiedy Konrad pociągnął za sznur dzwonka, również przybrała sceptyczny wyraz. Ale pustelnikowi mimo wszystko ulżyło. Nie znał furtiana i ten jego chyba też nie rozpoznawał. Co więcej, młodego braciszka, sądząc po tym, jak zmarszczył nos, bardziej poruszył opłakany stan odzienia obcych niż widok trupa leżącego między nimi na ziemi.

Konrad znowu opowiedział o napadzie.

— Przynieśliśmy chłopca, żebyście go tu pochowali — zakończył. — Miał być jednym z nas. Za pasem ma list od biskupa Genui adresowany do brata Bonawentury.

Mnich puścił jego wyjaśnienia mimo uszu.

— Zamierzacie się tu zatrzymać? — spytał lodowatym tonem.

— Ja nie. W każdym razie nie dzisiaj. — Konrad nie wiedział, jaką reakcję wywołałby tutaj jego stary połatany habit, chociaż pogardliwa mina furtiana pozwalała się tego domyślać. Gdyby bracia uznali, że obnosząc się ze swym ubóstwem, udziela im reprymendy, mógłby znowu trafić do klasztornego lochu i biblioteki nawet by nie zobaczył. Teraz, stojąc wreszcie przed furtą Sacro Convento, stracił jakoś ochotę na jej przekroczenie. — Za mojego towarzysza nie będę mówił — dodał. Odwrócił się do Jacopone i stwierdził, że ten ulotnił się w międzyczasie cicho jak rosa parująca z dachówek.

Rozłożył bezradnie ręce.

— Pomóż mi wnieść chłopca — poprosił furtiana. — Mój towarzysz... — zawiesił głos, bo nie potrafił wyjaśnić zniknięcia Jacopone.

Furta otworzyła się z przeraźliwym zgrzytem. Młody mnich chwycił za żerdzie noszy i nie czekając, aż Konrad podniesie je z drugiej strony, wciągnął ciało Enrica do środka. Z jego zachowania wynikało, że wędrowiec nie jest tu osobą pożądaną i im szybciej pójdzie swoją drogą, tym lepiej.

Konrad popatrzył po raz ostatni na zwłoki niedoszłego nowicjusza, na bruzdy wyżłobione w ziemi przez żerdzie i na rozpięty między nimi habit. Z tego wszystkiego o mało nie zapomniał o zabitym zakonniku i o człowieku z piką!

— Został tam jeszcze jeden ranny zakonnik — powiedział. — Leży w zrujnowanej kapliczce przy rozstajach Porziano. To brat Zefferino.

Furtian przeszył go spojrzeniem. Najwyraźniej znał to imię.

— Zostawiliście rannego brata, a przynieśliście tego trupa?

— Kiedy opuszczaliśmy kapliczkę, obaj jeszcze żyli. Obiecałem bratu Zefferinowi, że przyślę kogoś po niego. Chyba znajdzie się u was dwóch silnych braci, którzy podejmą się tego zadania?

Furtian spojrzał Konradowi w oczy, próbując w nich wyczytać, co też może łączyć tego żebraka z Zefferinem.

— Dopilnuję tego — mruknął w końcu i chciał zatrzasnąć furtę, ale Konrad go powstrzymał.

— Jeszcze jedno pytanie, bracie. Czy jest tu wśród was brat Jacoba?

— Brat Jakubina? Nie znam zakonnika o takim imieniu. Może chodzi ci o siostrę Jakubinę? Jacoba to żeńskie imię.

Nie dało się temu zaprzeczyć. Konrad, uświadamiając sobie, że przeoczył tak oczywisty fakt, poczuł się nagle jak ostatni głupek. Może źle odczytał drobniutkie pismo Leona? Najchętniej wyciągnąłby list tu i teraz i ponownie mu się przyjrzał, zwalczył jednak tę pokusę. Furtian wciąż bacznie mu się przyglądał, przyglądał mu się również strażnik miejski, który przeciął w ślad za obcymi plac i stał teraz u szczytu schodów. Ciekawe, czy widział, jak odchodzi Jacopone? Jeśli tak, znaczyłoby to, że w jego oczach z tej osobliwej pary pustelnik jest bardziej podejrzany.

— Dziękuję, bracie, za pomoc — powiedział Konrad, naciągając na głowę kaptur. — Byłbym wdzięczny, gdybyś przekazał list biskupa generałowi. Wypadałoby odpisać.

— Brat Bonawentura sam o tym zadecyduje — burknął furtian i zatrzasnął mu furtę przed nosem.

Z labiryntu uliczek za plecami Konrada doleciał przeraźliwy ryk trąbki. Konrad uśmiechnął się. Pokutnik doszedł już do siebie. Rybka wskoczyła z powrotem do strumienia.

Z sercem lżejszym z dwóch powodów — bezpieczeństwa Jacopone i, na tę chwilę, własnego — Konrad oddalał się szybko od Sacro Convento. Wiedział, że wkrótce będzie tu musiał wrócić, ale resztę tego dnia chciał spędzić w samotności. Od kiedy do jego chaty zawitała Amata, nie miał dla siebie nawet chwili. Zostawiwszy za sobą klasztor i nieżyczliwego furtiana, zwolnił kroku i skręcił w Via Fonte Marcella.

Znalazłszy się w centrum miasta, Konrad uświadomił sobie, że jeśli chce zostać sam na sam ze swoimi myślami, musi się gdzieś zaszyć. Uliczki i zaułki budziły się do życia. Dzieci za małe jeszcze, by trafić do terminu, przebiegały obok niego rozwrzeszczanymi gromadami, zmuszając do odskakiwania pod ściany domów, by uniknąć zderzenia. Ulice i place wibrowały odgłosami i zapachami wytężonej pracy. Garbarze i szewcy, złotnicy, gręplarze ze współpracującymi warsztatami tkaczy i farbiarzy, folusznicy i pilśniarze, płatnerze i rymarze — wszyscy oni uwijali się jak w ukropie. Konrad przypomniał sobie, że zbliża się święto plonów i kupcy będą uzupełniali zapasy towarów.

Po sześciu latach nieobecności nie poznawał Asyżu. Minął już kilka ekip murarzy, którzy rozbierali drewniane domy i stawiali w ich miejsce budynki z cegły i kamienia. Główne ulice wybrukowane były teraz kocimi łbami i miały rynsztoki do odprowadzania nieczystości. Zachwycała go ta nowa kanalizacja, którą dotąd widział tylko raz, w Paryżu. Jakiż to mądry wynalazek. Dlaczego dopiero teraz dociera do Umbrii? I te kilkupiętrowe budynki szlachty! Rosły jak grzyby po deszczu, w miarę jak kasztelanowie porzucali swoje wiejskie posiadłości i przenosili się do miasta. Było ich tyle i tak wysokich, że ulice przez cały dzień pozostawały w ich cieniu.

Schodził stromą uliczką w kierunku dolnego miasta i bramy San Antimo. Postanowił, że spędzi popołudnie w rozległej dolinie na południe od miasta i przenocuje za murami, w Porcjunkuli, „małej cząstce", skromnej kolebce powstającego zakonu. W niewielkiej kaplicy, w której modlili się pierwsi bracia, kilka najwcześniej zbudowanych cel pozostało w nienaruszonym stanie; a przynajmniej było tak, kiedy Konrad opuszczał Asyż. Rano odwiedzi osobę, która wedle wszelkiego prawdopodobieństwa dała Leonowi welin na list, wdowę *donnę* Giacomę.

Kiedy zostawił za sobą cieniste uliczki, poczuł, że się ociepliło. Wyszedł za mury i zagłębił się w gaju starych guzowatych drzew oliwnych, obsypanych dojrzałymi owocami. Znalazł młodsze drzewo o gładkiej korze. Usiadł pod nim w kałuży słońca i oparł się plecami o pień. Wyjął z sakwy pajdę chleba i pogryzając ją, przeczytał jeszcze raz, powoli, list od Leona.

Nic nowego.

Odsunął od siebie welin na długość wyciągniętego ramienia i spojrzał nań pod słońce. Brat Leon mógł użyć inkaustu, który pojawia się tylko po podgrzaniu albo podświetleniu pergaminu. Ale tu mentor również go rozczarował. Do treści listu, którą już znał, nic nie przybyło, nic z niej też nie ubyło.

Czytaj oczami, poznawaj rozumem, sercem wydobądź prawdę zawartą w legendach. W legendach. Liczba mnoga. Tu może leżeć punkt zaczepienia. Legendami nazywano życiorysy świętego Franciszka. Ale o które z nich chodzi? O ten spisany przez Bonawenturę? Na pewno. Bóg podsunął mu tę wskazówkę, kierując czwartego października jego kroki do Sant'Ubaldo. W Sacro Convento bez trudu odnajdzie kopię *Legenda Major — Życiorysu większego.*

Słowa *Pierwsza Tomasza* mogą wskazywać na jeszcze inną legendę — oryginalną biografię świętego Franciszka spisaną przez Tomasza z Celano i zwaną *Legenda Minor*, czyli *Życiorysem mniejszym.* Ale ministrowie prowincjonalni nakazali przed pięcioma laty jej zniszczenie, ten sam los spotkał wszelkie wspomnienia opublikowane przed oficjalnie uznanym życiorysem świętego Franciszka autorstwa Bonawentury. Jeśli nawet w bibliotece Sacro Convento ostała się jakaś kopia *Życiorysu mniejszego*, to mu jej nie udostępnią. Ale mogą istnieć jeszcze inne legendy, z którymi, zgodnie z wolą brata Leona, powinien się zapoznać. Jednak list nie zawierał żadnych dodatkowych wskazówek.

Gnębiła go też sprawa tego brata o żeńskim imieniu. Leon napisał wyraźnie *Brat Jakubina.* Ale furtian też miał rację — Jakubina to imię żeńskie. Może Leon chciał napisać: „Jakubo" albo „Jakopo", albo „Jakomo"? Niewykluczone. Tak mało miał danych, a tego by jeszcze brakowało, żeby jakiś błąd literowy skierował go na fałszywy trop.

Słońce stało już wysoko na niebie, kiedy Konrad poniechał doszukiwania się znaczenia treści listu. Znał go już na pamięć jak dziecko pacierz. Podniósł się z ziemi, zwinął pergamin i schował go pod habit.

Do stóp i kostek przylgnęło mu kilka niesionych podmuchem wiatru, wilgotnych zwiędłych liści. Ruszył bez celu przez gaj.

Zatrzymał się, by podnieść obciętą gałąź. Przyjrzał się sękowi w połowie jej długości, potem wetknął w cuchnącą kupę zielono-szarych liści oliwnych, słomy i nawozu, która piętrzyła się między dwoma rzędami drzew. Kręcąc gałęzią, wiercił dziurę, żeby wpuścić pod spód wilgotne powietrze. W stosownym czasie kmieć będzie miał czym użyźnić swoje pole; w stosownym czasie on znajdzie odpowiedzi na dręczące go pytania. Na razie i kompost, i podpowiedzi Leona muszą dojrzewać.

Odrzucił ubrudzoną gałąź. I nagle przypomniał mu się sposób na zapoczątkowanie w takim śmietnisku procesu kiszenia, którego nauczył go ojciec. Rozejrzał się i upewniwszy się, że nikogo nie ma w pobliżu, uniósł habit i nasikał na stos. Pamiętał, jaki dorosły się czuł, kiedy mając pięć lat, stał pewnego ranka obok ojca i obaj siusiali na swój ogródek warzywny.

Konrad tęsknił za ojcowską miłością, ale nie należał do tych, którzy lubują się w rozpamiętywaniu przeszłości. Opuścił habit i skarcił się w duchu za tę chwilę zapomnienia. Tak, w stosownym czasie dostanie ten decydujący składnik niezbędny, by bezładne na pozór słowa Leona zaczęły fermentować i nabierać sensu. Drgnęły mu kąciki warg i prawie się uśmiechnął, kiedy spróbował sobie wyobrazić, jaką też postać może przybierać bożek siusiania.

Bardzo potrzebował tego dnia dla siebie. Do wieczora wędrował po miejscach świętych dla swojego bractwa. Najpierw udał się nad rzekę Torto, by odwiedzić szczątki prymitywnego szałasu, w którym pierwsi bracia przechodzili surową zimową inicjację. Potem wspiął się na górę Subasio aż do *carceri*, jaskiń, w których zaszywał się święty Franciszek, by w samotności pościć i medytować. W dolinę pod miastem zszedł z powrotem, kiedy cień wpełzał już po zboczu. W zapadających ciemnościach zjadł resztę prowiantu, który ze sobą zabrał, i wszedł do Porcjunkuli.

Stanął w nawie i czekał, aż oczy przywykną mu do półmroku. Patrzył na wyrzeźbionego w drewnie Jezusa zawieszonego nad ołtarzem, zdającego się wić na krzyżu w migotliwym blasku małej oliwnej lampki. Ujrzał oczyma wyobraźni modlącego się tutaj świętego Franciszka, słyszał niemal jego głos zmieszany z poświstem wiatru wdzierającego się przez wąskie ambrazury w murach.

Leon opowiadał mu, jak święty klęczał przed tym krucyfiksem godzinami, szlochając. Czasami Franciszek kładł się na ubitym klepisku, rozrzucał ramiona i trwał tak nieruchomo krzyżem, dopóki nie poczuł bólu w mięśniach, a wtedy ten ból i swoją samotność składał w ofierze umiłowanemu Bogu. Ludzie znali Franciszka jako wesołego świętego męża, wyśpiewującego po gościńcach. Słyszeli też jego nawoływania do pokuty i wyrzeczeń. Ale nikt tak dobrze jak Leon nie znał głębi jego samoumartwiania, nikt nie wiedział, jak głodził i dręczył brata Zadka (tak nazywał swe ciało). Zamęczał go bezsennymi czuwaniami, nie zważając na chorobę, na znużenie, odmawiał mu najcieńszego koca w mroźne lutowe noce. Żywił go byle czym, a i to mieszał jeszcze z popiołem, aż w końcu, co tu się dziwić, osłabione ciało poddało się, nie nadążając za jego nieograniczoną wyobraźnią, i dusza, która już wcześniej, w chwilach ekstazy, opuszczała na jakiś czas swą klatkę, by wznieść się ku niebu, w końcu wyrwała się na wolność i już nie wróciła — pozbyła się pracowitego *Fra Asino*.

Wpatrzony w krucyfiks Konrad poczuł naraz rozchodzące się po plecach mrowiące ciepło. Pięło się po kręgosłupie, rozpływało na barki i wlewało w ramiona, unosząc je stopniowo, aż w końcu Konrad przybrał pozę umierającego Chrystusa. Głowa opadła mu na bok i pozostawał w tej pozycji, dopóki nie uszedł z niego cały strach i niepewność, jakie odczuwał przed furtą Sacro Convento — dopóki nie uzmysłowił sobie z niezachwianą pewnością, że jest gotowy i bynajmniej nie osamotniony.

— Tak, Panie — wyszeptał. — O cokolwiek mnie poprosisz. — I te słowa wypowiedziały zgodnym chórem jego usta i serce.

XIII

Kiedy niebo pojaśniało na tyle, że można już było bez potykania się wspiąć się ścieżką do miasta, Konrad opuścił Porcjunkulę. Krótka pielgrzymka po świętych miejscach zakonu dodała mu nowych sił i w pewnym stopniu podbudowała po dramatycznych wypadkach ostatnich dni. Widok majaczących w porannej mgle, ledwie widocznych konturów miejskich murów, jeszcze bardziej poprawił mu nastrój.

Kiedy zbliżał się do gaju oliwnego, w którym poprzedniego dnia odpoczywał, mgła zgęstniała. Zwolnił kroku, by nie zboczyć z drogi. Szedł prawie po omacku i nagle otoczył go zewsząd gwar zaspanych męskich głosów, który po chwili narósł niemal do wrzawy. Słyszał również ciche parskanie i nerwowy tupot przestępujących z nogi na nogę koni oraz pobrzękiwanie metalu o metal. Jeszcze kilka kroków i stanął pod namiotem z podwiniętymi bokami, oko w oko z kilkoma zdumionymi, na wpół ubranymi rycerzami, sądząc po broni i pancerzach spoczywających na ziemi obok posłań.

— Niech Bóg ześle wam pokój, bracia — powiedział, by

wybrnąć jakoś z niezręcznej sytuacji. — Pobłądziłem widać w tej mgle.

Mimo wszystko był tylko zakonnikiem, dla takiego nie podnosi się alarmu. Uspokojeni rycerze podjęli wdziewanie rynsztunku.

Pod murami Asyżu, nieopodal gaju oliwnego, biegła starożytna rzymska droga. Leon opowiadał Konradowi o triumfalnym przemarszu tą drogą, zimą 1209 roku, Ottona IV po odebraniu z rąk papieża Innocentego III korony Świętego Cesarstwa Rzymskiego. Słynący z wyniosłości Innocenty kazał Ottonowi w dzień po koronacji opuścić Rzym i wracać do Niemiec. Chciał w ten sposób dać do zrozumienia cesarzowi i jego sześciu tysiącom rycerzy, obozującym w Wiecznym Mieście, żeby nie popadali w zbytni samozachwyt.

Nie bacząc na szorstkie potraktowanie Ottona przez Innocentego, mieszkańcy Asyżu, w większości wierni cesarscy gibelinowie, zgotowali mu huczną owację, kiedy tędy przejeżdżał. W tamtych niepewnych czasach walki o dominację mądre miasto popierało wszystkie frakcje, hołdując zarówno papieżowi, jak i cesarzowi. Wiwatujący mieszczanie przeszkodzili Franciszkowi zamieszkującemu podówczas z małą grupką towarzyszy w szałasie nad rzeką Torto. Franciszek, jak to on, za nic miał świeżo upieczonego cesarza z jego ogromnym orszakiem i nowo nabytą godnością. Posłał nawet jednego z braci, by uświadomił Ottonowi marność doczesnych przewag.

Potem, w roku Pańskim 1259, zmarł Fryderyk II, następca Ottona, a w roku 1268 Karol D'Anjou ściął ostatniego z synów Fryderyka. I tak kręgosłup cesarstwa został raz na zawsze przetrącony, pomyślał zakonnik. Papiestwo zwyciężyło.

Czy aby na pewno? Obecność tylu rycerzy biwakujących przy rzymskiej drodze, gadających i żartujących w rzymskim dialekcie, nie była rzeczą normalną. Czyżby germańscy książęta podjęli swoje destrukcyjne intrygi i zjednoczyli się ponownie pod jakimś nowym wodzem?

Konrad popatrzył podejrzliwie na rycerzy.

— Mamy jakąś wojnę, przyjaciele? — spytał.

— Nie po tej stronie Ziemi Obiecanej, braciszku — roześmiał się jeden z nich. — Nie słyszałeś? Nowy papież płynie z Akki do Wenecji. Zebraliśmy synów wszystkich szlacheckich rzymskich rodów i jedziemy go powitać, a potem eskortować w drodze do Rzymu. Oj, będzie się działo w tej waszej mieścinie, kiedy będziemy tędy wracali.

Mężczyzna pochylił się i wrócił do swoich spraw. Nagle, jakby coś mu się właśnie przypomniało, wyprostował się, podszedł do Konrada i przyklęknął.

— Pobłogosław nas na drogę i módl się o nasz bezpieczny powrót, bracie boży — poprosił. Pozostali rycerze, słysząc to, przerwali swoje zajęcia i też uklękli.

— Tak też uczynię — powiedział Konrad. Wyjął z kieszeni brewiarz i przewracając stronice, znalazł modlitwę dla podróżnych. Unosząc dłoń nad ich pochylonymi głowami, przeczytał: — *Wysłuchaj, o Panie, naszej prośby i czuwaj nad bezpieczeństwem i pomyślnością twoich sług w podróż się udających...*

Dla porządku wyrecytował jeszcze orację *pro navigantibus*, „dla tych, co na morzu". Po jego „amen" mężczyźni przeżegnali się.

Kiedy pustelnik wychodził spod namiotu, mgła zgęstniała już tak, że mury miasta zupełnie się w niej rozpłynęły. Był jednak tak blisko Asyżu, że nie musiał ich widzieć. Wystarczyło iść pod górę i uważać na końskie odchody.

Znalazłszy się w mieście, Konrad, pomimo mgły, bez trudu odnalazł dom szlachcianki. Mieszczanie wstali wcześnie, stukali już młotkami, piłowali, przygotowywali stragany do zbliżającego się święta plonów, zbijali półki na towary, układali deski na kobyłkach, i co kilka przecznic ktoś wskazywał mu drogę.

Donna Giacoma mieszkała, tak jak podejrzewał, w górnym mieście, w połowie drogi między kościołem San Giorgio a bazyliką. Do zaułka, przy którym stał jej dom, wiodła serpentyna krętych schodków odbiegająca od Via San Paolo. Sam dom wzniesiony był z kamienia i przypominał twierdzę. Spadzisty, kryty łupkiem dach okalały ołowiane rynny, z naroży których spozierały na pustelnika groźnie przerażające gargulce. Paszczęki miały szeroko otwarte i deszczówka tryskająca z nich podczas ulewy spadała zapewne na głowy przechodniów. Jedynymi otworami w ścianie górnego piętra były wąskie jak strzelnice szczeliny, co stanowiło ostry kontrast z otwartymi na oścież i wpuszczającymi do środka światło poranka okiennicami w oknach parteru. Szkarłatna, osadzona w kamiennym nadprożu, tarcza herbowa nad wejściem przedstawiała złote polujące lwy, orły z wysuniętymi szponami i kłębowisko żmij ostrzegających rozdwojonymi języczkami każdego, kto podchodził do drzwi.

Konrad przygarbił się. Znał historię właścicielki tego domu z opowiadań brata Leona. Była córką normańskiej księżniczki z Sycylii, wyspy podbitej przed dziesiątkami lat przez Normanów. Przez osiem lat była żoną Graziana, najstarszego syna rzymskiej rodziny Frangipani, morderczego rodu, którego bali się i słuchali nawet papieże. Ta dziedziczka wojowników i wdowa po jednym z najpotężniejszych rzymskich panów po śmierci świętego Franciszka porzuciła swój pałac i Wieczne Miasto i przeniosła się do Asyżu, by zamieszkać blisko jego grobu.

Konrad nie był nigdy w domu tak znacznej persony i próbował sobie teraz wyobrazić, jak też ona wygląda — jest być może przygięta do ziemi wiekiem, ale nadal królewska, włosy i uszy zakryte welonem, który spina drogi diadem, suknia z purpurowej satyny wyszywana klejnotami albo ozdobnymi guzami wlecze się za nią po posadzce, kiedy chodzi po domu, doglądając gospodarstwa i sług, dłonie splecione na brzuchu, by podciągnąć długie rozszerzane rękawy, tak modne teraz wśród szlachetnie urodzonych. Zerknął jeszcze raz na złowrogi herb i zastukał do drzwi masywną mosiężną kołatką. Metaliczny podźwięk rozszedł się echem po zaułku. Konrad nastawiał się, że jak w Sacro Convento, tak i tutaj zza kratki w drzwiach łypnie na niego kolejne podejrzliwe oko, jednak te od razu otworzyły się na oścież. Młodzieniec, który w nich stał, robił wrażenie dokładnie przeciwne niż oglądany od zewnątrz dom. Był tak ujmujący, uprzejmy i życzliwy, że Konradowi przemknęło przez myśl, że tak musi wyglądać anioł, kiedy przybiera ludzką postać. Gładkie lico chłopca okalały ciemne włosy opadające na czoło grzywką i podwijające się na ramionach. Miał na sobie jasnoniebieskie rajtuzy, filcowe ciżemki i krótką niebieską tunikę z białym obszyciem — barwy Bogurodzicy Dziewicy. Kraj tuniki ktoś obhaftował szlaczkiem z powtarzającego się łacińskiego słowa *ama* — miłość.

— Szczęść Boże i witajcie, bracie — powiedział. — Czym mogę służyć?

— Chciałbym się widzieć z twoją panią. Jestem Konrad da Offida, przyjaciel brata Leona.

Młodzian skłonił się.

— *Madonna* jest jeszcze w kaplicy. — Kiedy to mówił, Konradowi, który przyszedł tu na czczo, głośno zaburczało w brzuchu. Paź jednym tchem dorzucił: — Może zaczekacie w kuchni?

Konrad kiwnął z wdzięcznością głową i ruszył za chłopcem przez przestronną sień. Dom pachniał ciepło płonącą sośniną, z kilku komnat, do których wchodziło się z sieni, dobiegało trzaskanie polan w kominkach. Na ścianach wisiały arrasy, posadzkę pokrywały trzcinowe maty. W kątach, do których nie docierało słoneczne światło, paliły się świece z knotami z sitowia. Pod ścianami stały masywne rzeźbione krzesła ze szkarłatnymi poduszkami. Krótko mówiąc, dom *donny* Giacomy tchnął wygodą i gościnnością.

— *Mamma*, gość! — zawołał przewodnik Konrada do kucharki, kiedy minąwszy zmywak, wkroczyli w aromat świeżo upieczonego chleba, suszących się ziół i gotującego krochmalu. W dzieży, obok kociołka z oliwą, czekało na uformowanie i włożenie do pieca wyrobione ciasto. Kobieta krojąca za stołem ser kremowego koloru podniosła oczy na Konrada. Była niewiele od niego starsza, miała taką samą jak chłopiec, gładką cerę — bez wątpienia dzięki latom spędzonym nad parującymi kotłami — i jasną skórę z kilkoma tylko ciemniejszymi znamionami na policzkach i górnej wardze. Jej biały fartuch był poplamiony zupą i sokami, a nagie przedramiona ubrudzone mąką.

— Chleb już ostygł — powiedziała. — Usiądźcie, proszę, z *maestro* Robertem, bracie.

Siedzący za stołem starszy mężczyzna w takiej samej jak chłopiec liberii i w niebieskiej mycce na głowie wskazał Konradowi ławę naprzeciwko siebie. Patrzył na niego z zaciekawieniem, ale Konrad dostrzegał w jego spojrzeniu podejrzliwość.

— Chyba was jeszcze nie widzieliśmy w naszych progach, bracie — odezwał się, kiedy Konrad zajął wskazane miejsce.

— Jestem tu pierwszy raz.

— Znał brata Leona — wtrącił chłopiec.

— Aha. No to serdecznie witamy. Jestem pokojowcem *madonny*, do moich obowiązków należy zatem sprawdzanie obcych. Nasza pani ma czasami zbyt miękkie serce, co nie zawsze wychodzi jej na dobre. Okpiło ją już wielu szarlatanów, szukających darmowego wiktu i noclegu. A już najgorsi są ci pobożni, mącą jej w głowie opowieściami o wizjach, które jakoby mieli, anielskich głosach, które słyszeli, próbują sprzedać ząb mądrości Jana Chrzciciela albo talerz z Ostatniej Wieczerzy. Tych talerzy proponowano nam już tyle, że starczyłoby nie tylko dla wszystkich apostołów, ale i paru dziesiątków gości na dodatek. Na pewno rozumiesz. — Zmrużył oczy, co jeszcze podkreśliło ostrzeżenie pobrzmiewające w jego głosie.

— Pewnie rada mieć kogoś takiego jak ty, kto tak pilnuje jej spraw — powiedział Konrad.

— A gdzieżby tam, braciszku — roześmiała się kucharka. — Nasza pani sama swoich spraw pilnuje. Mówi nam, czego sobie życzy, a my te życzenia w mig spełniamy.

Postawiła przed każdym z mężczyzn drewnianą miskę kaszy owsianej, kubek mleka i pajdę chleba z serem. Lokaj spuścił głowę.

— Pobłogosław to jadło, braciszku. Zakonnicy, którzy nas odwiedzają, odwdzięczają się za poczęstunek modlitwą za nasze dusze. — Wypowiedział tę prośbę z taką samą szczerością, jak wcześniej swoje ostrzeżenie, i Konrad chętnie ją spełnił.

Kiedy skończył kaszę i wycierał do czysta miskę skórką chleba, w nozdrza załaskotał go jakiś inny zapach, milszy jeszcze od aromatu jadła.

— Frangipani, oczywiście — mruknął lokaj. — Zapach czerwonego kwiatu imbiru. — Wstał i patrząc ponad ramieniem Konrada, powiedział: — *Buon giorno*, Giacomina.

— *Buon giorno* wszystkim — odpowiedział przyciszony, lekko drżący kobiecy głos.

Zakonnik zerwał się z ławy, omal jej nie przewracając. Jak to możliwe, że nie usłyszał wchodzącej do kuchni *donny* Giacomy?

Szybko się to wyjaśniło. Kobieta była boso. Wspierając się na lasce, podeszła bezszelestnie do stołu. Miała na sobie szarobury habit mnicha. Konrad dopiero teraz przypomniał sobie, jak Leon opowiadał mu, że *donna* Giacoma wiedzie żywot tercjarza. Była kobietą postawną, wyniosłą — co zwyczajne u potomkini bohaterów i bohaterek — ale, o dziwo, na jej pełnym krągłym licu nie uświadczyło się ani jednej zmarszczki. Szpeciła je tylko blizna na policzku. Mogłaby uchodzić za pięćdziesięciolatkę. Konradowi rzuciły się też w oczy jej siwe włosy. Nie zakrywała ich i nie przystrzygała na modłę niewolnic, lecz zaczesywała skromnie na uszy. Spod grzywki patrzyły bystro zielone jak u kocicy oczy.

Konrad zwrócił też uwagę na sposób bycia szlachcianki — czarujący i nietypowy zarazem. Teraz już wiedział, dlaczego służba przyjęła go tak, a nie inaczej. Z *donny* Giacomy emanowała jakaś łagodna władczość, która musiała udzielać się domownikom. Znalazł na nią nawet określenie — *gentilezza* — dystynkcja, coś, czego brakuje większości szlachetnie urodzonych. Zaczynał teraz rozumieć, dlaczego Franciszek i Leon tak kochali i szanowali swoją przyjaciółkę.

Przedstawił się raz jeszcze i wyjaśnił powód swej wizyty. Ma kilka pytań na temat listu, który dostał po śmierci Leona, i byłby niezmiernie wdzięczny, gdyby *madonna* raczyła poświęcić mu kilka chwil.

Kiedy to powiedział, jej twarz pojaśniała.

— A zatem dotarł do ciebie? Tak się martwiłam, że to zadanie przerośnie matkę przeoryszę.

— Powierzyła je naj... najwytrwalszej ze swoich podopiecznych.

Donna Giacoma skinęła na chłopca.

— Pio, zaprowadź brata Konrada na podworzec, do tego nasłonecznionego zakątka. Mgła już się rozwiewa. — I zwracając się do zakonnika, dodała: — Załatwię tylko sprawy z *maestro* Robertem i zaraz tam do ciebie przyjdę.

Pustelnik wyszedł za paziem na otaczający podworzec krużganek. Wisiała nad nim drewniana loggia wystająca z górnego piętra, natomiast przeciwległa ściana wznosiła się wysoko ponad resztę budynku — stanowiła twierdzę, w której mogli się schronić domownicy na wypadek, gdyby miasto zostało zaatakowane. Pośrodku podworca szemrała marmurowa fontanna. Chłopiec wskazał Konradowi kamienną ławę, na którą padało słońce.

Donna Giacoma nie kazała długo na siebie czekać. Na jej widok pustelnik wyciągnął spod habitu list, a kiedy usiadła, rozwinął go i pokazał.

— Mam nadzieję, że nie miałeś kłopotu z odczytaniem mojego pisma — powiedziała. — Nauczyłam się czytać i pisać w dzieciństwie, ale nie miałam wielu okazji do korzystania z tych umiejętności. Jednak brat Leon uparł się, że podyktuje ten list mnie, nie mojemu sekretarzowi.

— Miał widać swoje powody, chociaż w tej chwili nie wiem jeszcze jakie. — Przesunął palcem po obwódce otaczającej list. — Powiedział ci może, pani, co ma znaczyć to tutaj, co napisał własnoręcznie?

Donna Giacoma przyjrzała się z zainteresowaniem obwódce.

— Nie wiedziałam, że to część listu. Leon palce miał już niewładne i tak się nad tym mozolił, że nie czekałam, aż skończy. A minę miał przy tym jak dziecko, które przyozdabia laurkę dla matki. I tak właśnie pomyślałam, że to ozdoba. — Pochylała się nad listem, mrużąc oczy, w końcu pokręciła głową. — Przeczytaj mi to, proszę. Wzrok już nie ten.

— Zaczyna się od słów: *Brat Jakubina wiele wie o idealnej pokorze.*

Spąsowiała.

— Tak napisał?

— Stoi tu czarno na białym. I zabija mi klina. Od piętnastu lat jestem w zakonie, a nie słyszałem jeszcze o bracie imieniem Jacoba. Może ty go znasz, pani? O samego początku byłaś związana z zakonem jak nikt inny.

— Och, słodki człowiek. Od lat nie słyszałam tego imienia.

— A zatem znasz brata Jakubinę?

Łzy napłynęły jej do oczu.

— To ja jestem brat Jakubina. A raczej byłam. Święty Franciszek wyświęcił mnie przed ponad pięćdziesięciu laty na honorowego brata, za męskość mojej cnoty, powiedział. — Roześmiała się. — Porównywał mnie do Abrahama, Jakuba i innych patriarchów Izraela. Wiem, że uważał to za największy komplement, ale mając wówczas dwóch małych synków, którzy biegali po domu, bynajmniej nie czułam w sobie męskości.

Otarła rękawem łzy i uśmiechnęła się.

— Wybacz, bracie... mój brak męskości. Twoje pytanie wywołało powódź wspomnień. — Bawiła się fałdami swojego habitu, to je mnąc, to rozprostowując. Korzystając z tej przerwy, Konrad zebrał myśli. Leon jeszcze raz go zadziwił.

— No dobrze, powiedz mi zatem, pani, co wiesz o idealnej pokorze — odezwał się po chwili.

Złożyła splecione dłonie na podołku i zapatrzyła się w nie.

— Brat Leon mówił mi o pokorze — położył nawet nacisk na to słowo — podczas swoich ostatnich odwiedzin, tego samego tygodnia, kiedy napisał ten list. Poprosiłam go po raz setny, żeby opowiedział mi, co widział na górze Alwernia tamtej nocy, kiedy serafin naznaczył ranami Chrystusa ciało naszego błogosławionego ojca. Znałam go tyle lat, a on w żadnym z listów, które do mnie pisał, w żadnej rozmowie nie wspomniał choćby słówkiem o stygmatyzacji — chociaż był ze świętym Franciszkiem, kiedy do niej doszło. I tym razem nie było inaczej. Tak jak wcześniej niczego mi nie powiedział, powtórzył tylko słowa, którymi Franciszek zbywał ludzi wypytujących o jego ekstazy: *Secretum meum mihi*, moja tajemnica należy do mnie. Wyznał mi jednak po raz pierwszy, że zachowuje milczenie ze świętego posłuszeństwa. Podobno zaraz po śmierci naszego mistrza brat Eliasz wezwał go do swojego gabinetu i zakazał wszelkich rozmów na ten temat.

Obróciła się na ławie twarzą do Konrada i przekrzywiła głowę.

— Rozumiesz coś z tego? Bo mnie wydało się to bardzo dziwne. Brat Eliasz po odejściu Franciszka sam często mówił o tych ranach.

Łzy znowu napłynęły jej do oczu.

— Eliasz przyszedł po mnie osobiście i zaprowadził do chatki, gdzie dusza naszego mistrza opuściła właśnie ciało. Głowa Franciszka spoczywała na poduszce, którą przywiozłam mu z Rzymu, ale ciało nie było jeszcze owinięte w całun. Leżał tylko w przepasce na biodrach, jak Chrystus przed złożeniem do grobu, i zobaczyłam na własne oczy gwoździe sterczące z jego dłoni i stóp i ranę od włóczni w boku. Za życia skrzętnie ukrywał te rany, i nie widział ich nikt prócz Leona, który się nim opiekował i zmieniał opatrunki.

Brat Eliasz podniósł ciało z maty i powiedział do mnie: „Tego, którego miłowałaś żywym, powinnaś przytulić do serca po śmierci". O dziwo ciało Franciszka nie było wcale zesztywniałe, wydawało się nawet bardziej wiotkie niż za życia, bo przez ostatnie lata jego członki często wykręcał ból. Trzymałam go na rękach bez wysiłku, po latach postu był lekki jak gąska. Zrozumiałam wtedy, co musiała odczuwać Magdalena, kiedy tuliła do piersi swego martwego Pana. Brat Eliasz stał wciąż obok mnie niczym apostoł Jan.

Ostatnia uwaga *donny* Giacomy zaintrygowała Konrada.

— Zupełnie inaczej przedstawiał mi Eliasza brat Leon, pani.

— Eliasz zmienił się, niestety, po pogrzebie. Kochał świętego Franciszka i dopóki nasz mistrz żył, troszczył się o niego jak matka o niedomagające dziecko. Ale nasz święty był również jego sumieniem. Kiedy sumienie umarło, dostał obsesji na punkcie zabiegania o władzę i zaszczyty, zarówno dla siebie, jak i dla całego zakonu.

— Powiadają, że parał się również czarną magią.

— To chyba plotka. Ale masz rację. Ja też słyszałam, że szukał kamienia filozoficznego. Kardynał Hugolin, protektor zakonu, zostawszy papieżem, zbudował sobie w Asyżu pałac, żeby mieć tu swoją rezydencję, kiedy będzie odwiedzał miasto. Ten pałac ma wiele ukrytych komnat i zakamarków.

— Widziałem go — mruknął Konrad — ale tylko od zewnątrz.

— Ponoć brat Eliasz, ilekroć dowiadywał się o bracie, który przed wstąpieniem do zakonu zajmował się sztukami alchemicznymi, wzywał go natychmiast do siebie i zamykał w papieskim pałacu. Nie tylko zmuszał tych braci do kontynuowania alchemicznych praktyk, ale konsultował się również z innymi — wieszczami i tłumaczami snów.

Konrad skrzywił się.

— To tak, jak wierzyć Pytiowym przepowiedniom. — Taki człowiek nie cofnąłby się nawet przed zawarciem paktu ze złym, pomyślał.

Donna Giacoma ściągnęła brwi.

— Jedno wiem z pierwszej ręki — mruknęła — bo byłam uczestniczką tego incydentu. Eliasz rozsierdził mnie wtedy tak, że nie chciałam z nim już później rozmawiać. Jak również z kilkoma ojcami naszego miasta. Chyba że po to, by wyładować gniew. — Znowu mięła w palcach fałdy habitu.

— Cóż uczynili? — spytał Konrad.

— Zdradzili nas — odparła. — Nas wszystkich, którzy chcieliśmy jedynie modlić się u grobu świętego Franciszka. Przez lata wnosiliśmy datki i czekaliśmy cierpliwie na zakończenie budowy dolnego kościoła bazyliki, na dzień, kiedy będziemy wreszcie mogli złożyć w godnym miejscu święte szczątki. Kiedy w końcu ten dzień nadszedł, w Asyżu zebrali się bracia ze wszystkich prowincji, zjechały tu też dziesiątki kardynałów i biskupów. Szliśmy w procesji z San Giorgio, a mnie pozwolono nawet iść z braćmi z Sacro Convento.

Ledwie wkroczyliśmy na *piazza* przed górnym kościołem, zaatakowali nas rycerze. W tej samej chwili strażnicy miejscy wyrwali trumnę niosącym ją braciom.

Konrad pokiwał głową.

— Leon opowiadał mi o tym porwaniu. Ale chciałbym usłyszeć twoją wersję owego niechlubnego wydarzenia, pani.

— Zapanował chaos: Giancarlo di Margherita, podówczas burmistrz naszego miasta, wywrzaskiwał komendy do swoich strażników i do rycerzy, bracia z przodu procesji wołali o pomoc, wrzeszczeli, obrzucali nawet rycerzy przekleństwami. Bracia idący na końcu nadal śpiewali, bo nie wiedzieli, co się dzieje z przodu. Zakonników, wśród nich Leona, którzy próbowali bronić zwłok, strażnicy bili i obalali na ziemię. Kilku ranili, wielu stratowały albo pokopały konie. Ja też próbowałam odciągnąć jednego rycerza i dostałam za to żelazną rękawicą w twarz.

Konrad spojrzał na bliznę szpecącą jej policzek.

— Poważna to była rana, Giacomino? — Bezwiednie użył zdrobniałej formy jej imienia, tak jak wcześniej zrobił to lokaj. Natychmiast zmieszał się i zarumienił.

Z nieobecnego wyrazu jej twarzy wyczytał jednak, że się nie obraziła.

— Z policzka lała mi się krew, był rozcięty do kości, ale najbardziej bolał mnie widok unoszonej przez strażników trumny. Zabarykadowali się z nią w kościele i otworzyli drzwi dopiero po ukryciu zwłok. Nigdy ich nie odnaleziono. Czuję się taka oszukana, nie wiedząc nawet, gdzie uklęknąć, by być blisko mojego mistrza.

— Ale prałaci na pewno protestowali...

— Owszem, lecz bez skutku. Nawet Ojciec Święty zaprzyjaźniony z Eliaszem od czasów, kiedy był jeszcze kardynałem protektorem zakonu, potępił złodziei i nazwał ich zuchwałymi barbarzyńcami. Porównał Giancarla do świętokradcy Uzzy, którego Bóg poraził, kiedy próbował dotknąć Arki Przymierza.

— I wszystko to ukartował Eliasz?

— On, Giancarlo i jeszcze kilku. Zapytałam ich kiedyś, długo po tamtych wypadkach: „Dlaczego to zrobiliście?". Giancarlo twierdził, że procesja wymknęła się spod kontroli i przestraszył się, że ciało zostanie rozerwane na strzępy przez łowców relikwii. Eliasz powiedział, że naszego świętego chcieli porwać perugiańczycy. Obaj pletli głupstwa! Nasza procesja szła bardzo spokojnie. Panował w niej nastrój takiej powagi i skupienia, jak na niedzielnej mszy u Ubogich Pań. A perugiańczycy, gdyby naprawdę chcieli porwać ciało świętego Franciszka, to mieli po temu okazji bez liku przez te cztery lata, kiedy spoczywało jeszcze w kościele San Giorgio. Zresztą gdyby się na to poważyli, ruszyłaby przeciwko nim święta krucjata. Żeby ujść cało z trumną z Asyżu, musieliby wpierw wyciąć tu w pień wszystkich mężczyzn, kobiety i dzieci.

— Powiedziałaś, pani, że byli w to zamieszani jeszcze jacyś zakonnicy?

— Nie zakonnicy. Rycerzy prowadził *signore* z Rokki ze swoimi synami. Widziałam również Angela, brata świętego Franciszka, stojącego ze szlachetnie urodzonymi w przedsionku kościoła.

— Znałaś go?

— Nie. Widziałam go wcześniej tylko raz, kiedy biskup Guido błogosławił plac pod budowę bazyliki. Eliasz mi go pokazał, mówiąc, że to wielki dobroczyńca. Powiedział też, że ten człowiek ma posiadłość we wspólnocie Todi.

— Aha. — Konrad przymknął oczy i oparł się plecami

o kolumnę za ławą. Splótł dłonie na ciemieniu i ścisnął mocno, próbując sobie przypomnieć, co powiedziała Amata o jego chacie. Miało to coś wspólnego ze Wzgórzem Piekielnym, na którego stoku wznosiły się teraz bazylika i Sacro Convento. Jednak w skupieniu się przeszkadzało mu wspomnienie jej ciemnych niewinnych oczu. Nie mógł sobie przypomnieć tamtych słów.

No nic, mniejsza z tym. Znalazł brata Jakobinę. Przybliżył się o krok do ustalenia, co rozumiał Leon pod słowami *secretum meum mihi*, a ta tajemnica miała coś wspólnego z wizją serafina, jaką miał święty Franciszek na górze Alwernia.

XIV

Konrad usiadł na podworcu domu *donny* Giacomy pod żółknącymi z jesienią liśćmi i otworzył brewiarz. Nie dowiedział się już niczego więcej od damy, okazało się jednak, że ta może mu pomóc w inny sposób. Kiedy wspomniał, że musi się udać do Sacro Convento, natychmiast orzekła, że przedtem trzeba zrobić coś z jego zaniedbanym wyglądem. Posłała od razu po służącą, która strzygła i goliła domowników, lecz Konrad ani myślał dopuszczać tej kobiety do swych włosów. Pamiętał, co spotkało Samsona, i wolał dmuchać na zimne. Zdawał sobie jednak sprawę, że musi odświeżyć tonsurę, i zgodził się, kiedy *donna* Giacoma zaproponowała, że sprowadzi cyrulika mężczyznę z miasta.

Cyrulik spisał się doskonale. Ogolił zakonnika, ostrzygł, ukształtował i wyeksponował tonsurę. Rozmawiając potem z *maestro* Robertem i *donną* Giacomą, Konrad nie mógł się go nachwalić, że taki porządny, że skończywszy, zamiótł podłogę i wyzbierał najmniejsze nawet włoski. Lokaj wybuchnął śmiechem.

— On słyszał, że byłeś bliskim przyjacielem brata Leona, którego wszyscy tu czcimy — wyjaśniła *donna* Giacoma — i że Leon często sławił twoją świętość. Nie rumień się, bracie. Leon miał o tobie jak najlepsze mniemanie. Ten cyrulik, człek o skromnych dochodach, uznał, że twoje włosy mogą być kiedyś w cenie, zebrał je więc jako ewentualne zabezpieczenie na starość.

— I byłby ci bardzo wdzięczny, gdybyś się zbytnio nie ociągał — dorzucił Roberto. — Kanonizacja długo trwa. Nasz cyrulik strzygł już wielu zakonników. Włosy wszystkich na wszelki wypadek zbiera i przechowuje w małych dzbanuszkach, każdy oznaczony symbolami, w których tylko on potrafi się rozeznać.

Czytającemu teraz na podworcu Konradowi zimno było w wygoloną szyję i policzki. Zamknął brewiarz i uśmiechnął się na wspomnienie prymitywnej wiary — i oportunizmu — cyrulika. Spod arkad krużganka wyszła, utykając, *donna* Giacoma ze zwojem szarej tkaniny pod pachą. Najwyraźniej czekała, aż skończy swój codzienny obrządek.

— Mieszczanie przynoszą często do mnie dary dla braciszków — powiedziała. — Wiedzą, że nie wolno wam przyjmować pieniędzy. Pewna dama dała mi wczoraj dwa *soldi* i kupiłam ci za nie materiał na nowy habit. Prosiła, żebyś w zamian pomodlił się o zbawienie jej duszy.

Czekała na odpowiedź. Konrad wzruszył ramionami i uniósł ręce.

— Chyba nie mam innego wyjścia, jak przyjąć ten dar i pomodlić się za tę dobrą kobietę. — Zebrał w garść przód swojego starego habitu. — Ale proszę, *donno* Giacomo, przechowaj u siebie tego starego przyjaciela. Odbiorę go, wracając w góry. — Z czułością matki pieszczącej bliznę po skaleczeniu na rączce dziecka pogładził zszyte rozdarcie na rękawie.

— Pod warunkiem, że pozwolisz go uprać. Z całym szacunkiem dla twoich umartwień, bracie Konradzie, robactwo nie jest w tym domu witane tak mile, jak na twojej skórze.

Konrad kiwnął głową i uśmiechnął się z przymusem. Czy to aby na pewno ta sama kobieta, której cnotę tak wychwalał święty Franciszek? Słowa, które teraz wypowiedziała, mogłyby paść z ust każdej zwyczajnej gospodyni. Potarł ramię, wyczuwając na nim bąble i strupki po niezliczonych maleńkich ukłuciach i ukąszeniach, owe nieustające kary tak niezbędne w umartwianiu ciała.

— Rób, jak uważasz — mruknął, z trudem poruszając szczęką, której mięśnie, jak przy każdej sugestii zmiany, i teraz mu zesztywniały. Jego serce się buntowało, choć zdawał sobie sprawę z konieczności tego kamuflażu.

Donna Giacoma przyglądała mu się z dziwnym lękiem w oczach, co było u niej rzeczą niespotykaną. Zrozumiał dlaczego, kiedy znowu się odezwała, by nieśmiało zaproponować mu rzecz niebywałą:

— Habit będzie gotowy jutro. Jeśli sobie życzysz, każę wtedy służbie napełnić balię ciepłą wodą, żebyś się mógł wykąpać.

Tym razem naprawdę przeciągnęła strunę!

— *Madonno*, przesiedziawszy tyle czasu u stóp naszego mistrza, musiałaś z pewnością nie raz słyszeć, jak mówi, jaką deprawującą i gorszącą czynnością jest kąpiel. — Konrad zaczerwienił się, wyobrażając sobie siebie nagiego. — Człowiek nie tylko ogląda swoją, przepraszam za wyrażenie, nagość, ale jego słaba dusza może ulec pokusie delektowania się ciepłą wodą, poddania się zmysłowości, którą ta budzi, omywając mu skórę...

— Nic więcej nie mów, bracie. Spodziewałam się takiej reakcji. Wzdragam się wodzić cię na takie pokuszenie nie mniej, niż ty wzdragasz się skazywać swoich przyjaciół insekty na wytrzebienie.

Może i się uśmiechnęła, ale zanim zdążył na nią spojrzeć, odwróciła się i oddaliła. Dobra i wielkoduszna była z niej dama, nie spotkał milszej od czasu rozstania z Rosanną; szkoda tylko, że nie wyzbyła się próżności i troski o czystość, które przystoją głupszym, bardziej frywolnym kobietom.

W święto biskupa Dionizego i męczennika Eleuteniusza, trzeciego dnia pobytu Konrada u *donny* Giacomy, na ulicach Asyżu rozpoczęło się święto plonów. Zakonnik postanowił wypróbować swoją zmienioną powierzchowność w szerokim świecie. W nowym habicie i sandałach, bez brody i prawie łysy, nie czuł się sobą. Może wśród ludzi uda mu się przywyknąć do siebie tak przeistoczonego, zanim przestąpi próg Sacro Convento.

Targ miał trwać dwadzieścia jeden dni, ale ciekawskich wszystkich stanów było już na ulicach tylu, ile gwiazd na bezchmurnym niebie. Konrad widział wszędzie chłopów w odświętnych tunikach w otoczeniu wybałuszających oczy rodzin, uskakujących przed wozami, wózkami i osiołkami obładowanymi towarem na handel, gapiących się z rozdziawionymi gębami na cudeńka wystawione na straganach. Rządcom trudno będzie przez tych kilka tygodni zagonić pańszczyźniane chłopstwo do roboty, której po żniwach huk: do reperowania uprzęży, ostrzenia kos i motyk, zwożenia z lasu drewna na opał i naprawy dachów.

Chłopi zawsze znajdą jakiś pretekst, by wyrwać się do miasta. Czyż nie potrzeba im soli do zakonserwowania mięsa? Czy ich żony nie muszą zaopatrzyć się w barwniki do ufarbowania ubrań dziatwie? Kobiety też podczas targu nie będą szyły, przędły ani wyrabiały świec na nocne stoliki swoich pań. I gdzieś pośród drobnych zakupów wieśniacy znajdą zawsze czas na dotknięcie pawiego pióra albo różowej skórki feniksa, na pogapienie się na popisy linoskoczków, na tańczącego niedźwiedzia, na popłakanie przy rzewnych balladach trubadurów. W tej sytuacji rządcom nie pozostanie nic innego, jak machnąć na wszystko ręką i też wybrać się na targ po cynober i kraplak do farbowania szat pana, po nożyce do strzyżenia owiec, po grzebienie do czesania wełny, wrzeciona, gręple i łój.

Podczas gdy chłopstwu tych kilka tygodni upłynie na wymigiwaniu się od obowiązków, strażnikom miejskim ich przybędzie. W karczmach i pod namiotami, gdzie wino leje się strumieniami od świtu do nocy, na pewno będą wybuchały burdy. Odgłosy awantury dobiegające z otwartego namiotu, do którego się zbliżał, przypomniały Konradowi, że na targach dzieją się takie rzeczy.

Zajrzał do środka. Rozsierdzony sprzedawca wina pokazywał ludziom jakąś monetę.

— Siedzi tu od samiuśkiego rana, żłopie moje wino i tym mi płaci? Przeciętym na pół srebrnikiem! Albo wysupłasz prawdziwego denara, albo, na świętego Mikołaja, rozbiję ci ten dzban na łbie!

— *Vaffanculo!* — wybełkotał wieśniak. — Twoje wino jest rozrobione pół na pół z wodą, to najcieńsze *vino di sotto*, jakie piłem. Za połowę wina, połowa monety.

Krzepki wieśniak dźwignął się z ławy i dla równowagi przytrzymał stołu. Podsunął sprzedawcy pięść pod nos i ku przerażeniu Konrada wyprostował palce wskazujący i serdeczny na podobieństwo diabelskich rogów. Patrząc między tymi rogami, ciągnął:

— Niechaj ci, co dolewają wody do wina, strąceni zostaną w najgłębszy krąg piekieł, niech im tam diabli dmuchają w oczy dymem z siarki i niech z kowadłem przywiązanym do jajec umykają po polach Hadesu przed wszystkimi ziejącymi ogniem kundlami szatana.

W namiocie podniosła się nieopisana wrzawa. Większość klientów brała stronę sprzedawcy, bo awantura przeszkadzała im w piciu.

— Rozwal mu czerep i wyrzuć! — krzyknął mężczyzna siedzący najbliżej pijanego.

Ale wieśniak jeszcze nie skończył. Podniósłszy głos, żeby przekrzyczeć protestujących, wytknął palcem popleczników sprzedawcy i wrzasnął:

— A wszyscy ci, co są za rozcieńczaczami wina, niechaj zostaną przykuci łańcuchem do dziury w diabelskiej dupie, i niech klucz od kłódki zostanie wrzucony w najgłębsze bagno, i niech szuka go ślepiec bez rąk i nóg...

Na tym klątwa się urwała, bo sprzedawca podskoczył i wyrżnął chłopa dzbanem w czoło. Chłop zatoczył się do tyłu i ława podcięła mu nogi. Fiknąwszy kozła, rąbnął potylicą o ziemię. Przy ryku aprobaty reszty klienteli sprzedawca złapał go za nogi i wywlókł z namiotu. Głowa wieśniaka podskakiwała na kocich łbach i zostawiała na nich krwawy ślad.

— *Proprio uno stronzo* — mruczał sprzedawca wina. — Skończony dupek.

Zostawił jęczącego człowieka z tuniką podciągniętą pod szyję, zbyt oszołomionego, żeby nawet usiąść, na placu u stóp Konrada.

Konrad pochylił się, żeby przyjrzeć się lepiej brudnej, zalanej krwią twarzy. Wieśniak, osłaniając oczy dłonią przed rażącym słońcem, patrzył na niego tępo spod przymrużonych powiek. Nagle oczy wyszły mu na wierzch, uniósł się na łokciach i próbował odczołgać.

— Aj, aj! To kościół. Już po mnie, umarłem!

— Chyba nie. Będzie cię bolała głowa, ale wyżyjesz. Czerep masz twardy jak hełm krzyżowca!

Mężczyzna opadł z powrotem na ziemię, znowu waląc potylicą o bruk. Skrzywił się i zamknął oczy.

Konrad przyklęknął przy nim i uśmiechnął się ironicznie. Może źle zrobił, pozostając tak długo na odludziu? Może Amata miała rację — na górskim szczycie każdy może być świętym. Prawdziwi święci sprawdzają się w wierze, śpiesząc z pomocą takim jak ten ludziom, *służąc biedaczkom Chrystusa*, jak nakazał mu Leon. Przez chwilę ujrzał dla siebie, najuboższego z ubogich, inne powołanie: pracę wśród ludzi i głoszenie Słowa Bożego. Serce mu urosło. Tak zrobi, kiedy tylko upora się z tym, co ma do załatwienia w Sacro Convento. Powie „tak" tak zwanemu realnemu życiu, a nawet zagłębi się w jego detalach: pijany chłop zbryzgany winem i krwią, siwe krzaczaste brwi Roberta, spotykające się nad nosem i ocieniające jego poważną twarz, dziób ptaka z kości słoniowej wyrzeźbionego na rączce laski *donny* Giacomy, długie...

Tu jego umysł stanął dęba, bo pomyślał „długie nogi Amaty", długie, jasne, zgrabne i mocne, takie, jakimi je zapamiętał z tamtego górskiego zbocza, jakimi musiał te nogi — i nie tylko — widzieć Enrico w swoją ostatnią noc na ziemi. Tu Konrad powinien powiedzieć sobie „dość". Gdyby powiedział tym nogom „tak", nawet gdyby pozwolił sobie tylko je wspominać, byłby zgubiony jak tamten chłopiec z Vercelli.

XV

Konrad źle spał tej nocy i jeszcze długo po wschodzie słońca jego umysł wzdragał się na samą myśl o Amacie. Chodził po wielkiej komnacie, zatrzymując się od czasu do czasu przy oknie, by wyjrzeć przez szpary otwartych żaluzji na wstający dzień. *Maestro* Roberto wyszedł z domu. Oddalał się wzdłuż ścian wąskich domów i w końcu znikł mu z oczu, schodząc po prowadzących w dół schodach.

— *Buon giorno, padre* — usłyszał za plecami i odwrócił się na pięcie.

Donna Giacoma znowu go zaskoczyła, wchodząc boso z korytarza. Zdążył zauważyć, że znajduje w tym upodobanie, że to taki jej mały prywatny figiel. Musiała bardzo ostrożnie stawiać laskę, żeby nie stukała. Kiedy nie chciała mu spłatać tego psikusa, słyszał z daleka, jak nadchodzi.

Przyjrzała się bacznie jego twarzy.

— Zastanawiasz się, jak cię dzisiaj przyjmą w Sacro Convento?

— Szczerze mówiąc, to nie, *madonna*. Przez całą noc bolałem... opłakiwałem duszę, która na pewno skazana jest już na potępienie. Otóż, poznałem niedawno... inteligentną młodą kobietę. Powiedziałbym, że zbyt inteligentną, żeby wyszło jej to na dobre. — Znowu wezbrał w nim gniew. — Siostrę, której zakonny habit nie przeszkadza bynajmniej hołubić w sercu wyuzdania.

Donna Giacoma otworzyła szeroko oczy, uniosła brwi.

— Masz przyjaciółkę, bracie? Musisz się o nią bardzo niepokoić, skoro mówisz z takim zaangażowaniem

— Nie powiedziałem, że to moja przyjaciółka! — żachnął się Konrad. — Opatrzność złączyła na kilka dni nasze ścieżki. To siostra służebna, która przyniosła mi list Leona.

Szlachcianka przyglądała mu się wielkimi zielonymi oczyma. Czekała na dalszy ciąg i zakonnik uświadomił sobie, że pragnie to z siebie wyrzucić. *Donna* Giacoma wskazała mu krzesło z wysokim oparciem. Sama też usiadła i Konrad opowiedział jej wszystko, co wie o Amacie.

— Nie zdradzę jej przewin, bo w przypadku części z nich obowiązuje mnie tajemnica spowiedzi. Nie wspomnę też o swoich podejrzeniach związanych z nocą, którą spędziliśmy w Sant'Ubaldo, bo to tylko podejrzenia. Ale z tego, czego byłem naocznym świadkiem, wnoszę, że *suor* Amata jest na najlepszej drodze ku wiecznemu potępieniu.

Dama wygładziła fałdy habitu na kolanach gestem, który Konrad rozpoznawał już u niej jako przejaw zakłopotania.

— Mój biedny bracie. Jakże musiała cię zawieść, zwłaszcza że z początku tak dobrze się między wami układało.

Układało? Konrad nie powiedziałby, żeby między nim i Amatą kiedykolwiek coś się układało, ale słowa jego dobrodziejki poruszyły czułą strunę. *Donna* Giacoma wejrzała w najmroczniejszy zakamarek jego duszy i wypatrzyła tam rozczarowanie, z którego istnienia sam nie zdawał sobie dotąd sprawy. Miała rację. Amata dosłownie go na jakiś czas zauroczyła. Przypomniał sobie, co czuł, obejmując ją na skalnej półce nad przepaścią.

Giacoma westchnęła i przyłożyła dłoń do piersi.

— Nieszczęsne dziecko. Ileż musiała wycierpieć przez tych pięć lat, że tak się teraz zadręcza. Tak bardzo brakuje jej matki.

Konrad poderwał głowę. Nie spodziewał się, że *donna* Giacoma okaże współczucie temu tak zwanemu dziecku.

Widząc jego reakcję, zacisnęła usta.

— Drogi Konradzie, ani mi w głowie podawać w wątpliwość wysokiego mniemania, jakie miał o tobie Leon. Nawet wśród braci ze świecą szukać takiego, który dorównywałby ci w cnocie, i tylko nieznośnie arogancka leciwa niewiasta poważyłaby się doradzać człowiekowi tak jak ty natchnionemu. Zważ jednak, że zbyt długo żyłeś w oderwaniu od świata. Nie wiem, czy zdajesz sobie sprawę, jaka rzesza mężczyzn i kobiet walczy co dnia o przetrwanie bez pewności, czy doczeka jutra.

Czy próbowałeś chociaż wyobrazić sobie, co musiała wycierpieć twoja Amata w niewoli, zdana na kaprysy okrutnego mordercy i jego synów? Znam ludzi tego pokroju. Byłam żoną jednego z nich, mieszkałam w jednym domu z jego braćmi. Ci przerośnięci chłopcy zaśmiewali się do rozpuku, kiedy ich lampart, któremu pozwalali buszować swobodnie po domu, zagryzł i częściowo pożarł pokojówkę. Kobieta miała czwórkę małych dzieci, które bawiły się z moimi synami.

Konrad skrzywił się.

— Wiem, że *suor* Amata ukrywa nóż pod zakonnym habitem.

— A myślisz, że po co on jej? — Szlachcianka sama odpowiedziała sobie na to pytanie. — Bo go potrzebuje! Bo nie ma nikogo, kto by stanął w jej obronie. Bo mając jedenaście lat, musiała się nauczyć, jak się bronić.

— To wciąż nie jest usprawiedliwieniem dla jej zachowania.

— Nie sądź jej pochopnie, bracie. Twojej Amacie w okrutny sposób, gwałtem, odebrano dzieciństwo. Pomiatano nią przez lata. Czyż nie zasługuje na wyrozumiałość, jeśli błądzi teraz, szukając miłości i ciepła, których nie dane jej było zaznać? Skoro nasz błogosławiony Zbawiciel mógł przebaczyć Magdalenie, która była starsza i grzeszyła w pełni świadoma tego, co czyni, skoro On mógł wybaczyć upadłej dorosłej kobiecie i obronił ją nawet przed wieśniakami, którzy chcieli ją ukamienować, to czy ty, idąc za Jego przykładem, nie mógłbyś również wybaczyć tej biednej, pozbawionej złudzeń dziewczynie?

Konrad poprawił się na krześle. Zdawał sobie sprawę, że weszli na grząski grunt i że polemizując z damą, może stracić w jej oczach.

— Kobiety potrzebują miłości — ciągnęła *donna* Giacoma. — Trzeba nas pieścić, przytulać, mówić nam, żeśmy najgładsze, najmądrzejsze, wyjątkowe. Tak, tak, powinieneś wiedzieć o tych rzeczach, choć żyjesz od nich z dala. Mój pan mąż potrafił być czasami strasznym człowiekiem. Już sześćdziesiąt lat, jak mnie odumarł, a ja po jego śmierci poświęciłam życie Bogu. Chociaż jednak tyle lat już minęło, zdarza mi się jeszcze boleć nad pustką mego łoża. Nadal, tak samo jak mych synów, brakuje mi ich dumnego ojca.

Szlachcianka wyciągnęła z rękawa habitu chusteczkę i osuszyła nią oczy. Potem wysunęła szczękę i widząc minę Konrada, zachichotała.

— Zamknij usta, *padre*. Much ci do nich naleci. Chyba nie zrozumiałeś, o co mi idzie. Bo nie o cielesność. W moim wieku nie pamięta się już tych chwil upojenia. Miałam na myśli poczucie bliskości, tę więź, która pozwala nam, kobietom, kochać mężczyzn i wybaczać im najgorsze — czego, jak mniemam, nauczyłyśmy się zapewne od samego błogosławionego Zbawiciela, bo On był taki. Nie znajdziesz opisu podobnej miłości w swoich teologicznych księgach, bo teologowie nie zaznali tego uczucia. Równie dobrze ja mogłabym próbować opisać satyra, którego nigdy nie widziałam ani nie dotknęłam, chociaż słyszałam, że istnieją takie monstra.

Wzięła głęboki oddech i powachlowała się dłonią.

— Trzeba ci też wiedzieć, że nawet te nieliczne niezależne kobiety, które mają wolną wolę i możliwości, by zamiast zawierać małżeństwo pod przymusem, szukać miłości na własną rękę, nie zawsze dokonują roztropnego wyboru — zwłaszcza jeśli nie zostały pokierowane właściwie w młodości przez dobrą, troskliwą, stanowczą matkę. Kiedy umarł Graziano Frangipani, padł na mnie śmiertelny strach; podejrzewam, że naszego Ojca Niebieskiego wybrałam sobie na swoją kolejną wielką miłość, powodowana nie tylko wiarą, ale również tym strachem.

Konrad zwiesił głowę na piersi. *Donna* Giacoma zadziwiała go tak samo, jak Amata. Najprawdopodobniej takiego niedoświadczonego mężczyznę jak on zadziwiać będą zawsze wszystkie kobiety.

I ponownie poczuł się upokorzony za to, że nie bierze pod uwagę słabości nazywanej przez jednych „cielesnością", przez innych „miłością", która czyni kobiety (zwłaszcza te młode) tak podatnymi na pokusy złego. Jego zdaniem Amata popełniała taki sam śmiertelny grzech pożądania, jak przed nią Francesca Polenta. Jak to powiedziała Amata, kiedy rozmawiali po drodze o Francesce i jej Paolu? „To miłość jest takim grzechem?". Dobry Boże, ona naprawdę nie odróżniała żądzy od więzów miłości opisywanych przez *donnę* Giacomę. Ale nie jemu to osądzać. Tutaj dama miała rację. Powinien pamiętać, że szatan wykorzystuje śmiertelny grzech pychy do podstawiania nóg tym, którzy mają odczytywać sumienia innych.

Spoglądając znowu na *donnę* Giacomę, Konrad zdawał sobie sprawę, że z jego oczu wyziera bezradność. Czyż to możliwe, że jeszcze dziesięć dni temu jego życie było takie proste?

— Dałaś mi dużo do myślenia, pani — powiedział słabym głosem. — Bóg ci zapłać, że otworzyłaś przede mną swój dom i swoje wspomnienia.

Zawahał się, a potem drżącym lekko głosem poprosił:

— Jeśli przez dwa tygodnie nie dam znaku życia, wstaw się za mną, proszę, u generała.

— Odwagi, bracie — powiedziała *donna* Giacoma z uśmiechem. — Brat Bonawentura już wie, że jesteś moim gościem, bo z tego, co dzieje się w mieście, niewiele braciszkom umyka. Poważa mnie i nigdy nie skrzywdziłby pod swoim dachem mojego przyjaciela.

Konrad nie poznał Piazza di San Francesco. Jak na wszystkich innych placach miasta i tutaj każdą piędź powierzchni zajmowali przekupnie i kramy. Wysoko ponad ludzkim mrowiem wznosiła się dzwonnica górnego kościoła z rozetowymi oknami w wykutych kunsztownie w kamieniu obramowaniach — jedyny tutaj punkt orientacyjny. Ruszył północnym skrajem targowiska. Kiedy mijał bramę, którą przed tygodniem wnieśli z Jacopone zwłoki chłopca, strażnik pomachał do niego.

— Dobrego dnia, braciszku! — zawołał. — Módl się dzisiaj za nas.

Konrad też pomachał strażnikowi. Mężczyzna najwyraźniej go nie poznał. Minął górny kościół i zaczął zstępować po schodach prowadzących do Sacro Convento. Chociaż słońce przesłaniała gruba warstwa chmur, było mu coraz goręcej pod nowym habitem. Pocił się, a mięśnie łydek i ud omdlewały mu nie wiedzieć czemu, tak jak wtedy, gdy brnął po kostki w błocie do Sant'Ubaldo obok kmiecego wozu. Zatrzymał się w połowie schodów, przysiadł na stopniu i kontemplował krużganek klasztoru.

Uniżone pozdrowienie strażnika, miast podnieść na duchu, wpędziło w melancholię. To nie była najwyższa duchowa radość; nie, już bardziej jej antyteza.

Leon opowiadał mu z tuzin razy, jak w pewną ciemną zimową noc wracali boso ze świętym Franciszkiem z Perugii do Porcjunkuli. Habity mieli przemoczone i ubłocone, ich kraje ściął lód i przy każdym kroku obijali sobie o nie boleśnie gołe nogi.

— Bracie Owieczko, czy wiesz — odezwał się ni z tego, ni z owego Franciszek — co przynosi doskonałą radość duchową?

Przez cały dzień nie mieli nic w ustach i Leon, który na post nie był tak wytrzymały jak Franciszek, pomyślał, że w tej chwili taką radość sprawiłaby mu miska gorącej zupy. Ale miał na tyle roztropności, żeby nie zdradzać się z tym przed świętym.

— Nie wiem, ojcze — mruknął tylko. — Ty mi powiedz.

— Wyobraź sobie, bracie, że spotykamy na tej drodze posłańca, i ten posłaniec mówi nam, że wszyscy mistrzowie teologii z Paryża wstąpili do naszego zakonu. Ucieszylibyśmy się, ale to by nie była pełna radość duchowa. Albo mówi nam, że do naszego zakonu wstąpili wszyscy najwierniejsi papieżowi prałaci, biskupi i arcybiskupi, pospołu z królami Franków i Anglijczyków. To też nie sprawiłoby nam doskonałej radości. Albo że moi bracia poszli do niewiernych i nawrócili ich wszystkich na wiarę, albo że Bóg zesłał mi dar uzdrawiania chorych i czynienia cudów. Powiadam ci, bracie Owieczko, że nic z tego nie przyniosłoby mi doskonałej duchowej radości.

— Czymże więc jest ta zupełna duchowa radość?

— Wyobraź sobie — odparł Franciszek — że przemoczeni i przemarznięci docieramy do Porcjunkuli, pukamy do furty, a furtian otwiera i pyta gniewnie: „Coście za jedni?". A my mówimy: „Jesteśmy twoimi braćmi", on zaś na to: „Nieprawda, jesteście włóczęgami, którzy oszukują i kradną. Precz stąd!". I nie wpuszcza nas, tylko każe stać na śniegu i deszczu, o głodzie i chłodzie — a potem, kiedy cierpliwie znosimy wszystkie te obelgi i okrutną odprawę, nie okazując obrazy ani się nie skarżąc, a domyślamy się już, że furtian tak naprawdę nas poznał, lecz Bóg każe mu tak nas traktować — wtedy dopiero mielibyśmy powód do doskonałej duchowej radości, *frate Pecorello*.

A gdybyśmy pukali dalej, i znowu wyszedłby do nas zagniewany furtian, a ja powiedziałbym: „Jestem brat Franciszek", on zaś odrzekłby: „Odejdźcie, niewykształceni prostacy. Nie sterczcie tu dłużej, bo nas jest dużo i tak urośliśmy w siłę, że już was nie potrzebujemy. Idźcie do hospicjum Crosiers, może tam was wpuszczą". I bierze nabitą kolcami maczugę, łapie nas za kaptury, rzuca w błoto i bije, siniacząc i raniąc nasze ciała — a my znosimy to z pokorą i przyjmujemy obelgi z radością i miłością w sercach, świadomi, że jeśli miłujemy błogosławionego Chrystusa, musimy cierpieć tak jak on — to, bracie Owieczko, to jest właśnie doskonała radość i zbawienie dla duszy.

Konrad potarł między palcami materiał nowego habitu. O wiele bliżej pełnej duchowej radości był przed tygodniem, kiedy furtian z Sacro Convento potraktował go jak parszywego kundla. Leon miewał chwile słabości, za to on zachowywał się jak ostatni tchórz. Nie byłoby lepiej zawrócić do *donny* Giacomy, przebrać się w stary habit i w nim, zdając się na bożą opatrzność, zapukać do furty klasztoru? Czy wybierając praktyczną drogę uzyskania dostępu do klasztornej biblioteki, nie postępuje przypadkiem jak ci oportunistyczni bracia, których tak potępia, jak ci, którzy przefrymarczyli ubóstwo za bezpieczeństwo, prostotę za wiedzę, pokorę za przywileje? Czyż Leon w swoim wywodzie nie utrzymywał, że to właśnie praktyczność doprowadziła do poluzowania rygorów reguły Franciszka?

Konrad podniósł się ze stopnia i przytrzymując murka biegnącego wzdłuż schodów, zszedł na sam dół. Przed sobą miał rzeźbione podwoje dolnego kościoła osadzone głęboko pod łukami. Biegły ku nim z obu stron pod kątem dwa szeregi rzeźbionych kolumn kuszących przechodnia, by zaszedł do środka. Konrad nie potrafił oprzeć się temu zaproszeniu. Znajdzie grobowiec Leona, mentor powie mu, co czynić.

Dolny kościół, służący tylko zakonnikom, był mroczniejszy i skromniejszy od wznoszącej się nad nim publicznej bazyliki. Małe okna miały tutaj tradycyjne, półkoliste zwieńczenia, podczas gdy francuski architekt projektujący górny kościół wybrał nowy ostrołukowy styl. Wnętrze kościoła zakonników nie było jednak całkowicie pozbawione ozdób. Oko Konrada przyciągnął od razu ołtarz na końcu głównej nawy, wzniesionej na podobieństwo miniaturowej arkady z kamienną płytą spoczywającą na połączonych łukami, zdobnych kolumienkach. Od tamtego miejsca rozpocznie poszukiwanie grobu Leona.

Sunąc dłonią po gładkim kamiennym blacie ołtarza, obchodził go wkoło i wypatrywał wśród płyt posadzki świeżych śladów robót mularskich. W pewnej chwili zatrzymał się. Dziwne. Jego palce natrafiły na skazę, coś wydrapanego w świętym kamieniu. Przemknęło mu przez myśl, że sprofanował go pewnie jakiś obwieś. Prymitywne patyczkowate wyobrażenie człowieka, takie jak na swoich rysunkach przedstawiają go dzieci. Kreski to nogi i ręce, głowa kółko — a właściwie dwa koncentryczne kółka. Większe otaczało całą figurkę. Nad tym większym wandal wydrapał jeszcze dwa łuki. Ach, ta dzisiejsza młódź! Nie uszanuje największego świętego tego miasta, niestraszny jej nawet gniew samego Boga!

Zakonnik popatrzył wzdłuż nawy. Artysta Giunta da Pisa wymalował tam scenki z życia Franciszka naprzeciwko fresków z życia Jezusa, którego święty naśladował wierniej niż ktokolwiek ze śmiertelników. Od ostatniej wizyty Konrada znikły wielkie połacie z dolnych części tych fresków. W regularnych odstępach robotnicy wykuwali w ścianach otwory, robiąc miejsce na boczne kaplice z osobnymi ołtarzami. Coraz większy nacisk kładziony w zakonie na wiedzę zaowocował wielką liczbą kapłanów, a kapłani potrzebowali ołtarzy do odprawiania codziennych mszy. Konrad mszy nigdy nie odprawiał, uważał, że istnieją lepsze od tego wystudiowanego rytuału sposoby zbliżenia się do Boga, ale jego konwentualni bracia przejęli, jak to było do przewidzenia, ową praktykę.

Konrad, przechodząc od kaplicy do kaplicy, zatoczył pełne koło i wrócił do południowego transeptu i kaplicy Świętego Jana Ewangelisty. Inskrypcje wykute w kamiennych blokach, z których wzniesiono ściany, zaznaczały kilka grobowców. Spoczywał tu brat Angelo Tancredi — kuzyn świętej Klary — a obok niego brat Rufino. To ostatnie było dla Konrada zaskoczeniem. Nie słyszał o śmierci Rufina. Z wyrytej w kamieniu daty wynikało, że zmarł przed niespełna rokiem. Kiedy ostatni raz odwiedzał Leona, ten dzielił z Rufinem celę w Porcjunkuli.

— Spoczywaj w pokoju i raduj się, przyjacielu — powiedział na głos i jego wzrok padł na kamień, którego szukał:

Frater Leone
Qui Omnia Vident
Obitus
Anno Domini 1271

Inskrypcja była trafna, nawet ironiczna: „Brat Leon, który był świadkiem wszystkiego". Ale Konrad wolałby przeczytać słowa: „Brat Leon, który niczego nie przeoczył".

Ukląkł i dotknął czołem zimnego kamienia. Nie wypowiedział ani nie pomyślał żadnego konkretnego pytania, bo Leon na pewno rozumiał bez słów jego dylemat. Długo pozostawał w tej pozycji, lecz podpowiedź nie nadchodziła. W pewnej chwili przypomniało mu się zapewnienie Leona, że pomocną będzie mu Amata. Być może powątpiewanie, które towarzyszyło temu wspomnieniu, sprawiło, że Leon teraz milczał.

Pomyślał o apostołach wędrujących ze swoim mistrzem do Jerozolimy. Szli za nim zdezorientowani, ponieważ Jezus powiedział im właśnie, że kiedy dotrą do miasta, będzie musiał wiele wycierpieć i umrze. Dręczyła ich niepewność, zniechęcała pozorna bezcelowość wszystkiego, co się do tej chwili wydarzyło, stracili wiarę w sens swej misji. I kiedy już całkiem podupadli na duchu, Jezus objawił im się zupełnie przeobrażony, w towarzystwie dwóch starożytnych proroków, i przypomnieli sobie od razu, kto ich prowadzi.

A może, pomyślał Konrad, zbyt wiele oczekuję? Czyżby spodziewał się, że Leon pojawi mu się w chwale, ponownie w towarzystwie świętego Franciszka — drugi raz w ciągu dwóch tygodni? Nawet apostołowie tylko raz byli świadkami Przemienienia Pańskiego.

Dźwignął się z klęczek i przeciągnął. Na niego już czas. Niech ci „trzej towarzysze" — jak nazywali Angela, Rufina i Leona inni bracia — radują się swoim ostatnim wspólnym spoczynkiem, tyle razem przeszli od narodzin zakonu. To określenie tak się przyjęło i rozpowszechniło, że bracia nazywali teraz ich zakazane obecnie wspomnienia z okresu spędzonego ze świętym Franciszkiem *Legenda Trium Sociorum, Relacją trzech towarzyszy*.

Nagle zakonnik stanął jak wryty, po czym zawrócił do grobu Leona. Czy to możliwe, żeby Bonawentura albo któryś z wcześniejszych generałów torturował Leona albo któregoś z jego przyjaciół? *Dlaczego towarzysz został okaleczony*? — pytał Leon w liście.

— Błagam, mały ojcze, powiedz mi, którego ze swoich towarzyszy miałeś na myśli? — zapytał. — W jaki sposób mam ustalić „dlaczego", skoro nawet nie wiem, o którego z was chodzi?

Ale i tym razem odpowiedziała mu tylko cisza.

To jeden z tych dobrych braci, pomyślała *donna* Giacoma, patrząc przez okno za oddalającym się Konradem. Żałowała teraz, że go zdenerwowała, ale uważała też, że już najwyższy czas, żeby wyszedł z izolacji. Był taki młody — dziecko właściwie, w porównaniu z jej osiemdziesięcioma dwoma latami — taki otwarty. Tę samą naiwność i upór widziała u świętego Franciszka. Może właśnie te cechy czynią takich ludzi świętymi: inspirowana przez Boga nieustępliwość, niedopuszczająca żadnych odcieni szarości do ich czarno-białego świata dobra i zła.

Powróciła myślami do jego opowieści o młodej dziewczynie tak bardzo doświadczonej przez los. Oczy zaszły łzami, chciało jej się płakać, krzyczeć z wściekłości. Mężczyźni potrafili być tacy bezwzględni i destrukcyjni, a ich żony, dzieci i służba musieli potulnie to znosić.

Kiedy służący wrócił z miasta, *donna* Giacoma była już zdecydowana.

— *Maestro* Robercie, powiedz Gabrielli, żeby przyniosła mi mój niebieski habit i barbet. Idziemy do San Damiano. Mam sprawę do matki przeoryszy.

Zdziwiony Roberto uniósł brwi. *Donna* Giacoma rzadko wychodziła z domu.

— Poślę po lektykę — zaproponował.

— Nie trzeba — odparła. — Poczułam nagły przypływ sił.

XVI

Jeszcze przed południem Konradowi przydzielono celę w dormitorium dla księży, potem spożył w refektarzu swój pierwszy posiłek z większością zakonników. Z większością, ale nie ze wszystkimi. Najwyraźniej brat Bonawentura i główni oficjałowie Sacro Convento jadali gdzie indziej — najprawdopodobniej przy obficiej zastawionym stole — co bardzo było Konradowi na rękę. Pragnął pozostać w cieniu na tyle, na ile to możliwe w tak nielicznej i izolowanej społeczności, a bezpośrednia konfrontacja z generałem zwróciłaby na niego powszechną uwagę. Po południowym posiłku zakonnicy rozeszli się, a on skierował swe kroki do biblioteki.

— Brat Konrad! Cóż za miła niespodzianka! — Wysoki mnich chwycił go za ramiona i przyłożył suchy policzek do jego policzka. — Pokój niech będzie z tobą, bracie.

— I z tobą, Lodovicu. Rad jestem, że nadal jesteś tu bibliotekarzem. Tyle nowych twarzy widzę wkoło, że zaczynałem się zastanawiać, czym nie pomylił klasztorów.

— W moich zbiorach też znajdziesz nowości — odrzekł bibliotekarz.

Konrad rozejrzał się po półkach; było ich dwa razy więcej niż za jego czasów. Zwrócił też uwagę, że Lodovico użył słowa „moich". Chęć posiadania zdawała się na dobre zagościć w tych murach.

Pomimo serdecznego powitania, zasuszona pergaminowa twarz bibliotekarza pozostała nieruchoma jak kamień. Konrad zapomniał już o jego płaskim nosie, opadających powiekach i niespotykanie wysokim czole. Można by pomyśleć, że matka jeszcze przed wydaniem go na świat ugniatała mu główkę. Ta twarz bardziej przypominała maskę, artystyczne wyobrażenie człowieka, niż rzeczywistą ludzką fizjonomię. Nowicjusze nazywali go za plecami *fra Brutto-come-la-Fame*, brat Szpetny-jak-Głód. Lodovica też nie było w refektarzu, co mogło tłumaczyć, dlaczego tak wychudł przez tych sześć lat, w ciągu których Konrad go nie widział.

Komuś, kto bywał w bibliotekach większych klasztorów czarnych mnichów albo na uniwersytetach, izba nad północną arkadą Sacro Convento mogła się wydawać ich skromną namiastką — którą chyba zresztą była. Spełniała podwójną funkcję biblioteki i skryptorium i w każdym wykuszu stał wysoki pulpit z przyborami do pisania. Ale małe okienka, pomniejszane jeszcze przez przecinające je na krzyż ołowiane szybki, wpuszczały za mało światła, by można było przy nim swobodnie czytać czy kopiować. Przy pulpitach nikogo teraz nie było i Konrad domyślał się, że kopiści pracują tutaj tylko do godziny seksty, po której poranne słońce nie pada już na zwróconą ku wschodowi ścianę biblioteki.

Święty Franciszek nie potępiał wiedzy jako takiej, ale nie zachęcał też swoich duchowych synów do jej zdobywania, ponieważ uważał ją za niepotrzebną i niebezpieczną: niepotrzebną, bo brat może zbawić swą duszę i bez niej; niebezpieczną, bo wiedza może prowadzić do intelektualnej pychy. Eliasz wybudował Sacro Convento wkrótce po śmierci założyciela, kiedy życzenia i poglądy świętego miały jeszcze jakąś wagę. Nawet ten światły mnich nie przewidział jednak, że w ciągu dwudziestu pięciu lat zakon stanie się jedną z najbardziej uczonych instytucji chrześcijańskiego świata.

Konrad pęczniał mimowolnie z dumy, kiedy pomyślał, że bracia zakonu wykładający w Paryżu, Oksfordzie i Cambridge, w Bolonii i Padwie, zaliczają się do najwybitniejszych umysłów Kościoła. Odo Rigaldi, Duns Szkot i Roger Bacon mogli rywalizować z najgenialniejszymi braćmi kaznodziejami, takimi jak Albert Wielki i Tomasz z Akwinu. Z tym że bracia mniejsi i bracia kaznodzieje ze sobą nie rywalizowali, chociaż niektórzy świeccy teologowie próbowali nastawiać te dwa żebracze zakony jeden przeciwko drugiemu.

Zatopiony w tych rozmyślaniach Konrad nie dosłyszał, co powiedział Lodovico. Bibliotekarz wziął go za rękę i podprowadził do stojących pod ścianą, pozamykanych na kłódki gablot, w których przechowywano prawdopodobnie najcenniejsze manuskrypty. Za tymi gablotami, w najdalszym kącie izby, stało kilka drewnianych kredensów również pozamykanych na żelazne kłódki.

— Ponieważ byłeś jego przyjacielem, ta notatka na pewno cię zainteresuje — ciągnął bibliotekarz. — Znaleźliśmy ją po śmierci brata Leona, ukrytą pod jego habitem. Okazuje się, że została spisana wkrótce po tym, jak na ciele naszego błogosławionego mistrza odciśnięte zostały rany Chrystusa.

Na kołkach nad gablotami wisiało kilka par białych rękawiczek. Lodovico założył jedną i skinął na Konrada, żeby poszedł za jego przykładem. Potem otworzył jedną z gablot i wyjął z niej ostrożnie zniszczony arkusik. Pergamin pociemniał od dziesiątek lat kontaktu z ciałem Leona. Zakonnik, przed ukryciem pod habitem, najwyraźniej złożył go dwa razy, na co wskazywały zagięcia.

Bibliotekarz z najwyższą ostrożnością rozprostował pergamin. Był niewiele większy od ludzkiej dłoni i zapisany po obu stronach różnymi charakterami pisma, czarnym i czerwonym inkaustem. Konrad miał trudności z odcyfrowaniem tekstu, więc bibliotekarz przeczytał mu go na głos:

Niech cię Pan błogosławi i strzeże.
Niech Pan rozpromieni oblicze swe nad tobą,
niech cię obdarzy swą łaską.
Niech zwróci ku tobie oblicze swoje
i niech cię obdarzy pokojem.

Konrad rozpoznał błogosławieństwo z Księgi Liczb*. Biskup Asyżu wypowiedział nad nim te same słowa, wyświęcając go na kapłana. Pod spodem autor notatki dopisał: *Niech Pan ci błogosławi, bracie Leonie* i podpisał błogosławieństwo grecką literą *tau*, krzyżem wznoszącym się pomiędzy literami imienia Leona.

— Mogę? — Konrad wyciągnął ręce.

Bibliotekarz położył pergamin na jego obleczonych w rękawiczki dłoniach tak ostrożnie, jakby odkładał do gniazda ptasie jajeczko. Konrad podszedł do najbliższego okna. Tekst na odwrocie skreślony został bez wątpienia ręką Leona. Był to hymn pochwalny, podyktowany mu prawdopodobnie przez świętego Franciszka.

Tyś jest Święty Pan Bóg jedyny, który czynisz cuda... Tyś jest w Trójcy Jedyny... Tyś jest dobrocią, samą dobrocią, najwyższą dobrocią... Tyś jest miłością, tyś jest mądrością, tyś jest pokorą, tyś jest cierpliwością, tyś jest pięknem, tyś jest wewnętrznym spokojem, tyś jest radością, tyś jest sprawiedliwością... tyś jest życiem wiecznym, wielkim i przedziwnym... Miłosiernym Zbawicielem.

Słowa te, choć wzniosłe i natchnione, rozczarowały Konrada. W żadnym z tekstów nie było najmniejszej wzmianki, że do

---

* Księga Liczb, 6,24—6,26.

napisania hymnu zainspirowała Franciszka wizja serafina. Odwrócił znowu pergamin i Lodovico pokazał mu palcem tekst napisany drobniejszymi literami i czerwonym inkaustem. Dwa krótkie zdania nad i pod literą *tau* poświadczały, że błogosławieństwo i symbol skreślone zostały ręką samego Franciszka.

— Brat Leon musiał dodać te komentarze później — wyjaśnił bibliotekarz.

Pismo mogło rzeczywiście należeć do Leona. Lodovico przesunął czubkiem palca po dłuższym akapicie, napisanym tą samą ręką i tym samym czerwonym inkaustem ponad błogosławieństwem, zwracając nań uwagę Konrada. Nie czekając na jego reakcję, zaczął znowu czytać głośno ponad ramieniem Konrada.

Błogosławiony Franciszek na dwa lata przed śmiercią pościł przez czterdzieści dni na górze Alwerna na chwałę Błogosławionej Dziewicy Maryi, Matki Boskiej i błogosławionego archanioła Michała. I Pan położył na nim swą dłoń. Po wizji i słowach serafina oraz odciśnięciu stygmatów Chrystusa na jego ciele ułożył hymn pochwalny i zapisał go własnoręcznie na odwrocie tego pergaminu, dzięki składając Bogu, że raczył go tak obdarzyć.

Lodovico zabrał pergamin z rąk Konrada i odłożył go do gabloty. Konrad stał za nim, rozmyślając o słowach, które przeczytał mu przed chwilą bibliotekarz, i zastanawiając się, dlaczego ten tak skwapliwie pokazał mu pergamin.

— Trochę to dziwne, nie sądzisz, bracie? — spytał.

— Co, Konradzie?

— Te pochwalne strofy. Spisane zostały innym charakterem pisma niż błogosławieństwo dla Leona. Zostały najwyraźniej podyktowane, a jednak osoba, która dopisała uwagę, twierdzi, że zapisał go sam święty Franciszek. Zastanawia mnie, czy brat, który pisał pod dyktando, jak mniemam, Leon, i brat, który poczynił dopiski czerwonym inkaustem, to czasem nie dwie różne osoby.

Lodovico zesztywniał i pochylił się nad gablotą, przybliżając oczy do pergaminu. Konradowi wydało się, że po raz pierwszy widzi jakieś drgnięcie w tej masce, jakiś drobny grymas ściągający mu w dół kąciki szerokich ust, minimalne pęknięcie w pancerzu bibliotekarza.

Nie czekając na odpowiedź brata Lodovica, Konrad dodał:

— Możesz mi pokazać kroniki naszego zakonu?

Jego powrót do Sacro Convento przebiegł gładko — aż za gładko, zwierzył się Konrad dwa dni później *donnie* Giacomie. Jedli zupę w kuchni szlachcianki, a on opowiadał, delektując się gorącym posiłkiem i ciepłem bijącym od kominka. Jesienne dni stawały się już prawie tak samo chłodne jak noce, a okna domu *donny* Giacomy nie stanowiły dla zimna bariery. *Maestro* Roberto wstawił w nie przed chwilą oprawione w ramy wkładki, ale Konrad domyślał się, że pomimo tych zabezpieczeń i licznych kominków, zima da się tej starej kobiecie we znaki.

— Furtian, który w zeszłym tygodniu tak obcesowo potraktował mnie i *sior* Jacopone, teraz rozpływał się w uprzejmościach — powiedział Konrad między jedną a drugą łyżką zupy. — Może mnie nie poznał? Tak czy inaczej, żaden z braci mi nie przeszkadza ani o nic nie pyta. Czuję się, że tak powiem — niewidzialny. Jest coś fałszywego w sposobie, w jaki mnie traktują, a raczej należałoby powiedzieć, nie traktują.

— Bzdura — powiedziała *donna* Giacoma. — Mówiłam ci już, że za bardzo się przejmujesz, bracie. Bonawentura nic ci nie zrobi. Dowiedziałeś się czegoś, co rzuciłoby nowe światło na list brata Leona? Łamię sobie nad nim głowę od dnia, kiedy mi go pokazałeś.

— Jeszcze nie.

Opowiedział jej o błogosławieństwie świętego Franciszka dla Leona i dodał:

— Znalazłem również kopię listu, który Eliasz po śmierci naszego mistrza rozesłał do prowincjałów. Przepisałem sobie jego fragmenty. — Wyjął spod habitu zwój z notatkami. — Nawet ja muszę przyznać, że to piękny tekst. Był za długi, żeby przepisać go w całości, ale ten ustęp uznałem za najbardziej poruszający, bo opisuje efekty wizji na Alwerni:

> Spieszę ogłosić wam radosną nowinę — zdarzył się nowy cud. Rzecz to niesłychana, żeby u śmiertelnika pojawiły się cudowne znamiona męki Syna Bożego, którym jest Pan Jezus Chrystus.
>
> Okazuje się, że na długo przed śmiercią nasz brat i ojciec Franciszek został widocznie ukrzyżowany; nosił na ciele pięć ran, prawdziwych stygmatów Chrystusa. Dłonie i stopy miał przebite na wylot jakby gwoździami; i te rany nie goiły się i miały czarny nalot koloru gwoździ. Bok też miał przebity, jakby włócznią, i często krwawił.
>
> Dopóki duch żył jeszcze w jego ciele, nie był ładny; twarz miał mało pociągającą, a żadnemu z członków jego ciała nie oszczędzone było dojmujące cierpienie. Ale teraz, po śmierci, wypiękniał, bije od niego cudowny blask, i raduje się wraz z nim każdy, kto na niego spojrzy...

Konradowi gardło się ścisnęło i musiał przerwać czytanie. Odchrząknął, podniósł wzrok. *Donna* Giacoma ocierała oczy opuszką palca.

— Takim go widziałam tamtej nocy, kiedy trzymałam go w ramionach — powiedziała. — Skórę miał białą jak kość słoniowa... Czy słyszysz miłość w tych słowach, bracie? Eliasz nie zawsze był potworem.

Wstała, ale dała znak zakonnikowi, żeby siedział.

— Ja też mam list, który chciałam ci pokazać. Poczekaj tu w cieple, a ja zaraz go przyniosę.

Wróciła po chwili, podpierając się laską, w wolnej dłoni niosąc pojedynczy arkusz.

— To też brat Leon dostał od świętego Franciszka. Podarował mi go w podzięce za drobne przysługi, jakie mu wyświadczyłam. Jak się zaraz przekonasz, dar Leona jest cenniejszy od wszystkiego, co dla niego zrobiłam.

Położyła pergamin na stole przed Konradem. Był w lepszym stanie niż tamten z biblioteki, ale też nosił brązowe odciski palców. List potwierdzał — jeszcze wyraźniej niż błogosławieństwo — szczególny afekt, jakim święty darzył najbliższego przyjaciela.

Bracie Leonie, życz swemu bratu Franciszkowi zdrowia i spokoju.

Zwracam się do ciebie, mój synu, jak matka. Wkładam wszystkie słowa, jakie wypowiedzieliśmy dotąd w drodze, w jedną krótką sentencję. A zatem, jeśli uznasz za konieczne przyjść do mnie po radę, mówię ci tak: Jakikolwiek sposób wyda ci się najlepszy, by zadowolić Pana Boga i podążyć Jego śladami i naśladować Go w ubóstwie, czyń tak z błogosławieństwem Boga i moim pozwoleniem. A jeśli uznasz to za konieczne dla spokoju twej duszy, albo dla znalezienia pocieszenia, i zapragniesz przyjść do mnie, Leonie, przyjdź!

To był prawdziwy list miłosny. Konrad wyobrażał już sobie, jak cierpiał Leon, rozdzielony na jakiś czas ze swoim mistrzem, i jak kojąco musiał podziałać ten list od świętego Franciszka na jego krwawiące serce.

— Brat Lodovico popadłby w ekstazę, gdyby to trafiło do jego zbiorów — stwierdził.

— Też tak myślę. Wiem, że moje dni są policzone, i chcę umieścić ten klejnot tam, gdzie otoczą go należną mu czcią. Zamierzam go podarować Ubogim Paniom z San Damiano, ale za jedną specjalną przysługę w zamian.

Konrad klasnął w dłonie.

— Ha! Idealnie, *madonna*. Tego z pewnością życzyłby sobie

Leon. Ubogie Panie swoją wiernością naszej regule zawstydzają dzisiaj braci.

— Radam, że temu przyklaskujesz, bracie. — Uśmiechnęła się i zwijając list, patrzyła na niego swoimi zielonymi oczami tak dziwnie, że się zmieszał.

Od zapachu zgnilizny unoszącego się w bibliotece Konrada kręciło w nosie. Jakiż kontrast ze świeżymi aromatami morza przynoszonymi przez wiatr do jego pustelni od Ankony. Lecz zapach inkaustu i kleju introligatorskiego, miękkość skórzanych okładek manuskryptów pod palcami, rzędy łacińskich tytułów posegregowanych starannie na kategorie, budziły w nim nostalgię za studenckimi czasami. Lubił również niczym niezmąconą ciszę biblioteki, kiedy nieniepokojony, buszował między półkami.

Dziwne, ale na pierwszy mglisty trop, mogący prowadzić do wyjaśnienia zagadki listu Leona, natrafił na półce uginającej się pod księgami z eklektycznego działu przewodników. Z przepisami na zwycięstwo w krucjatach sąsiadowały tu dzieła takie, jak *De inquisitione* Davida von Augsburga i *Summa contra haereticos* Jacopa di Capellego, opisujące obowiązki i zasady postępowania braci inkwizytorów, których były teraz setki. Konrad przeglądał również iluminowane przewodniki dla kaznodziejów: *Liber de Virtutibus et Vitiis, Dormi Secure* Servasanta da Faenzy oraz liczne księgi z przykładami, z których wszystkie zaczerpnięto zapewne z bajek, bestiariuszy i romansów — były dość obrazowe, ale zdaniem Konrada mało pouczające. Jak kaznodzieje mogli wierzyć, że ich przypowieści o smokach, jednorożcach i antylopach przybliżą słuchaczom Boga? Święty Franciszek, podobnie jak sam Jezus, posługiwał się w swoich kazaniach przykładami wziętymi z życia. „Siewca wyszedł rozsiać swoje ziarno” — to od razu trafiało do prostych ludzi.

Jednak największe wrażenie zrobiła na Konradzie półka z przewodnikami duchownymi, albowiem odkrył na niej dwie księgi napisane przez jego uniwersyteckiego mistrza, Gilberta de Tournai. Większość manuskryptów z tego działu koncentrowała się na ukrzyżowaniu i odwoływała do emocji, ale w niektórych, takich jak *De Exterioris et Interioris Hominis Compositione* von Augsburga, widać było racjonalne germańskie umysły. Lodovico przeznaczył całe dwie półki na przewodniki autorstwa płodnego Bonawentury, i to wśród nich Konrad natrafił w końcu na krótki traktacik zatytułowany *De Sex Alis Seraphim* (O sześciu skrzydłach serafina).

Jak przystało na logiczny umysł i uniwersyteckie wykształcenie, Bonawentura opisywał w nim, jak to każde z sześciu skrzydeł reprezentuje określone stadium rozwoju duchowego. Konrad był pełen uznania dla inteligencji, z jaką generał wykorzystuje w tekście symbole mające pośród bractwa szczególne znaczenie. Ale najbardziej zastanawiał go fakt, że pewien fragment pojawia się w innych dziełach Bonawentury, które na chybił trafił przeglądał.

> Kiedy byłem na górze Alwernia... przypomniał mi się cud, który spotkał w tym miejscu błogosławionego Franciszka: wizja uskrzydlonego serafina pod postacią Ukrzyżowanego... Zrozumiałem od razu, że ta wizja symbolizowała ekstazę naszego ojca pogrążonego w kontemplacji oraz drogę, którą ta ekstaza została osiągnięta.

Postać serafina wyraźnie Bonawenturę fascynowała. Co jednak miał na myśli, używając czasownika *effingere* w sformułowaniu: *ta wizja symbolizowała ekstazę naszego ojca pogrążonego w kontemplacji*? Czyżby święty Franciszek w rzeczywistości nie miał tej wizji? Czyżby cała ta historia była tylko symbolem? Z pewnością nie, ale...

Gdyby napisał to inny autor, Konrad nie zwróciłby na tak trywialne zdanie uwagi, Bonawentura jednak słynął z precyzyjnego formułowania myśli. Przez jakiś czas był nawet wykładowcą na uniwersytecie w Paryżu, był też rówieśnikiem i przyjacielem Tomasza z Akwinu. Starannie dobierał słowa. Konrad podszedł z księgą do pulpitu i wyjął swoje notatki. Ciekaw był, ile zdrowasiek zdążyłby tym razem odmówić, zanim podejdzie do niego Lodovico. Już pierwszego dnia spędzonego w bibliotece zauważył, że ilekroć zapisuje sobie coś na pergaminie, Lodovico zjawia się momentalnie u jego boku jak żelazo przyciągane do magnetytu.

Oto i on, pomyślał. Zbliżające się kłapanie sandałów bibliotekarza ucichło tuż za jego plecami.

— Ach, *Itinerarium mentis in Deum* — wymruczał Lodovico z pozornym brakiem zainteresowania, omiatając wzrokiem pulpit. — Wybitne dzieło. Brat Bonawentura byłby rad, wiedząc, że stałeś się takim miłośnikiem jego pism.

O czym bez wątpienia doniesiesz mu przy kolacji, pomyślał Konrad z przekąsem. Poczuł nagłą potrzebę ponownego przeczytania biografii świętego Franciszka pióra ministra generalnego. Musi jeszcze raz przyjrzeć się temu serafinowi. Gdyby w trakcie lektury natrafił na ślepca, o którym Leon wspomina w liście, tym lepiej.

XVII

O pierwszym brzasku Konrad pospieszył wraz z kopistami do biblioteki. Wielkimi krokami zbliżała się wigilia świętej Ewy, kiedy to przypada najdłuższa noc w roku, i z każdym dniem kurczył się czas, przez jaki w bibliotece było w miarę widno.

Zakonnik od razu skręcił między półki, na których trzymano kroniki początków zakonu. Ku swemu rozczarowaniu, znalazł tam tylko kilka krótkich życiorysów niekanonizowanych świętych zakonu, dzieje pierwszych braci w Anglii Tomasza z Eccleston, i podobną kronikę Giordana di Giano, opisującą ekspansję zakonu w Niemczech. Nie było niczego o Umbrii, kołysce całego ruchu, którą to lukę wypełniłby idealnie manuskrypt Leona.

Resztę półki zajmowały kopie *Legenda Major — Życiorysu większego*, spisanego przez Bonawenturę. Skrybowie pracujący przy pulpitach kopiowali to samo dzieło — efekt uboczny haniebnego edyktu z roku 1266. Oprócz zakazania wcześniejszych życiorysów, ministrowie prowincjonalni zadekretowali, że w każdym domu zakonu musi się znajdować co najmniej jedna kopia pracy Bonawentury. W regularnych odstępach czasu matecznik wysyłał do klasztorów w prowincjach braci wizytatorów, i każdy wizytator wyruszał w drogę, prowadząc jucznego osiołka obładowanego tymi kopiami. Z tego, co opowiadał Konradowi Leon, w czasach Eliasza tych wizytatorów powinno się raczej zwać „braćmi zdziercami", bo wracali do Asyżu z osiołkami objuczonymi wszelakim dobrem ściągniętym od tych prowincjałów, którzy pragnęli utrzymać swoją pozycję — wszystkim, od złotych pucharków po cenne grudy soli owinięte w płótno.

Lodovico wstawił kopię edyktu na półkę z kronikami. Konrad, przechodząc obok niej, kipiał oburzeniem za wszystkich tych braci pierwszego pokolenia, których prawdomówność została w efekcie podważona.

> Kapituła Generalna nakazuje bezwzględnie zniszczyć wszystkie istniejące życiorysy błogosławionego Franciszka, bowiem życiorys spisany przez ministra generalnego oparty został na ustnych relacjach tych, którzy od początku nie odstępowali błogosławionego Franciszka i byli wszystkiego świadkami.

Ustnych relacjach tych, którzy od początku nie odstępowali błogosławionego Franciszka? Na pewno nie Leona — ani Rufina, ani Angela Tancrediego, ani nikogo z kręgu najbliższych przyjaciół.

Konrad dowiedział się o edykcie cztery lata po jego wydaniu, w roku 1270, kiedy odwiedził Leona, na rok przed śmiercią mentora. Leon uważał oficjalny *Życiorys* autorstwa Bonawentury za katastrofę, za portret gipsowego świętego zupełnie oderwanego od rzeczywistości, siedzącego wysoko, w jakiejś niedostępnej niszy, tam gdzie ludzie nie mogą go już dosięgnąć — karykaturę Franciszka, którego on był uczniem. Nie była to tamta pełna energii postać, która w młodości przewodziła na ulicach Asyżu wiosennym hulankom jako król Tripudianti, która trwoniła pieniądze pobłażliwego ojca, by nadążać za najnowszą modą. Marnotrawcę, trubadura i błazna wymazano, pozostał tylko cudotwórca.

— Odessali mu krew i duszę — biadał Leon. — Przystawili pijawki jak medycy, tak jakby jego człowieczeństwo było śmiertelną trucizną, którą trzeba odcedzić, by zachować jego świętość. Wszyscy bracia spirytualni są w żałobie.

Ale na żałobie nie poprzestawali. Leon wyznał, że wielu wyrzutków poukrywało manuskrypty, które znajdowały się w ich posiadaniu; podobnie uczyniły Ubogie Panie z San Damiano. To wtedy poprosił Konrada, żeby przechował i skopiował jego własną kronikę zakonu. Rękopis Leona, chociaż nie zawierał odpowiedzi, których szukał teraz Konrad, był na pewno ważnym odniesieniem do przeszłości zakonu. Konrada przeszedł dreszcz, kiedy przypomniał sobie, że o istnieniu zwoju wie Amata. Przy najbliższej okazji musi powiedzieć o nim *donnie* Giacomie na wypadek, gdyby przytrafiło mu się coś złego i nie mógł wrócić do swojej pustelni. Na dziewczynie nie można było polegać, a zresztą przebywała znowu (i dzięki Bogu) za klasztornym murem i nie miała swobody poruszania się.

Z głową pełną tych niewesołych myśli Konrad otworzył *Legenda Major*. Pomodlił się do Ducha Świętego o łaskę mądrości i przenikliwości i otworzył księgę od razu na rozdziale trzynastym, rozdziale o serafinie.

CAPUT XIII
O JEGO ŚWIĘTYCH STYGMATACH

Dwa lata przed oddaniem duszy niebu, opatrzność boża zaprowadziła Franciszka na wysoką górę zwaną Alwernia. Tam rozpoczął czterdziestodniowy post w intencji świętego Michała Archanioła...

Natchniony przez Boga nabrał pewności, że jeśli otworzy Ewangelię, Chrystus objawi mu wolę bożą. Po żarliwej modlitwie wziął z ołtarza Ewangelię i kazał swemu towarzyszowi, pobożnemu i świętemu bratu, otworzyć ją trzy razy w imię Trójcy Świętej. Za każdym razem był to fragment Pasji i Franciszek zrozumiał, że w cierpieniu pisane mu zrównać się z Chrystusem. Jego ciało słabło już wskutek surowej ascezy dotychczasowego życia i ciągłego dźwigania krzyża Pańskiego, ale był bardziej niż kiedykolwiek zdecydowany wytrwać w umartwianiu...

Modląc się na zboczu góry około święta Podniesienia Krzyża, Franciszek ujrzał zstępującego z niebios serafina z sześcioma ognistymi błyszczącymi skrzydłami. Istota opuszczała się szybko i zawisła przed nim w powietrzu. I wtedy ujrzał między jej skrzydłami wyobrażenie ukrzyżowanego człowieka ze stopami i dłońmi przybitymi do krzyża... Franciszek oniemiał... Przepełniała go radość, że Chrystus pod postacią serafina patrzy nań tak łaskawie, ale fakt, że jest przybity do krzyża, przeszywał mu serce mieczem współczucia i smutku.

Zanikając, wizja pozostawiła w jego sercu niezwykły żar i odcisnęła cudowne piętna na jego ciele. Stopy i dłonie miał przebite pośrodku gwoździami, łepki których znajdowały się w poduszkach jego dłoni i w podbiciu obu stóp, czubki wystawały zaś z drugiej strony... Prawy bok miał jakby dźgnięty włócznią i ziała w nim czerwona rana, która często krwawiła, plamiąc tunikę i bieliznę.

Kiedy sługa Chrystusa zrozumiał, że nie potrafi ukryć stygmatów odciśniętych na jego ciele w tak widocznych miejscach, ogarnęło go zwątpienie. Zawołał kilku braci i nie mówiąc im, co dokładnie zaszło, zapytał, co ma czynić. Jeden z nich, zwany Iluminatem, był świątły i domyślił się, że stał się jakiś cud, bowiem mistrz był wciąż oszołomiony. Rzekł do niego: „Bracie, zważ, że jeśli Bóg odsłania przed tobą swoje tajemnice, to nie dla ciebie samego, ale również dla innych". Święty powtarzał często: *Secretum meum mihi*,

„Moją jest ma tajemnica", ale kiedy usłyszał słowa Iluminata, opisał swoją wizję w szczegółach, dodając, że ten, który mu się objawił, zdradził mu liczne tajemnice, których póki żyje, nie powtórzy żadnemu człowiekowi.

Konrad podniósł wzrok znad notatek i zobaczył brata Lodovica szukającego czegoś pilnie na półce obok jego pulpitu.

— Nie wiesz przypadkiem, bracie — zwrócił się do niego — dlaczego imię Iluminat brzmi mi tak znajomo?

— Myślę, że odpowiedź znajdziesz w dziewiątym rozdziale — odparł bibliotekarz. — Brat Iluminat towarzyszył świętemu Franciszkowi w podróży przez morze do Egiptu. Był z naszym mistrzem, kiedy ten próbował nawrócić sułtana i kiedy wracał potem do kraju przez Ziemię Obiecaną.

— I gdzie święty Franciszek nabawił się tej choroby oczu, która skończyła się ślepotą?

— Też tak słyszałem. Jasne słońce Ziemi Świętej musiało mu zaświecić prosto w oczy.

Lodovico wrócił do półki, a Konrad dopisał do swych notatek sentencję z listu Leona: *Pierwsza Tomasza zaznacza początek ślepoty*, i podkreślił ją trzy razy. Ssał przez chwilę kciuk, postukując gęsim piórem o pulpit. Czy to możliwe, żeby tym „ślepcem" Leona był sam Franciszek? A gdzie, jeśli nie na Wschodzie, zaczęła się jego ślepota.

Kiedy wpatrywał się w zapisane właśnie zdanie, skryba siedzący za pulpitem naprzeciwko, brat nie starszy od niego, poprawił na stołku swoje rozłożyste pośladki i mrugając, podniósł na Konrada załzawione oczy.

— Słyszałem, jak pytasz o brata Iluminata — odezwał się. Otarł grzbietem dłoni oczy, które łzawiły chyba bez przerwy. — Nie dalej jak w zeszłym tygodniu podsłuchałem przypadkiem kilku starszych braci rozmawiających o Iluminacie. Jeden z nich napomknął, że po wyborze Eliasza na ministra generalnego Iluminat był jego sekretarzem.

Konrad zaniemówił. W czasach Eliasza sekretarzy takich jak Iluminat — a przed nim Leon — określano starym słowem *amanuensis*. Zgadzałby się wiek towarzysza podróży Zefferina, jeśli dać wiarę opisowi Amaty, i słowo, którym określił go człowiek z piką.

Lodovico, który wciąż kręcił się w pobliżu pulpitu Konrada, podbiegł natychmiast i włączył się do rozmowy.

— Brat ma rację. Zapomniałem o tym fakcie z życia brata Iluminata.

Może Iluminat był również jednym z zakonników, z którymi konsultował się Bonawentura, spisując swoją wersję życiorysu Franciszka, pomyślał Konrad, jednym z tych, którzy *od początku nie odstępowali błogosławionego Franciszka i byli wszystkiego świadkami*. Dziwne, że Bonawentura wymienił go w tym rozdziale z imienia, ale nie podał imienia brata, który otwierał Franciszkowi Pismo Święte, a był nim z pewnością Leon.

— Czy brat Iluminat jeszcze żyje? — spytał.

— O tak, ale naturalnie jest już bardzo stary — odparł bibliotekarz.

— Na tyle stary, żeby musiał podróżować na osiołku?

Brat Lodovico uśmiechnął się dobrotliwie.

— Wątpię, czy w ogóle jeszcze się dokądś wyprawia.

— To ty nie wiesz, bracie? — wtrącił się skryba. — Tydzień temu przejeżdżał przez Asyż i zajrzał do nas, żeby naradzić się z bratem Bonawenturą. Właśnie dlatego bracia o nim rozmawiali. Szkoda, że ominęło cię to wydarzenie, bracie Konradzie.

— Tak, szkoda — mruknął Konrad. — Ale dziękuję wam obu za pomoc.

— Dosyć tych pogaduszek, bracie — rzucił bibliotekarz, zwracając się do skryby. — Odrywasz brata Konrada od pracy, a i swoją zaniedbujesz.

Skarcony zakonnik spuścił oczy.

— Tak, bracie. — Poprawił się na stołku i pochylił nad pulpitem.

A zatem ten Iluminat, choć Lodovico w to wątpił, nadal podróżuje. I jeśli to on był tym starcem, którego spotkała Amata, co teraz wydaje się wielce prawdopodobne, to Bonawentura wie już o liście Leona tyle, ile zdołałby z niego zapamiętać wytrawny sekretarz.

Bibliotekarz wrócił do swoich zajęć, ale wciąż miał oko na gadatliwego skrybę. Konrad pochylił się nad notatkami o wizji. Z długiego ustępu przepisanego z dzieła Bonawentury podkreślił jedno słowo: Iluminat.

XVIII

— *Avanti! Avanti!* Ty uparte *ciuco*! — Iluminat dźgnął piętami sandałów boki osiołka i pacnął go dłonią po zadzie. Im wyżej wspinali się ponad jezioro Trasimeno i spokojną dolinę Chiana, tym oporniejsze stawało się to bydlę. W górze, przed sobą, widział Iluminat dumną etruską cytadelę Cortona, w której Eliasz spędził na wygnaniu swoje ostatnie lata. Złowroga w swej arogancji, ponura i izolowana pośród pokrytych lodowcem gór, Cortona była jakby stworzona na miejsce odosobnienia dla obalonego generała zakonu. Nie słuchając Iluminata, który nawoływał go do zachowania umiaru, Eliasz zachwycał się niczym udzielny książę swoimi dobrze odżywionymi rasowymi wierzchowcami, swoimi świeckimi młodziankami w wielobarwnych liberiach, którzy usługiwali mu niczym giermkowie biskupowi, wykwintnymi daniami przyrządzanymi przez osobistego kucharza. Wspomagany w swych ambicjach przez biegłego w zadawaniu tortur kata, zdobył absolutną władzę nad bractwem. Dziesięć lat później bracia, z pomocą papieża, rzucili go na kolana.

Tak, myślał Iluminat, podrygując w rytm stąpań narowistego osła, Eliasz mógłby się uczyć cierpliwości i powściągania ambicji od Bonawentury. Obecny minister generalny zajdzie w hierarchii Kościoła wyżej niż którykolwiek z braci do tej pory, kto wie, czy nie zasiądzie nawet na papieskim tronie, a swoim wyniesieniem pokieruje tak, by stworzyć pozory, że ulega jedynie prośbom książąt Kościoła.

Iluminat też czekał cierpliwie, i się doczekał; obracające się powoli żarna czasu zrobiły swoje. Nagrodę mam już zapewnioną. Bonawentura obiecał ją wiekowemu zakonnikowi, kiedy ten powiedział mu o liście Leona do Konrada.

Na głównym placu miasta Iluminat zsiadł z osła i machnął na dwóch chłopców, którzy biegali po *piazza*, nie zwracając uwagi na zimny wiatr tarmoszący na nich porwane kaftany.

— Hej, *fratellini*! — zawołał. — Pomóżcie mnie, staremu, i mojemu osiołkowi wdrapać się do kościoła, a Bóg was za to wynagrodzi.

Chłopcy popatrzyli na niego z zaciekawieniem i jeden zaszwargotał coś niezrozumiale w lokalnym dialekcie. Iluminat, chcąc nie chcąc, przeszedł na język migowy, i już to chwytając się za plecy, już to pokazując stromą uliczkę, zaczął powtarzać: *Chiesa, chiesa**. Zrozumieli w końcu, o co mu chodzi, i podeszli nieśmiało.

Eliasz wzniósł nad miastem mniejszą wersję bazyliki zbudowanej przez siebie wcześniej w Asyżu. Chociaż papież usunął go z zakonu, chociaż po przejściu na stronę cesarstwa został, podobnie jak Fryderyk, ekskomunikowany, Eliasz, wraz z kilkunastoma braćmi, którzy pozostali mu lojalni, nadal nosił szary habit bractwa. Wycofawszy się w końcu do Cortony, próbował odtworzyć choć cząstkę swojej dawnej potęgi, budując tu klasztor i kościół pod tym samym wezwaniem, a nawet z taką samą fasadą, co słynna bazylika. Zbudował też dla siebie kamienną pustelnię. Na łożu śmierci zdobył się na okazanie

---

* *Chiesa* (wł.) — kościół.

skruchy i miejscowy ksiądz, zdjąwszy zeń ekskomunikę, pochował go w tym kościele. Kto wie, czym nie jest aby pierwszym pielgrzymującym do grobu upadłego ministra generalnego, pomyślał Iluminat.

Nie wybierał się do Cortony. Przybył do tej zagubionej wśród gór mieściny niechętnie, ulegając sugestii Bonawentury, że to idealne miejsce, by spokojnie doczekać nominacji. Tutaj nie dotrze do niego Konrad ze swoimi pytaniami. Jeszcze ten jeden zgrzytliwy obrót żaren, zanim jego ambicje zostaną zaspokojone.

Za to jaka nagroda go czeka: biskup Asyżu! Rezydując w pałacu biskupim nieopodal Sacro Convento, będzie mógł nadal zaspokajać swój głód wpływania na politykę zakonu, a co za tym idzie, wiedzieć o wszystkim, co się w nim dzieje. A myślał już, że przyjdzie mu z nudów dokonać żywota na dotychczasowym stanowisku ojca spowiednika w klasztorze Ubogich Pań, gdzie wysłuchując tych niewinnych duszyczek, klepiących litanie swoich mniej lub bardziej urojonych przewin, kiwał niby to w skupieniu, a w rzeczywistości sennie, głową. Ale dzięki szczęśliwemu trafowi, jakim było przypadkowe napotkanie tamtego chłopca na gościńcu pod Ankoną, znalazł się niespodziewanie w samym centrum potencjalnego wiru wydarzeń. Ostatnio krew żywiej pulsowała w jego starczych żyłach. Bonawentura od razu pojął znaczenie listu Leona, dojrzał zagrożenie, jakie stanowi on dla wiarygodności zakonu. Na rewelacje Iluminata generał zareagował z początku z właściwym sobie stoicyzmem.

— Niech sobie ten Konrad przychodzi — powiedział spokojnie, obracając pierścień na palcu. — Wyjdzie stąd ani trochę mądrzejszy.

— A jeśli jakimś trafem odkryje prawdę?

— Wtedy nie wyjdzie stąd w ogóle.

Kiedy jednak Iluminat powiedział, że pozwolił sobie wydać rozkaz zatrzymania Konrada, kiedy ten będzie przechodził przez Gubbio, czoło Bonawentury poryło się zmarszczkami. Szybko się jednak wygładziło. Minister generalny zabębnił palcami o blat biurka, potem zadzwonił na swojego sekretarza. Bernardo da Bessa czekał chyba pod drzwiami, bo wszedł natychmiast z woskową tabliczką i rylcem w ręku.

— Bracie Iluminacie, powtórzcie teraz wszystko, coście mi przed chwilą opowiedzieli. Dajcie również bratu Bernardowi swoje poczynione w Fossato di Vico notatki o tym, co zapamiętaliście z listu Leona.

Kiedy sekretarz skończył, minister generalny jeszcze raz podziękował Iluminatowi i zapewnił, że jego szybka reakcja nie pozostanie bez nagrody. Biskup Asyżu odszedł był niedawno na wieczny odpoczynek i stanowisko to czeka obecnie na obsadzenie do czasu koronowania nowego papieża. Bonawentura miał już na biurku gotowy list, w którym prosił papieża o mianowanie na to stanowisko któregoś ze swych braci.

— Tebaldo Visconti da Piacenza to mój osobisty przyjaciel. Mamy ten sam pogląd na niedoskonałości i zepsucie szerzące się wśród duchowieństwa świeckiego. Wiem, że wolałby widzieć na tych eksponowanych stanowiskach większą liczbę braci zakonnych.

Iluminatowi urosły skrzydła, kiedy minister generalny zasugerował, że on, Iluminat, ze swoim wieloletnim doświadczeniem, o uświadamianiu sobie konieczności zduszenia rozdźwięku w łonie zakonu nie wspominając, byłby idealnym kandydatem na obsadzanie tego wakatu. Jako minister generalny, nie omieszka napomknąć o tym w postscriptum do listu.

Lecz Bonawentura złożył tę obietnicę, zanim przez furtę Sacro Convento wniesiono martwego chłopca. Incydent ów przeszedłby może bez echa, gdyby jeszcze tego samego dnia grupka zakonników nie przydźwigała brata Zefferina — odwodnionego, na wpół oślepionego i bredzącego o gorejących oczach anioła zemsty. Wyglądało na to, że chłopca łączy coś z tym mściwym upiorem. Z bełkotu okaleczonego mnicha wynikało również, że dzięki owej cudownej interwencji Konradowi udało się uniknąć pojmania. Potem, jakby jeszcze tego było mało, do klasztornej furty zastukało dwóch braci z domu zakonu w Gubbio, szukających brata, który zaginął.

— On nie żyje — burknął leżący w infirmerii Zefferino, kiedy Iluminat przyprowadził do niego braci, i łypnął ocalałym okiem na Iluminata. — Zamordował go ten niewinny mały posłaniec, zdążający z listem do Konrada. No i otrzymaliśmy zapłatę za nasze starania, co, bracie?

Iluminat wolał nie wspominać o obietnicy Bonawentury.

Przez cały następny tydzień stary ksiądz unikał skrzętnie ministra generalnego. Bonawentura nie cierpiał wszelkich zgrzytów zakłócających funkcjonowanie Sacro Convento, w tym zabitych postulantów i okaleczonych braci. W końcu jednak Iluminat musiał stanąć przed zwierzchnikiem. Bonawentura przysłał po niego.

— Konrad jest w Asyżu — powiedział. — Zatrzymał się u wdowy Frangipani i spodziewamy się go tutaj lada dzień. Twój osiołek już wypoczął. Radzę ci odbyć pielgrzymkę do grobu swojego zmarłego mistrza. Twoja modlitwa na pewno mu się przyda.

— A co z biskupstwem?

— Czekaj w Cortonie. Powiadomię cię w stosownym czasie.

Iluminatowi nie pozostawało nic innego, jak tylko uklęknąć, ucałować grawerowany pierścień Bonawentury i zbierać się do drogi. Wstając z klęczek, popukał jednak palcem w lazuryt połyskujący w złotej oprawie.

— Zapewne zdajecie sobie sprawę, że Konrad jest przynajmniej pośrednim zagrożeniem dla Bractwa Grobu.

— Brałem to pod uwagę — odparł Bonawentura — chociaż list, sądząc po tym, co z niego zapamiętałeś, na to nie wskazuje.

Teraz, zbliżając się do celu swej podróży, Iluminat czuł się bardziej jak banita niż przyszły biskup. Piął się noga za nogą krętą uliczką prowadzącą do kościoła, słuchając niezrozumiałego trajkotania chłopców — tego, na którym się wspierał, i tego, który prowadził jego osiołka. Uwiązawszy zwierzę, pobłogosławił jeszcze raz swoich pomocników i wszedł do środka, rozglądając się za kimś, kto zaprowadziłby go do grobu Eliasza.

Zimna, mroczna, pusta nawa kościoła przypominała wilgotną jaskinię. W transepcie paliła się jedna oliwna lampka. Doczłapał tam i zastukał w boczne drzwi prowadzące do klasztoru. Brat, który mu otworzył, wyglądał na tak samo zaniedbanego i zmurszałego, jak kościół.

— *Per favore*, bracie, pokażcie mi grób brata Eliasza — poprosił Iluminat.

Mnich wzruszył ramionami.

— *Un momento*. — Oddalił się i wrócił po chwili z latarnią. — Pójdźcie.

Zaprowadził Iluminata do ciemnego pomieszczenia za ołtarzem, które najwyraźniej służyło za schowek. Pod ścianami piętrzyły się zwalone jedna na drugą ławki, a na stole pośrodku stosy manuskryptów. Mnich, wzbijając obłok kurzu, odsunął nogą pergaminy zalegające pod stołem. Potem opadł na czworaki i przetarł rękawem jedną z wielkich kamiennych płyt posadzki. Wyryte było na niej imię Eliasz.

— Tutaj — burknął.

Tutaj?! Ten nędzny zapyziały mniszyna tylko tyle ma do powiedzenia? Jak to możliwe, że wybitny administrator, któremu Iluminat służył przez kilkanaście lat, człowiek, którego talenty polityczne i architektoniczny geniusz podziwiał niegdyś cały świat, leży teraz pod stołem i zbiera się na nim kurz? Księdza aż w dołku ścisnęło z oburzenia na tak niegodny koniec Eliasza.

— Nikt nie pilnuje jego szczątków?

— Ha! Cieszyłaby się jego próżna dusza, wiedząc, że ktoś dybie na jego kości. Nie, zresztą ich tu nie ma. Kiedy umarł, brat *custode* wyniósł ciało z kościoła i zrzucił na zbocze na tyłach. Rozwlekli je wilcy. — Mnich zachichotał posępnie. — Jeśli szukasz jego bezbożnych szczątków, wypatruj białego proszku w każdej napotkanej kupce zeschniętych wilczych odchodów.

Spojrzał na Iluminata. Bez cienia emocji na twarzy czy w głosie, dodał:

— *Sic transit gloria mundi*. Sława ulotną jest, bracie.

— Nie mogę powiedzieć, że znałam brata Iluminata — odparła *donna* Giacoma. — Tylu ich było, nawet w tamtych pierwszych latach. Nie przypominam sobie, żeby ktoś o tym imieniu znajdował się wśród braci, którzy przyszli ze świętym Franciszkiem do Rzymu. — Siedziała przed kominkiem w głównej komnacie domu, z kolanami okrytymi szubą z wilczej skóry i błogością na twarzy, po której igrał migotliwy odblask ognia.

— A potem — spytał Konrad — kiedy służył Eliaszowi?

— Mówiłam ci już, że nie odzywałam się do Eliasza od dnia, kiedy ukrył szczątki świętego Franciszka.

Konrad, podstawiwszy swoje notatki pod światło, wertował arkusze. Podniósł wzrok na Pia, który wszedł do sali z talerzem ciasteczek.

— *Mamma* kazała mi je przynieść, póki gorące, *madonna*.

Szlachcianka uśmiechnęła się i wskazała gościa.

— Ulubione naszego mistrza — powiedziała, kiedy chłopiec podszedł z talerzem do Konrada. — Z marcepanem. Zabrałam ze sobą małe pudełko takich, kiedy dowiedziawszy się o stanie świętego Franciszka, jechałam do Asyżu z materiałem na całun. Uwielbiał orzechowy smak i upiekłam je specjalnie dla niego w kształcie krzyża. — Jej kocie oczy zabłysły wesoło na to wspomnienie. — Dzisiaj kucharka nadała im kształt aureoli, wszak Wszystkich Świętych za pasem.

Konrad wsunął ciasteczko do ust i zanim je zgryzł, trzymał przez chwilę na języku, żeby cukier się rozpuścił. Wiele jeszcze będzie musiał się nauczyć o ascezie, skoro taki święty jak Franciszek nie widział niczego zdrożnego w delektowaniu się tego rodzaju łakociami. Ze swej strony musiał przyznać, że nieskończona rozmaitość smakołyków przyrządzanych przez kucharkę przyciągała go do tego domu w równym stopniu, co wspomnienia *donny* Giacomy. Dobrze było wiedzieć, że święty Franciszek też ulegał podobnym słabostkom. Zgarnął do ognia okruszki ze swoich zapisków i odszukał ciąg życiorysu spisanego przez Bonawenturę.

— Mam tutaj drugi opis stygmatów, sporządzony już po śmierci Franciszka. Bonawentura pisze o rycerzu imieniem Giancarlo. Czy to czasem nie ten burmistrz, o którym wspominałaś, pani, ten, który pomagał Eliaszowi porwać ciało świętego? — Zaczął czytać, tłumacząc z łaciny:

> W jego błogosławionych stopach i dłoniach widać było gwoździe uformowane przez Boga z ciała... tak stopione z tym ciałem, że kiedy naciskało się je z jednej strony, zaraz wychodziły z drugiej. ...Rana w jego boku, która nie została mu przez nikogo zadana ani nie powstała za sprawą jakiegokolwiek ludzkiego działania, była czerwona, a ciało wybrzuszało się wokół niej w krąg, tak że wyglądała jak najpiękniejsza róża. Reszta skóry, która wcześniej pociemniała zarówno sama z siebie, jak i z choroby, teraz wprost lśniła bielą, glorią ciał świętych w niebiesiech.
>
> Jednym z tych, którym pozwolono obejrzeć ciało świętego Franciszka, był wykształcony i światły rycerz imieniem Giancarlo. Wątpiący jak niewierny apostoł Tomasz, nie zastanawiając się wiele, zuchwale, na oczach zakonników i licznie zgromadzonych mieszczan, jął szarpać te gwoździe i dotykać dłoni, stóp oraz boku świętego. I kiedy poczuł rany pod palcami, zwątpienie w jego sercu, jak również w sercach innych, rozwiało się.

Donna Giacoma pokiwała głową.

— Tak, to był Giancarlo di Margherita, człowiek zadufany w sobie, zanim jeszcze ludzie obwołali go burmistrzem. Dobrze pamiętam tę scenę: stał w szkarłatnej todze i gronostajowej opończy. — Przymknęła oczy. — Tak, a na głowie miał czapę z popielic. Napuszony kogut pośród wróbli, wystrojony i nadęty między mnichami w szarych habitach. Stał się zapiekłym obrońcą stygmatów przed wątpiącymi.

— Wątpiącymi?! To byli tacy?

— O tak, i to wielu. Niedowierzanie, często podszyte zazdrością, przejawiały zwłaszcza inne zakony. Ale to zrozumiałe, bo nie widzieli tego, co my.

Konrad potarł ogolony podbródek.

— Przeszła mi koło nosa okazja do porozmawiania z Iluminatem. Czy Giancarlo jeszcze żyje?

— Tego nie wiem. Już blisko dwadzieścia lat, jak wycofał się z życia publicznego i osiadł na swoich włościach w Fossato di Vico. Od tamtego czasu nie widziałam go już w Asyżu ani o nim nie słyszałam.

Konrad zebrał notatki, przycisnął je oburącz do piersi i przymknął oczy, czekając na natchnienie. Pod powiekami tańczyły mu czerwone cętki. Nic. Wciąż nic, tylko pytania, pytania, pytania...

— Chciałbym cię prosić, pani, żebyś przechowała te zapiski — odezwał się w końcu. — Nadejdzie dzień, kiedy przemówią do mnie jednym głosem i wszystko stanie się jasne, ale ten dzień jeszcze nie nadszedł. Zamierzam zapytać jutro brata Lodovica o *Pierwszą Tomasza*, i nie wiem, co mi odpowie. Odnoszę wrażenie, że stąpam po grząskim gruncie, czy może raczej stoję na wulkanie. Mam nadzieję, że Bóg nie opuści mnie w potrzebie.

Kiedy Konrad to mówił, do sali wśliznął się na palcach *maestro* Roberto.

— *Scusami*, Giacomina. Izba gotowa. Możesz ją obejrzeć.

— Doskonale. *Grazie*, Roberto.

Spojrzała pogodnie na Konrada.

— Nie wiem, czy ci mówiłam, że obaj moi synowie zmarli bezdzietnie. Nie mam wnuków. Smutny to los przeżyć swoje potomstwo. Do dzisiaj ich izba stała zamknięta, nietknięta. Postrzegałam ją jako wir, który wysysa ze mnie całą radość, ilekroć tam wchodzę. Kazałam ją wysprzątać i pobielić.

Konrad czekał na wyjaśnienie, po co to zrobiła, ale *donna* Giacoma była najwyraźniej w enigmatycznym nastroju. Powiedziała tylko:

— Wszyscy mamy pustki, które trzeba zapełnić.

— *Pierwsza Tomasza*? Ależ proszę bardzo, bracie.

Lodovico oddalił się po tekst, a zdezorientowany Konrad przysiadł na stołku. Za łatwo poszło. Bibliotekarz zareagował tak, jakby proszono go o to codziennie.

Lodovico wrócił, taszcząc masywne tomisko. Kiedy położył je przed Konradem, pulpit aż zatrzeszczał i zakołysał się na cienkich nóżkach pod ciężarem księgi.

— Nie pojmuję, skąd wiedziałeś, że mam w swych zbiorach tę pozycję, ale z ochotą ci ją udostępniam. To mój najnowszy nabytek. Tylko dzięki temu, że brat Bonawentura przyjaźnił się z Tomaszem, kiedy obaj pobierali nauki w Paryżu, zdobyliśmy jedną z pierwszych kopii.

Te słowa zupełnie zbiły Konrada z pantałyku. Czyżby minister generalny był aż tak stary, by znać Tomasza z Celano? Przypuśćmy. Ale Konrad pierwsze słyszał, żeby Tomasz kiedykolwiek pobierał nauki czy w ogóle bawił w Paryżu. Uśmiechnął się nieprzytomnie do bibliotekarza, otworzył oprawną w skórę okładkę i spojrzał na stronę tytułową:

SUMMA THEOLOGIAE
auctore Thomas de Aquino

a poniżej, mniejszymi literami: *Liber Primus*.

Pierwsza księga *Summy* Tomasza z Akwinu! Konrad jęknął. Och, ten szczwany lis Lodovico. Nie dziwota, że taki usłużny. Był przygotowany na prośbę Konrada. Najwyraźniej brat Iluminat dobrze zapamiętał i powtórzył ten fragment listu Leona.

Konrad rozcapierzył palce, mierząc grubość dzieła. Przeczytanie całej księgi zajęłoby mu resztę jesieni. Ale podejmę waszą grę, pomyślał. Mam czas. A i cierpliwości mi nie brak. Zresztą gdzie jest powiedziane, że nie tego Tomasza miał na myśli Leon? Może chodziło mu o ślepotę duchową albo teologiczną, a nie o ślepego człowieka? Z ciężkim westchnieniem przewrócił stronicę i przeczytał:

CZĘŚĆ PIERWSZA
TRAKTAT O BOGU
Kwestia I
Natura i rozciągłość świętej doktryny
(*W dziesięciu ustępach*)

Konrad popatrzył przez oprawione w ołów szybki okna. Poprzez mgiełkę snującą się nad brunatnożółtymi polami, daleko w dole, wypatrzył ujście rzeki Chiagio do płynącego ku Rzymowi Tybru. Ziewnął szeroko. Za dwa miesiące nie będzie już żadnych wątpliwości co do tego ślepca. On nim się stanie!

XIX

— *Hic vobis, aquatilium avium more, domus est.*

— Słucham, Wasza Świątobliwość? — Orfeo odwrócił się do papieża stojącego obok kapitana statku pod białą jedwabną markizą. Tebaldo Visconti opuścił wonną kulkę, która zakrywała mu częściowo twarz.

— Znasz poetów, Orfeo? — spytał.

— Tylko tych, o których uczono mnie w dzieciństwie.

— Kasjodor napisał o tym mieście: *pływające na falach niczym morski ptak.*

Żeglarz, osłaniając dłonią oczy przed słońcem, spojrzał ponad rozbryzgami ciętej przez dziób okrętu toni na rysujące się na horyzoncie miasto. Nie dostrzegał podobieństwa. Jeśli porównywać do czegoś Wenecję, to jego zdaniem już prędzej do kufra ze skarbami, który ciśnięty na moczary, nie tonie, chociaż kolejni cesarze i okoliczne potęgi usiłują wcisnąć go w topiel. Kiedy Pepin, syn Karola Wielkiego, zagroził kiedyś Wenecji odcięciem dróg zaopatrzenia w żywność, butni mieszczanie ostrzelali jego żołnierzy z proc bochenkami chleba.

— To czoło waszego orszaku powitalnego — powiedział kapitan, pokazując nad wodą palcem. Na spotkanie papieskiego konwoju gnała od portu na skrzydłach wiatru flotylla galer pod pełnymi wydętymi żaglami. Statki cięły dziobami fale niczym tłuste sardele i kiedy się zbliżyły, do uszu Orfea doleciało skandowane przez załogi: *Vi-va Pa-pa! Vi-va Pa-pa!* Wielkie okręty wojenne o wysokich masztach, burtach i kasztelach sunęły majestatycznie przez tę flotyllę ustępujących im z drogi weneckich galer na podobieństwo potężnych gór. Papież wyszedł spod markizy i odpowiadając na pozdrowienie żeglarzy, uniósł ręce. W dłoni wciąż ściskał pachnącą kulkę.

— A więc zaczyna się — rzekł cicho.

A dla mnie kończy, pomyślał Orfeo. Polubił Tebalda w ciągu tych kilku wspólnie spędzonych tygodni, ale tęsknił za swobodą i nie mógł się już doczekać, kiedy zostanie zwolniony z obowiązku.

Gdy wpływali do portu, galery ustąpiły miejsca mniejszym jednostkom: małym *grippi*, którymi płynęło do Wenecji wino z Cypru i Krety; płaskodennym *sandoli*; rybackim barkom i żaglowym *braggozzi* rybaków z Chioggi. Były wśród nich nawet tratwy używane w porcie do wyładunku wielkich kupieckich statków, teraz pełne zdzierających gardła robotników.

Orfeo, opierając się o nadburcie, patrzył z uśmiechem na witające ich, rozentuzjazmowane tłumy. Wenecja szczyciła się stoma tysiącami mieszkańców i wyglądało na to, że chyba wszyscy oni, co do jednego, wylegli teraz na wodę albo tłoczyli się na brzegu. Papieski okręt podchodził powoli do nabrzeża Świętego Marka, gdzie fanfara trąbek, cymbałów i bębnów mieszała się z wrzawą wiwatującej ciżby. Do tego harmidru dołączył rytmiczny plusk wioseł, którymi gondolierzy z wypływających z kanałów gondoli jęli bić o wodę. Smukłe łodzie prężyły dumnie złocone, bogato rzeźbione i malowane dzioby; nad ich *felzi*, kabinami chroniącymi w słotne dni ławki pasażerów, rozpięte były ozdobne baldachimy. Gondole eskortowały barkę doży weneckiego *bucintoro*. Kiedy były już blisko okrętu wojennego, stojący na niej doża ukląkł. Orfeo rozpoznał w nim Lorenza Tiepola. A więc podczas jego pobytu w Akce urząd doży nie przeszedł w inne ręce.

Kiedy papież i doża schodzili ze statków na ląd, fanfarę zagłuszyły dzwony Bazyliki Świętego Marka. Ciżba rozstąpiła się niczym wody egipskiego morza, by przepuścić na nabrzeże procesję kanoników i arcybiskupów.

— Zostań przy mnie — szepnął na ich widok Tebaldo do Orfea. — Raźniej mi będzie pośród tego zgiełku z kimś znajomym u boku.

Orfeo skłonił się i zajął miejsce w pierwszym szeregu orszaku formującego się za nowo obranym papieżem. Deprymowały go te tysiące wbitych w nich par oczu i zapragnął nagle rozpłynąć się w tłumie. Tebaldo się obejrzał.

— Nie — powiedział. — Nie za mną. Obok mnie.

Prałaci poprowadzili papieża, dożę i ich świtę między dwie ogromne chorągwie z podobiznami świętego Marka, powiewające na wysokich jak maszty okrętu wojennego sosnowych słupach. Kiedy je minęli, Orfeo dostrzegł pięć kopuł bazyliki zwieńczonych latarniami w kształcie cebul. Fasadę kościoła zdobiły połyskliwe mozaiki, a nad każdym z pięciu łukowatych portali oraz w zakolach łuków widniały marmurowe płaskorzeźby przedstawiające świętych, anioły i mitycznych herosów. Z każdej płaskiej powierzchni fasady wyrastał las posągów dłuta dawno nieżyjących kamieniarzy.

Papież trącił Orfea łokciem i wskazał ruchem głowy cztery konie prężące wykute w brązie mięśnie, tak jakby miały lada chwila zeskoczyć z tarasu nad głównym portykiem niczym legendarny Pegaz.

— Mam nadzieję zwrócić je któregoś dnia — powiedział cicho Tebaldo. — Cena nie będzie wysoka, jeśli doprowadzi to do ponownego zjednoczenia Kościołów.

Orfeo dobrze znał poglądy papieża na ten temat. W rozgwieżdżone noce na morzu Tebaldo Visconti odsłaniał swój umysł przed młodym wioślarzem niczym starszy rodu, przekazujący wiedzę o starożytnych przodkach. Być może czynił to z szacunku dla nieżyjącego, obwołanego świętym wuja Orfea, Franciszka.

— Dwóch rzeczy chciałbym dokonać — powiedział pewnego razu, kiedy stali na pokładzie okrętu zapatrzeni w niebo. — Doprowadzić do ponownego zjednoczenia Kościołów wschodniego i zachodniego, oraz ukrócić nadużycia, których dopuszcza się duchowieństwo świeckie. Do obu tych celów zamierzam wykorzystać braci twojego wuja. Oby tylko Bóg dał mi na to czas i siły. Ich obecny generał, Bonawentura, podziela mój pogląd na tę sprawę. Uważa, że nowe zakony przy współpracy uniwersytetów potrafią zreformować naszą Świętą Matkę Kościół, wytępić herezję i zrobić ogromny krok na drodze do ustanowienia Królestwa Bożego na ziemi. Takiego właśnie człowieka potrzebuję u swego boku w tej pracy.

Rozmawiali o złupieniu Bizancjum. Chociaż do najazdu doszło jeszcze przed narodzinami Tebalda, papież dobrze znał jego historię. Czytał przerażającą relację naocznego świadka, Nikatesa Choniatesa, i opowiedział Orfeowi, jak Enrico Dandolo, ślepy doża Wenecji, w roku 1202 chytrze wykorzystał czwartą krucjatę na rzecz swego miasta.

— Podbiwszy Bizancjum, ci tak zwani chrześcijańscy krzyżowcy puścili z dymem więcej domów, niż ich naliczysz w trzech największych miastach Lombardii — mówił. — Ciskali do latryn relikwie świętych męczenników, a nawet rozrzucili konsekrowane ciało i krew Naszego Zbawiciela. W Haghia Sophia wydłubywali drogie kamienie z kielichów i używali ich jako czarek do picia. Zniszczywszy główny ołtarz świątyni, wprowadzili do niej konie i muły, żeby wywieźć łupy. Nikates opowiada, że objuczone zwierzęta ślizgały się i przewracały, a krzyżowcy poganiali je obnażonymi mieczami, kalając kościół krwią i nawozem. Potem ci sami rycerze posadzili pospolitą nierządnicę na tronie patriarchy i kazali jej tańczyć nieobyczajnie w tym świętym miejscu. Zaspokajając swe dzikie żądze, nie mieli też litości dla niewinnych panien, ani nawet dla dziewic poświęconych Bogu.

Zapadło ciężkie milczenie. Papież patrzył w zadumie na wschód.

— Z owego najazdu pochodzi wiele ozdób Bazyliki Świętego Marka. Wśród nich te wspaniałe konie na fasadzie od strony *piazza*. Owi heroldowie Antychrysta zrabowali nawet rękę świętego Stefana, głowę świętego Filipa oraz strzępy ciała świętego Pawła. Co ważniejsze dla doży, zagarnęli też koncesje na handel z całym wschodnim cesarstwem i wyparli z tamtego regionu kupców z Genui i Pizy. Można śmiało powiedzieć, że twoi weneccy przyjaciele zaprzedali swe dusze za zyskowne szlaki handlowe.

Procesja zbliżała się do głównego portyku bazyliki i Orfeo, oderwawszy wzrok od koni, spojrzał na dożę i jego ludzi. Wiedział, że następca Enrica Dandola, o kupcach kroczących teraz przez most Rialto nie wspominając, nie zawahałby się otruć papieża elekta, gdyby słyszał jego uwagę o tych rzeźbach. Sądząc jednak po ich uduchowionych twarzach, nie uczynią tego, zagłuszyli bowiem jego słowa swoim entuzjazmem. W tej chwili Wenecjanie radzi honorowali gościa wielką mszą w bazylice, po której Tebaldo miał się udać na odpoczynek do Pałacu Dożów.

Kiedy nad placem Świętego Marka zapadał zmierzch, Orfeowi udało się wreszcie odłączyć od papieskiego orszaku. Porzuciwszy migotliwy blask świec, strojnie odzianych weneckich dworzan i taką obfitość wykwintnych dań, że jego żołądek miałby co trawić przez rok, wymknął się na niemal wyludniony plac. W zmoczonych drobnym kapuśniaczkiem kamiennych płytach odbijały się jasno oświetlone okna Pałacu Dożów. Podążając nabrzeżem, dotarł do znajomej uliczki pełnej małych sklepików i poprzecinanej zaułkami. W głębi jednego z nich wisiała mała chorągiewka jego ulubionej *ridotto*. Tego wieczoru nie miał ochoty na grę w karty ani w kości, ciągnęło go jednak do tawerny na czarkę wina w kompanii starych znajomych. Chciał znowu pracować, a tam szybciej niż w porcie dowie się, czy jakaś galera nie prowadzi zaciągu wioślarzy.

Pochylając głowę, wszedł przez niskie drzwi i rozejrzał się po ciemnej zadymionej izbie. Nie uświadczyło się tutaj sklepikarza, rzemieślnika czy ojca gildii. Klientelę Il Gransiero stanowili tacy jak on marynarze, zbieracze szmat i kości, czyściciele kominów, poławiacze krabów, którzy za drobny datek pomogą wysiąść z gondoli. Rozmawiali teraz przyciszonymi głosami, ale w miarę upływu nocy będą nabierali wigoru, aż bicie pijackiego dzwonu nie obwieści pory zamykania tawern i nie wygoni ich w końcu na miękkich nogach do domów i na barłogi. Mężczyźni w izbie opatulali się prostymi opończami, nogi, żeby nie marzły, owinięte mieli pasami tkaniny. Popijające z nimi kobiety okrywały się zwyczajnymi szarymi szalami, szyje zdobiły im łańcuszki z drobniutkich ogniwek, ozdoba zarezerwowana weneckim zwyczajem dla kobiet niższych stanów. Sponad niskiej powały dolatywały męskie i żeńskie chichoty i pojękiwania. Orfeo uśmiechnął się: jak dobrze znaleźć się znowu w domu, uwolnić choć na chwilę od majestatu, który połknął jego papieża.

W kącie naprzeciwko drzwi wypatrzył tych, których szukał. Dwaj znani mu mężczyźni pili z trzecim, którego nigdy nie widział, ale sądząc po stroju, również żeglarzem. Jeden z tych znajomych spojrzał ze zdumieniem na Orfea, który, chwyciwszy po drodze wolny stołek, podszedł do ich stołu.

— A niech ja się w piekle nie smażę, Orfeo! Co ty tu robisz? Polo już wrócili?

— Nie, są w drodze do Kitaju, tak jak planowali. Przybiłem dzisiaj do brzegu z papieżem.

— *Il Papa?* — Mężczyzna zatoczył krąg ręką i gwizdnął cicho. — No, no, wybijasz się.

— Nuda mnie zżera, Giuliano. Od dwóch miesięcy nie tknąłem wiosła. Zmiękłem, jak nasza Cecilia. — Przygarnął pulchną dziewczynę przechodzącą obok stołu z dzbanem wina na ramieniu.

— W niejedną noc twardniałeś od tej miękkości — odparowała. Jej pełne wargi wygięły się w uśmiechu, kiedy ścisnął ją w talii. — Na długo w porcie?

— Jeszcze nie wiem. Właśnie na to mam dzisiaj ochotę.

— No, skoro tak... — Zmierzwiła wolną ręką jego włosy i ze śmiechem wywinęła się z jego uścisku. Lubił Cecilię. Dobra wesoła duszyczka, pomyślał, patrząc, jak oddala się, kołysząc zalotnie biodrami. Miał dla niej dzisiaj cały wór nowych opowieści do poduszki.

— Słyszałeś, że doża szykuje wyprawę przeciwko Ankonie? — spytał Giuliano. — Żadna tam morska potyczka ani pogonienie kota paru kupcom dla zabicia nudy. Wyruszamy nazajutrz po Wszystkich Świętych, jak tylko przycichnie cała ta wrzawa wokół papieża. Gildie będą jeszcze urządzały przemarsze przez tydzień, ale nas już tu dawno nie będzie. Dwie setki statków. Mustrują załogi i łuczników.

— Ile płacą?

— Dwanaście *libbre* ciastek, dwanaście *oncie* solonej wieprzowiny, dwadzieścia cztery fasoli, dziewięć sera i dzban wina. Nieźle sobie pojemy i popijemy — roześmiał się.

— Ja pytam o dukaty, o coś, co by mi po powrocie pobrzęczało w sakiewce.

— Pieniądze? Ten ciągiem o pieniądzach. Praktyczny jak zawsze, co, Orfeo? — Giuliano puścił oko do towarzyszy. — Słyszycie, jak wyłazi z niego syn handlarza wełną? Widzicie, jak świecą się te jego hebrajskie oczęta?

Sięgnął pod obdrapany stół, cofnął rękę i otworzył dłoń. Spoczywała na niej złota moneta.

— Dwie takie śliczne podobizny Lorenza Tiepola, *amico*. I jeszcze lepiej — cały łup, jaki zdołasz przytaszczyć na pokład. To nie w kij dmuchał. Ankończykom dobrze się ostatnio wiedzie.

— Za dobrze, żeby wyszło im to na zdrowie — wtrącił obcy, uśmiechając się wymownie.

Orfeo przesunął wzrokiem po twarzach przyglądających mu się wyczekująco mężczyzn. Na tym wypadzie można by się nieźle obłowić i za miesiąc byliby z powrotem. Dlaczego zatem się waha?

— Prześpię się z tym i jutro wam odpowiem — powiedział, ściągając brwi. — Zresztą muszę spytać Ojca Świętego. Prosił, żebym towarzyszył mu tylko do Wenecji, ale formalnie jeszcze mnie nie zwolnił. — Uśmiechnął się wstydliwie. — Jestem jego talizmanem.

— Ha! Nie dziwota, żeś zmiękł — zauważył Giuliano. — Jeszcze wina! — wrzasnął, a jego dwaj kompani zastukali czarkami o stół. Podeszła Cecilia z dzbanem.

Kiedy pochylała się nad stołem, jej długi rudy warkocz musnął policzek Orfea. Pachniał świeżo, i dziewczyna, żeby nie było wątpliwości, dla kogo pokropiła się perfumami, na wszelki wypadek naparła kolanem na jego udo. Pogładził ją po pośladku i ścisnął, kiedy odchodziła do sąsiedniego stolika. To będzie ostatnia czarka, jaką wypije dziś z kamratami.

Rude włosy miała większość Wenecjanek, jednak mało która obnosiła się z nimi tak jak Cecilia. Jakiś duchowny uznał pokazywanie włosów i uszu za nieskromne, ale Cecilia rzadko miała do czynienia z duchownymi — a jeśli już, to jakoś ich nie gorszyło, że nie nosi nakrycia głowy. Orfeo wyobraził sobie dostojne mieszczki, paradujące co dnia po marmurowych posadzkach swoich pałaców w sztywnych *zoccoli*, wystrojone w brokatowe suknie, obwieszone biżuterią, za którą można by kupić cały Asyż. Ich długie warkocze i wybielone ryżowym pudrem cery były tak samo fałszywe jak serca. Te kobiety żadną miarą nie mogły się równać ze szczerą, otwartą Cecilią. Poszukał jej wzrokiem. W spojrzeniu, które rzuciła mu z drugiego końca izby, płonęło takie pożądanie, że aż zamrowiło go w lędźwiach.

— Umiem już napisać swoje imię — powiedziała Cecilia. — Przyjaciel mnie nauczył. — Podparła się na łokciu, żeby lepiej widzieć jego twarz. Orfeo uśmiechał się sennie i gładził ją po włosach, kiedy nakreśliwszy palcem „C" wokół jego prawego sutka, pisała dalej w poprzek piersi: „E — C — I...".

Blada poświata, wciskająca się przez szpary w starych okiennicach drażniła wyczerpanego Orfea jak brzęczący komar. Najchętniej położyłby sobie głowę Cecilii na ramieniu i zamknął oczy, ale wiedział, że pora wracać do pałacu. Ogarnęło go przygnębienie. Cecilia przerwała pisanie i zmarszczyła czoło.

— Znowu posmutniałeś, Orfeo.

— I sam nie wiem dlaczego — westchnął.

— Nie wiesz? Mogę ci powiedzieć.

Ujął ją pod brodę i przyciągnął, żeby pocałować.

— To powiedz, mądra kobieto, niech i ja się dowiem.

— Nie kpij. — Wydęła usta, ściągnęła brwi. — Kobiety znają się na tych rzeczach. — Wyciągnęła się obok niego i złożyła mu głowę na ramieniu. — Pamiętasz, jak mi opowiadałeś o swojej ucieczce z domu? Rwałeś sobie włosy z głowy, a ja cię uspokajałam. „Będę walczył z każdym mężczyzną dla samej tylko przyjemności, mówiłeś, ale niech mnie diabli porwą, jeśli zabiję dla pieniędzy". Płynąc z wyprawą na Ankonę, zatapiając ichnie statki, okażesz się nie lepszy od swojego tatki, co spalił zamek. Na twoim miejscu zakotwiczyłabym jeszcze na jakiś czas przy papieżu. I przy swojej Cecilii.

Orfeo musnął wargami jej policzek i położył głowę na poduszce.

— Moja Cecilia — powtórzył. — Najroztropniejsza kobieta w całym chrześcijańskim świecie. Obym się tak w piekle smażył, jeśliś nie ostatnią z wyroczni.

— To chyba dobrze?

— O tak. W dawnych czasach ludzie podróżowali miesiącami przez cały świat do kapłanek i wyroczni. Klękali przed nimi i obsypywali darami.

— Też bym tak chciała. Dlaczego już tego nie czynią?

Orfeo roześmiał się i przytulił ją mocno.

— Dlatego, kobieto, która nie wiesz jednak wszystkiego, bo

nie wolno już wam być kapłankami. Tamte czasy bezpowrotnie minęły. A szkoda. — Pocałował ją znowu delikatnie w szyję, tuż pod brodą, i przyszczypał lekko zębami. — Ale ja, kiedy tylko będę potrzebował mądrej rady, przyjdę prosto do ciebie.

W innym czasie, w innych okolicznościach może by i na dłużej przy Cecilii, jak to określiła, zakotwiczył. Ale on nie potrafił teraz nigdzie zagrzać miejsca, a poza tym wiedział, że ilekroć do niej zatęskni, zawsze ją tu znajdzie. Ona zaś, ze swoim ciepłem i wielkim sercem, nigdy nie będzie narzekała na brak adoratorów.

I wciąż nic, westchnął w duchu Konrad. Nie mu tu żadnych odpowiedzi. Trwonię tylko czas na tego Tomasza z Akwinu.

Jego cierpliwość wyczerpywała się szybciej, niżby się tego spodziewał. Po tygodniu lektury, ze stosiku pergaminu, który przygotował na zapiski, nie zapełnił nawet jednego arkusza. Wynotował sobie tylko jeden artykuł, opisujący ułomną naturę kobiety, a i to tylko po to, żeby, jeśli nadarzy się kiedyś po temu sposobność, odczytać go przemądrzałej siostrze Amacie, która tak opacznie rozumie miejsce kobiety w Wielkim Łańcuchu Istnienia. Czerpał z tego ustępu jakąś perwersyjną satysfakcję, bo oto w pracach wybitnych teologów, a nawet u Greka Arystotelesa, znajdował potwierdzenie tego, co jemu podpowiadał instynkt.

Pytanie XCII, Artykuł I, Odpowiedź na Zarzut I

Albowiem Filozof rzecze: „Kobieta jest nie w pełni uformowanym mężczyzną". Albowiem czynna siła w męskim nasieniu dąży do wytworzenia idealnego podobieństwa płci męskiej, kobieta zaś powstanie wskutek defektu w tej czynnej sile albo jakiejś materialnej niedyspozycji, albo nawet jakiejś zewnętrznej zmiany, takiej jak wiatr od południa niosący wilgoć, jak zauważa Filozof w dziele *O rodzeniu się zwierząt*.

Pomimo osobistej niechęci do teologii dialektycznej i systematycznej, Konrad musiał przyznać, że zazdrości Tomaszowi głębokiego zrozumienia spraw natury. Żałował też, że w studenckich czasach nie poświęcił więcej uwagi Arystotelesowi. Tyle miał czasu na obserwowanie dzikich stworzeń buszujących w pobliżu jego pustelni, a nie zdołał dokonać w sobie tego przełomu, który wiedzie na następny poziom pojmowania świata, daje głębsze wejrzenie w naturę rzeczy, nieograniczające się do powierzchownego postrzegania. Kto by, dajmy na to, pomyślał, że wilgoć w wietrze może mieć wpływ na reprodukcję?

Konrad zsunął się ze stołka i zerknął pożądliwie na zamknięte na kłódkę szafy stojące szeregiem niczym strażnicy za gablotami Lodovica. Jeśli Sacro Convento nadal posiada kopie zakazanych biografii, a zwłaszcza pierwszego życiorysu Franciszka spisanego przez Tomasza z Celano, to na pewno przechowywane są w tych właśnie szafach. Przeciągnął się i zrobił kilka przysiadów. Bibliotekarz był czymś zajęty w drugim końcu izby.

Konrad wszedł między półki i sunąc wzrokiem po grzbietach ksiąg, wyciągał to tę, to tamtą. Odstawiając każdą na miejsce, oglądał się za siebie. Zbliżywszy się do szaf, znalazł się poza zasięgiem wzroku Lodovica i kopistów. Wielkie żelazne kłódki zniechęcały, ale patrząc teraz z bliska, stwierdzał, że same szafy wykonane są z sośniny. Zatrzymał się i nacisnął palcem jedną z bocznych desek. Drewno ugięło się nieco. Za pomocą odpowiedniego narzędzia...

Cofnął szybko rękę. Dobry Boże! Czyżby był aż tak zdesperowany? Owszem, prawie aż tak. Pytanie tylko, czy zdobędzie się na odwagę i przekuje tę desperację w czyn. Dostanie się pod osłoną nocy do biblioteki nie powinno być trudne. Lodovico nigdy nie rygluje drzwi. Ale po zdobyciu poszukiwanego manuskryptu trzeba by się z nim było jakoś wydostać z klasztoru przez zamkniętą furtę, której pilnuje furtian. A potem uchodzić przed dwunożnymi psami, które Bonawentura bez wątpienia by za nim posłał. Gdyby go nie dopadli przed górami, może udałoby mu się ujść pościgowi. Znał okolicę. Gdyby go jednak złapali, to generał nie miałby dla niego litości.

Szuranie sandałów w sąsiednim przejściu między półkami położyło na jakiś czas kres tej wewnętrznej debacie. Konrad ukucnął i patrząc ponad księgami, zobaczył kolana Lodovica. Bibliotekarz zmierzał w drugi koniec przejścia. Konrad wrócił szybko za pulpit. Kiedy Lodovico kończył obchód, siedział już nad *Summą*, pochylony tak nisko, że nos, którym niemal dotykał stronicy, mógłby posłużyć za suszkę, gdyby inkaust jeszcze nie wysechł. Podniósł na moment wzrok i zobaczył wygięte do dołu kąciki ust odwracającego się bibliotekarza.

Za dwa dni pierwszy listopada i klasztor będzie obchodził Wszystkich Świętych. Pod koniec tego długiego dnia modlitw i liturgii zmęczeni bracia marzyć będą tylko o swoich ciepłych pryczach. Gdyby wykrzesał w sobie odwagę i zdecydował się włamać do szaf, to ta noc byłaby idealna. Wypada wtedy nów księżyca. Gdyby jeszcze chmury pokryły niebo i przesłoniły dodatkowo ten cienki sierp blasku, dałby chyba radę wymknąć się z klasztoru niepostrzeżenie.

W dzień oficjalnego powitania papieża Orfeo poszedł rankiem do bazyliki, żeby pomóc w przygotowaniach. Podczas gdy mała armia Wenecjan układała kwiaty i rozwijała dywany, on pomógł robotnikom wynieść ciężki tron na plac Świętego Marka, gdzie papież elekt miał przyjmować dożę i innych dostojników. Robotnicy wynieśli tam również mniejszy tron dla doży, a potem Orfeo pomógł im zbudować zagrodę dla papieskiego osiołka albinosa. Na wszelki wypadek nad dwoma tronami rozpięto również baldachim; na południu i zachodzie zbierały się burzowe chmury.

Mieszczanie ściągali już na plac, ludzie rozpychali się łokciami, walcząc o najlepsze miejsca. Hufiec rycerzy przybyłych aż z Rzymu utworzył teraz wokół *piazza* ochronny pierścień, by utrzymać gawiedź w bezpiecznej odległości. W porze tercji zabiły dzwony Świętego Marka, a chór męskich głosów odpowiedział im z wnętrza bazyliki pieśnią *Te Deum Laudamus*. Pieśń przybrała na sile, kiedy z kościoła wyszła procesja kanoników i skierowała się przez plac ku Pałacowi Dożów.

Orfeo z niepokojem oczekiwał pojawienia się Tebalda. Wenecjanie lubowali się w efektownych widowiskach. Czy nowy papież sprosta ich oczekiwaniom? Dotąd widywał Tebalda jedynie w sytuacjach nieformalnych, na pokładzie statku i odpoczywającego w pałacu. Czy w ogóle ma w swoich skrzyniach stroje, w których nie wypadnie blado przy słynącym z wystawności Lorenzu Tiepolu i jego żonie? Dla bogatych mieszkańców miasta liczyła się przede wszystkim powierzchowność.

Przez ciżbę stłoczoną najbliżej pałacu przetoczył się pomruk podniecenia. Orfeo wyciągnął szyję i uśmiechnął się na widok Tebalda zbliżającego się do tronu z pochyloną, odkrytą głową, boso, w zwyczajnej czarnej sutannie wiejskiego księdza. Poruszał ustami w cichej modlitwie, zdawał się nie zwracać uwagi na gapiów. Kiedy podniósł w końcu głowę i spojrzał na stojącego za tronem Orfea, ten wyczytał z wyrazu jego twarzy: „Reforma zaczyna się tutaj".

Tymczasem do nabrzeża San Marco, po spędzeniu nocy w rodzinnym *palazzo*, przybił doża. Barka przycumowała i schodzącego na *piazza* Lorenza powitał cichy pomruk tłumu, przetykany okrzykami zdumienia i aprobaty. Zamiast okrągłej czapki miał na głowie złoty diadem wysadzany drogimi kamieniami. On również był w sutannie, krótszej niż papieska, ale białej i obszytej gronostajami. Na nogach miał czerwone rajtuzy, a na sutannę narzucił płaszcz ze złotej materii. Za nim zeszła z barki żona z damami dworu. Sunęła przez *piazza* w ślad za mężem w sukni z trenem ze szkarłatnego brokatu, z mankietami obszytymi gronostajami. Długi welon, przytrzymywany małą książęcą koroną, zasłaniał jej twarz i głowę. Damy postępowały za nią w błękitnych sukniach i szkarłatnych płaszczach, na głowach miały kapelusze, wysadzane klejnotami turbany z aksamitu i zwiewne woalki.

Zbliżywszy się do papieża, Lorenzo odrzucił złoty płaszcz i padł plackiem na ziemię. Podnosił się stopniowo, całując najpierw stopy, potem kolana kapłana, aż w końcu stanął na równe nogi. Tebaldo również wstał. Ujął oburącz głowę doży, ucałował go w oba policzki i uścisnął.

— Witaj, umiłowany synu Kościoła — powiedział. — Siądź po mej prawicy.

Pośród wiwatów tłumu doża zajął miejsce na tronie.

Dzwony znowu zabiły i rozbrzmiało znowu *Te Deum*. Tebaldo wziął dożę za rękę i poprowadził do bazyliki, gdzie miał celebrować sumę na cześć wszystkich świętych. Dla Orfea każdy ruch papieża elekta wyrażał pokorę i świadomość odpowiedzialności, jaką nakładają nań nowe obowiązki. Jego ubiór i zachowanie przystawały do tego, co mówił podczas podróży. Orfeo poczuł przypływ dumy z faktu, że należy do świty takiego człowieka.

Msza trwała niemal do południa. Potem Tebaldo dosiadł swego osiołka i Lorenzo, który przytrzymywał mu strzemię, poprowadził go do nabrzeża. Żeglarze wyruszający na Ankonę wsiedli już na okręty, i te defilowały teraz jeden za drugim przed placem Świętego Marka.

— Pobłogosław na drogę naszą flotę, Wasza Świątobliwość — poprosił Lorenzo. — I pomódl się o powodzenie wyprawy.

Papież odpowiedział ściszonym głosem, na tyle jednak głośno, żeby Orfeo usłyszał. Niestety oznaczało to, że jego słowa słyszeli również ci najbliżej stojący.

— Będę się modlił za bezpieczny powrót twoich ludzi i statków — powiedział. — Ale nie mogę się modlić za powodzenie wyprawy, którą uważam za akt piractwa. Ankończycy także są moimi dziećmi.

Lorenzo spłonął rumieńcem, a Tebaldo odwrócił się, uniósł ramiona i przeżegnał statki wielkim znakiem krzyża.

Pomimo dziękczynnej wrzawy, jaka wybuchła na okrętach, Orfeo poczuł się nagle nieswojo. Zapragnął, żeby ceremonia już się zakończyła i mogli ruszyć w drogę, osłaniani przez rzymskich rycerzy. Ale potem przyszło mu do głowy, że organizator tej zbrojnej eskorty mógł sprowadzić ją aż do Wenecji nie tylko w celach kurtuazyjnych.

Kiedy ostatni okręt wypłynął z portu, doża odprowadził osiołka na *piazza*, gdzie papieski tron w międzyczasie przestawiono, żeby roztaczał się z niego lepszy widok. Wkrótce miała się rozpocząć parada gildii i prezentacja darów, która, jak przewidywał Giuliano, potrwa zapewne kilka dni. Kiedy Tebaldo sadowił się na tronie, doża szepnął coś do jednego ze swych ludzi. Prawdopodobnie nie miało to nic wspólnego z tym, co powiedział papież na nabrzeżu. Mimo wszystko, kiedy na *piazza*, przy dźwiękach trąbek, ze sztandarami, flaszkami i pucharkami wkraczała szkarłatnie odziana gildia dmuchaczy szkła, Orfeo wmieszał się w tłum i przepchnął do kapitana rzymskiej straży.

Noc była ciemna, choć oko wykol — wymarzona na dokonanie kradzieży. Przez cały dzień nad Asyżem wisiały nisko czarne chmury, wczesne zwiastuny zimowych śnieżyc, które za kilka miesięcy przykryją góry białą pierzyną. Nieco bledszy cień wzdłuż krawędzi jednej z chmur zdradzał położenie księżyca w nowiu.

Kamienna posadzka dormitorium ziębiła Konrada w bose stopy, ale znosił to z pokorą. Zakonnicy chrapali, co prawda, jak najęci, ale trzeszcząca podłoga z desek, taka jak w bibliotece, mogłaby go zdradzić. Kieszeń obciągała mu krótka, ale ciężka żelazna sztaba, którą znalazł przy kuźni. Zamierzał podważać nią deski szaf, a później przybijać je z powrotem, by zatrzeć ślady włamania. Lecz Sacro Convento i tak będzie musiał opuścić. Nawet gdyby nie zauważono kradzieży, nie miałby gdzie przeczytać ani nawet ukryć rękopisu Tomasza z Celano. Zakładając, oczywiście, że go znajdzie. Zacierając po sobie ślady, zyska na czasie i będzie mógł wyjść z klasztoru jak gdyby nigdy nic, w pełnym blasku dnia, ze skradzionym manuskryptem pod habitem.

Wyśliznął się już z dormitorium i skradał na palcach krużgankiem, a wciąż nie chciało mu się wierzyć, że idzie dokonać kradzieży. Czy Leon i Franciszek, chociaż znali przyświecający mu cel, ba, sami go przed nim postawili, pochwaliliby tę metodę? Posuwając się pod samą ścianą, gdzie cień był gęstszy, wyczuwał pod palcami ślady pozostawione na granitowych blokach przez dłuta budowniczych. Naszło go dziwne uczucie, zupełnie jakby badał dłońmi przeszłość zakonu. Wyobraził sobie kamieniarzy, którzy pracując w pocie czoła pod kierunkiem Eliasza, kopią doły pod fundamenty, ociosują wielkie kamienne bloki dostarczane codziennie z kamieniołomów, windują pod niebo te bloki i drewniane belki na ogromnych wielokrążkach. Czy nie włamuje się do bibliotecznych szaf również po to, by ocalić wiedzę o początkach zakonu, którą Bonawentura i ministrowie prowincjonalni tak usilnie starali się zatrzeć?

Poprzedni generał, Jan z Parmy, naprawdę nie szczędził wysiłków, by doprowadzić do pojednania ze spirytuałami. Za jego czasów ci, którzy chcieli pozostać wierni surowej regule ubóstwa, nadal czuli się członkami zakonu. Lecz Bonawentura miał inną wizję swoich zakonników. Nie będą już wędrownymi głosicielami Ewangelii, którzy żebrzą po gościńcach albo sprzątają za kawałek chleba stajnie, opiekują się chorymi i trędowatymi, śpią w oborach, poniżani i pokorni wobec każdego.

Przed siedmioma laty, przepędzając Konrada z Asyżu, minister generalny tak oto próbował usprawiedliwiać bogacenie się zakonu: „Pierwsi bracia byli prostoduszni i niepiśmienni — mówił. — To właśnie sprawia, że fascynuje mnie żywot błogosławionego Franciszka i wczesne dzieje zakonu — przypominają mi początki i wzrost Kościoła. Kościół też wykiełkował z prostych rybaków, by się potem rozrosnąć i wydać sławnych uczonych filozofów, i tak musi się stać z naszym zakonem. W ten sposób Bóg pokazuje, że zakon braci mniejszych nie został założony z ludzkiej zapobiegliwości, lecz przez samego Chrystusa".

Bonawentura widział swych mnichów edukowanymi, kształconymi na uniwersytetach kaznodziejami, których społeczeństwo poważa i ceni. To, według niego, powinno położyć kres zarzutom, że zakon odszedł od swych pierwotnych ideałów. A w procesie kształtowania owego nowego wizerunku uciszał również tych niepokornych. Wyidealizowany zakon potrzebował wyidealizowanych braci oraz wyidealizowanego wizerunku swego założyciela. Konrad był zdania, że te surowe granitowe mury oddają prawdziwą historię zakonu lepiej niż cała wysublimowana proza Bonawentury.

Namacał w ciemnościach węgieł i kiedy skręcał w przejście prowadzące wprost do biblioteki, oczy poraził mu rozbłysk światła. Przez jedną chwilę zobaczył przed sobą, wyraźnie jak za dnia, drzwi biblioteki, a to znaczyło, że i on, jeśli ktoś go obserwował, był przez tę chwilę widoczny jak na dłoni. Stłumiony grzmot przetoczył się nad doliną i obił o mury klasztoru.

Konrad wciągnął haust zimnego powietrza i odczekał, aż uspokoi się walące jak młot serce. Potem przebiegł kilka ostatnich kroków, jakie dzieliły go od biblioteki, by zdążyć przed następną błyskawicą. Błyskawice zagrażały jego przedsięwzięciu, za to grzmoty mogły mu pomóc. Klęcząc przy szafie, zaczeka na rozbłysk, wepchnie sztabę w szparę, a kiedy uderzy grom, podważy deski.

Doszedł po omacku do swojego pulpitu, na którym zostawił lampkę oliwną. Używał jej dzień wcześniej, czytając ostentacyjnie do późnego popołudnia, kiedy w bibliotece było już mroczno. Teraz, dumny ze swej przemyślności, obmacał ostrożnie blat, przesunął ręką pod pulpitem. Lampki nie było. Nie przypuszczał, żeby Lodovico przejrzał jego plan. Bibliotekarz sprzątnął ją zapewne w obawie, że lampka się przewróci i rozlana oliwa zabrudzi któryś z jego bezcennych manuskryptów. Na szczęście opatrzność podarowała mu inne źródło światła.

Z każdą błyskawicą był bliżej szaf. W końcu ukląkł i przystąpił do pracy. Szybko wypracował sposób: podważał, kiedy grzmiało, rozglądał się, kiedy błyskało. Biblioteczne półki, stosy ksiąg i stołki rzucały dziwnokształtne cienie, zupełnie inne od tych, jakich można by się spodziewać, patrząc na nie za dnia. Niektóre zdawały się z każdą błyskawicą przesuwać.

Przetoczył się kolejny grzmot, głośniejszy, bliższy. Burza podchodziła pod miasto. Konrad naparł z całych sił na sztabę i udało mu się wreszcie poluzować deskę u podstawy szafy. Odgiął ją jedną ręką, drugą wsunął przez powstałą szparę do środka i namacał stos manuskryptów. Wyciągnął pierwszy z wierzchu i położywszy go sobie na kolanach, czekał na następną błyskawicę, żeby odczytać tytuł. Rozświetliła ciemność na tak krótko, że zdążył odcyfrować tylko jedno słowo, *Sociorum*, i zobaczyć nad sobą dwa cienie.

Konrad nie widział dobrze milczącego zakapturzonego zakonnika, który go wyprowadzał, ale w tym drugim, wysokim, który został, by odłożyć manuskrypt i naprawić szafę, pomimo ciemności rozpoznał chyba Lodovica. Przed biblioteką czekał chłopiec z latarnią, której migotliwy blask omywał mu twarz. Był to przyjęty przed tygodniem do Sacro Convento nowicjusz, Ubertino z Casale. Konrad rozmawiał z nim już kilkakrotnie i za każdym razem krępowało go trochę, że Ubertino patrzy nań z zachwytem jak na bohatera. Z rozbawieniem wspominał, jak sam, będąc od chłopca niewiele starszym, podziwiał brata Leona. Oburzyło go teraz, że Bonawentura wciągnął w tę nieczystą sprawę takiego młodzika. Być może chciał, żeby chłopiec na własne oczy zobaczył, jak generał rozprawia się z nieposłusznymi zakonnikami.

Teraz, w świetle latarni, rozpoznał również przygarbioną sylwetkę brata Tadeusza. Blask kolejnej błyskawicy wdarł się pod kaptur, wyłuskując z mroku smutne wodniste oczy i obwisłe policzki posuniętego w latach psa gończego generała. Bonawentura musiał przewidywać, że Konrad nie będzie stawiał oporu, skoro wysłał po niego starca i chłopca. I nie mylił się, Konrad nie był w bojowym nastroju. Został przyłapany na gorącym uczynku, na próbie kradzieży manuskryptu z klasztornej biblioteki, próbie złamania interdyktu nałożonego na pierwsze życiorysy. Teraz mógł tylko poddać się woli Boga i z pokorą przyjąć karę.

Kaganki w gabinecie generała zakonu zachwiały się w prądzie powietrza, który wpłynął przez otwierające się drzwi. Bonawentura siedział za biurkiem ponury, jego pogodna zwykle twarz nosiła ślady snu. Konrad zauważył, że od ich ostatniego spotkania w jego tonsurze i wąskich brwiach pojawiły się siwe włoski, a w kącikach brązowych oczu promieniste zmarszczki. Przybrał też na wadze. Przed czternastu laty trzydziestosiedmioletniego wówczas Bonawenturę wybrano na ministra generalnego. Te lata odcisnęły na nim wyraźne piętno i Konrad wiedział, że zgryzot przysparzają generałowi w niemałym stopniu tacy jak on, krnąbrni bracia. Zafascynowała go również osobliwa poświata unosząca się na podobieństwo aureoli nad głową Bonawentury. Dopiero po chwili zdał sobie sprawę, że to tylko odblask płomienia na ogolonej czaszce.

Bonawentura opadł na oparcie krzesła i bębniąc palcami o blat, mierzył wzrokiem stojących przed biurkiem zakonników. W końcu do jego oczu powrócił blask.

— Zostawcie nas samych, bracia — poprosił. — Zaczekajcie na krużganku. — Złączył czubkami palce wskazujące, przyłożył je do warg i czekał, aż tamci opuszczą gabinet. Kiedy zamknęły się za nimi drzwi, skierował wzrok na Konrada.

— A więc stało się — powiedział spokojnie. — I co ja mam teraz z tobą począć?

Konrad zwiesił głowę jak karcone dziecko i milczał.

— Konradzie, Konradzie, wciąż mnie rozczarowujesz. Twoje zachowanie nie jest dla mnie zupełnym zaskoczeniem, wszak wiem, jak namącił ci w głowie brat Leon, ale mimo wszystko czuję się rozczarowany.

— Coś ukrywacie — wypalił Konrad.

— Ja? — Bonawentura, skryty pod maską niezmąconego spokoju, znowu był sobą. — A gdyby nawet, tobie nie powinno to spędzać snu z powiek. Jesteś prostym zakonnikiem i wystarczy ci tylko wiedzieć, że cokolwiek czynię, powoduje mną troska o świętą reputację i wiarygodność naszego zakonu.

Konrada naszła nieodparta pokusa wyrzucenia z siebie wszystkiego, co wie.

— Dlaczego zakazaliście *Pierwszej Tomasza*? Dlaczego towarzysz został okaleczony? Skąd przyszedł serafin? — mówiąc to, dygotał z emocji.

— Służ Biedaczkom Chrystusa — dokończył Bonawentura z kpiącym uśmieszkiem, obracając pierścień na palcu. — Odszukaj brata Jakubinę. Znam treść listu Leona.

— Bo Iluminat spotkał posłańca.

Uśmiech nadal igrał na wargach Bonawentury, jego brwi uniosły się lekko.

— Owszem. Ale ten list nie jest ważny. Dla ciebie powinno się liczyć tylko to, że nie ja, lecz Rada Paryska, ministrowie prowincjonalni w swej mądrości i z powodów, które oni najlepiej znają, zakazała rozpowszechniania życiorysów napisanych przez Tomasza z Celano, jak również *Relacji trzech towarzyszy*. Taką podjęli decyzję i my, jako posłuszni synowie świętego Franciszka, mamy obowiązek ją respektować. Tych zaś, którzy tego nie uczynią, musimy przykładnie karać.

Słowa Bonawentury podziałały na Konrada jak uderzenie obuchem w głowę. Nie sprawiła tego jednak groźba kary, nie, to było coś innego. Czuł się teraz jak piekarz, który nagle przypomniał sobie, że zostawił w piecu bochenek chleba. Idioto! Miałeś to przez cały czas przed nosem. Okaleczony towarzysz to nie osoba — to nie Angelo, Ruffino, Masseo, ani żaden z braci pochowanych w bazylice. Leon miał na myśli historię, którą wspólnie skompilowali, ich wspomnienia i opowieści o Franciszku, które najwyraźniej zostały ocenzurowane, okaleczone, wywłaszczone. Przed chwilą, w bibliotece, trzymał w ręku manuskrypt — *Legenda Trium Sociorum, Relację trzech towarzyszy*. Był tak blisko poznania kolejnego elementu w układance Leona!

Bonawentura ciągnął beznamiętnym tonem:

— Ale, bracie, mając na względzie fakt, że *donna* Giacoma w swej dobroci raczyła cię zaszczycić swoją przyjaźnią, daruję ci ten jeden jedyny raz. Opuścisz natychmiast mury Sacro Convento. Nie chcę cię więcej widzieć w klasztorze ani w bazylice, nie chcę też usłyszeć, że rozmawiałeś z którymkolwiek z tutejszych braci. Postąpisz najroztropniej, wracając do swojej górskiej pustelni i zarzucając to bezsensowne dochodzenie. Jeśli dowiem się, że tak nie zrobiłeś, i wpadniesz znowu w moje ręce, odczujesz na sobie pełnię mego gniewu. Postaraj się więcej nie wchodzić mi w drogę.

Bonawentura przyłożył palec wskazujący do kości policzkowej, tuż pod okiem, i obciągnął lekko w dół skórę.

— *Ci capiamo, eh?* Rozumiemy się?

Wstał i wyszedł zza biurka, a Konradowi przypomniało się, jak mówił Amacie o okrutnych szponach gryfa. Ledwo ta wizja nabrała w jego umyśle kształtu, bestia rozpostarła nietoperzowe poły płaszcza i wyciągnęła do pocałowania ozdobioną pierścieniem dłoń.

Konradowi zesztywniał kark. Cofnął się odruchowo przed podstawioną pięścią.

— Pocałuj pierścień, bracie — powiedział Bonawentura ze złowróżbną nutą w głosie. — Przez wdzięczność, że odchodzisz wolno, co jeszcze nie jest takie pewne, i w akcie pokory, której tak ci brakuje — pocałuj pierścień.

Nagle murami wstrząsnął ogłuszający grzmot. Kaganki przygasły, a płomyki zaskwierczały i zatrzepotały jak proporce na wietrze. Konrad pochylił głowę. Opadł na jedno kolano, ujął dłoń generała, przyciągnął lazuryt do warg i spuszczone oczy stanęły mu nagle w słup na widok wyrytego w kamieniu symbolu — patyczkowatej figurki pod dwoma łukami otoczonej kołem.

XXI

A więc to jest ta doskonała radość, pomyślał Konrad. Zdobył się na uśmiech, chociaż z nosa ściekały mu strumyczki deszczu. Stał skulony we wnęce w murze, tuż przy drzwiach domu *donny* Giacomy i czekał na świt. Lodowaty wiatr gwizdał na schodach prowadzących do zaułka. Dotarł tu okrężną drogą, obchodząc szerokim łukiem Piazza di San Francesco, żeby nie natknąć się na straż miejską. Na szczęście ulewa zniechęcała strażników do snucia się po mniej uczęszczanych uliczkach.

Zdawał sobie sprawę, jakie miał szczęście, że Bonawentura pozwolił mu odejść, nie wyciągając żadnych konsekwencji. Ale wiedział również, iż teraz, kiedy sam generał podsunął mu kolejną podpowiedź, nie może tak po prostu wrócić do swojej pustelni. Musi jakoś dotrzeć do tych starych życiorysów.

Ze zmęczenia powieki same mu opadały. Zaryzykował i usiadł, chociaż w tej pozycji stopy wystawały mu z wnęki. Podciągnął kolana pod brodę, objął je ramionami, złożył na nich głowę i zasnął. Obudziło go szarpanie za rękaw.

— Wejdź do środka, bracie — mówiła jakaś kobieta. — Mamy napalone w kominku. Sąsiad z naprzeciwka zobaczył cię i dał mi na migi znać, że tu siedzisz.

Jak długo drzemał? Otworzył przekrwione oczy. Świtało, ale ciemne burzowe chmury nadal zasnuwały niebo. Poprzez szum deszczu słyszał bicie na *Angelus* w Basilica di San Francesco. Kobieta pociągnęła go do drzwi domu *donny* Giacomy. Nie widział tu jeszcze tej służki. W progu zdjęła opończę i strzepnęła z niej krople deszczu. Pod spodem miała niebieską suknię do kostek, a na głowie biały czepek — barwy liberii, którą nosiła służba szlachcianki. Była boso, tak jak jej pani.

— Tędy, bracie — powiedziała, prowadząc go do kuchni. — Bywałeś u nas już wcześniej?

A zatem albo była tu nowa, albo przez dom *donny* Giacomy przewijało się tylu mnichów, że nie zapadł jej w pamięć. On też jej nie pamiętał. Chociaż... Przez cały czas była odwrócona do niego plecami, ale jej młody głos brzmiał dziwnie znajomo.

— Bywałem — mruknął, kiedy zaprosiła go gestem do zajęcia miejsca za stołem. Siedział tam już *maestro* Roberto, czekając bez wątpienia na swoją miskę gorącej owsianki.

— Bracie Konradzie! — wykrzyknął. — Wyglądacie jak podtopiony kocur. Jużeśmy myśleli, że o nas zapomniałeś.

Na dźwięk jego imienia kobieta odwróciła się na pięcie, i Konradowi serce podeszło do gardła. Amata! Jej okolona czepkiem twarz jakby się zmieniła, była teraz czysta, piękna, może nieco wymizerowana. Ale te czarne, wykrojone w kształt migdałów oczy, choć wyzierał z nich teraz strach, którego nigdy w nich dotąd nie widział, nie mogły należeć do nikogo innego. Zaczerwieniła się pod jego spojrzeniem.

— Co ty tu robisz? — wykrztusił. — I gdzie twój habit?

Roberto roześmiał się.

— Nie poznajesz go bez brody, co, panienko?

— *Scu... scusami* — wybąkała Amata i kryjąc twarz w dłoniach, wybiegła z kuchni.

Roberto znowu zachichotał.

— Płochliwa dzierlatka. Ale ty to najlepiej wiesz. *Madonna* mówi, że jesteście dobrymi przyjaciółmi.

— Tak powiedziała?!

— A nie namawiałeś jej, żeby oddała przeoryszy list świętego Franciszka i sprowadziła dziewczynę do siebie?

Osłupiały Konrad usiadł naprzeciwko lokaja, próbując przypomnieć sobie swoją ostatnią rozmowę z *donną* Giacomą.

— Tak powiedziała?

— Niech będzie pochwalony w ten deszczowy poranek, *padre* — rozległ się za nim głos kucharki. — Mam coś specjalnego, trzymałam to do waszego powrotu. — Postawiła przed nim talerz suszonych fig. — Nadziewane migdałami i obtaczane w cukrze, ale nie tykajcie ich, póki nie zjecie czegoś gorącego.

Konrad miał nadzieję, że jego mina nie zdradza, jaki jest ogłupiały. Brak snu, plucha, wypadki ostatnich sześciu godzin, wszystko to sprawiało, że w jego odczuciu świat stanął na głowie. Ale od kuchennego pieca biło przyjemne ciepło, owsianka kucharki jak zawsze pokrzepiała, a smakowite figi, do których na koniec pozwoliła mu się dobrać, pozwalały zapomnieć o tym, co niedawno przeżył. Oblizywał właśnie palce z cukru, kiedy do kuchni weszła o lasce *donna* Giacoma.

— Słyszałam, że wróciliście, bracie Konradzie. Ale, Boże drogi, spójrzcie tylko na siebie! Każę zaraz przygotować wasz stary habit, bo jeszcze mi się przeziębicie. Zaczekajcie na mnie w swojej izbie, gdy się posilicie. — I nie czekając na odpowiedź, wyszła z kuchni.

Konrad spojrzał na Roberta, ale ten wzruszył tylko ramionami i uniósł ręce.

— Robota czeka, *padre*. Opuszczam cię. — Uśmiechnął się i już go nie było. Kucharka też zniknęła w spiżarni. Konrad podrapał się po głowie, wsunął do ust ostatnią figę i ruszył na spotkanie ze swoim starym, znoszonym, poczciwym habitem.

Nie spotkał po drodze Amaty. Kiedy przebrał się w suche odzienie, *donna* Giacoma zaprowadziła go do dużej sali. W jej końcu, przy kominku, na wpół skryta za zdobnym parawanem, siedziała Amata.

— Musicie ze sobą porozmawiać — powiedziała szlachcianka. — I, Konradzie... — zawiesiła na moment głos, a potem dokończyła z powagą: — Bądź dla niej miły. Matka przeorysza powiedziała, że nie poznaje jej, odkąd wróciła z Ankony.

Donna Giacoma wyszła z sali, a Konrad odetchnął głęboko. Jak te kobiety wspierają jedna drugą! Wracał cały gniew, jaki czuł, kiedy umarł Enrico, albo kiedy wyobrażał sobie Amatę klęczącą nago przed chłopcem bądź gżącą się z lubieżnymi braciszkami w wielkim łożu *dom* Victoria w Sant'Ubaldo. Za oknem szalała burza, świst wiatru mieszał się z bębnieniem deszczu o dach. Pomyślał, jak ta mokra furia oblepiałaby płatkami śniegu sosny w jego górskiej samotni. Bóg jeden wie, co go podkusiło, żeby zamienić tamten błogosławiony spokój na burzę, która wywracała mu teraz wnętrzności.

Amata siedziała ze spuszczoną głową, pocierając złożone na podołku dłonie. Konrad, zamiast usiąść na krześle, które stało naprzeciwko niej, podszedł sztywno do kominka. Niech chociaż raz dziewka podniesie na niego wzrok, tak jak należy spoglądać na kapłana, a nie patrzy mu zuchwale w oczy, stojąc, jak równy równemu.

— Ten chłopiec nie żyje — zwrócił się do czubka jej zwieszonej głowy.

— Wiem.

— Tylko tyle masz mi do powiedzenia? Wiem?

— A co mam rzec? — Głos jej drżał. — Mam ci opowiedzieć, jaki ból przeszył me serce, kiedy on umarł wkrótce po moim odejściu, jak wyczułam dokładnie chwilę, kiedy jego dusza opuszczała ciało, jak od tamtego czasu płaczę całe dnie i noce?

— Wyrzuty sumienia nie wrócą mu życia. Gdybyś nie wyprowadziła go wtedy z jaskini...

Poderwała głowę. Jej twarz wykrzywiała udręka, oczy miała opuchnięte i podkrążone, ale w głosie, kiedy się odezwała, pobrzmiewała nutka dawnego sarkazmu.

— Nawiązujecie do czegoś, co usłyszeliście podczas spowiedzi, *padre*? — W jej czarnych oczach płonął gniew. — Co wy wiecie, bracie Konradzie. Nic, a nic!

Chciała go urazić — i w jakimś sensie jej się to udało — ale jednocześnie, o dziwo, poczuł ulgę, słysząc ten dawny ogień w jej tonie. Co do spowiedzi Enrica, miała poniekąd rację, ale myliła się, zarzucając mu brak rozeznania. Wychowywała się na wsi, w zamku otoczonym zapewne prymitywną osadą — on w rojnym porcie Ankona i w podniosłej atmosferze Paryża. Ale o wioskach też coś niecoś wiedział. Swego czasu, wracając z Paryża, zszedł na ląd w Neapolu i przez dwa miesiące wędrował do Asyżu gorącymi wąskimi dolinami, przez głuchą prowincję rozciągającą się na południe od Umbrii.

Z otwartych drzwi każdej chatynki, którą mijał, śledziły go pożądliwie, jakby szacując jego męskość, czarne przymglone oczy kobiet. Kiedy odwracał głowę, by zgromić je wzrokiem, kryły twarze w dłoniach i patrzyły nań dalej przez palce. „Nie bierz od tych kobiet nic do picia — ostrzegali go z przejęciem starsi mężczyźni z wiosek — ani wina, ani nawet kubka wody. To wszystko wiedźmy i dolewają do każdego napoju miłosnych wywarów". Potem przysuwali mu do ucha swoje pożółkłe zniszczone twarze i dodawali konspiracyjnym szeptem: „Z menstrualnej krwi wymieszanej z ziołami". Ostrzegali go też, żeby nie nocował w grotach pod wioskami, bo zamieszkują je gnomy, dusze dzieci, które umarły nieochrzczone. Oczywiście, każdy chciałby złapać takiego stworka za czerwony kaptur i zmusić, żeby zaprowadził go do ukrytego skarbu, ale taki młody braciszek jak Konrad lepiej zrobi, jeśli spędzi noc w miejscowym kościele. Kiedy zatrzymywał się w takich wioskach na dłużej, do kościoła zbiegały się zaraz tłumnie kobiety, żeby się przed nim wyspowiadać, bo, jak twierdziły, wstydzą się wyznawać swe intymne grzechy miejscowemu księdzu.

O ile dobrze rozumiał, kobiety te uważały miłość cielesną za siłę natury, której żadną miarą oprzeć się nie sposób. Według nich, jeśli mężczyzna i kobieta znajdą się sam na sam w jakimś ustronnym miejscu, to choćby się waliło i paliło, dojdzie do kopulacji, pospiesznej, bez słów, tak jak to się dzieje u zwierząt, kiedy samiec spotyka samicę w rui — a te kobiety zdawały się być w nieustającej rui. Nawet kiedy się spowiadały, wyczuwał w ich głosie, w ich oddechach, z których każdy kończył się przeciągłym westchnieniem, ledwie hamowane pożądanie. Podejrzewał, że przed wioskowym księdzem też się spowiadają — i to często — ale szukają u tego kapłana, tak jak u niego, czegoś więcej niż rozgrzeszenia ze swoich niezaspokojonych żądz. Kto wie, czy Amata nie dorastała w podobnej atmosferze niekontrolowanej namiętności, tych samych prymitywnych popędów, w świecie, do którego nie stosował się nawet najbardziej fundamentalny kodeks zachowań.

Usiadł naprzeciwko niej prosto, jakby kij połknął. Dziewczyna skuliła się na krześle, krzyżując nogi i ramiona. Patrzyła w ogień.

— Chciałbym zrozumieć — odezwał się. — Porozmawiasz ze mną?

Amata owinęła się ciaśniej granatowym szalem. Oczy zaszły jej mgiełką, tak jak tamtego dnia na górze, kiedy opowiadała mu, jak wymordowano jej rodzinę.

— Jednego popołudnia, jakieś dwa miesiące przed zajazdem, bawiłam się sama w stajni z nowo narodzonymi kociątkami. Tego lata moje ciało zaczęło się zmieniać i chyba myślałam już o dzieciach. Dzień wcześniej dojrzałam z wieży naszego zamku najurodziwszego chłopca, jakiego w życiu widziałam. To było wtedy, kiedy handlarz wełną wykłócał się z moim ojcem. Cały ranek marzyłam, że wyjdę za niego za mąż i będę karmiła własne dzieci piersią — to znaczy, kiedy mi urosną — tak jak ta kotka karmiąca swoje małe.

Nagle usłyszałam na podworcu stukot końskich kopyt. Bonifazio, wuj mojego ojca, przyjechał do nas z Todi w odwiedziny. Nie zaglądał do Coldimezzo od prawie dwóch lat. Zsiadając z konia, spojrzał na mnie dziwnie, zupełnie jakby pierwsze mnie widział. Spytał, co u mnie, powiedziałam mu więc — o swoich fantazjach też. Zmierzył mnie wzrokiem od stóp do głów i zapytał, czy mam już krwawienia. Odparłam, że nie. Wtedy spytał, czy mam jeszcze wianek. „Mam", powiedziałam i chyba spłonęłam rumieńcem, bo jego pytanie bardzo mnie zaambarasowało. „To się bardzo dobrze składa", mruknął. Powiedział, że jeśli dziewczyna odda swój wianek takiemu jak on słudze Kościoła, to na pewno wyjdzie szczęśliwie za mąż i urodzi gromadkę zdrowych dzieci.

Konradowi ciarki przeszły po plecach, bo domyślał się już, do czego zmierza ta opowieść.

— Wuj twego ojca był kapłanem?

— Był i nadal jest biskupem Todi.

— Biskupem! — Konrad pokręcił głową z rosnącym wzburzeniem. — I dałaś wiarę tym bredniom?

— Miałam wówczas jedenaście lat, Konradzie! Co mogłam wiedzieć o czymkolwiek? Czy będąc w tym wieku, nie wierzyłeś we wszystko, co mówi biskup?

Zakonnik pokiwał głową.

— Tak, to prawda. I co było dalej?

— Mówił tak dalej, uwiązując konia i ściągając siodło. Powiedział, że jestem ładną dziewczynką. A jego oczy... pamiętam, że była w nich jakaś dzikość. Kiedy kończył rozkulbaczać konia, policzki mu płonęły. „Chodź ze mną", warknął takim tonem, że dziecko nie mogło nie posłuchać. Wziął mnie za rękę i wyprowadził za stajnię, gdzie stał stóg siana.

Powiedział, że nie zrobi mi krzywdy, Konradzie. Ale bolało jak diabli, bolało tak, że krzyknęłam. Ojciec szedł właśnie do stajni powitać wuja. Słysząc mój krzyk, przybiegł zobaczyć, co się dzieje. Bonifazio zerwał się ze mnie, jego wielki kutas sterczał spomiędzy guzików sutanny wstrętny jak robak. Pokazał na mnie palcem. „To dziecko jest opętane przez diabła! — krzyknął. — Patrz, jak uwiodła mnie, biskupa". Porwał na sobie sutannę, rzucił na ziemię i podeptał piuskę. Rozorał sobie paznokciami twarz, tak że krew pociekła mu po policzkach.

Ja płakałam ze strachu i bólu, sukienkę miałam powalaną ziemią i krwią, a stryj Bonifazio wpadał w coraz większy szał. Spojrzałam na tatę, ale on unikał mego wzroku. „Uspokój się, wuju — powiedział. — Ona już tego nie zrobi, choćbym miał wygnać z niej demona pasem".

Zdjął pas, złapał mnie za nadgarstki, przewrócił twarzą do siana i wychłostał po plecach i nogach tak, że przez tydzień nie mogłam usiąść. A stryj jeszcze go podjudzał i krzyczał na demona, żeby ze mnie wyszedł.

Amata wsparła czoło na dłoni. Nawet nie próbowała ocierać łez, które spływały jej po policzkach. W ciszy, jaka zapadła, Konrad po raz pierwszy zwrócił uwagę na krople deszczu, te łzy aniołów, które wpadając przez komin, z sykiem wyparowywały w palenisku.

— A najgorsze ze wszystkiego było to — podjęła drżącym głosem Amata — że potem tato nie odzywał się do mnie, ani na mnie nie spojrzał, a mama bała się mnie pocieszać. Ta tortura milczenia trwała do dnia, w którym zginął. Najeźdźcy zabili go, kiedy dzielił nas wciąż mur jego gniewu. Nigdy nie dane mi było usłyszeć słów przebaczenia z ust człowieka, którego kochałam najbardziej na świecie.

— To wstyd nie pozwalał mu spojrzeć ci w oczy, Amato. On wiedział, że postąpił niesprawiedliwie. Obił ciebie, bo nie mógł obić swojego lubieżnego wuja. Tacyt zauważył kiedyś, że w ludzkiej naturze leży nienawidzić tych, których skrzywdziliśmy. — Powiedział to przez ściśnięte gardło, nie swoim głosem. — I nikt się za tobą nie ujął?

— Tylko kuzynka Vanna, ale ona wkrótce potem przeniosła się do Todi. Miała tam wyjść za mąż za *sior* Jacopa. A ślubu miał udzielić nie kto inny, jak biskup Bonifazio. Przez tych parę tygodni była moją jedyną przyjaciółką, nie licząc mego brata. Fabiano wiedział, że zostałam za coś ukarana. Nie wiedział za co, ale współczuł mi, widząc mnie taką smutną.

— A jak byłaś traktowana przez morderców, którzy cię uprowadzili?

Amata otarła oczy rękawem.

— Starałam się nie zostawać nigdy sam na sam z mężczyznami z tego zamku, ale nie zawsze było to możliwe. W końcu ukradłam nóż z pomywalni, ten, który kryłam w rękawie podczas naszej wędrówki. Przysięgłam sobie, że któregoś dnia zabiję Simone della Roccę i jego synów — albo siebie.

— Simone della Rocca Paidę, strażnika tego miasta?

— Tak, tam mnie więzili, w tej groteskowej twierdzy. Simone zarąbał mieczem mego ojca; jego syn, Calisto, zabił mamę. Raz próbowałam nawet dźgnąć Simone. Dopadł mnie na dzień przed tym, jak miałyśmy przenieść się z moją panią do San Damiano, to była dla niego ostatnia okazja, żeby się do mnie dobrać. Skaleczyłam mu tylko dłoń, ale rana była na tyle głęboka, że trzeba ją było opatrzyć. Uciekłyśmy, zanim to zrobiono, inaczej by mnie zabił.

Znowu zamilkła. Kiedy się odezwała, głos miała już spokojny:

— Przysięgam, że od tamtego czasu nie tknął mnie żaden mężczyzna, chyba że sama tego chciałam. Moje fantazje o byciu matką nie do końca wygasły, chociaż mam już prawie siedemnaście lat, a żadnych widoków na zamążpójście. — Wpatrywała się w palenisko, w tańczące w nim płomienie.

— Trochę mnie poniosło w drodze, Konradzie. Serce wciąż mi krwawi, kiedy pomyślę, jaką cenę za to moje szaleństwo zapłacił Enrico. Tak bardzo chciałam choć raz doświadczyć prawdziwej radosnej miłości.

Spojrzała zakonnikowi w oczy.

— Może jako ksiądz i, mam nadzieję, mój przyjaciel, spojrzysz na mnie inaczej, jeśli ci powiem, że przysięgłam Panu Naszemu i Jego Błogosławionej Matce, że już nigdy nie potraktuję miłości tak lekko. — Uśmiechnęła się, ale jej oczy pozostały smutne. — Czy to, co usłyszałeś, pomogło ci zrozumieć? — spytała.

Po raz pierwszy od dnia, kiedy dowiedział się o zaręczynach Rosanny, Konrad pożałował, że nosi mnisi habit. W tej chwili niczego nie żałował tak jak tego, że nie jest zwyczajnym, nieskrępowanym jarzmem celibatu mężczyzną, i nie może wziąć tej uroczej kobiety dziecka w ramiona, wybaczyć jej w imieniu ojca, który nie zdążył tego uczynić, zapewnić o nieprzemijającej miłości, której nie zdążył jej wyznać Enrico — uklęknąć przed nią i błagać, by ona też mu wybaczyła.

Ale to była tylko nieziszczalna fantazja. Jego rzeczywistością były śluby, jakie złożył, śluby realne jak jego znoszony habit. Podniósł się z krzesła i poklepał ją czule po ramieniu.

— Przepraszam, Amato — powiedział. — Ślubuję, że codziennie będę się modlił do Boga, żeby uleczył twoje zranione ciało i duszę. Idę teraz do kaplicy *madonny*, żeby bez zwłoki wprowadzić ten ślub w czyn. Jeśli chcesz, chodź pomodlić się ze mną.

Miał nadzieję, że odgradzając się od niej tamą modlitwy, nigdy więcej nie będzie zmuszony stawiać czoła falom tej szczególnej fantazji.

XXII

Woda lała się kaskadami z dachów, spływając rynsztokami i placami Wenecji do kanałów — istne rozciągnięte w czasie oberwanie chmury, coś niebywałego w delcie rzeki Po. Gildie już od dwóch dni czekały na wznowienie zawieszonej parady.

Orfeo nie mógł sobie znaleźć miejsca. Snuł się po mieście od Rialto, gdzie kupcy ogryzali z nerwów paznokcie i modlili się o bezpieczeństwo transportów z tym, co zamówili, po targowiska, gdzie ponurzy kramarze siedzieli nad poprzykrywanym w większości towarem, a kupujących było tylu, co kot napłakał. Spadł również popyt na pogańskich niewolników i „małe duszyczki", czyli chrześcijańskie dzieci z Lewantu, które rodzice sprzedali w niewolę.

Działo się coś tylko w dzielnicy żydowskiej i warsztatach rzemieślników. Tam praca nigdy nie ustawała. Wytwarzano wszystko, od kart do gry poczynając, poprzez mozaiki i porcelanę, a na broni i wyrobach ze szkła kończąc. Snycerze i rytownicy ozdabiali drewniane kufry, rogi myśliwskie z kości słoniowej, rękojeście mieczy, skórzane pasy oraz złotą i srebrną biżuterię.

— *Cavolo*! — mruknął pod nosem znudzony Orfeo, patrząc na tych zapracowanych ludzi. Żałował teraz, że nie popłynął z Giulianem i tamtymi. Miałby przynajmniej jakieś zajęcie.

Był poranek trzeciego dnia po Wszystkich Świętych, wciąż lało, a on wracał po nocy spędzonej z Cecilią do Pałacu Dożów, zastanawiając się, czym by tu zabić czas do wieczora. Naciągnął kaptur na czoło i wspomniał Cecilię, kiedy dosiadła go w szarówce przedświtu i jej długie, spływające mu na twarz włosy utworzyły coś na kształt rdzawego namiotu, pod którym wpatrywali się w siebie, odcięci od reszty wszechświata. Jakież głębokie zrozumienie płonęło w tych jej mądrych szarych oczach, w tym zagadkowym uśmiechu, który nie wyrażał żadnego osądu, żadnej pretensji ani żalu, z którego czytał, że wystarcza jej, że jest jej przyjacielem, wioślarzem Orfeem, i niczego więcej odeń nie oczekuje.

Cecilia wiedziała o wszystkim, co dzieje się w jej zakątku Wenecji, o najskrytszych sekretach każdego mężczyzny, kobiety i dziecka z sąsiedztwa, i o ukrytych mechanizmach, którymi ta społeczność jest napędzana. Czasami odnosiło się wrażenie, że żyje już tysiąc lat — jest duchem ziemi, jak wszystkowiedzące zwierzęta, duchem podziemnego świata, jak czarodziejki z przeszłości. Nie bała się czasu ani zdarzeń. Potrafiła wykonywać pracę każdego mężczyzny, a dźwigając na ramieniu najcięższe dzbany z winem, stąpała pewnie jak potężny cyklop.

Orfeo zauważał ze zdziwieniem, że fascynuje ją jeszcze bardziej niż ona jego. Być może przyczyniały się do tego jego marzenia o podróżach i dokonaniu w życiu czegoś wielkiego albo opowieści z drugiej ręki o Oriencie. Traktowała go jak kogoś obdarzonego nadprzyrodzoną mocą i cierpliwie znosiła jego odejścia i powroty, chociaż oboje wiedzieli, że za którymś razem odejdzie na dobre, by już nie wrócić.

Kiedy zbliżał się do pałacu, przyszła mu do głowy niesforna

myśl. Powinien polecić papieżowi Cecilię na osobistą doradczynię. Niechby się połączyły jej życiowa mądrość z głęboką duchowością Tebalda. Niestety, nic z tego. Podsunięcie tak smakowitego kąska przyszłemu reformatorowi duchowieństwa bez wątpienia doprowadziłoby do katastrofy. Na samym doradzaniu mogłoby się nie skończyć. Uśmiechając się do siebie, zasalutował rzymskiemu rycerzowi stojącemu pod kolumną przy głównym wejściu. Za radą Orfea rycerze ci ani na chwilę nie odstępowali papieża.

— Co u naszego Ojca Świętego? — spytał. — Dobrze mu się spało w dożowym łożu?

— Nie. Z tego, com słyszał, nie za dobrze, *signore, una notte bianca*. Kilka razy budziły go koszmary. Nie wstał jeszcze, je śniadanie. Chce cię widzieć w swojej komnacie, gdy tylko wrócisz do pałacu.

— Coś się stało?

Strażnik wzruszył ramionami.

— Przekazuję tylko, co mi kazano powiedzieć. Teraz jesteś tak samo mądry jak ja.

— Miejmy nadzieję, że chce ruszać w drogę. Nie podoba mi się, że tak długo tu tkwimy. — Orfeo przeciął ogromną sień i wbiegł po marmurowych schodach, przeskakując po dwa stopnie naraz. Dwaj strażnicy trzymający wartę przy drzwiach poznali go i przepuścili.

— Wasza Świątobliwość. — Orfeo podszedł do łoża, ukląkł i czekał, aż Tebaldo pobłogosławi go znakiem krzyża.

— *Buon giorno*, Orfeo. — Papież, wsparty na poduszkach, pomachał do niego paskiem wędzonego węgorza. — Darujmy sobie te ceremonie. Wstań.

Orfeo wstał i czekał w milczeniu.

— Jadłeś już?

— Nie głodnym, Wasza Świątobliwość. — Gdyby to pytanie zadał mu jego przyjaciel Giuliano, odpowiedziałby, że nie jadł i kiszki marsza mu grają, ale z papieżem nie wypadało przecież rozwodzić się na tak przyziemne tematy.

— Skosztuj jednak tego węgorza. Wyborny.

Orfeo zanurzył dłoń w papieskiej misie. Naśladując Tebalda, zaczął skubać wytwornie przednimi zębami ociekające tłuszczem mięso.

— Miałem dzisiaj przykry sen. Mój powóz ugrzązł w ogromnej zaspie. Ty siedziałeś z przodu na wole i krzyczałeś do swojego wuja, żeby nas ratował. Nagle zwierzę zaczęło przeraźliwie ryczeć, a na szczycie góry za nami pojawiła się wataha wielkich jak konie wilków. Woły jęły ciągnąć ze wszystkich sił, ale zaślepione paniką zboczyły z drogi i wóz stoczył się w przepaść, czułem, jak spada.

— I co było dalej?

— Nie wiem, bo się obudziłem. Jeden ze strażników powiedział mi, że krzyczałem przez sen. — Podsunął Orfeowi misę. — Pochodzę z Piacenzy. Potrafię przepowiadać pogodę w dolinie Po. Ale ty wychowywałeś się w Apeninach. Czy mój sen jest proroczy? Jak po tej ulewie będą wyglądały górskie przełęcze?

— Chociaż to pierwsza tak silna burza tej zimy, może tam spaść śnieg, Wasza Świątobliwość. W najlepszym wypadku deszcz rozmyje gruntowe odcinki traktu. Ale stara rzymska droga jest wybrukowana kamieniami. — Urwał, a potem spytał: — Czujecie się zobowiązani korzystać do końca z gościnności doży? — Wiedział, że zadając to pytanie, zachowuje się niepolitycznie, ale jego cierpliwość była już na wyczerpaniu.

Papież zwlekał z odpowiedzią. Być może nie czuł się jeszcze pewnie w nowej roli i nie znał dobrze swych obowiązków ani zasad protokołu. Orfeo podszedł do okna i rozsunął żaluzje. Zimny wilgotny wiatr omył mu twarz i orzeźwił. Na horyzoncie coś majaczyło. Osłonił oczy przed kropelkami mżawki i wytężył wzrok.

— *Sangue di Cristo!* — zaklął na głos.

Do nabrzeża portu zbliżała się na wiosłach samotna galera wojenna pozbawiona masztu i górnej części kasztelu. Jej śladem wlokły się dwie inne, podobnie okaleczone.

Orfeo doskoczył do łoża i ściągnął tacę z kolan Tebalda.

— Wstawajcie, Wasza Świątobliwość! — krzyknął. — Wstawajcie i szykujcie się do drogi. Powiem waszym ludziom, żeby się zbierali i siodłali konie.

Dumną flotę, którą Wenecjanie z taką pompą wysłali przeciwko Ankonie, flotę, za sukces której Tebaldo publicznie odmówił modlitwy, zdziesiątkował sztorm na Adriatyku.

Donna Giacoma nie mogła się nadziwić zmianie, jaka zaszła w Amacie po rozmowie z bratem Konradem. Dziewczyna jakby urosła, głowę trzymała wysoko, ramiona jej się wyprostowały, zupełnie jakby zdjęto z nich ogromny ciężar. Staruszka podziękowała zakonnikowi, że zechciał wysłuchać Amatę, ale ten zaprzeczał, że to za jego sprawą doszło do tej przemiany. Od razu rzucało się w oczy, że obecność starego przyjaciela podnosi dziewczynę na duchu i *donna* Giacoma sądziła, że Konrad również to wyczuwa, chociaż całe godziny spędzał w kaplicy i nie szukał towarzystwa dziewczyny. Jak zawsze maskował swe emocje męskim stoicyzmem w odróżnieniu od Pia, który snuł się za Amatą jak cień i wyraźnie cierpiał katusze pierwszej młodzieńczej miłości. Amata lubiła pazia i raz, kiedy grali w kółko i krzyżyk, nazwała go bezwiednie „Fabiano", imieniem swojego młodszego brata. Jakie szczęśliwe musiała mieć dzieciństwo, pomyślała szlachcianka. *Donna* Giacoma modliła się do Boga, żeby dziewczyna znowu znalazła dom.

Donna Giacoma miała też wiele uciechy z obserwowania, jak brat Konrad stara się walczyć ze swoim, jak to w myślach nazywała, „tajonym zauroczeniem". Przewidywała, że w tej sytuacji rękami i nogami będzie się zapierał przed podjęciem się następnego zadania, które zamierzała mu powierzyć. Dała mu kilka dni na przywyknięcie do domowej atmosfery, a sama w tym czasie obmyślała argumenty i gromadziła rekwizyty, zaczynając od oprawnych w skórę żywotów świętych, które dostała w prezencie od męża na pierwszą rocznicę ślubu. Nie zaglądała do tej księgi od blisko sześćdziesięciu lat, ale wiedziała dobrze, gdzie jej szukać. Leżała owinięta w jej ślubny welon, w rogu kufra, z którym opuszczała dom rodziców.

Cztery dni po powrocie Konrada, kiedy po kolacji męska część służby rozeszła się do swych zajęć, a do stołu zasiadły kobiety, przydybała zakonnika w sieni, wychodząc o lasce zza kolumny i odcinając mu drogę ucieczki do kaplicy.

— Amatina chce się nauczyć czytać i pisać — oznajmiła.

— Doprawdy? — Konrad zachichotał. — Mam nadzieję, że powiedziałaś jej, pani, że to nie dla kobiet.

— Nie, nie powiedziałam. — Patrzyła na niego bez mrugnięcia. — Ty jeden w tym domu masz kwalifikacje do udzielenia jej takich lekcji.

Konrad pokręcił głową.

— Owszem, przyznaję, dziewczyna jest inteligentna, ale nie wezmę na siebie odpowiedzialności za wbijanie jej w pychę. Bo tym się to zwykle kończy u kobiet, które sięgają za wysoko. Jest takie powiedzonko: *Non fare il passo piu lungo della gamba*. Nie stawiaj kroku dłuższego niż twoja noga.

Donna Giacoma puściła tę uwagę mimo uszu.

— Chodź ze mną, bracie — powiedziała i wyprowadziła go na błotnisty podworzec. Deszcz w końcu ustał, ale z loggii wciąż skapywała woda. W małej izdebce, do której wejść można było tylko od podworca, stał stół i dwa proste krzesła. — Czytaj. — Otworzyła jedną z kilku leżących na stole ksiąg na rozdziale zaznaczonym czerwoną wstążeczką. — To żywot świętego pustelnika Hieronima.

Irytował ją spokój Konrada. Usiadł za stołem, przebiegł wzrokiem życiorys i spojrzał na nią beznamiętnie.

— Jeśli ten święty, będąc jeszcze sekretarzem papieża Damazego, chciał uczyć rzymskie szlachcianki pisania i czytania, to chwała mu za to. Ale Amata nie jest rzymską szlachcianką.

— Jej ojciec był hrabią.

— Wiejska szlachta, *madonno*. Wątpię, czy sam potrafił

czytać. Powiedziała mi, że liter zaczęła się uczyć dopiero w San Damiano.

— A święta Klara, założycielka San Damiano? Pomyśl tylko, o ile uboższy byłby Kościół bez jej listów do błogosławionej Agnieszki z Pragi, która, nawiasem mówiąc, też potrafiła pisać i czytać i własnoręcznie jej odpisywała. A Hildegarda z Bingen i ksieni Jutta z Disibodenbergu? Żaden mężczyzna nie opisał tak swych wizji i migotliwych świateł jak Hildegarda.

— Tak, tak, wizje. Amata ma z pewnością mnóstwo takich i chce się nimi podzielić z pobożnymi *litterati*.

Donna Giacoma zazgrzytała zębami. Krew napłynęła jej do twarzy, policzki zapłonęły.

— A Hroswitha z Gandersheim, która przed trzystu laty pisała sztuki i opowiadania, jakich nie powstydziłby się kronikarz mężczyzna?

— Powtarzam, pani, że ja nie mogę się tego podjąć — powiedział Konrad. — I się nie podejmę.

Staruszka uderzyła laską w stół z taką siłą, że zakonnik i księgi podskoczyły.

— Konradzie, ty głupcze! Ona chce się nauczyć pisać, żeby skopiować kronikę, którą powierzył ci Leon, ten zwój, co go nie śmiałeś przynieść ze sobą do Asyżu.

— Co o nim wiesz, pani? — Konrad wytrzeszczył oczy.

— Wiem, że manuskrypt jest teraz bezpieczny w San Damiano, i to nie dzięki tobie. Wiem, że Amatina ryzykowała życie, żeby go tu dostarczyć. W górach, nad przepaścią, zwój, którym owinęła się w pasie, zaczepił o kamień i wytrącił ją z równowagi. Wiem również, że dzięki błogosławionej interwencji brata Leona ocalił jej życie, bo ześliznęło się po nim ostrze piki mierzące w jej serce. — Szlachcianka wyprostowała się i zacisnęła obie dłonie na rzeźbionej rączce laski.

Konrad zerwał się na równe nogi i uchwycił oburącz stołu.

— Odpowiedziałaś na moje modlitwy, Giacomino! — wykrzyknął. — Od kiedy tu wróciłem, dzień w dzień klęczałem w twojej kaplicy, zadając bratu Leonowi i świętemu Franciszkowi jedno i to samo pytanie: Jak dostać się znowu do Sacro Convento i zdobyć potrzebne mi manuskrypty? A nie pomyślałem o San Damiano i ukrytych tam kopiach. — Przygryzł na moment kciuk, rozważając tę nową możliwość. — Czy Amata rozstała się z Ubogimi Paniami w przyjaźni?

— Oczywiście. W niczym im nie zawiniła.

— I z miłości do ciebie, pani, oraz głębokiego szacunku, jakim darzyła brata Leona, matka przeorysza mogłaby powierzyć dziewczynie...

— Nie waż się wypowiadać tego, co masz na myśli, bracie. Ani mi w głowie narażać Amaty. *Maestro* Roberto mówi, że dwaj zakonnicy wystają co rano po obu stronach naszego zaułka i obserwują wszystkich, którzy wchodzą do tego domu i z niego wychodzą.

— To mnie obserwują, *madonno*. Śluby, jakie złożyli, zakazują im zbliżania się do świeckich kobiet. Amata mogłaby pójść do Ubogich Pań z podarunkiem — dajmy na to, z obrusem. W koszyku. A wrócić z manuskryptami, przynajmniej tymi dwoma, które muszę zobaczyć. Skoro zwój Leona ukryła na sobie tak zmyślnie, że niczego nie zauważyłem, to i psy Bonawentury potrafi przechytrzyć.

Donna Giacoma miała na końcu języka, że niewielu jest zakonników, którzy mogą równać się z Konradem naiwnością i brakiem spostrzegawczości, ale nie powiedziała tego głośno. Poza tym jego plan nie był tak całkiem niedorzeczny. Miała już przyznać, że zasługuje na rozważenie, kiedy dotarło do niej, że odbiegli przecież od tematu.

— A co z lekcjami?

Konrad uśmiechnął się jak zadowolony z siebie handlarz wołami.

— Dobijmy targu. Jeśli Amata przyniesie mi pierwszy życiorys świętego Franciszka, spisany przez Tomasza z Celano oraz *Relację trzech towarzyszy*, to będę ją uczył. Na stosownych źródłach, ma się rozumieć.

Donna Giacoma pokazała dwie leżące na stole księgi.

— Studiowałam je w młodości. Jedna traktuje o dobrym wychowaniu, druga poucza młode żony, jak prowadzić gospodarstwo domowe. Ucząc się czytać, przyswoi sobie jednocześnie maniery damy.

Zakonnik prychnął lekceważąco.

— To tak, jak rychtować trąbkę z knurzego ogona.

Stara dama mocniej ścisnęła laskę.

— I to mówi człowiek, który kilka tygodni temu ledwie się tu dowlókł, a wyglądał jak barbarzyńca. Skoro ciebie zdołałam domyć, bracie Konradzie, to o ile łatwiej będzie nauczyć tę dziewczynę ogłady. Zostanie pewnego dnia panią tego domu i musi wiedzieć, jak się zachować i jak prowadzić swoje sprawy.

Donnie Giacomie znowu udało się go zaskoczyć.

— Nie mam spadkobierców — ciągnęła — poza mężczyznami z rodu mego zmarłego męża, ludźmi, których nie widziałam od dziesiątków lat. Simone della Rocca pozbawił Amatinę dziedzictwa i pozbawił szans na właściwe wychowanie, a co za tym idzie, korzystne zamążpójście. Kiedy wybije moja godzina, dziewczyna dostanie w schedzie mój dom i dochody. Kobieta z jej inteligencją, urokiem i takim majątkiem będzie dobrą partią dla każdego chrześcijanina. To znaczy każdego niezwiązanego ślubem czystości.

Donna Giacoma, chociaż rzadko posuwała się do złośliwości, nie mogła się powstrzymać od wbicia mu tej szpilki. Konrad, z uporem poniżający dziewczynę swoimi uwagami, zasługiwał na to. Zauważyła, że jej przytyk ubódł go i chyba na nowo rozniecił konflikt tlący się w jego umyśle. W skrytości ducha żywiła nadzieję, że tych dwoje młodych ludzi zdobędzie się w końcu na to, by przyznać otwarcie, jak bardzo im na sobie zależy. Konrad mógł to uczynić, pozostając nadal wierny swym ślubom. A wiedziała, że pozostanie, bez względu na to, jak nikczemnie będzie traktował go zakon. Jeśli Konrad miał jakieś heroiczne cechy, to były nimi na pewno upór i wytrwałość. Pomyślała o bracie Leonie, o tym, jak przez ostatnie pięćdziesiąt pięć lat przeplatały się ich losy. Może między Konradem i Amatą zawiąże się ten sam układ, układ, który przez tyle czasu przynosił jej pocieszenie.

Otrząsnęła się z tych refleksji i przesunęła laską księgi w stronę zakonnika.

— Ty to przejrzyj, a ja porozmawiam z Amatą — powiedziała, zmieniając temat. A po chwili dorzuciła: — Może tego nie wiesz, ale ona gotowa jest podjąć dla ciebie każde ryzyko. — Uśmiechnęła się. — I jeszcze jedno, bracie, nie powtarzaj jej, proszę, naszej rozmowy. Ona myśli, że po prostu odkupiłam ją od Ubogich Pań. Nie domyśla się jeszcze, jakie mam wobec niej plany na przyszłość.

Amata wyśliznęła się frontowymi drzwiami domu *donny* Giacomy w noc. Na niebie świeciły zimnym blaskiem gwiazdy Skorpiona, konstelacji, pod którą staruszka przyszła na świat — ileż to pokoleń temu? Burza odeszła wreszcie w góry, tylko wysoko, nad wschodnim horyzontem, marudziła jeszcze cienka warstewka chmur. Lodowaty wiatr gwizdał na schodach, hulał po wąskim zaułku, wdzierał się pod opończę.

Rozejrzała się. Tak jak przewidywała, u wylotu zaułka, po jednej jego stronie kuliła się pod ścianą zakapturzona postać. Zakonnik pilnujący schodów lepiej ukrył się w cieniu, ale była pewna, że gdzieś się tam czai, osłonięty przed wiatrem. Postawiła sobie koszyk na głowie i, wyprostowana, zaczęła zstępować po schodach pełnym gracji, zdecydowanym krokiem służącej. Zamierzała dotrzeć do południowo-wschodniej bramy miasta, kiedy o świtaniu będą ją otwierali strażnicy.

Żeby jeszcze nie ten wiatr. Nie będzie mogła zatrzymać się za zakrętem schodów i posłuchać, czy ktoś za nią nie idzie. Ale nic to, niech ją śledzą. Chętnie podejmie to wyzwanie. Nauczyła się gubić prześladowców w labiryntach zamku Rocca.

Zrobiło jej się przykro, kiedy Giacomina powiedziała, że Konrad zgodził się ją uczyć pod warunkiem, że mu pomoże. Takie miał o niej mniemanie? Przecież poszłaby po te manuskrypty bezinteresownie, nie żądając niczego w zamian. Czyż sam nie powiedział, że są w tym przedsięwzięciu zdani na siebie, kiedy wiązali się sznurami na górskiej półce? Dziwny ten Konrad. Zdarzały się dni, że miała w nim najbliższego przyjaciela, kiedy indziej znowu nabierał dystansu i odnosił się do niej chłodno. Opowiadając, jak zgwałcił ją w dzieciństwie Bonifazio, odnosiła wrażenie, że się przed nim obnaża. Zdawał się rozumieć krzywdę, jaką jej wyrządzono, ale od tamtego czasu jej unikał. Może za dużo mu powiedziała? Może zbytnio absorbowała go sprawa tych manuskryptów? Miała nadzieję, że Giacomina nie myli się, twierdząc, że jest po prostu zagubiony, nie wie, co począć z uczuciami, które do niej żywi, ani jak jej te uczucia okazać.

Na końcu Via San Paolo Amata skręciła na północny wschód i przyśpieszyła kroku. Mijając Cattedrale di San Rufino, uskoczyła za jedną z kolumn przed wejściem, zza której miała dobry widok na ulicę, i postawiła koszyk na ziemi.

Nad *piazza* powoli się rozwidniało. Blade słońce gramoliło się zza góry Subasio, przebijając się z trudem przez warstewkę chmur. Przez plac szedł jej śladem zakonnik. Minął katedrę, kierując się na północny wschód. Amata uśmiechnęła się i schyliła po koszyk. Jakież to było proste. Weszła do kościoła, przebiegła nawą i drzwiami w transepcie wyszła na krętą uliczkę, która prowadziła w przeciwną stronę, ku południowej bramie miasta i gościńcowi na San Damiano.

XXIII

Konrad przez całe popołudnie obserwował zaułek. Stał przy oknie, *donna* Giacoma zaś spacerowała nerwowo między sienią a kuchnią. Za każdym nawrotem spoglądała na niego ze zmarszczonym czołem. Amata powinna już wrócić, myśleli oboje, żadne jednak nie wypowiedziało tego na głos.

Wydłużające się cienie dwupiętrowych domów u wylotu zaułka gęstniały już, kiedy Konrad zobaczył ją wreszcie wchodzącą po schodach. Wyłaniała się kawałek po kawałku: najpierw niesiony na głowie kosz, potem wierzch kaptura, wreszcie na wpół skryta pod nim twarz. Patrzyła na stopnie, ramiona i plecy trzymała prosto, balansując ciałem. Rzucił się do drzwi, nim postawiła stopę na ostatnim schodku. W odpowiedzi na skrzyp zawiasów zastukała za nim laska *donny* Giacomy. Amata wsunęła się do sieni i uśmiechnęła szeroko. Przyklękła na jedno kolano, postawiła kosz na posadzce i ściągnęła z głowy kaptur, po czym sztywno wstała.

— Nic ci nie jest? Dobrze poszło? — spytała szlachcianka. Konrad przykląkł i uniósł płócienną serwetę przykrywającą zawartość koszyka. Chleb. Kilka bochenków świeżo upieczonego chleba od Ubogich Pań i nic poza tym. Nie kryjąc rozczarowania, spojrzał na dziewczynę.

Amata zignorowała pytanie w jego oczach.

— Tam nie szukaj — powiedziała. — Klepnijcie mnie w plecy, pani.

Donna Giacoma spełniła jej prośbę i zachichotała, słysząc głośne echo.

— To manuskrypty — wyjaśniła Amata. — Nie mogłam się nimi owinąć, jak wcześniej zwojem brata Leona, a uznałam, że w koszyku nie będą bezpieczne. Podejrzewam, że straż miejska jest w zmowie z Bonawenturą. Przecież muszą wiedzieć, że ci zakonnicy wystają w naszym zaułku po nocach, a nic nie robią. No i tak, jak się spodziewałam, strażnicy przy bramie przeszukali koszyk. Z tym koszykiem to był dobry pomysł, bracie Konradzie. Bo niosąc go na głowie, musiałam trzymać się prosto, a nikt nie podejrzewał, że i tak nie mogłabym się schylić, nawet gdybym chciała.

— Tak się o ciebie martwiliśmy, Amatino — westchnęła *donna* Giacoma. — Bardzo długo nie wracałaś.

— Musiałam czekać, aż chleb się upiecze — odpowiedziała Amata z uśmiechem. — Bochenki powinny być jeszcze ciepłe, chociaż na dworze ziąb i strasznie wieje. Skorzystałam z okazji i odwiedziłam siostrę Agnes. Była moją najlepszą przyjaciółką podczas nowicjatu. — Spojrzała na Konrada wciąż klęczącego nad koszykiem. — Znasz ją? Jest siostrzenicą brata Salimbene. Mówi, że jej wuj wrócił do Romanii i może niedługo zawita do Umbrii.

Zachichotała, zbyt podniecona, by czekać na odpowiedź.

— Te historie, które nam opowiadał, kiedy ostatnio odwiedził Agnes! Taka byłam rada, że wzięła mnie na przyzwoitkę, kiedy szła do furty dla gości. Uśmiałam się jak nigdy. Mam nadzieję, *madonno*, że nakłonisz go, by zatrzymał się u nas, miast w Sacro Convento. Cały dom będzie pękał ze śmiechu. — Trajkocząc tak, sunęła bokiem korytarzem. —

Opowiem wam resztę przy kolacji. Teraz muszę zdjąć te księgi z pleców.

Wstającemu z klęczek Konradowi twarz pociemniała. To nie moja wina, że nie jestem gawędziarzem, myślał. To nie leży w mojej naturze. Zawsze byłem melancholikiem. Salimbene ma wrodzone poczucie humoru. Poza tym, czy rozśmieszanie głupich gąsek to zajęcie godne zakonnika?

Kiedy Amata się oddaliła, *donna* Giacoma spojrzała na niego z uśmiechem.

— Jutro z samego rana przyślę ją z woskową tabliczką i książkami do wielkiej sali. Pergamin i inkaust *maestro* Roberto przyniesie, gdy tylko mi powiesz, że jest już gotowa.

— A co z moją pracą? Leon powiedział, że zapoznanie się z tymi życiorysami to pilna sprawa.

— Owszem, pilna. Będziesz uczył Amatę do *mezzagiorno*, kiedy słońce staje w zenicie. Resztę dnia będziesz miał dla siebie.

Musiał przyznać, że to uczciwy układ, nie mógł się jednak doczekać, kiedy zajrzy do rękopisów. Najchętniej zacząłby już dzisiaj, po kolacji. Ale kiedy czytał przy świecy albo łuczywie, wzrok szybko mu się męczył i zaczynały drgać powieki. Jego paryski mistrz twierdził, że to objawy powszechnie spotykane u ludzi z jasnoszarymi źrenicami. Lepiej nie nadwyrężać słabych oczu i wstrzymać się z lekturą do następnego dnia. Podniósł koszyk z chlebem i podreptał za Giacomą do kuchni.

Po burzy gęsta mgła zasnuła doliny Apeninów. Górskie szczyty wyłaniały się z niej niczym pływające wyspy z bezkształtnego morza. Zaprzężony w woły powóz papieża posuwał się z turkotem przez tę mgłę jak widmowa fantastyczna skrzynia, a po obu stronach utwardzonej drogi szaro-brązowymi strumieniami rozmytego świata spływały po zboczach błoto i glina.

Od pospiesznej ucieczki papieskiej świty z Wenecji minęło kilka dni. Ostatni rzymscy rycerze doganiali jeszcze orszak.

Tebaldo wyjechał tak nagle, że spora ich liczba, rozproszona po weneckich burdelach, została w mieście. Kapitan zostawił w Pałacu Dożów tylną straż, żeby wyprawiała maruderów w drogę i starała się przeprosić dożę i jego żonę. Opieszalcy opowiadali, że w miarę rozchodzenia się wieści o katastrofie, w mieście narasta chaos i dochodzi do rozruchów.

— Z początku ludziska nie wierzyli! — krzyczał jeden ze zdrożonych rycerzy do papieża. — Przez cały ranek gromadzili się na nabrzeżu, licząc okręty i szukając wśród ocalałych marynarzy znajomych i krewniaków. Miasto straciło większość z dwustu galer, jakie miało.

Jadący obok papieża Orfeo modlił się o bezpieczeństwo Cecilii. Ocaliła mu życie, odwodząc od udziału w tej wyprawie. Modlił się też do Boga, żeby oszczędził Giuliana, chociaż przeczucie mówiło mu, że przyjaciel spoczywa teraz na dnie morza.

— Przed południem, zaraz po tercji, przypłynęła barka doży — ciągnął rycerz. — Doża stał przez jakiś czas z tłumem na nabrzeżu, potem poszedł do swojego pałacu szukać Waszej Świątobliwości. Lico miał białe jak trędowaty. A kiedy usłyszał, żeście wyjechali, zbladł jeszcze bardziej. Słyszałem, jak wysyła jednego ze swoich ludzi do żony z poleceniem, żeby została w domu. Potem wszedł do pałacu i już go więcej nie widziałem.

— Tak, a w południe ludzie stracili nadzieję, że do portu powróci jeszcze jakiś okręt — dorzucił inny rycerz. — Kiedy wracałem przez plac na swój posterunek, motłoch zaczynał się burzyć. Przykro powiedzieć, ale odgrażali się głównie Waszej Świątobliwości. Uznaliśmy wtedy z kompanem, że w Wenecji nic już po nas.

Szczeliny okna powozu były wąskie i Orfeo nie widział twarzy papieża, usłyszał jednak ból w głosie Tebalda, kiedy ten się odezwał:

— Modliłem się, jeśli nie o ich zwycięstwo, to bezpieczeństwo. Bóg zesłał na nich sztorm. Żadne moje błogosławieństwo nie mogło temu zapobiec.

Kolejni maruderzy, dołączający do kolumny, opisywali dramat kilku następnych dni. Kiedy Wenecjanie dowiedzieli się, że papież zostawił ich i uciekł, wyładowali swój gniew na doży. Krzyczeli, że Bóg karze wciąż Wenecję za grzechy Enrica Dandola i złupienie Haghii Sophii. Pomstowania objęły też, a jakżeby inaczej, obecnego sukcesora Dandola, nieszczęsnego Lorenza Tiepola (który wszak wysłał okręty przeciwko Ankonie) i jego żonę, Greczynkę.

Biskup Wenecji grzmiał i podburzał lud zgromadzony przed Świętym Markiem. „Bóg nie może już ścierpieć zamiłowania tej kobiety do zbytku. Okadza swoje komnaty kadzidłami. Śmierdzi jej weneckie powietrze. Wzdraga się myć naszą wodą i każe sługom zbierać rosę, która spada z nieba. Nie raczy też jeść mięsiwa palcami, jak my wszyscy, lecz każe swoim eunuchom kroić je na małe kawałeczki, które nadziewa potem na złoty dwuzębny przyrząd i dopiero na nim niesie je do ust. Na własne oczy widziałem jej próżność, bo wieczerzałem przy ich stole. Nie dziwota, że nawet Bóg, choć nieskończenie cierpliwy, widząc taką wyniosłość, krzyknął w końcu »Dość!«".

Motłoch wyładował swą furię na doży. Widzieli go wcześniej, jak wchodził do sąsiadującego ze Świętym Markiem pałacu, a więc był bliżej niż żona. Zaczęli go lżyć i żądać jego głowy za życie żeglarzy, którzy się potopili. Gdyby jednak przeczekał ich rozżalenie i wściekłość, na tym by się skończyło. Otoczony przez straż pałacową, byłby bezpieczny. Ale finał weneckiej tragedii miał dopiero nastąpić.

Trzeciego dnia po południu papieską kolumnę dopędził ostatni rycerz z tylnej straży. Rozbili właśnie obóz. Orfeo, nienawykły do spędzania całych dni w siodle, masował sobie siedzenie, stojąc za grupką żołnierzy posilających się z Tebaldem przy ognisku.

— Dajcie temu człowiekowi coś do jedzenia! — krzyknął kapitan do sługi, kiedy rycerz zeskakiwał z konia. Tebaldo wskazał mu pieniek obok siebie. Z namiotów wyroili się pozostali rycerze z giermkami, niektórzy w niekompletnych zbrojach.

Nowo przybyły ściągnął hełm i rękawice. Odbierając od sługi deszczółkę i czarkę, odetchnął głęboko i zaczął opowiadać o pomście ludu.

— Lorenzo wpadł chyba w panikę. Najlepiej było mu szukać azylu w katedrze, ale on bał się, że motłoch przewidzi taki jego ruch. Tak więc wymknął się tylnymi drzwiami pałacu, żeby schronić się w kościele San Zaccaria po drugiej stronie mostu della Paglia.

Rycerz ciągnął swą opowieść, popijając co i rusz winem i zagryzając mięsiwem. Żuł powoli, delektując się zarówno tym, że jest w centrum zainteresowania, jak i sztuką pieczystego, z którego tłuszcz spływał mu po brudnych dłoniach.

— Widziałem wszystko z górnego piętra pałacu. Bóg świadkiem, że strażnicy, którzy wybiegli z pałacu z dożą, robili, co w ich mocy, żeby go ochronić. Siekli mieczami na wszystkie strony. Krew spływała z mostu, ale ciżba napierała.

Wychylił czarkę do dna i podstawił ją do ponownego napełnienia. W ciszy, jaka zaległa, sługa dolał mu wina.

— W końcu — podjął mężczyzna, pociągnąwszy sążnisty łyk — na Calle delle Rasse jakiś człek przedarł się przez kordon żołnierzy i zadźgał Lorenza na śmierć. — Tu uderzył się czarką w napierśnik zbroi, żeby pokazać, gdzie dosięgło dożę śmiertelne pchnięcie, i rozbryzgujące się wino spłynęło po pancerzu niczym krew.

Cichy pomruk rozszedł się po kręgu słuchaczy. Potem znowu zaległa cisza, którą spokojnym głosem przerwał w końcu Tebaldo:

— Prawy był z niego człowiek. Niech spoczywa w pokoju.

— Amen — odpowiedzieli rycerze.

Po chwili milczenia, papież dodał:

— Winniśmy wyrazić szczególne podziękowania naszemu młodemu przyjacielowi z Asyżu. Gdyby nie jego szybka reakcja, być może to nasza osoba leżałaby teraz we krwi na Calle delle Rasse.

Podniosły się wiwaty i na Orfea spadł grad rubasznych szturchańców pod żebra i poklepywań wielkimi jak bochny dłońmi po plecach, od których dech mu zapierało. Aż do tej chwili wyniośli rzymianie uważali go za umbryjskiego gamonia. On ze swej strony nie przejmował się ich opinią i nie próbował wyprowadzać z błędu. Teraz, zakłopotany, by odwrócić od siebie uwagę, krzyknął:

— *Viva Papa!*

Rycerze podchwycili ten okrzyk, a on wycofał się chyłkiem poza krąg wiwatujących.

W mroku na obrzeżach obozu zarżał koń. Orfeo dostrzegł kilka par pomarańczowych ślepi połyskujących w zaroślach. Podniósł z ziemi dwa duże kamienie i postukując nimi, ruszył w tamtą stronę. Wychudłe, podobne psom stworzenia wycofały się bezgłośnie w ciemność. Orfeo, przypomniawszy sobie ogromne wilki z koszmarnego snu Tebalda, wzdrygnął się i przeżegnał.

Amata starała się jak najszybciej uwijać z porannymi zajęciami, żeby mieć więcej czasu na naukę. Każdego dnia Konrad wyskrobywał na woskowej tabliczce nową literę, najpierw małą, potem wielką, i mówił, jakiemu dźwiękowi odpowiada. Następnie ona wodziła rysikiem po rowkach. Pod koniec pierwszego tygodnia potrafiła już pisać całe wyrazy. Przez ostatnią godzinę każdej lekcji Konrad czytał jej po kilka linijek z książek *donny* Giacomy o manierach albo o żywotach świętych, pokazując palcem każde słowo. Potem kazał jej odczytywać z pamięci to, co usłyszała, dopóty, dopóki poszczególne wyrazy nie zaczęły wyglądać znajomo.

Pamiętaj, że nie przystoi drapać się przy stole po głowie, iskać z szyi pchły alibo inne robactwo i rozgniatać je na oczach biesiadników, takowoż rozdrapywać bądź zrywać strupy z jakiejkolwiek części ciała.

Kiedy smarkasz, nie czyń tego w palce, lecz w chusteczkę. Uważaj przy tym, aby gluty nie zwisały ci z nosa na podobieństwo sopli, które widzimy zimą na rynnach domostw.

Bacz, żeby włosy mieć zawsze uczesane i żeby na czepku nie było pierza albo inszej słomy.

Konrad kończył każdą lekcję odczytaniem ustępu ze swojego brewiarza, zwykle paru wersów z psalmów, oraz wygłoszeniem krótkiej homilii wykazującej, że duchowe ćwiczenia nadal mają wyższość nad przyziemną mądrością.

— Niewiasta ciemna i bogobojna — prawił — jest lepsza od tej, która wie dużo, a łamie prawa ustanowione przez Najwyższego.

Amatę śmieszyła i zarazem uspokajała jego konsekwencja. Listopad minął jej jak z bicza strzelił. Popołudniami, kiedy Konrad ślęczał nad swoimi życiorysami, inni pomagali jej szlifować to, czego nauczyła się rano. Wędrowni mnisi i obdarci klerycy byli w domu częstymi gośćmi i czasami zostawali na wiele dni, ci bardziej tolerancyjni zaś wydawali się być zafascynowani oryginalnością eksperymentu *donny* Giacomy. Niebywałe — uczyć taką prostaczkę czytania i pisania! Tylko patrzeć, jak szlachcianka tak wykształci swojego cynamonowoburego kocura, że ten nie wychłepce mleka z miseczki, zanim nie odmówi pacierza!

Amata podejrzewała, że u niejednego z młodszych mężczyzn ta fascynacja ma również inne podłoże, chociaż ona ze swej strony nie czyniła nic, by robić im jakieś nadzieje. Konrad, sądząc z miny, z jaką przechodził przez wielką salę, kiedy czytała tam z którymś z tych wędrowców, chyba też to zauważył.

W swoim mniemaniu subtelnie przypominał jej o ślubie, jaki niedawno złożyła. Kiedy był w takim nastroju, biblijne cytaty, które odczytywał na koniec lekcji, pochodziły nie z psalmów, lecz z Księgi Eklezjastesa*: *Zważ, że nie każde ciało jest piękne, i nie obracaj się wśród kobiet. Bo tak jak z szat wychodzi mól, tak z kobiety grzech mężczyzny... I przekonałem się, że bardziej*

* Księga Koheleta, czyli Eklezjastesa 7,26.

gorzką niż śmierć jest kobieta, bo ona jest siecią, serce jej sidłem, a ręce jej więzami. Kto Bogu jest miły, ten się od niej ustrzeże, lecz grzesznika ona usidli.

Raz przerwał lekcję, żeby powiedzieć jej bez ogródek, iż jeden z mnichów, brat Federico, przedłuża swój pobyt tylko i wyłącznie z jej powodu. Tego dnia zacytował poetę o niemożliwym do wymówienia nazwisku: *Chcesz wiedzieć, czym jest kobieta? Jest ona połyskliwym błotem, cuchnącą różą, słodką trucizną skłaniającą się zawsze ku temu, co jej zakazane.*

Gdyby naprawdę była zainteresowana Federikiem, może by się nawet obraziła. Ale nie była, parsknęła więc śmiechem. Im głośniej się śmiała, tym więcej niepokoju słyszała w słowach Konrada. O wiele łatwiej było mu porównać ją do „połyskliwego błota", a zakonników takich jak Federico nazwać *un cane in chiesa*, psem w kościele, niż powiedzieć: „Martwię się o ciebie, bo mi na tobie zależy". Ale kiedy ją upominał, zawsze słyszała w jego głosie uczucie.

— Wiem, jak cię chronić przed takimi niemoralnymi braćmi — oznajmił pewnego dnia i posłał sługę po *donnę* Giacomę.

Kiedy szlachcianka przyszła, Konrad zaproponował, żeby Amata powtarzała popołudniami to, czego nauczyła się rano, z młodym Pio.

— Pio będzie się dzięki temu uczył od Amaty — powiedział — a jej powtarzanie pomoże lepiej zapamiętać.

Pio był zachwycony, kiedy *donna* Giacoma się zgodziła, bo to oznaczało, że więcej czasu będzie teraz spędzał w towarzystwie Amaty. Brat Federico wyniósł się z domu jak niepyszny, Konrad nie krył zadowolenia, a Amata też odetchnęła z ulgą. Powtarzanie lekcji z chłopcem przypominało bardziej zabawę, bo porady zawarte w jej książce o manierach bardzo go śmieszyły. Czytała, dajmy na to:

— *Jeśli zbierze ci się na beknięcie, zrób to jak najciszej, odwracając zawsze głowę. Jeśli zachce ci się splunąć albo odkaszlnąć, nie połykaj z powrotem tego, co napłynęło ci już do gardła, lecz pluj na ziemię albo w chusteczkę, albo w serwetkę.*

A Pio odwracał wtedy głowę i bekał albo odcharkiwał i z flegmą w buzi prosił przez zaciśnięte usta, żeby pożyczyła mu chusteczkę. Lekcje pisania na woskowej tabliczce szybko przeradzały się w grę w kółko i krzyżyk albo w taniec sześciu mężczyzn, w której za pionki na podzielonej rysikiem na kwadraty tabliczce służyły kawałki zwęglonego drewna wyciągnięte z kominka.

Konrad niewiele mówił o swoich postępach. Amata wiedziała tylko, że czyta życiorys autorstwa Tomasza z Celano. Wszystko wskazywało na to, że opis młodzieńczych lat świętego Franciszka, który tam znalazł, już na wstępie wprawił go w konsternację. Powiedział, że wersja Bonawentury sugeruje tylko eufemistycznie, iż założyciel w młodości „nie stronił od doczesnych uciech".

— Jakże wielką jest moc Boga — dodał Konrad. — Tylko Jego wola mogła ukształtować świętego z człowieka, który tak zaczynał. Zacierając pełnię przeistoczenia Franciszka, Bonawentura pomniejsza łaskę i bożą moc.

Amata zapamiętała i usłyszała już tyle, by rozumieć, że prawdziwym celem, dla którego Konrad studiuje Tomasza, jest wyjaśnienie, co oznacza ta ślepota, albo ślepiec, i przez długi czas mu się to nie udawało. Jednak w końcu chyba się udało.

Pewnego grudniowego popołudnia Konrad wszedł do wielkiej komnaty, gdzie siedziały z *donną* Giacomą, szyjąc i gawędząc.

— *In illo tempore* — mruczał pod nosem. — W owym czasie. — Patrzył na nie, ale jakby ich nie widział. — Ale dlaczego to ma znaczenie? *In illo tempore.* — Z rękoma założonymi na plecach przeszedł w drugi koniec komnaty, tam zawrócił, minął je sztywnym krokiem i wyszedł. Kobiety spojrzały na siebie i zachichotały.

XXIV

W pierwszym tygodniu grudnia zima na dobre zagościła w Asyżu. Poświstywanie wiatru w szparach zasłoniętych okien izby, w której czytał Konrad, przeszło w nieustające wycie przywodzące na myśl lamentujący chór wszystkich duchów nieba i ziemi. Subasio i okoliczne wzgórza zapadły w niespokojny sen.

Nawet w południe naciągnięte na ramy płótno w oknach przepuszczało tak mało światła, że Konradowi, zmuszonemu pracować przy świecy i blasku ognia płonącego na kominku, lektura szła bardzo wolno. Porywy wiatru wtłaczały dym z powrotem do komina i po izbie rozchodził się duszący gorzko-słodki zapach płonącego jałowca, którego pęki przywoziła co rano na osiołku kobieta ze wsi.

Mógł w każdej chwili przenieść się z manuskryptem do jaśniejszej wielkiej komnaty, gdzie uczyli się Amata z Pio i gdzie okna były większe, a komin miał lepszy cug, ale nie robił tego, bo przez dom przewijało się wielu obcych, a on musiał przecież kryć się z tym, co robi. Zdarzyło się raz, że brat

Federico, zanim jeszcze wyniósł się z domu, zajrzał do izby pogrążonego w lekturze Konrada, a ten, żeby odwrócić jego uwagę od księgi, nad którą ślęczał, zaczął mu opowiadać o nowym dziele — *Summa Theologiae* Tomasza z Akwinu — które czytał niedawno w Sacro Convento, i niby to od niechcenia zamknął za plecami manuskrypt Tomasza z Celano. Każdy wędrowny scholar zdumiałby się — i słusznie — widząc w domu osoby świeckiej, nieważne, że szlachcianki, aż cztery księgi. Obojętne jakiego rodzaju. A już zakazane manuskrypty wzbudziłyby ogromne zainteresowanie. Tak więc Konrad siedział zaszyty w swojej zadymionej mrocznej izbie, trąc piekące oczy.

Z rozmów z Leonem znał dzieje rękopisów Tomasza z Celano. Po śmierci Franciszka wszyscy w bractwie byli przekonani, że spisanie żywota świętego powierzone zostanie jego sekretarzowi. Nikt nie był bliżej z Franciszkiem, a prosty niewymuszony styl Leona oddałby najlepiej surowe życie jego mistrza. Ale Eliasz i kardynał Hugdin na wykonawcę tego zadania wybrali Tomasza z Celano, chociaż brat ów nigdy nie spotkał Franciszka i większą część swojej religijnej kariery spędził w Niemczech. Tomasz, na dowód, że potrafi pisać elokwentnie, ułożył wspaniały hymn o śmierci i sądzie — *Dies Irae*. Ponieważ jednak nie znał Franciszka osobiście, zmuszony był prosić o konsultacje głowę zakonu, która zleciła mu to zadanie — brata Eliasza. Nic zatem dziwnego, że Eliasz odgrywał w tekście Tomasza prominentną rolę — tak prominentną, że kiedy popadł w niełaskę i obłożony został ekskomuniką, następny generał, brat Krescenty, poprosił Tomasza o napisanie drugiej wersji życiorysu, w której o Eliaszu nie będzie najmniejszej wzmianki. Żeby pomóc Tomaszowi w pracy nad tym drugim życiorysem, zwrócił się do braci, którzy znali Franciszka, z prośbą o spisanie swoich wspomnień — i tak powstała *Relacja trzech towarzyszy.*

Konrad rozpoczął lekturę dzieła Tomasza z Celano od pierwszej linijki pierwszego akapitu. Lękał się ryzykować, że czytając na wyrywki, przeoczy wskazówkę, której szukał, słowa zaznaczające „początek ślepoty". Przestudiował historię ślepej kobiety, którą Franciszek uleczył, ale nie znalazł w niej nic, co nawiązywałoby do sformułowania Leona. Nadeszły pierwsze śniegi, a on wciąż szukał. Dłonie wieśniaczki dostarczającej drewno na opał poczerwieniały od mrozu, kaptur opończy owijała teraz grubym czarnym szalem z wełny, a Konrad, pokasłując, mozolnie studiował rozdział za rozdziałem życiorysu świętego Franciszka pióra Tomasza. Przeczytał, jak doszło do naznaczenia Franciszka stygmatami na górze Alwernia i opis serafina, zapewne podyktowany Tomaszowi przez Eliasza. A potem, w następnym rozdziale, natrafił na trzy proste, otwierające akapit słowa: *in illo tempore*, „w owym czasie":

> W owym czasie ciało Franciszka zaczęło zapadać na rozmaite i poważniejsze niż dotąd dolegliwości. Często niedomagał, gdyż przez wiele lat umartwiania bardzo je wyniszczył.

O tym, że Tomasz miał na myśli rok Pański 1224, rok naznaczenia stygmatami, świadczyło następne zdanie. Nawrócenie Franciszka miało miejsce w roku 1206.

> Na przestrzeni tych osiemnastu lat, które minęły, jego ciało nie zaznało spoczynku. Ale w myśl praw natury i konstytucji człowieka, koniecznym jest wszak, by nasz człowiek zewnętrzny dzień po dniu niszczał, by odnawiać się mógł człowiek wewnętrzny, i zgodnie z powyższym najcenniejsze naczynie, w którym krył się ów niebiański skarb, zaczęło pękać. ...I choć nosił już na ciele ślady Pana Jezusa, to nie wypełnił widać jeszcze swej ziemskiej powłoki tym, czego jej brakło, by mógł zrównać się w cierpieniu z Chrystusem, albowiem nabawił się poważnej choroby oczu.

To było to, zawarte w jednym zdaniu. Kiedy *zaczęła się* ślepota, Franciszek nosił *już* stygmaty. Z tego wniosek, że owa choroba oczu nie była wynikiem podróży do Egiptu w roku 1219, jak słyszał zawsze Konrad. Czytał dalej:

> Kiedy niekurowana dolegliwość z dnia na dzień postępowała i stan się pogarszał, brat Eliasz, którego Franciszek wybrał, żeby jemu był matką, a pozostałym braciom ojcem, nakłonił go w końcu do poddania się leczeniu.

Dyktując to, Eliasz nie miał żadnego powodu, by ukrywać, od kiedy zaczęły się kłopoty Franciszka ze wzrokiem ani swojej roli w walce z chorobą. Kto zatem, jeśli nie Eliasz, rozpuścił potem wieść, że oczy świętego poraziło palące słońce Wschodu — i dlaczego? W biografii Tomasza nie było wymienione imię tego, który towarzyszył świętemu Franciszkowi w podróży na dwór sułtana Malik Al-Kamila. Ale Bonawentura je podawał!

Konrad przypomniał sobie, co odpowiedział Lodovico, kiedy zapytał go, dlaczego imię Iluminat tak znajomo brzmi: „Był z naszym mistrzem, kiedy ten próbował nawrócić sułtana". Znowu ten Iluminat! To bez wątpienia on zdawał Bonawenturze relację z podróży Franciszka na Wschód, tak jak wcześniej Eliasz dyktował swoją wersję życiorysu Franciszka Tomaszowi. Ale dlaczego Iluminat poczuł potrzebę stworzenia innego wyjaśnienia ślepoty Franciszka tyle lat po napisaniu przez Tomasza pierwszej biografii?

Zakonnik wyjął notatki, które poczynił w Sacro Convento, i przepisał do nich cały rozdział zatytułowany *O żarliwości błogosławionego Franciszka i chorobie jego oczu.* Z wolą bożą pewnego dnia odczyta jeszcze raz ten tekst i zrozumie, dlaczego jego mentor uważał czas pojawienia się tej dolegliwości za tak ważny, że położył na to nacisk w swoim liście.

Nabierał coraz większego przekonania, że tajemnica Leona koncentruje się wokół wypadków sprzed naznaczenia stygmatami i bezpośrednio po tym fakcie. I tak, biorąc do ręki drugą z ksiąg, które Amata przyniosła mu z San Damiano — sporządzoną przez Ubogie Panie kopię *Relacji trzech towarzy-*

szy — otworzył ją od razu na opisie tego epizodu w życiu świętego. To, co tam znalazł, sprawiło, że wrócił do swych notatek i jął je gorączkowo przeglądać.

— Tu jest wyraźna luka, *madonno* — tłumaczył *donnie* Giacomie jeszcze tego samego wieczoru. — Luka tak szeroka, że wozem drabiniastym można by przez nią przejechać. Już wiem, jak okaleczony został Towarzysz, chociaż nadal nie potrafię odpowiedzieć na postawione przez Leona pytania — dlaczego. Ani przez kogo. — Miał wątpliwości, czy szlachcianka pojmie wagę poczynionego przezeń odkrycia, zaciągnął ją jednak do swojej izby, bo rozsadziłoby go, gdyby się nim z kimś nie podzielił.

— Proszę tylko spojrzeć! — wykrzyknął, sunąc palcem po stronicy. — Szesnasty rozdział *Towarzyszy* kończy się na wypadkach, które miały miejsce w roku tysiąc dwieście dwudziestym pierwszym. Dalej następuje krótki opis naznaczenia stygmatami — w roku Pańskim tysiąc dwieście dwudziestym czwartym — a potem mamy od razu śmierć świętego Franciszka w roku tysiąc dwieście dwudziestym szóstym. Gdzie się podziało tych pięć lat po tysiąc dwieście dwudziestym pierwszym? Tyle ważnych zmian zaszło w tym czasie, zarówno w życiu Franciszka, jak i w samym zakonie. Leon i reszta towarzyszy nigdy nie ubarwiliby ani jednego zdarzenia w tak znaczącym okresie.

— Nie licząc naznaczenia stygmatami.

— Aha! To też chciałem wam, pani, pokazać. Proszę spojrzeć na ten opis świętego Franciszka tuż przed pojawieniem się serafina. Leon pisał zrozumiale, ale stylem prostym, niewyszukanym. A co tu mamy? *Cum enim seraphicis desideriorium ardoribus. Promieniujący seraficzną miłością i pogrążony w ekstazie*. To elegancka łacina, *madonno*. Elegancka! I piszący używa również wyrafinowanych filozoficznych zwrotów, na przykład *sursum agere*. Tego nie napisałby żaden z naszych trzech towarzyszy. Taka fraza mogła wyjść tylko spod pióra teologa mającego za sobą studia w Paryżu.

Konrad zdał sobie sprawę, że z podniecenia mówi coraz szybciej i szybciej. Wziął głęboki wdech i powoli wypuścił powietrze. Ze spojrzenia *donny* Giacomy wynikało, że chociaż stara się bardzo nadążyć za tokiem jego myśli, to cała ta sprawa łacińskości nie bardzo do niej przemawia.

— Jeszcze trochę cierpliwości, *madonno* — poprosił.

Rozłożył obok manuskryptu swoje notatki.

— Tutaj jest opis tej samej sceny autorstwa Bonawentury — powiedział, pokazując odpowiednie ustępy. — W obu wersjach czytamy identyczne sformułowania... tutaj, tutaj i tutaj... z wyjątkiem tego ustępu, *kiedy wizja minęła*, gdzie Bonawentura pisze *disparens igitur visio*, w *Towarzyszach* zaś stoi *qua visione disparente* — w moim osądzie sformułowanie mniej wyrobionego umysłu. Zadziwiające podobieństwo, zważywszy na to, że Bonawentura pisał swoją *Legenda Major* — *Życiorys większy* — siedemnaście lat po ukończeniu *Towarzyszy* przez Leona i innych.

— I co z tego wynika?

Konrad skrzyżował ręce na piersi.

— Myślę, że znaleźliśmy odpowiedź na pytanie Leona: *Skąd serafin?* Dochodzę do wniosku, że ową scenę z serafinem w *Towarzyszach* napisał Bonawentura, którego, jak wiem, ten fragment szczególnie fascynuje — bez wątpienia pobudzoną tym, co opowiedział Eliasz Tomaszowi z Celano. Myślę, że człowiek, który był generałem zakonu w roku tysiąc dwieście czterdziestym szóstym, w roku, kiedy Leon oddał mu „Towarzysza", poprosił młodego wówczas Bonawenturę, by napisał tę wstawkę. Człowiekiem tym, człowiekiem, który wymazał również z manuskryptu pięć lat, był Krescenty z Iesi. Jan z Parmy, który nastąpił po nim, nigdy nie dopuściłby się takiego okaleczenia i fałszerstwa. Bonawenturze, kiedy wiele lat później pisał swoją wersję życiorysu i doszedł do tego miejsca, wystarczyło tylko przepisać swój wcześniejszy opis tej sceny z drobnymi gramatycznymi poprawkami.

Wykładając swoją teorię, Konrad doznał przelotnego przeczucia, że uwięzienie Jana z Parmy mogło mieć związek nie tylko z jego „heretyckimi" joachimizmami, ale również z tym okaleczeniem. Tę myśl przerwała mu jednak *donna* Giacoma.

— Ale dlaczego? — spytała.

— Ale dlaczego? — powtórzył zagadkowym szeptem, porządkując swoje notatki. — To to samo pytanie sobie zadaję. Ale dlaczego?

Położył stos notatek na *Towarzyszach* i pochylił się, żeby schować księgę. Kłapanie sandałów na krużganku zmobilizowało go do szybszego działania. Stał jeszcze schylony, kiedy do izby wpadł Pio.

— Przyszedł ktoś z Sacro Convento i chce się z tobą widzieć, bracie.

— Zakonnik? Im nie wolno wychodzić o tej porze.

— Nosi zakonny habit, ale jest w moim wieku. Chyba biegł całą drogę. Był tak zdyszany, że ledwie mógł mówić.

— Podał swoje imię?

— Tak. Ubertino z Casale.

Policzki, nos i uszy zmarzniętego i zmęczonego chłopca pałały jasnym różem. Czekał przy frontowych drzwiach, przestępując niecierpliwie z nogi na nogę, jego jasne oczy pociemniały z emocji.

— *Buona notte*, bracie — powitał go Konrad. — Co się stało? Już po komplecie, a ty jeszcze na nogach?

— Wymknąłem się ukradkiem, kiedy wszyscy poszli spać. Muszę z wami pomówić.

— Jak ci się to udało? — zdumiał się Konrad. Dziwne, bardziej interesowało go, jak Ubertino wymknął się z klasztoru, niż co go sprowadza. Przed miesiącem stał przed tym samym problemem. Z tego, co było mu wiadomo, zakonnicy po zmroku zamykali na głucho Sacro Convento.

Twarz chłopca poczerwieniała jeszcze bardziej, kiedy podeszła do nich *donna* Giacoma. Krępował się mówić w obecności kobiety.

— Są takie drzwiczki, które prowadzą z klasztoru do krypty pod dolnym kościołem. Nikt z nich nie korzysta, a kłódka całkiem przerdzewiała i odpadła. Pokazał mi je wczoraj jeden z nowicjuszy.

— Źleś zrobił. Bonawentura surowo cię ukarze, jeśli się dowie, że u mnie byłeś. Jego szpiedzy bez przerwy obserwują ten dom.

Chłopiec pobladł.

— Nikogo na ulicy nie widziałem — wykrztusił. Obejrzał się nerwowo na drzwi. Najwyraźniej nie brał tej możliwości pod uwagę. — Musiałem was ostrzec.

Donna Giacoma dotknęła ramienia Konrada.

— Powstrzymaj na chwilę swój język, bracie. Nie strasz chłopca, bo i tak już ma duszę na ramieniu. Dopuść go do głosu.

Ubertino podziękował jej uśmiechem.

— Dziś wieczorem usługiwałem do wieczerzy w wirydażu — zwrócił się do Konrada. — Generał ma gościa, brata Federica. Rozmawiali o was.

Federico! Czyżby i on był szpiegiem Bonawentury? I przez wszystkie te popołudnia, kiedy on, Konrad, czytał, starał się wyciągnąć jakieś informacje od Amaty?

— Federico powiedział, że macie księgi, które brat Bonawentura powinien zobaczyć. Generał wpadł we wściekłość! Zaczął się odgrażać, że dostanie je w swoje ręce. I was też! Zamierza przysłać tu znowu Federica z jeszcze jednym zakonnikiem, żeby je wykradli. Powiedział, że pojutrze wyjdziecie zapewne z domu. Dziś po południu przybył do klasztoru posłaniec z wiadomością, że papież jest już tylko dwa dni drogi od miasta. Zatrzyma się w Asyżu na kilka dni i brat Bonawentura jest przekonany, że całe miasto wylegnie na ulice, by go powitać. Kazał Federicowi pojmać was, kiedy tylko stąd wyjdziecie.

Konrad stał osłupiały, *donna* Giacoma zastukała laską o posadzkę.

— Bonawentura okazuje się tak samo nikczemny, jak jego poprzednicy — stwierdziła. — Władza psuje ich wszystkich. Nie spodziewałam się tego po nim.

Pio czekał w dyskretnej odległości w głębi korytarza. Szlachcianka skinęła na niego.

— Amata odmawia chyba wieczorne pacierze w kaplicy. Zaczekaj na zewnątrz, aż skończy, i przyprowadź ją do nas.

Pio oddalił się biegiem, a stara dama poklepała Ubertina po ramieniu.

— Dzielne z ciebie dziecko. To dzięki takim jak ty młodzianom i obecnemu tu bratu Konradowi nie tracę jeszcze wiary w zakon. Chcesz coś gorącego do picia, zanim tam wrócisz?

Chłopiec pokręcił głową.

Konrad odzyskał wreszcie mowę.

— Dlaczego tak dla mnie ryzykowałeś?

Ubertino się zarumienił. Teraz, kiedy wykonał najważniejszą część swego zadania, opuszczała go pewność siebie.

— Wielu braci mówi, że święty z was człowiek. Powiadają, że nadejdzie taki dzień, kiedy generał wtrąci was na zawsze do lochu. A to przecież niesprawiedliwe, bo wy niczego złego nie zrobiliście.

Konrad, ujęty naiwnością chłopca, zdobył się na ironiczny uśmiech.

— Jeśli pamiętasz, co czytałeś w Biblii, tak właśnie zaczynał się Kościół, od prześladowania niewinnych. — Uścisnął chłopcu dłoń. — *Mille grazie*, Ubertino. Mam nadzieję, że potrafię ci się kiedyś odwdzięczyć. Uważaj, gdy będziesz stąd wychodził. Tylko tego by brakowało, żeby zamknięto cię w lochu albo wychłostano.

Kiedy za nowicjuszem zamknęły się drzwi, wrócił Pio, prowadząc Amatę. Dziewczyna spojrzała pytająco na *donnę* Giacomę.

— Otrzymaliśmy właśnie niepokojącą wiadomość, Amatino — powiedziała szlachcianka z przekąsem. — Nasz minister generalny zabiega usilnie o awans, może nawet chce zostać świętym. Zamierza poświęcić naszego dobrego przyjaciela, brata Konrada, by utrzymać pozory harmonii w zakonie — tak jak to uczynił z bratem Janem z Parmy.

Jej słowa poruszyły Konrada. Z ust mu to wyjęła! Szlachcianka spojrzała na niego, twarz ściągała jej troska.

— Musisz uchodzić w góry — powiedziała.

Nie wierzył własnym uszom. Amata wyglądała na podobnie zaskoczoną, widział to w jej oczach.

— Nie czas jeszcze, żeby nasza mała rodzina była razem — ciągnęła *donna* Giacoma. — Idylla, w której żyliśmy przez ten miesiąc, była tylko wstępem. — Wzięła ich oboje za ręce. Konrad drgnął, ale nie cofnął ręki. — Z wolą bożą zejdziemy się jeszcze kiedyś, i to za mojego życia.

Puściła ich dłonie i zwróciła się do Amaty:

— Możesz odnieść te księgi z powrotem do San Damiano? Musimy działać, zanim wstanie świt. — Amata skinęła głową. — Powinniście opuścić miasto razem, najbliższą, czyli północną bramą — di Murorupto. Zaczekacie gdzieś w pobliżu i wyjdziecie, gdy tylko z biciem na poranny *Angelus* będą ją otwierali. — *Donna* Giacoma mówiła z precyzją wojskowego kapitana prowadzącego odprawę ze swoimi żołnierzami, ściskając w dłoniach rączkę laski.

— Jak długie masz teraz włosy, dziecko? — spytała. Amata uniosła rąbek czepka. — Dobrze. Nie są jeszcze za długie. Pora, byś wcieliła się z powrotem w rolę braciszka nowicjusza. Strażników miejskich nie zainteresuje zbytnio dwóch braci opuszczających miasto. Wychodząc pojedynczo, zwracalibyście na siebie większą uwagę. — Jej zielone oczy zabłysły. — Bonawentura nie wie, że znamy jego zamiary, a więc sprzyja nam czynnik zaskoczenia. Możemy działać, kiedy bracia śpią. Wątpię, by generał powiadomił już straże miejskie, ale mnisi pilnujący naszego zaułka mogą być dzisiaj czujniejsi niż zwykle.

Ty, Amato, odczekaj kilka dni w San Damiano, zanim tu wrócisz. Bonawentura, kiedy się dowie, że Konrad mu się wymknął, odwoła chyba swoich szpiegów.

Spojrzała na jedno, potem na drugie. Jej twarz wyrażała dumę i strach, gniew i smutek. Wyglądała na znużoną, lecz zdeterminowaną. Ponownie wzięła ich za ręce i zamknęła oczy. Unosząc głowę, odmówiła modlitwę:

— Dobry Boże, proszę, nie odbieraj mi znowu moich dzieci.

Amata siedziała w kucki za Konradem w portyku kamienicy przy Piazza di San Francesco. Noc pachniała śniegiem, lodem i szronem. W mroźnym powietrzu najcichszy dźwięk — chrobot szczurzych łapek w rynsztoku, pobrzękiwanie na wietrze zawieszonych na łańcuchach szyldów — rozchodził się niesamowitym echem po wyludnionych ulicach. Najchętniej przytuliłaby się do zakonnika i ogrzała ciepłem jego ciała, wiedziała jednak, że Konrad wolałby raczej widzieć ich oboje zamarzniętych, niżby na to pozwolił.

Na lewo, po drugiej stronie *piazza*, wznosiła się bazylika, na prawo zawarta i zaryglowana Porta di Murorupto odcinała im drogę ucieczki. Wstali z Konradem przed świtem, kiedy dzwony bazyliki wzywały zakonników na jutrznię. Amata ponownie przytroczyła sobie manuskrypty pod habitem i wymknęli się z domu *donny* Giacomy. Strażników Bonawentury jak dotąd nie widzieli, ale z każdą chwilą, przez jaką brama pozostawała zamknięta, niepokój dziewczyny rósł. Dygotała i z nerwów, i z zimna, bo wiatr łaskotał jej stopy, pięty i wciskając się pod habit, omywał łydki. Kropelka zimnego potu ściekała jej po kręgosłupie. Zaciskała mocno zęby, ale te mimo wszystko szczękały tak głośno, że zakonnik obejrzał się i ściągnął brwi.

— Zaraz powinni dzwonić na *Angelus* — wyszeptał. Jemu czas też widać się dłuży, pomyślała Amata. Chociaż niebo zaczynało już jaśnieć, każde uderzenie serca odmierzało całą wieczność.

Nagle Konrad wymruczał pod nosem coś niezrozumiałego. Wyciągnęła szyję, żeby spojrzeć ponad jego ramieniem. Od Via San Paolo, którą niedawno tu przyszli, zbliżały się, kierując, w ich stronę, dwie rozkołysane latarnie. Jeszcze kilka kroków i rozróżniła w mroku sylwetki niosących je mnichów. Poczuła parcie na pęcherz, ze strachu ścisnęło ją w dole brzucha.

— Zaczekaj tutaj — mruknął Konrad. Odłożył sakwę, do której kucharka *donny* Giacomy spakowała mu prowiant na drogę. — Przygotuj się i ruszaj, jak tylko otworzą bramę. Dogonię cię.

Zanim zdążyła coś powiedzieć, wstał i nie kryjąc się, pomaszerował przez *piazza*. Przyspieszał stopniowo kroku i zbliżając się do bazyliki, prawie biegł. Co on zamierza? Latarnie też skręciły w stronę kościoła. Wytężając wzrok, wpatrywała się w pogrążoną w mroku boczną ścianę bazyliki w nadziei, że Konrad opuści ją innymi drzwiami, tak jak uczyniła to ona, idąc po manuskrypty do San Damiano.

Zerwał się tak niespodziewanie, że nie zdążyła podsunąć mu tej myśli. Już wcześniej chciała z nim porozmawiać, ale bała się odezwać, nawet szeptem, bo najmniejszy hałas mógł zdradzić ich kryjówkę. Postanowiła zaczekać z tym do czasu, aż znajdą się za miastem, a teraz on odszedł.

Ułożyła już sobie w głowie, co powie: Czy po oddaniu przez nią manuskryptów Ubogim Paniom pozwoli jej iść ze sobą w góry? Tak dobrego traktowania, jak w domu *donny* Giacomy, nie zaznała od czasu, kiedy Simone della Rocca porwał ją z Coldimezzo, ale ona chce być wolna. Do tego, że darzy

Konrada coraz silniejszym uczuciem, głośno nie odważy się przyznać. Nie znała dotąd mężczyzny tak bezinteresownie jej życzliwego, chociaż on nie wyrażał tej życzliwości pięknymi słówkami. Pamiętała miękkość jego warg, kiedy musnęły jej czoło na górskiej półce. „Całus na pożegnanie, na wypadek, gdybyśmy nie dożyli". Amata zatęskniła teraz za takim pocałunkiem. Wiedziała, że co najwyżej liczyć może na jego przyjaźń. Ale nie dało się zaprzeczyć, że odznaczała się zaradnością, której jemu brakowało. Przydałaby mu się tam, w górach. Mogłaby go wyręczać w codziennych zajęciach, żeby więcej czasu mógł poświęcić kontemplacji. Zbudowałaby sobie nieopodal własną chatkę i żyliby razem, ale osobno, jak dwoje świętych pustelników, a on byłby jej duchowym mentorem.

Do bazyliki weszli zakonnicy z latarniami i strach rozpędził te fantazje. Konradzie! Gdzie, u diabła, jesteś!

Dzwon na kampanili bazyliki uderzył trzy razy. Wreszcie ten *Angelus*! Podnosząc się z kucek i nie odrywając oczu od wychodzącego z wartowni strażnika, zaczęła odmawiać bezgłośnie modlitwę żarliwie jak nigdy dotąd:

Anioł Pański objawił się Maryi
I poczęła za sprawą Ducha Świętego.
Ave Maria, gratia plena, Dominus tecum...

Dzwon uderzył kolejne trzy razy i odźwierny dźwignął ciężką belkę, którą zaryglowana była brama. Konrad nadal nie wychodził z kościoła.

Oto ja, służebnica Pańska,
Niech mi się stanie według słowa twego.
Ave Maria, gratia plena...

Powinna już ruszać. Dzwon uderzy jeszcze trzy razy na *Słowo stało się Ciałem i mieszkało między nami*, potem zamilknie po raz trzeci na ostatnią *Ave Maria* i antyfonę, a następnie rozdzwoni się ponownie, już bez ustanku, i zaspani wierni w całym mieście zaczną zwlekać się z łóżek.

Amata wysunęła się z cienia i podreptała ku bramie, ale dzwon zamiast zabić po raz trzeci, milczał. Była już w połowie placu i widziała, jak strażnik odwraca się, zadziera głowę i ze zdziwieniem patrzy na kampanilę. Dopiero teraz zrozumiała, dlaczego Konrad ją zostawił. To on pociągał za sznur dzwonu, dopóki nie przepłoszyli go — albo, co gorsza, nie pojmali — mnisi.

Strażnik gapiący się na bazylikę przeniósł wzrok na nią. Wciąż trzymał belkę. Po chwili odwrócił się i znów zaryglował nią bramę. Z głównego wejścia bazyliki wynurzyła się latarnia i skierowała ku wartowni. Amata była uwięziona w mieście!

Nad najdalej na północ wysuniętymi domami górowało porośnięte krzakami wzgórze, na szczycie którego wznosiła się Rocca. Mury miasta pięły się po stoku i obejmowały cytadelę, tak że północna ściana Rokki tworzyła również ich odcinek. Amata zanurkowała w zarośla. Zamierzała przejść między domami a fortecą i dotrzeć do dolnego miasta, zanim zakonnicy zdążą powiadomić strażników pilnujących tamtejszych bram. Miała nadzieję, że strażnik i mnich nie ruszą za nią w pogoń. W tych krzakach by się przed nimi nie ukryła. Przyświecając sobie latarnią, szybko wytropiliby jej ślady na pokrywającej stok cienkiej warstwie śniegu.

Była jeszcze w zasięgu głosu, kiedy od *piazza* ktoś za nią krzyknął:

— Ty, tam, braciszku! Stój!

Nie oglądając się, zaczęła biec, ale pośliznęła się na nierównym zlodowaciałym podłożu. Ziemia uciekła jej spod nóg i z krzykiem zjechała kawałek po stoku. Pozbierała się i z walącym sercem ruszyła dalej.

— Pobiegnę za nim! — usłyszała za sobą. — Ty pędź przez miasto i odcinaj mu drogę od dołu.

Przedzierała się przez krzaki z nadzieją, że starszy mężczyzna nie zdoła jej dopędzić. Gałęzie drapały jej skórę na dłoniach i ramionach, ale jednocześnie pomagały utrzymać się na nogach. Odgłosy pogoni za jej plecami cichły, co znaczyło, że strażnik zostaje z tyłu. Nie dawał jednak za wygraną. Przekleństwa i szczęk metalu, kiedy się przewracał, zdradzały jego pozycję.

Na tle szarzejącego nieba widziała już przed sobą sylwetkę Subasio.

W połowie drogi w poprzek stoku natrafiła na przysypany śniegiem szlak wijący się między zaroślami. Rozpoznała drogę prowadzącą do Rokki. Zatrzymała się. Może zgubi strażnika, jeśli podbiegnie nią kawałek pod górę i tam znowu da nurka w zarośla? Był już pewnie zmęczony i strome zbocze zniechęci go może na tyle, że poniecha pościgu. Wspięła się kilka kroków i zatrzymała znowu jak wryta na dźwięk nieregularnego stukotu kopyt na drodze przed sobą. Ale było już za późno na ukrycie się, bo w następnej chwili jeździec na olbrzymim koniu bojowym wyłonił się z ciemności tuż przed nią. Stratowałby ją, gdyby galopował z normalną szybkością.

W ostatniej chwili odskoczyła w bok, ale jeździec zagrodził jej drogę.

— Hola, braciszku! — krzyknął. — Opatrzność mi cię zsyła. — Rozpoznała gardłowy głos Calista di Simone i zamarła.

Przemknęło jej przez myśl, że zaalarmowała go nocna straż, ale zaraz uświadomiła sobie, że nie może przecież wiedzieć o tarapatach, w jakie wpadła. Spuściła skrytą pod kapturem głowę i starała się udawać, że nie zwraca uwagi na dobiegający z zarośli coraz głośniejszy trzask gałązek łamanych przez przedzierającego się przez krzaki strażnika.

— Jesteś księdzem? — spytał Calisto. — Mój ojciec umiera i trzeba go wyspowiadać.

Znalazłszy się między młotem a kowadłem, musiała się szybko decydować. Strażnik lada chwila wypadnie na drogę.

— Dobrze, *signore* — odparła, starając się pogrubić głos. Od opuszczenia domu *donny* Giacomy nie odezwała się słowem i trochę ochrypła, co ułatwiło sprawę. — Podwieź mnie. Nie ma czasu do stracenia.

Calisto wysunął stopę z lewego strzemienia. Wsunęła w nie swoją obutą w sandał, a on podał jej rękę. Wokół jej dłoni zacisnęły się wszystkie jego palce prócz jednego, wskazującego, który pozostał wyprostowany — nie mógł go zginać. Uśmiechnęła się mściwie pod kapturem, dosiadając końskiego zadu. Ten sztywny palec już zawsze będzie przypominał Calistowi dziewczynę, którą próbował kiedyś zgwałcić. Zastanawiała się przez chwilę, czy nie dokończyć dzieła, wbijając mu nóż między żebra i zabierając konia. Ale nadal byłaby uwięziona w murach miasta, a zakonnik na bojowym koniu z pewnością ściągałby na siebie powszechną uwagę.

— Złap się za mój pas — powiedział Calisto, spinając konia ostrogami. Posłuchała, ale najchętniej złapałaby go za gardło. Pacnęła konia dłonią po zadzie. Była teraz wdzięczna *donnie* Giacomie, że poradziła jej przywiązać sobie manuskrypty jeden do brzucha, drugi do pleców. Miała dzięki temu większą swobodę ruchu, a do tego manuskrypt na brzuchu chronił przed kontaktem z ciałem Calista. Poza tym, szersza w talii, wyglądała starzej.

Zobaczyła przed sobą smoliście czarną bramę zamku obramowaną pochodniami i rozdziawioną niczym żarłoczna paszcza. Przygotuj się na ponowne odwiedziny w piekle, podszepnął jej wewnętrzny głosik. Dygotała teraz tylko i wyłącznie ze strachu, bo zimna zupełnie nie czuła — pomimo mrozu, pot ściekał jej po bokach i między piersiami.

A co będzie, jeśli Calisto ją rozpozna? Jeśli nawet od razu nie skróci jej o głowę mieczem albo toporem, to będą ją tu więzić i męczyć do końca jej dni. Naszła ją nagła pokusa zeskoczenia z konia i czmychnięcia w krzaki. Nie zrobiła tego jednak. Tylko tego brakowało, żeby po piętach deptał jej jeszcze rozeźlony rycerz. Musi grać do końca swoją rolę. Jak udziela się Ostatniego Namaszczenia, widziała tylko raz, kiedy umierał jej dziadek, *nonno* Capitanio. Wiedziała, że potrzeba do tego świętego krzyżma, a ona nie miała przy sobie żadnego olejku. Może poprosić o zwykłą oliwę z oliwek i wymruczeć nad nią jakieś błogosławieństwo? Albo pod pretekstem, że czas nagli, ominąć ten rytuał? Postanowiła, że zacznie od wysłuchania spowiedzi Simone i będzie się modliła do Boga, żeby nią pokierował.

— Schyl się! — wrzasnął Calisto, kiedy końskie kopyta zaklekotały na brukowanym dziedzińcu. Frontowe drzwi twierdzy Rocca otworzyły się i wpadli przez nie do środka. Pokonali kilka korytarzy i wjechali do wielkiej sali. Amata zeskoczyła z konia, Calisto też zsiadł i rzucił cugle słudze. Kilka osób ze świecami otaczało stojące pośrodku łoże.

Amata nie mogła uwierzyć, że ta skurczona postać zakopana w pościeli — ten zasuszony, blady jak prześcieradło mól, któremu poobrywano skrzydełka i czułki, z małymi czarnymi wgłębieniami tam, gdzie powinny być oczy — to jej dawny prześladowca. Pierzyna okrywała go po szyję niczym kokon, na wierzchu spoczywała tylko jedna ręka. Amata, nie ściągając z głowy kaptura, podeszła do łoża.

— Wyjdźcie, proszę, z sali i zamknijcie drzwi — powiedziała. — Chcę go wyspowiadać.

— On nie może mówić — mruknął Calisto. — Bełkocze tylko niezrozumiale.

Tego nie wzięła pod uwagę. Patrzyła przez chwilę z góry na nieruchomą postać.

— Paraliż? Może poruszać dłonią albo chociaż palcem?

— Tak, sparaliżowało go, ale tylko jedną stronę.

— Odmówię więc nad nim litanię grzechów, a on może mi odpowiadać „tak" albo „nie", poruszając palcem w górę i w dół albo na boki.

Calisto skinął głową i wyprowadził wszystkich z sali. Drzwi się za nimi zamknęły i Amata została z Simone sam na sam.

— Słyszysz mnie, ty odrażający grzeszniku? — zaczęła, zwracając się do insekta na poduszce.

W zapadniętych oczach Simone, kiedy powoli skierował na nią wzrok, zapłonęło przerażenie.

— Tak, zdychasz. Poproszono mnie, żebym ratowała twoją duszę od ogni piekielnych. Czy składałeś kiedykolwiek fałszywe świadectwo albo wypowiadałeś imię Boga nadaremno? — Simone poruszył lekko dłonią. — Tak, oczywiście, tysiące razy, słyszałam na własne uszy. Czy nie pohańbiałeś Błogosławionej

Matki i swojej małżonki cudzołóstwem, nie napastowałeś sług swoich, zarówno mężczyzn, jak i kobiet, a nawet własnej córki w swej nienasyconej żądzy? Czy nie zasługujesz na smażenie się za swe zbrodnie w piekle przez milion wieczności?

Przerażenie mieszało się w zapadniętych oczodołach z błaganiem, ale ona nie miała litości.

— Czy nie zamordowałeś Buonconte di Capitania, kiedy modlił się w kaplicy w Coldimezzo, a wraz z nim jego syna i żony Cristiany? Czy nie wziąłeś w niewolę jego córki i nie dopuściłeś się wobec niej najobrzydliwszych praktyk? Nie próbuj wypierać się swych grzechów, Simone, bo przed Bogiem nie ukryje się najgłębszy zakamarek twojej złej duszy.

Stary rycerz usiłował się od niej odwrócić, ale złapała go za ramię i przytrzymała. Ściągnęła z głowy kaptur.

— Przyjrzyj mi się — podjęła. — Patrz, to nie ksiądz, lecz ja, Amata, Amata di Buonconte, którą zniszczyłeś. Nie mam mocy, by oczyścić twoją duszę, nawet gdybym chciała. Jeszcze tej nocy zatańczysz z diabłem w piekle, i tańczyć z nim będziesz już noc w noc przez wieczność całą. Bądź przeklęty, Simone! Przeklęty i potępiony!

Ostatkiem sił Simone wyciągnął zdrową rękę do dzwonka na nocnym stoliku, lecz Amata chwyciła go za nadgarstek i przytrzymała. Czuła, jak uchodzi z niego siła.

— Kiedy żyłam tu jako niewolnica — ciągnęła — byłeś jak ta pijawka, która przyssała się do mego serca i piła moją krew. Teraz to wstrętne stworzenie wreszcie odpadło i powróciło do twojego serca, na którym będzie żerowało, dopóki cię do cna nie wyssie.

Rycerz rozkaszlał się, ślina pociekła mu po brodzie. Kaszel nasilił się, kiedy spróbował wyrwać rękę z jej uścisku, a blada twarz najpierw posiniała, a potem spurpurowiała. Na pociemniałych policzkach pojawiła się szczecina białych włosków. Przypominały Amacie gwiazdy rozbłyskujące na ciemniejącym niebie. Wpatrywała się w nie jak zahipnotyzowana, nie na tyle jednak, żeby nie zdawać sobie sprawy, że Simone się dusi.

Trwając w tym przypominającym sen transie, trzymała go mocno za nadgarstek, dopóki ten nie zwiotczał. Wtedy położyła mu rękę na piersi. Wyciągnęła mu spod pierzyny drugą rękę i położyła na pierwszej.

— Suczy synu — syknęła, ocierając dłonią gorące łzy, które niespodziewanie napłynęły jej do oczu. — Ukradłeś nawet pierścień, który *nonno* Capitanio dał mojemu ojcu. — Spróbowała ściągnąć mu z palca pierścień z lazurytem, ale nie chciał zejść. — Ty tchórzliwe złodziejskie nasienie. — Sięgnęła po przypięty paskiem do nadgarstka nóż, żeby obciąć mu palec wraz z pierścieniem, ale w tym momencie skrzypnęły drzwi. Czym prędzej nasunęła na głowę kaptur i uroczystym głosem powiedziała:

— Odszedł. Niech jego duszę spotka teraz nagroda, na jaką zasłużyła.

Zamachała nad trupem ręką, uważając, żeby przypadkowo nie pobłogosławić go znakiem krzyża, i podeszła do drzwi. Calisto prężył się na korytarzu w pozie przystojącej nowemu *signore* na Rocca Paida.

— Na odchodnym zajdź do kuchni, *padre*. — Skinął na służkę i Amata ruszyła za nią.

Znała bardzo dobrze i drogę do kuchni, i każdy korytarz w tym labiryncie. Ileż to razy bawiła się tu ze swą panią w chowanego? Jakże często uciekała nimi przed Simone i jego synami? W pewnej chwili, na przecięciu dwóch korytarzy, zatrzymała się. Służąca szła dalej prosto, a ona, zzuwszy sandały, skręciła szybko w prawo. Musiała dotrzeć do następnego zakrętu, zanim kobieta zorientuje się, że nikt już za nią nie podąża. W lewo, znowu w prawo, w dół po schodach i już była przy drzwiach w północnej ścianie zamku. Zdjęła blokującą je sztabę i otworzyła.

Była bezpieczna, za murami zamku, za miastem! Trzymając się w bezpiecznej odległości od murów, okrąży teraz Asyż i pod osłoną gajów oliwnych pomaszeruje do San Damiano. Zwróci tam manuskrypty, a potem, jeśli szczęście nadal będzie jej dopisywało, odnajdzie Konrada. Jeśli uszedł, będzie się kierował do swojej pustelni. Pójdzie tam za nim i wyłoży mu swój plan.

Niebo pojaśniało, było białe i czyste, jeśli nie liczyć jednej deszczowej chmury czarnej jak zwęglona szczapa, wiszącej dokładnie nad Roccą. I ta chmura na jej oczach zaczęła odpływać, z początku powoli, potem coraz szybciej na południe. Oto odchodzi jego mroczna nierozgrzeszona dusza, unosząc ze sobą milion plugawych obrazów, którymi się karmiła, pomyślała Amata. Wyobraziła sobie Simone wijącego się w męczarniach w morzu ognia, wrzeszczącego z bólu, poszturchiwanego rozgrzanymi do białości szpikulcami i widłami przez legiony demonów. Dzięki ci, Panie, pomyślała, że pozwoliłeś mi odegrać rolę w skazaniu go na potępienie.

Pomściła częściowo śmierć rodziców. Pewnego dnia, w jakiś sposób, dokona zemsty na rodzinie Angela Bernardone, handlarza wełną, który wynajął Simone i jego żądnych krwi synów.

XXVI

Pierwszy dzień Konrad przesiedział zamknięty w celi, czekając, co o jego losie zdecyduje Bonawentura. Dwaj zakonnicy przeszukali go, zabrali brewiarz i list od Leona, zabrali krzesiwo i nóż. Swoje notatki zostawił u *donny* Giacomy. List od mentora już od dawna znał na pamięć, co zaś do reszty rzeczy, to i tak zamierzał się ich pozbyć. Nie posiadał teraz zupełnie niczego, prócz odzienia, bo wymagała tego obyczajność. Zakonnicy zostawili mu oba habity — ten stary, wytarty, w którym uparł się opuścić dom *donny* Giacomy, oraz nałożony na wierzch nowy, bez którego *donna* Giacoma nie chciała go wypuścić, twierdząc, że w stroju brata konwentualnego strażnik przy bramie prędzej go przepuści. Zakonnicy zabrali mu jednak wełnianą kapuzę i oderwali od obu habitów kaptury, żeby podkreślić jego hańbę.

W wilgotnej, podziemnej celi bez okien pachniało świeżo wzruszoną ziemią. Drugi habit okazał się teraz jak znalazł. Pozbawiony możliwości ruchu, Konrad chyba by bez niego zamarzł. Był przykuty łańcuchem do ściany za kostkę, szyję obejmowało mu przytwierdzone do ściany skórzane chomąto, które unieruchamiało górną część ciała. Spędziwszy w tej ciemnicy kilka godzin, zatracił zupełnie poczucie czasu. Nie wiedział już, czy to noc, czy dzień, kiedy zakonnicy wrócili. Jeden uwolnił mu kostkę, drugi wyprowadził z celi za łańcuch przymocowany do chomąta. Przypomniało mu się, jak w święto plonów widział niedźwiedzia, którego przyprowadzono na łańcuchu, przykuto do słupa i poszczuto sforą rozwścieczonych psów. Walczył dzielnie, ale w końcu, pokąsany, uległ, wykrwawiając się na śmierć. I chyba na to wspomnienie w Konradzie obudziło się przeczucie.

Zacisnął mocno powieki, porażony jasnością pomieszczenia, do którego go wepchnięto. Uchylając je powoli, ujrzał ogień płonący na palenisku w kącie i piętrzącą się obok przerażającą kolekcję szczypiec, szpikulców i dziwnego kształtu żelastwa. Nad ogniem pochylał się trzeci zakonnik. A więc przywiedziono go do izby tortur!

Czyżby Bonawentura, zanim go uwolni, chciał wypalić mu na czole piętno — ku przestrodze innym krnąbrnym mnichom? Kiedy za Konradem zatrzasnęły się drzwi, zakonnik oprawca wyciągnął z ognia szpikulec i podmuchał na jego rozjarzony czubek. Maleńkie iskierki oderwały się od żelaza i czubek zapulsował jaskrawo pomarańczowym kolorem. I oto wysuwa się szpon gryfa, pomyślał Konrad.

Dwaj zakonnicy podprowadzili go do ściany i przykuli do niej za kostki i nadgarstki. Krzyknął mimowolnie, kiedy jedna z oków, zatrzaskując się na nodze, przyszczypała mu skórę.

— „Gdacz sobie, gdacz, najgorsze jeszcze przed tobą", powiedział lis do kury, którą unosił z kurnika — odezwał się, nie odwracając, mężczyzna przy ogniu.

Konrad znał ten głos, ale kiedy ostatnio go słyszał, to jego właściciel cierpiał. Mężczyzna odwrócił się powoli i w migotliwym blasku ognia zakonnik ujrzał tonsurę koloru słomy oraz straszną bliznę po oparzeniu, która pokrywała połowę twarzy. Zefferino wlepił weń ocalałe oko i wargi wykrzywił mu perwersyjny uśmieszek.

— Niezbyt przyjemny widok, co, bracie? Teraz rozumiesz, dlaczego poprosiłem, by uczyniono mnie dozorcą tych lochów. Tam, na górze, ta twarz budzi tylko obrzydzenie i ściąga na mnie kpiny. — Dał mnichom znak, żeby wyszli. — Uczę się dopiero zadawania tortur. Nie chcę, żeby omdleli, jeśli coś spartaczę — wyjaśnił.

— Co chcesz zrobić?

Zefferino odwrócił się do niego plecami i powiedział do płomieni:

— Wyegzekwować odwieczne prawo: oko za oko. — Obejrzał się i posłał Konradowi mściwe spojrzenie.

— Ale za co?

— Za wtykanie nosa w nie swoje sprawy. Myślałeś, że zlekceważenie ostrzeżenia generała ujdzie ci płazem? *Quando si è in ballo, bisogna ballare*. Kiedy przychodzisz na tańce, mus tańczyć.

— Zefferino, na miłość boską! — powiedział błagalnym głosem Konrad. — Wyspowiadałem cię i rozgrzeszyłem, kiedy myślałeś, że umierasz. Przysłałem po ciebie do kapliczki. — Mnich nie odpowiadał. — Chrystus odrzucił to prawo Starego Testamentu. Zastąpił je nowym prawem miłości i przebaczenia. Wybacz swemu nieprzyjacielowi siedemdziesiąt po siedem razy.

Zefferino wyprostował się i znowu dmuchnął na szpikulec.

— *Jeśli oko cię uraża, wyłup je*. A twoje oko, twój wzrok urażają mnie aż nadto, bracie Konradzie. To za twoją sprawą jestem dzisiaj, jaki jestem, i tu, gdzie jestem.

Kiedy mnich ruszył w jego stronę, Konrad przypomniał sobie pewien epizod z życia świętego Franciszka, kiedy medycy postanowili leczyć jego ślepotę przyżeganiem. Franciszek przeżegnał rozżarzony pręt znakiem krzyża i zwrócił się do niego: „Bracie Ogniu, proszę cię, obejdź się ze mną łagodnie w tej godzinie. Nie przypalaj mnie boleśniej, niż mogę to znieść". Konrad powtórzył w myślach tę prośbę, zwracając się do nieożywionego szpikulca, który Zefferino przybliżył do jego twarzy.

W nozdrza uderzył go swąd rozpalonego żelaza, zacisnął mocno powieki. Karmazynowy ból eksplodował mu w oczodole, kiedy ognisty szpon przysmażył ciało. Wrzasnął, pomimo obrazu spokojnego świętego Franciszka, który miał przed oczyma duszy. Mdlejąc, usłyszał jeszcze krzyk Zefferina:

— Ciesz się, że straciłem tylko jedno oko, bracie!

Orfeo nie przypuszczał, że widok murów Asyżu przyniesie mu aż taką ulgę. Ostatni tydzień podróży był istną drogą przez mękę. Pokrywa śniegu grubiała z dnia na dzień, a za kolumną ciągnęła wataha coraz bardziej rozzuchwalonych wilków. W ciągu jednej nocy rzymianie stracili dwa konie, które spłoszyły się, zerwały pęta, wybiegły z obozu i padły ofiarą wilczego stada. Przez następne dwa dni wilki się nie pokazywały.

Godziny spędzane w siodle dawały mu się we znaki. Z dwojga złego wolał już drewnianą ławkę galery, ta się przynajmniej nie kiwała. Starszy od niego papież cierpiał jeszcze bardziej, wytrząsany i rzucany na boki w powozie kolebiącym się i podskakującym na kamieniach, którymi wybrukowana była droga. Tebaldo nie krył zadowolenia, kiedy popas wypadał w większych wsiach i miasteczkach. Tam mógł wysiąść, rozprostować kości i po entuzjastycznym powitaniu przez mieszkańców przespać się w prawdziwym łóżku.

Papieski orszak zbliżył się do południowo-wschodniej bramy Asyżu. Mieszczanie oblegający koronę muru od południowej strony wychylali się i machali zza blanek, setki wyległy na przedpole. Tak jak podczas wszystkich poprzednich postojów, tutaj też po górach niosło się echo okrzyków *Viva Papa!*

U stóp wzgórza, po lewej, Orfeo zobaczył klasztor, w którym mieszkały zakonnice wuja Franciszka. Ścieżką od San Damiano pięła się samotna kobieta w czarnej opończy do kolan, narzuconej na szary habit. Szła szybkim krokiem ku głównej drodze, spiesząc na widowisko.

Kiedy papieski powóz zatrzymał się przed bramą, Orfeo zeskoczył z konia. Tłum rozstąpił się, przepuszczając strojnie odzianego mężczyznę, któremu towarzyszył zakonnik. Papież ruszył im na spotkanie.

Orfeo nie znał tych ludzi, ale domyślał się, że to burmistrz miasta i brat Bonawentura, generał zakonu, którego Tebaldo tak wychwalał. W komitecie powitalnym brakowało tylko biskupa Asyżu.

Żeglarz, prowadząc konia za uzdę, podszedł bliżej. Burmistrz i zakonnik uklękli tymczasem przed papieżem i ucałowali jego pierścień. Kiedy podnieśli się z klęczek, Tebaldo zagaił rozmowę. Zwracał się głównie do Bonawentury i mówił o reformie Kościoła i soborze powszechnym, który zamierza zwołać, kiedy tylko oswoi się z nową rolą. Generał z kolei powiedział, że dla Tebalda przygotowany został pusty pałac biskupi i że chciałby omówić z papieżem kwestię wakującego biskupstwa. Ma na to miejsce idealnego kandydata, jednego ze swych zakonników. Burmistrz i zakonnik wycofali się, a Tebaldo skinął na Orfea.

— Pozwól, że cię pobłogosławię, synu, zanim pójdziesz swoją drogą. Wiedz, że jesteśmy ci dozgonnie wdzięczni za fatygę, i gdybyś kiedykolwiek potrzebował papieskiego wstawiennictwa, wystarczy, że poprosisz.

Orfeo ukląkł w błocie przed papieżem. Tebaldo położył mu na głowie obie dłonie i modlił się cicho przez chwilę. Potem ujął Orfea pod ramię i pomógł mu wstać.

— Zapamiętaj, co powiedziałem. Wrogość między ojcem i synem zakłóca naturalny porządek. Idź teraz i ustanów pokój w swoim domu. Niech twoich dni będzie wiele, niech będą wypełnione dostatkiem i radosne i niech Nasz Pan przyjmie cię na swoje łono, kiedy wybije twoja godzina. Zachowamy cię na zawsze w naszej pamięci.

Na czas papieskiego błogosławieństwa tłum się uciszył. Orfeo spojrzał dokoła i w oczach zgromadzonych zobaczył szacunek bliski czci. Wątpił, żeby go poznali, widzieli w nim jedynie faworyta Ojca Świętego.

Na przedzie stała kobieta w czarnej pelerynie. Była młoda, ładna i wydała mu się znajoma, ale przecież większość kobiet z tych stron miała takie czarne oczy w kształcie migdałów. Ona też przyglądała mu się ciekawie. Spróbował sobie wyobrazić, jak też mogła wyglądać przed sześcioma laty, ale szybko dał sobie z tym spokój. Wtedy była jeszcze dzieckiem — tak samo jak on.

Po błogosławieństwo papieża podchodzili inni znaczni mieszczanie. Orfeo, ciągnąc konia za uzdę, ruszył przez tłum ku bramie. Zauważył, że kobieta idzie kilka kroków za nim. Może chce usłyszeć, co powie strażnikowi? Widać wzbudził jej zainteresowanie. Cóż, wykorzysta okazję, by się jej przedstawić.

Strażnik zasalutował.

— Zamierzacie zabawić u nas przez jakiś czas, *signore*? — zapytał.

— Wróciłem do domu. Na jak długo, jeszcze nie wiem. — Roześmiał się, widząc konsternację w oczach strażnika. — Nie poznajesz mnie, Adamo? To ja, Orfeo di Angelo Bernardone.

— Boże, aleś ty wyrósł — zdumiał się strażnik. — Opuszczałeś miasto wyrostkiem. A teraz? Chłop jak dąb.

Orfeo uśmiechnął się i zerknął niby to od niechcenia na kobietę. Nienawiść w spojrzeniu, jakim go obrzuciła, wbiegając do miasta, zupełnie zbiła go z tropu.

Amata pięła się uliczką prowadzącą do górnego miasta, wciąż mając przed oczami tego mężczyznę, który wydał jej się dziwnie znajomy i przedstawił się strażnikowi u bramy jako Orfeo, syn Bernardone. Puściła wodze wyobraźni. Stary Angelo, gdyby skrzywdziła jego dziecko, odczułby to prawdopodobnie boleśniej niż atak na własną osobę. Dowie się od *maestro* Roberta, gdzie mieszka ta rodzina. Wynajdzie jakiś pretekst, żeby tam pójść, może w jakiś dzień targowy, kiedy cała rodzina Bernardone wylega na targowisko, by zachwalać swój towar. Dla własnego bezpieczeństwa powinna zniszczyć całą tę rodzinę, gałęzie, pień i korzenie, ale zginie usatysfakcjonowana, jeśli, zanim zdążą jej wyrwać nóż, dokona zemsty tylko na tym mężczyźnie.

Euforia, która nie opuszczała Amaty od dwóch dni, od kiedy wysłała do piekła Simone della Roccę, wyparowała parę chwil po przekroczeniu progu domu *donny* Giacomy.

— Wpadł w ręce Bonawentury — powiedziała staruszka, przywitawszy się z Amatą. W jej zielonych oczach malował się ból. Amata nie widziała jej jeszcze tak zrezygnowanej i przybitej.

— Wczoraj wieczorem był tu ten młody Ubertino. Powiedział, że zakonnicy pojmali Konrada w bazylice i wtrącili do lochu.

Amata nie od razu uświadomiła sobie sens słów *donny* Giacomy. Myśli miała wciąż zajęte planowaniem zemsty na Angelu Bernardone i jego synu. Kiedy się w końcu odezwała, w jej głosie pobrzmiewała ta sama rezygnacja, która wyzierała z oczu szlachcianki.

— Wróciłam, żeby ci powiedzieć, pani, że idę z nim.

Donna Giacoma przekrzywiła głowę.

— *Amor regge senza legge* — westchnęła. — Miłość nie zna reguł. — Wzięła Amatę pod rękę. — Nic by z tego nie wyszło, dziecko. Gdziekolwiek jest, na wolności czy w niewoli, Konrad należy tylko do Boga. Ale zostań u nas i uzbrój się w cierpliwość. Może go wypuszczą.

Amata kiwnęła głową, chociaż niewiele z tego do niej dotarło. Odwróciła się i, ogłuszona, oddaliła do swojej izby. Położyła się na łóżku i zasłoniła ramieniem oczy. Walcząc z przygnębieniem i napływającymi do oczu łzami, dotknęła ukrytego w rękawie noża. Teraz nie pozostało mi naprawdę nic prócz *vendetty*, pomyślała.

Powróciła myślami do Coldimezzo i z parapetu swojej wieży znowu usłyszała kłótnię między ojcem a handlarzem wełny. Pamiętała, jak synowie Angela Bernardone wspierali wrzeszczącego i odgrażającego się ojca. Wszyscy, prócz jednego, tego ładnego chłopca, od ujrzenia którego zaczęła marzyć o dzieciach. On nie zwracał na to całe zamieszanie uwagi. Uformował z żółtej szarfy laleczkę, odwrócił się w siodle, zadarł głowę i uśmiechnął się do niej. Z tym samym ujmującym uśmiechem spojrzał na nią dzisiaj przy bramie.

Nie miała już siły powstrzymywać łez. Potoczyły się po policzkach i zaczęły skapywać na poduszkę.

— Tylko nie on! — jęczała. — Och, tato, mamo, Fabianie... czy on ma być tym, który zapłaci? — Płakała, aż z jej serca wysączył się cały smutek. Wtedy usiadła na brzegu łóżka, otarła twarz rękawem i ze skamieniałym sercem wyszeptała:

— Niech tak będzie. Choćby i on.

Konrad starał się cierpieć w milczeniu. Potrafię wytrzymać ten ból długo, jeśli nie dłużej, powtarzał w duchu. Długo, jeśli nie dłużej. Długo...

Wlókł się za blaskiem niesionej przez Zefferina pochodni, osłaniając dłonią wypalone oko. Zazgrzytał przekręcany w kłódce klucz i dozorca uniósł kratę zagradzającą wejście do celi. Konrad, wciąż dygocząc z doznanego szoku, zszedł za nim po zimnych stopniach. W izbie tortur Zefferino założył mu na kostki pierścienie podobne do tych, którymi sokolnicy pętają sokoły do polowania, i teraz przewlókł przez ich ucha łańcuch. Zgrzytnęła opuszczana krata, blask pochodni oddalającej się prowadzącym do tego piekła korytarzem bladł, aż zgasł zupełnie, i Konrada spowił mrok czarny jak grzech śmiertelny. Walczył o zachowanie przytomności, w końcu jednak poddał się i znowu zapadł w otchłań.

Po jakimś czasie — nie wiedział, ile go upłynęło, mogły to być minuty, a mogły też godziny albo i dni — podźwignął się na nogi. Dreszcze ustały, ale pieczenie w oku było nie do zniesienia.

Nie była to ta sama cela, w której trzymano go wcześniej. Podłoga opadała od schodków w mrok, a i cisza nie panowała tu idealna. Z prawej po ścianie ściekała woda. Macając dłonią kamienie, natrafił na wilgotne miejsce i z ulgą przyłożył wypalony oczodół do zimnego strumyczka. Stojąc tak, uświadomił sobie nagle ironię sytuacji. W myśl zawiłego planu, który snuje boski umysł, obaj z Zefferinem stracili oko i żaden z nich nie stał się przez to mądrzejszy. Obydwu przeszkodzono w wypełnieniu misji. On stał się więźniem w dosłownym tego słowa znaczeniu, Zefferino też na dobrą sprawę został uwięziony. A mimo to, mimo tych wszystkich podobieństw, Zefferino nadal upiera się, że są wrogami.

Z głębi celi zalatywało smrodem. Pewnie zbiera się tam woda i wypływając przez otwór w ścianie, tworzy coś w rodzaju latryny, pomyślał. Ale skoro latryna cuchnie, to musi być używana. Odwrócił się i wpatrzył zdrowym okiem w gęsty mrok.

— Jest tu jeszcze jakiś więzień! — krzyknął.

Z ciemności doleciał metaliczny szczęk.

— Dlaczego tu siedzimy, mamo? — zaskrzeczał sucho starczy głos. — Dlaczego nie możemy wyjść?

— Jak ci na imię, bracie? — spytał Konrad.

Odpowiedzią był monotonny śpiew:

W zielonym gaaaju ptaszki śpiewaaają...

Konrad znowu przyłożył twarz do mokrej ściany. Woda ściekała mu po policzku i przodzie habitu na podobieństwo łez rozpaczy. Wiedział, że przez lata, pod zarzutem nawoływania do schizmy i szerzenia herezji, aresztowano wielu zakonników. Skazywano ich na dożywotnie więzienie, odbierano księgi i sakramenty. Ministrowie tak bardzo bali się głoszonych przez nich poglądów, że zakonnikom, którzy przynosili więźniom jedzenie, zakazywali rozmów z nieszczęśnikami. Co tydzień odczytywano wydane na nich wyroki na zebraniach kapituły rozmaitych klasztorów, dając wyraźnie do zrozumienia, że każdy brat, który ośmieli się zakwestionować głośno słuszność tych wyroków, podzieli ich los. Konrad wiedział, że nie jest heretykiem, ale Bonawentura mógł widzieć w nim schizmatyka i pod tym pretekstem zatrzymać w lochu do końca życia. Po ilu miesiącach czy latach przeistoczy się w takiego żałosnego głupca, jak tamten w głębi celi?

Mężczyzna znowu zaśpiewał. Konrad pamiętał tę piosenkę z dzieciństwa:

Statek wypływa dzisiaj
W blasku jasnego księżyca,
Na maszcie żagiel zwisa.
Statek wypływa dzisiaj...

I nagle wewnętrzny głos podszepnął Konradowi, kim może być jego towarzysz niedoli.

— Jasiu! — zawołał, naśladując kobiecy głos. — Jasiu. Wracaj już do środka.

— *Vengo, mamma* — odpowiedział mężczyzna głosikiem dziecka. — Już idę.

Szuranie i pobrzękiwanie zaczęło się przybliżać. Mężczyzna podchodził powoli. Kiedy zatrzymał się o krok przed Konradem, ten zobaczył wreszcie bielejącą w mroku, falującą jak widmo, prawie nagą kościotrupią postać. Więzień miał siwe włosy do ramion i zmierzwioną brodę sięgającą niemal pasa. Konrad wyciągnął rękę i dotknął jego sterczących żeber.

— Biedny chłopiec — powiedział. — Zgubił swoją opończę.

Słone łzy zapiekły go w wypalony oczodół. Ściągnął z siebie wierzchni habit i pomógł mężczyźnie naciągnąć go przez ramiona i głowę. Potem objął dygoczącego, zdziecinniałego mężczyznę, przytulił i przy brzęku kajdan zaczął się z nim kołysać, jak kiedyś z Amatą na górskiej półce.

— *Mettisi il cuore in pace*, Jasiu. Teraz wszystko będzie dobrze. Mama jest już przy tobie.

— Kiedy pójdziemy do domu, mamusiu? — spytał znowu starzec. — Nie podoba mi się tutaj.

— Niedługo — wymruczał Konrad. — Niedługo.

Zwykł dopatrywać się we wszystkim ręki Boga, ale teraz ten strzęp człowieka, z którym przyszło mu dzielić celę, wstrząsnął nim do głębi. Oto spotkał się ponownie ze swoim bohaterem, którego podziwiał tak samo, jak brata Leona — z czczonym powszechnie, usuniętym ze stanowiska generałem zakonu, Janem z Parmy.

XXVII

Bogactwo znajomych widoków roztoczyło się przed wjeżdżającym na *mercato* Orfeem: oto dawna rzymska świątynia Minerwy, teraz Chiesa di San Niccolo, wznoszący się naprzeciwko jego rodzinnego domu. Kopyta konia zadudniły niespodziewanie na cegle, którą pod jego nieobecność wybrukowano plac targowy i pod którą zniknął do połowy pierwszy stopień schodów prowadzących do świątyni. Na lewo od kościoła, na targowisku stał kram jego rodziny. Ich dom i miejsce pracy usytuowane były w idealnym miejscu, w samym sercu miasta. Zaledwie kilka kroków dzieliło targowisko od magazynu, gdzie wyrobnicy ojca przetwarzali owcze runo sprowadzane z całej Umbrii.

Orfeo okrążył kościół i zatrzymał konia przed kamienicą, w której spędził pierwszych piętnaście lat życia. Było tu dziwnie cicho. Najprawdopodobniej większość domowników i wyrobników poszła z całym miastem pogapić się na papieża.

Wjechał na podworzec, uwiązał konia i wziął głęboki oddech. Nawet jego pukanie rozeszło się niesamowitym echem po pustej ulicy. Drzwi otworzył nieznany mu sługa — wysoki barczysty mężczyzna, który musiał się schylić, by wyjrzeć z domu na świat. Wyglądał bardziej na żołnierza niż służącego. Potwierdził, że braci Orfea nie ma w domu.

— Zaczekam do ich powrotu — powiedział Orfeo. — Jestem najmłodszym synem *sior* Angela.

Przez twarz sługi przesunął się cień podejrzliwości.

— Myślałem, że znam wszystkich synów *signore*. Jeśli chcecie widzieć się z ojcem, to jest w kantorze. Zaprowadzę.

— Nie trzeba. Znam drogę. — Jakie to podobne do ojca, że zamiast wykorzystać niepowtarzalną okazją zobaczenia na własne oczy papieża, woli liczyć pieniądze. Ale nawet dobrze się składa, ma sposobność porozmawiania z nim w cztery oczy, zanim wrócą bracia. To będzie trudna rozmowa.

— Tak czy owak zaprowadzę — burknął stanowczo mężczyzna. Skrzyżował ręce na piersi i nie usuwał się z drogi.

Orfeo wzruszył ramionami.

— Twoja wola. Chciałem ci tylko oszczędzić fatygi. — Uśmiechnął się, ale oblicze mężczyzny pozostało niewzruszone. Wpuścił go bez słowa i ruszyli przez dom do znajdującego się na tyłach kantoru. Serce Orfea zabiło żywiej, kiedy sługa otworzył przed nim drzwi. Otarł spocone dłonie o tunikę.

Ojciec siedział przy oknie, plecami do drzwi, nad rozłożonymi na stole pergaminami. Pochłonięty pracą, nawet się nie obejrzał.

Angelo Bernardone był kiedyś tak samo dobrze zbudowany i krępy jak teraz jego najmłodszy syn, lecz lata siedzącej pracy zrobiły swoje i na starość stał się człowiekiem otyłym. Na każdym tłustym palcu pulchnej dłoni trzymającej gęsie pióro skrzył się klejnot mający zapewne uśmierzać ból w stawach. Na rękawie nosił czarną przepaskę.

— Papież u bram, a ty nad księgami, tato? — Orfeo miał nadzieję, że serdeczność w jego głosie zabrzmiała naturalnie.

— Diabli nadali ten podwójny system księgowania wymyślony przez florentczyków — wywarczał ojciec, nie odrywając się od pracy. Nagle znieruchomiał, a potem wyprostował się i obrócił jak fryga na stołku. — A ty coś za jeden?

— Aż tak się zmieniłem? To ja, Orfeo. — Znowu przywołał na usta uśmiech, chociaż ubodły go słowa ojca. Wyczuwał już, że z jego próby pojednania nic nie wyjdzie.

— Nie znam nikogo o tym imieniu. Opuść mój dom.

Sługa sięgnął do miecza, ale Orfeo powstrzymał go uniesieniem dłoni.

— Mnie też nie jest łatwo, ojcze. Przybyłem z nowym papieżem z Akki i przychodzę tu, bo on osobiście kazał mi się z tobą pojechać.

Obwisły podbródek Angela Bernardone poróżowiał jak skóra szorowanego wieprza.

— Sam papież, powiadasz? I to ma mnie skłonić do przebaczenia niewdzięcznemu dziecku, które odwróciło się plecami do własnego ojca i braci? Zważ, że wychowywałem się pod jednym dachem z pomyleńcem, którego cały Asyż okrzyknął drugim Chrystusem. Siłą rzeczy święci ludzie nie robią na mnie takiego wrażenia jak na tobie. Nie. Oto, co ci odpowiem, Orfeo, kiedyś Bernardone, i dobrze nastaw ucha. Ty już dla mnie nie istniejesz. Nie ma cię. Jeśli się ożenisz, będę uważał twoją żonę za wdowę, a dzieci za sieroty. Twój udział w schedzie rozdzielę między twych braci. Przepędzam cię na cztery wiatry. Powierzam zwierzętom lasu, ptakom nieba i rybom morza. — Odwrócił się i znowu pochylił nad księgami. — Rzekłem. Teraz zejdź mi z oczu.

Orfeo dosyć już usłyszał i zniósł.

— Nie boisz się piekła, stary morderco? Najpierw z Simone della Roccą wycięliście w pień tamtych ludzi z Coldimezzo, a teraz oświadczasz, że twój syn dla ciebie nie żyje? Nawet ojciec marnotrawnego zarżnął tłustą owcę, a nie syna.

Ojciec zastygł, pobladł.

— Nie wszyscy oni zginęli. Simone oszczędził dziewczynkę. — Jego głos na chwilę złagodniał.

— Żyje jeszcze?

— Nie wiem. Poradziłbym ci, żebyś spytał o to Simone, bo wziął ją sobie na niewolnicę, ale przedwczoraj mu się zmarło. — Pokazał palcem czarną przepaskę na ramieniu.

— Aha. To dlategoś taki nieswój. Zaciążyły na duszy stare grzechy. — Rzeczywiście, spod spasionej cielesnej powłoki ojca emanowało przygnębienie. Trzymająca gęsie pióro dłoń wyraźnie drżała. W Orfeo obudziła się nadzieja, że może przynajmniej strach przed bożym osądem skłoni go do wyciągnięcia ręki na zgodę.

Ojciec znowu się odezwał, tym samym stłumionym głosem:

— Słyszałeś, czego ci życzę. — Wielka głowa opadła mu na pierś, potem uniosła się znowu, jakby stary coś sobie przypomniał. Spojrzał na Orfea spod ciężkich powiek. — Zamierzałem zostawić ci jedną pamiątkę. Dam ci ją teraz, bo tuszę, że więcej nie zobaczę twojej zdradzieckiej gęby po tej stronie Hadesu.

Angelo ściągnął jeden z pierścieni i rzucił go synowi. Pierścień potoczył się ze stukotem po podłodze kantoru.

— Daj mu go, a potem wyprowadź — mruknął stary Bernardone, zwracając się do sługi.

Ten podniósł pierścień z podłogi i wręczył go Orfeowi. Orfeo obrócił w palcach złote kółko i z zaciekawieniem przeciągnął kciukiem po niebieskim kamieniu. Wsunął pierścień na palec, skłonił się lekko plecom ojca i bez słowa wyszedł za sługą z kantoru.

Prowadził konia przez *mercato* i kręcąc głową, wpatrywał się w cegły, którymi wybrukowano targowisko. Jakżesz wypaczył się ten dzień po błogosławieństwie Tebalda. Najpierw ta kobieta przy bramie, teraz ojciec, który bez skrupułów wygnał go z domu. Dopiero teraz odczuł w pełni skutki decyzji, którą podjął przed sześciu laty w młodzieńczej zapalczywości. Odcinając się wtedy od rodziny i zatrzaskując za sobą drzwi, nie pomyślał, że ojciec przekręci klucz w zamku.

Jedyną dobrą wiadomością, jaką usłyszał od chwili odłączenia się od papieskiego orszaku, było to, że dziewczynka z Coldimezzo prawdopodobnie przeżyła. Jeśli nowy *signore* na zamku Rocca nadal ją tam przetrzymuje, to może choć częściowo zmaże winę ojca, wykupując nieszczęsną z niewoli.

Skrzywił się ironicznie na tę myśl. Pieniędzy miał ledwie na utrzymanie się przez dwie niedziele, nie wspominając o okupie. W jego żeglarskim worku były same ubrania, a srebra w sakiewce co kot napłakał. Jeśli nie znajdzie szybko jakiejś pracy, przyjdzie mu chodzić po prośbie, jak ci mnisi z zakonów żebraczych.

Ludzie wracali już do miasta. Widać Tebaldo udał się do pałacu biskupiego. Orfeo żałował teraz, że nie został przy papieżu. Nie musiałby się martwić o wikt i w końcu dotarłby z orszakiem do jakiegoś portowego miasta. A gdyby tak wrócić do Tebalda i eskortujących go rycerzy? Zaprzyjaźnił się z kilkoma, miałby w nich oparcie, kiedy dotrą do Rzymu.

Pierwszy zoczył go Piccardo, brat najbliższy mu wiekiem. Orfea ujęło, że tak od razu go rozpoznał, i krzyknąwszy z drugiej strony *mercato*, podbiegł do niego. Reszta rodziny nawet nie przyspieszyła kroku. Patrząc na nich, Orfeo dochodził do wniosku, że przez tych sześć lat niewiele się zmieniło: nad młodszymi braćmi nadal dominował Dante.

— Witaj, Orfeo — burknął najstarszy brat, kiedy się zrównali, i kiwnął od niechcenia głową. Nawet nie próbował kryć niechęci. — Adamo mówił nam, żeś wchodził dzisiaj przez jego bramę. Nie bierz sobie do serca dziecinnej reakcji Piccarda i nie oczekuj, że cię z radości wyściskamy.

— Rozmawiałem już z ojcem, Dante — powiedział Orfeo. — Wiem, że myślisz to samo co on. Zawsze tak było. — Spojrzał bratu prosto w oczy. To, co zamierzał teraz powiedzieć, nie chciało mu przejść przez gardło, w końcu jednak się przemógł. — Miałem nadzieję, że pożyczy mi pieniądze na powrót do Wenecji — wydusił. — Albo chociaż da pracę w warsztacie, żebym mógł sobie odłożyć na drogę.

— Jeśli szukasz pracy, to nie u nas. — Dante skłonił się sztywno i ruszył dalej, a reszta domowników za nim. Został tylko Piccardo, niezdecydowany, z kim mu bardziej po drodze.

Orfeo pokazał bratu rozcapierzone palce.

— Tato mi to dał. Szkoda, że kamień porysowany. Może jakiś bogaty *padrone* coś mi za niego da. Tak, Piccardo, dla tego, który w środku biesiady wychodzi na stronę, zostają same kości.

Brat pokręcił powoli głową. Patrzył brązowymi oczyma za Dantem, dopóki jego korpulentna postać nie zniknęła za węgłem kościoła.

— Coś się stało? — spytał Orfeo.

— Nie noś tego pierścienia — powiedział Piccardo. — Bo zginiesz.

— Z czyjej ręki?

— Nie wiem. On ma swoją historię. Mogą go nosić tylko członkowie stowarzyszenia, do którego należy tato. Tyle słyszałem. Oni przysięgli, że jeśli zobaczą ten pierścień u kogoś spoza ich kręgu, ubiją takiego na miejscu. Ale nie wiem, co to za jedni.

Orfeo zachichotał rozbawiony poważnym tonem Piccarda.

— Coś takiego! — Uśmiechnął się cynicznie. — A to mnie staruszek obdarował, hę? Ciekawym, czy go jeszcze czymś nie zatruł.

— Nie dworuj sobie, Orfeo. To poważna sprawa.

Orfeo wrzucił pierścień do sakiewki.

— Dzięki, braciszku, za ostrzeżenie. Teraz nikt go już u mnie nie zobaczy. Zresztą i tak spadał mi z palca. — Dosiadł konia i zacisnął szczęki. — Zobaczymy się jeszcze kiedyś na *mercato*, jeśli wcześniej nie zemrę z głodu.

Piccardo chwycił konia za uzdę. Nie spieszno mu było rozstawać się z bratem.

— Handlarz tkaninami, Domenico, wybiera się do Flandrii po towar i szuka kogoś, kto by poprowadził wyprawę. Ty lubisz podróżować i odróżniasz stal damasceńską od brokatu.

— Domenico, ten stary rywal taty? To by mi odpowiadało. — Orfeo schylił się i poklepał brata po ramieniu. — Bez obawy, Piccardo. Nie zabawię tu długo, wiem, jakie to ambarasujące dla was i naszego ojca. — Wyciągnął rękę. — Niech Bóg obdarzy cię pokojem, jak mawiał wuj Franciszek.

Piccardo puścił uzdę i uścisnął przedramię brata.

— I ciebie, Orfeo. Mówię szczerze.

Po kilku tygodniach świat tam na górze zblakł, jakby wessany przez przeszłość, w najodleglejsze uroczysko pamięci Konrada. Przez pierwsze dni, niczym konającego, któremu przed oczyma przesuwa się całe życie, zalewały go wspomnienia o Leonie, Giacominie i Amacie. Uśmiechał się ze smutkiem, kiedy na myśl przychodziły mu imiona tych dwóch ostatnich. Tam, na powierzchni, odnosił się do nich z takim dystansem; teraz wydawały mu się bliższe niż kiedykolwiek. I codziennie powtarzał sobie treść listu Leona, żeby nie zapomnieć, chociaż świadomość jego wagi zaczynała mu umykać.

Najczęściej myślał o Rosannie. Roje chłopięcych wspomnień kłębiły mu się w głowie, ale szybko zauważył, że nie bardzo wie, które z nich są rzeczywiste, a które podsuwa mu wyobraźnia. Zastanawiał się, czy ona w ogóle wie, że został uwięziony, że w końcu na dobre ich rozdzielono. *Donna* Giacoma nie wiedziała o istnieniu Rosanny, a Amata nie miała jak się z nią skontaktować, nawet jeśli udało jej się wydostać z Asyżu. Dla Rosanny będzie to wyglądało tak, jakby zniknął z powierzchni ziemi.

Dni liczył według posiłków. Były to chyba resztki z obiadu zakonników i zakładał, że dozorca znosi je do ciemnicy popołudniami, po nonie. Dzienna porcja dla dwóch więźniów składała się z dziesięciu kromek chleba, cebuli, dwóch miseczek wodnistej zupy, w której pływało czasami jakieś warzywo, oraz z jabłka i garści oliwek dla każdego. Konrad odkładał cebulę i część chleba na później, chowając je do koszyczka zawieszonego na ścianie, poza zasięgiem szczurów, które wpływały do celi przez latrynę. Potem siorbali z Janem zupę. Jabłko, ledwie je nadgryzłszy, oddawał Konrad towarzyszowi niedoli. Chudł coraz bardziej, ale miał nadzieję, że dzięki temu Jan przybierze nieco na wadze.

Pewnego popołudnia, niedługo po uwięzieniu, w miseczkach pływały dwa kawałki wieprzowiny.

— Skąd ta hojność?! — zawołał Konrad przez kratę. Nie spodziewał się usłyszeć odpowiedzi. Dozorca nigdy się nie odzywał. Ale tego dnia Zefferino, zanim oddalił się, by nakarmić innych więźniów, mruknął: *Buon Natale*.

Boże Narodzenie? Już? Konrad starał się liczyć dni spędzone w celi, ale stracił rachubę. Zakonnicy z Greccio są teraz pewnie w swej jaskini i klęczą przed szopką. Wyobraził sobie ludzi z tej małej wioski, pnących się pod górę ze świecami, żeby zobaczyć osiołka, wołu i żywe *bambino* leżące na słomie. Każdy z zakonników i wieśniaków, idąc za przykładem mędrców ze Wschodu, składa jakiś drobny podarek, by pokazać małemu Chrystusowi, jak jest Mu oddany.

Konrad westchnął z żalem. Tego roku nie miał żadnego podarunku. Spojrzał na Jana zwiniętego w ciemny kłębek na zimnym klepisku. Przypomniały mu się słowa Chrystusa: *Byłem głodny, a ty Mnie nakarmiłeś*. Miał podarunek. Wyłowił z zupy kawałek mięsa i wrzucił go do miski towarzysza.

— *Buon Natale*, Janie — powiedział, stawiając przed nim miskę. Od tego dnia, dla zaznaczenia upływu dni, zaczął wydłubywać dziurki w ścianie.

Każdego poranka, a rozpoznawał je po rozlegających się nad głową krokach Zefferina, Konrad recytował na głos tyle z nabożeństwa, ile sobie przypominał. Po jakimś czasie Jan, kiedy te teksty dotarły do dawno nieużywanych zakamarków jego pamięci, zaczął powtarzać za Konradem fragmenty psalmów i modlitw. Konrad nabrał otuchy. Po każdym posiłku mówił:

— Teraz musimy zapłacić naszemu Boskiemu Oberżyście jedyną monetą, jaką mamy.

I odmawiali pięć razy *Pater Noster* albo dziesięć *Ave Maria*, albo *Gloria Patris*, albo inne znane modlitwy, które Konrad, był tego pewny, musiały zachować się gdzieś w głowie byłego ministra generalnego.

Czasami, żeby się rozgrzać, po posiłku i odmówieniu modlitwy dziękczynnej ruszali w tany. Dreptali jak okulawione konie, podzwaniając łańcuchami, a Konrad śpiewał. Celowo unikał dziecięcych piosenek z rodzaju tych, które nucił na początku Jan. Śpiewał popularne łacińskie przyśpiewki zapamiętane z uniwersyteckich czasów albo co żywsze hymny z liturgii. Miał nadzieję, że tym sposobem, krok po kroku, wyprowadzi Jana z pułapki zdziecinnienia. Może z bożą pomocą starcowi wróci z czasem jeśli nie pełnia, to przynajmniej taka cząstka władz umysłowych, przy której wspomnienia znowu zaczną się liczyć.

Jakieś dwa tygodnie po świętach Bożego Narodzenia Zefferino odezwał się znowu. Nie było to nic takiego, ale wystarczyło, żeby wprawić Konrada w zdumienie i podnieść go na duchu. Tańczyli z Janem, śpiewając *Kantyczkę dla brata Słońce*, i w pewnej chwili usłyszał, że na górze do ich duetu dołącza cichy trzeci głos. Kiedy kantyczka się skończyła, Zefferino odszedł znad ich celi. Konrad wzruszył ramionami i spojrzał na Jana, ten zaś uśmiechnął się szelmowsko, zakrył usta czubkami palców i przewrócił oczami. Minister generalny nie pytał już, kiedy stąd wyjdą.

Oko już tak Konradowi nie dokuczało, zdarzało się jednak, że się rozpalało i zaczynało pulsować bólem. Ale nic nie wskazywało na to, żeby wdało się zakażenie, i za to dziękował w modlitwach. W noce, kiedy ból powracał, wił się na ziemi. Jeśli spał, śniły mu się wtedy pełne potworów koszmary o torturach, ogniach piekielnych i ryczących sztormach.

Jednej takiej nocy, pod koniec stycznia, plusk wody przepływającej przez latrynę zagrzmiał mu w uszach ogłuszającym szumem potężnego wodospadu. Tam, na górze, musiał padać deszcz albo śnieg topniał, a może jego skołatane zmysły w zawieszeniu między jawą a snem wyolbrzymiały ten odgłos. Loch zdawał się kołysać i śniło mu się, że czepia się masztu statku, którym miotają fale wielkie jak góry. Przerażona, bezradna załoga krzyczała. Wokół statku krążyły już lewiatany i inne morskie stwory, spoglądając pożądliwie na zdjętych trwogą, skazanych na zagładę ludzi. Nagle zbiły się w kupę i runęły na Konrada gromadą oślizłych widm o płonących ślepiach i zębiastych, ociekających pianą paszczękach. Powaliły go na pokład i obsiadły, kąsając kostki nóg i twarz. Próbował się od nich opędzać, ale to nie był już on, tylko jego ojciec, który utonął. Poderwał się z barłogu i krzyknął przerażony. Dwa szczury czmychnęły do latryny.

Jan, też wystraszony, jął cicho pochlipywać.

— Nic mi nie jest — wykrztusił Konrad, kiedy jego serce się uspokoiło i zaczerpnął tchu. — Diabły dały mi się dzisiaj we znaki, ale już odeszły. Śpij, malutki.

W dobre dni, kiedy oko tak nie bolało, ziąb nie był tak dojmujący, a Jan spał, Konrad oddawał się kontemplacji. Głód, pragnienie rozwiązania zagadki Leona i miotające nim emocje ustępowały wtedy, i zatapiał się w modlitwie jeszcze głębiej niż kiedyś, w swojej pustelni. Tutaj nie rozpraszał go żaden odgłos, żaden widok, ciemności wewnętrzne i zewnętrzne zdawały się ze sobą mieszać, a jego ciało stawało się cieniutką przeponą falującą między nimi z każdym wdechem i wydechem. Czasami, kiedy na dłużej wstrzymywał oddech, ustawało nawet to ledwie wyczuwalne falowanie.

Pierwszego dnia lutego Kościół celebrował rytuał oczyszczenia matki Jezusa. Poddawane mu były wszystkie Żydówki, które wydały na świat dziecko. Konrad medytował o starym Symeonie, przez lata czekającym pod synagogą na przybycie Mesjasza. Wziąwszy na chwile małego Chrystusa na ręce, Symeon pochwalił Boga i powiedział: *Teraz, o Władco, pozwól odejść słudze Twemu w pokoju, bo moje oczy ujrzały Twoje zbawienie.* *

Jakąż słodycz musiał poczuć ów starożytny prorok. Poruszony tą wizją, Konrad zaczął modlić się żarliwie do Dziewicy,

* Łukasz 2,29—30.

prosząc, by i dla niego wyprosiła u Syna taką łaskę, żeby i on mógł doświadczyć, choć przez mgnienie oka, tego samego uniesienia, które dane było przeżyć Symeonowi, tulącemu do piersi nowo narodzonego Mesjasza.

Kiedy się tak modlił, ciemności zaczęła rozpraszać stopniowo bladobłękitna światłość. Rozpływała się po lochu coraz intensywniejsza, aż w końcu zabłysła jaśniej od słońca. Znów znalazł się chyba na swojej górze, bo ujrzał wokół siebie brzozowy lasek rozbrzmiewający ptasim śpiewem. Przez ten lasek nadchodziła bosonoga wieśniaczka z niemowlęciem na ręku. Stawiając ostrożnie kroki, podeszła do Konrada i bez słowa podała mu niemowlę. Ramiona mu drżały, kiedy je od niej brał, ale uspokoił go kojący uśmiech kobiety. Przytulił do piersi owinięte w pieluszki dzieciątko i delikatnie, jak najdelikatniej, dotknął ustami jego policzka. Przepełniła go ekstaza, w której dusza zdawała się rozpływać. Po krzyżu, tak jak kiedyś, w Porcjunkuli, przebiegł mu ognisty dreszcz, ale tym razem dotarł aż do podstawy czaszki i poprzez głowę trysnął na zewnątrz złocistym blaskiem. Energia pulsowała mu pod powiekami i chociaż chciał je unieść, nie mógł. A złota światłość wciąż się rozprzestrzeniała poza więzienie jego ciała, mieszając się z emanującą zeń błękitną poświatą. Kurtyna ciała, drzewa, świergot ptaków, wszystko to rozpłynęło się w owym blasku. Nie zostało nic, tylko światło, to wewnętrzne i to zewnętrzne, a na koniec rozmyła się i ta granica. Siły go opuściły i przysiadł na piętach z poczuciem, że mdleje z uniesienia.

Kiedy się ocknął, wciąż klęczał. Kobieta z dzieckiem zniknęła. W lochu jak dawniej zalegał nieprzenikniony mrok. Rozproszył go migotliwy blask latarni. Krata się uniosła, ktoś schodził niespiesznie po schodach. Jeszcze chwila i przed zakonnikiem ukląkł dozorca.

— Wybacz, bracie Konradzie — wyszeptał Zefferino. — Nie wiedziałem, żeś jednym z nich. Ta światłość wylewająca się z twojej celi na korytarz... — urwał, nie potrafił wyrazić, jak jest skruszony.

Za ich plecami zaszczękały wleczone po klepisku łańcuchy. Przyciągany przez światło latarni i głosy, pełzł ku nim Jan.

Zefferino postawił latarnię na ziemi i wyciągnął ręce. Złączyli dłonie, tworząc krąg. Klęczeli tak przez jakiś czas w milczeniu, trzy zgrane karty wyciągnięte ze zniszczonej talii *Duecento*: pomarszczony, obszarpany król żebraków z Parmy, w otoczeniu swoich pognębionych jednookich waletów.

— Podziękujmy — odezwał się w końcu Konrad — za zdarzenia, które splotły nasze losy.

Teraz już wiedział, że wspierając się wzajemnie, przetrwają.

CZĘŚĆ DRUGA

Biedaczek Chrystusa

XXVIII

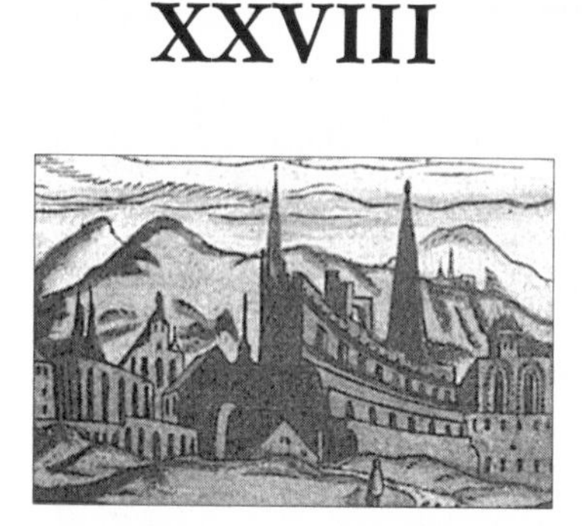

Dzień świętego Polikarpa
4 lutego, 1274

Neno siedział na koźle zaprzężonego w wołu wozu milczący, pochylony i nieruchomy jak sopel lodu. Zimny wiatr od Alp wiał mu w plecy, pchając ku Umbrii, ku domowi. Jako prowadzący woźnica, przecierał szlak taborowi, co pod koniec dnia nie było zadaniem trudnym, bo od rana drogą zdążyło się już przetoczyć wiele kół. Gorzej bywało rankami, zwłaszcza kiedy w nocy sypał śnieg i przykrył koleiny. W takie dni kupiec jechał przodem, prowadząc konia zygzakiem, by zaznaczyć śladami kopyt krawędzie przykrytej białą pierzyną drogi.

Patron mądrze uczynił, zatrudniając Orfea, pomyślał Neno. Ten człowiek wiedział, co to ciężka praca, pił z woźnicami jak Turek, nie był podszyty tchórzem i wiedział, że jest odpowiedzialny za powierzonych jego pieczy ludzi i zwierzęta. A jaką miał smykałkę do handlu! Na jarmarku Świętego Remigiusza w Troyes w dwa miesiące nie tylko sprzedał cały towar *sior*

Domenica, ale jeszcze obładował na powrót juczne muły, które ze sobą przyprowadzili, i wypełnił po brzegi dwa wozy. Niejeden flandryjski kupiec połknął żabę, próbując się z nim targować.

Kiedy wczesnym popołudniem karawana mijała warowne miasto Cortona, kupiec podjechał do Nena i pokazał mu cytadelę wznoszącą się na szczycie wzgórza.

— Jeszcze jedno miejsce związane z historią mojego wuja — powiedział. — Tam umarł na wygnaniu generał zakonu, brat Eliasz. Tam również mieszkał brat Iluminat, zanim mianowano go biskupem Asyżu.

Neno kiwnął w milczeniu głową. Bardziej od spraw kościelnych interesowała go okolica, przez którą brnął teraz jego wół. Dreszcz go przechodził, kiedy mrużąc oczy przed zacinającym śniegiem, rozglądał się po zrujnowanych zagrodach. Nie dość, że ciężka zima zabiła tu wiele zwierząt, to jeszcze wiatr, śnieg i gruba warstwa szronu wymroziły winnice i połamały gałęzie drzew owocowych. Pnie niektórych trzaskający mróz rozsadził od góry do dołu, żywica wyciekała z ich ran, i wiele zupełnie uschło.

— *Porco mondo!* — mruknął pod nosem. Z wiatrem ulatywała pióropuszami para jego oddechu. — Dzięki Bogu, że tylko parę dni drogi dzieli nas jeszcze od Asyżu.

Kiedy koła wozu zachrzęściły na ryneczku wioski Terontola, w której zamierzali przenocować, Neno zobaczył tuzin wyprężonych sztywnych wisielców huśtających się na wietrze. W Toskanii był to widok powszedni. Wygłodniałe wilki zapuszczały się do wiosek i małych, nieokolonych murami miasteczek, polując na domowe zwierzęta i dzieci. Mieszkańcy łapali je i wieszali na rynkach, tak jak złodziei-ludzi ku przestrodze ich pobratymcom.

Karawana zatrzymała się, wozy otoczyła zbrojna eskorta.

— Jeszcze jeden dzień za nami, Neno — usłyszał za sobą. — Obiecuję ci, że po dotarciu do Asyżu schlejemy się jak te wieprze.

Na skraju pola widzenia zamajaczyła Nenowi czarna broda kupca. Strzepnął sopelki lodu z własnej.

— Trzymam za słowo, *maestro* Orfeo — powiedział. — I straż miejska będzie nas rankiem wyciągała z rynsztoka, bo nie starczy nam sił, żeby dowlec się do łóżek.

Amata przysunęła się z krzesłem bliżej kominka. Noc była mroźna, nie dość więc, że nie zdjęła dziennego stroju, to na dodatek owinęła się grubym zimowym płaszczem. Podwinąwszy pod siebie nogi w ciepłych bamboszach, wsłuchana w syczenie kropel topniejącego śniegu spadających kominem w ogień, po raz setny chyba wspominała poranek, kiedy przed tym samym kominkiem siedział przed nią Konrad. Pomimo uporczywych próśb *donny* Giacomy o okazanie łaski, brat Bonawentura już od dwóch lat przetrzymywał go w ciemnicy. Zrezygnowana i wymizerowana *madonna* dała wreszcie za wygraną, kiedy minister generalny opuścił Asyż, by objąć stanowisko kardynała biskupa Albano oraz doradcy papieskiego konsystorza pracującego nad reformą Kościoła. Bracia donosili, że papież Grzegorz poprosił go również o pomóc w przygotowywaniu soboru powszechnego, który miał zostać zwołany tego lata w Lyonie.

Ach, byle do lata. Dziewiętnastoletnia Amata nie przypominała sobie pory roku tak okrutnej i srogiej, jak obecna zima. Ściągający do Asyżu pielgrzymi, części goście w tym domu, opowiadali przerażające historie o podróżnych, którzy zaskoczeni przez śnieżycę w szczerym polu, odmrażali sobie palce u rąk i nóg, a niejednokrotnie tracili życie. Pielgrzymi na własne oczy widzieli zesztywniałe niepogrzebane trupy koni i jeźdźców zalegające przy trakcie. Jedna taka grupa zbierała po drodze zamarznięte ciała na wóz niczym chrust na opał, by przysypane śniegiem oddać potem mnichom z najbliższego klasztoru. Nie dało się ich pogrzebać na miejscu, bo grunt był zmarznięty na kamień, a zresztą który dobry chrześcijanin chciałby spocząć w niepoświęconej ziemi?

W pewien szczególnie posępny styczniowy wieczór *donna* Giacoma, w otoczeniu domowników, oddała ducha Bogu. Kiedy zbliżał się koniec, jej stłumione modlitwy o wieczny odpoczynek przeszły w przedśmiertne charczenie, które zamierało, zamierało, aż zupełnie ucichło. Amata zamknęła jej powieki nad martwymi zielonymi oczami i bolała, że nie może tego zrobić brat Konrad.

Mężczyźni wycofali się dyskretnie z izby, żeby Amata z kobietami mogły rozpocząć lamentację. Proste poczciwe niewiasty pościągały niebieskie czepki i rwały włosy z głów, szarpały czarne wełniane suknie, orały sobie twarze i ramiona paznokciami. Utworzywszy krąg, chodziły wokół łoża i bijąc się pięściami po głowach, opłakiwały śmierć *donny* Giacomy niskim przeciągłym zawodzeniem. To dojmujące zawodzenie przytłaczało Amatę, serce jej się ściskało, ból palił trzewia. Kobiety odsłoniły okno i z każdym okrążeniem jedna wychylała się przez nie w mroźną noc, by obwieścić zgon swojej pani całemu miastu i niebu. Ta żałobna ceremonia trwała dwie doby, aż do poranka dnia pogrzebu *donny* Giacomy.

Zakonnicy z Sacro Convento uhonorowali szlachciankę kryptą pod amboną w dolnym kościele. Poprosiła o to Amata, bo *donna* Giacoma powtarzała często, że po śmierci chciałaby spocząć blisko swojego najlepszego przyjaciela, brata Leona. Ona również zamówiła tablicę z czerwonego marmuru, którą umieszczono nad kryptą. Stosując się do sugestii brata Bernarda da Bessy, inskrypcję na płycie kazała wyryć prostą: *Hic jacet Jacoba sancta nobilisque romana* — Tu spoczywa Jakubina, święta i szlachetna rzymianka. Na koniec, dowiedziawszy się od brata Bernarda, że wybitnemu artyście, florentczykowi Giovanniemu Cimabuemu, zlecono właśnie udekorowanie absydy dolnego kościoła, ufundowała fresk, który miał przedstawiać damę w tercjarskim habicie.

W tym czasie Amata stała przed innymi jeszcze decyzjami, decyzjami, które spędzały jej sen z powiek, co sprawiało, że kiedy reszta domowników już spała, ona siadała na podłodze przed kominkiem i godzinami wpatrywała się w ogień, który starał się ogrzać komnatę. Jej komnatę, w jej domu.

Kiedy notariusz odczytał ostatnią wolę *donny* Giacomy, w której ta zwalniała z obowiązków służbę oraz pozostawiała Amacie w spadku znaczny majątek (*dla dobra mej duszy i pobożnego końca oraz w nadziei, że będzie mi to poczytane przez Boga za zasługę*), przyjęła to obojętnie. Szok przyszedł dopiero po kilku tygodniach, kiedy szlachcianka wezwała ją do siebie i wyłożyła swe intencje. Jeszcze teraz, na wspomnienie szczodrości staruszki, zbierało jej się na płacz, i ogień w kominku rozpływał się w pomarańczową rozedrganą plamę. Odnosiła wrażenie, że po raz drugi traci matkę.

Osłabiona już *donna* Giacoma ostrzegała szeptem Amatę:

— Niezamężna szlachcianka niewielki ma wpływ na swój los — mówiła. — Gdybyś była potężną owdowiałą królową jak Blanka z Kastylii albo wdową po rzemieślniku, która odziedziczyła warsztat, narzędzia i czeladników, albo chociaż wieśniaczką, której zmarły mąż pozostawił ziemię, pozwolono by ci może żyć i pracować w spokoju. Ale po mężczyznach z rodziny mego męża tego się nie spodziewaj. Gdy tylko wieść o mojej śmierci dotrze do Rzymu, zrobią wszystko, by odebrać ci to, co po mnie dziedziczysz. Mnie zostawiali w spokoju, tylko dlatego, że miałam dziedziców, a po ich śmierci dlatego, że byłam już stara. — Zdobyła się na cichy chichot. — Mieli nadzieję, że wyświadczę im przysługę i dawno już umrę.

Z zadziwiającą siłą w upstrzonych starczymi plamami palcach chwyciła Amatę za rękaw.

— Za kilka tygodni cała okolica będzie już wiedziała, jakie szczęście cię spotkało. Zalotnicy będą się tu zlatywali jak pszczoły do miodu. Jeśli chcesz ustrzec swoją schedę przed rodem Frangipanich, musisz szybko wyjść za mąż, Amatino.

Słuchanie! Nie do wiary, że wystarczyło coś tak zwyczajnego jak słuchanie — czegokolwiek, wszystkiego — by Jan z Parmy zaczął odzyskiwać władze umysłowe. Przez dwa lata, począwszy od święta Oczyszczenia Najświętszej Marii Panny, kiedy to ich celę zalało cudowne światło, brat Jan powoli, ale jednak, powracał do świata żywych. Z zadziwieniem i zachwytem niemowlęcia uczącego się po raz pierwszy nazw przedmiotów i gestów, kolorów i zapachów, zaczynał odzyskiwać pamięć. Ku radości Konrada, stawał się również coraz bardziej gadatliwy i często ni z tego, ni z owego, odgrzebując ten czy inny okruch wspomnień, wygłaszał długie tyrady.

Po raz pierwszy zaskoczył taką towarzysza niedoli, kiedy jak co dzień jedli wodnistą zupę:

— Przypomniał mi się właśnie, bracie Konradzie, pewien posiłek, i to tak wyraźnie, jakbym spożywał go zaledwie wczoraj. Otóż zdarzyło nam się wieczerzać z dużą grupą braci z królem Francji. Bawiliśmy wtedy w naszym klasztorze w Sens na zebraniu kapituły prowincjonalnej. Ale ten posiłek... składał się z co najmniej tuzina dań: najpierw wiśnie, potem przewyborny biały chleb; wybór win godnych królewskiego majestatu; świeża fasolka gotowana w mleku; ryby, kraby, paszteciki z węgorza; ryż gotowany w mleku z migdałami i posypany sproszkowanym cynamonem; znowu węgorze gotowane w sosie; a na koniec całe tace owocowych ciastek, leguminy i owoców.

Tu stary zakonnik spojrzał na swoją miskę z wodzianką i wzruszył ramionami. A potem popukał się w czoło, próbując odgrzebać z pamięci więcej szczegółów z pobytu w Sens.

— Nazajutrz wypadała niedziela — podjął. — O świcie król Ludwik przybył do naszego klasztoru prosić, byśmy się za niego modlili. Swoją świtę zostawił w wiosce, towarzyszyło mu tylko trzech jego braci i paru stajennych do pilnowania koni. Uklękli przed ołtarzem, pokłonili się i bracia zaczęli się rozglądać za jakimiś krzesłami albo ławkami, na których można by usiąść. Ale król nadal klęczał w pyle, bo kościół nie miał posadzki. Poleciwszy się naszym modlitwom, opuścił kościół, by odjechać. Kiedy jednak sługa szepnął mu, że jego brat Karol nadal modli się żarliwie, król nie dosiadł konia, lecz cierpliwie czekał. Kiedy ujrzałem, jak szczerze modli się Karol i z jakim zrozumieniem czeka na niego przed kościołem król, byłem bardzo poruszony, bo przyszła mi na myśl prawda zawarta w Piśmie Świętym: *Kto w bracie ma oparcie, jest jak miasto warowne**.

Dwunastka i siódemka, ze względu na ich biblijne znaczenie, stały się ulubionymi liczbami w rozważaniach Jana. Od czasu do czasu dorzucał do nich szóstkę, na przykład wyliczając sześć grzechów przeciwko Duchowi Świętemu albo sześć emocji zawiadujących postępowaniem człowieka.

Konrad zachęcał go do takich ćwiczeń umysłu, a sam, pod jego dyktando, ostrą skorupą wyskrobywał na ścianie celi całe listy — dla samego ćwiczenia, ponieważ w mroku nie sposób ich było odczytać. I tak wydrapał siedem grzechów śmiertelnych i siedem cnót ozdrowieńczych, siedem charyzmatycznych darów od Boga, siedem spirytualnych dobrodziejstw, imiona dwunastu apostołów, dwanaście błogosławieństw. Dzień po dniu omszały mur pokrywał się tymi nieczytelnymi bazgrołami coraz gęściej, niczym woskowa tabliczka studenta wkuwającego deklinacje łacińskich czasowników.

Bywało, zwłaszcza podczas posiłków, że brat Jan przestawał się odzywać i tylko pochrząkiwał od czasu do czasu. Dla Konrada był to znak, że pogrążył się w jakiegoś rodzaju medytacji. Kiedy zbierał opróżnione miski, minister generalny otrząsał się z zadumy i proponował ułożenie nowej listy.

— Trzeba nam rozważyć siedem ostatnich wypowiedzi Chrystusa. Jeśli prześledzimy, jak Pan Nasz spoglądał w oczy śmierci, będziemy wiedzieli, jak przyjąć z pokorą koniec, który nas czeka.

---

* W tłum. Biblii Tysiąclecia ten werset (Prz. 18,19) brzmi: *Brat obrażony — trudniejszy do zdobycia niż miasto warowne, a kłótnie — jak zawory w twierdzy.*

Konrad brał skorupę, stawał przy ścianie, a Jan dyktował:

— *Eli, Eli, lamma sabachthani** — *Boże mój, Boże mój, czemuś Mnie opuścił?*

Kiedy Konrad to po omacku wyskrobał, Jan dodał:

— Nawet Chrystus, kiedy wybiła Jego godzina, doznał uczucia opuszczenia, osamotnienia i niepewności. Zrozumie i pocieszy nas, kiedy i nasz czas nadejdzie.

Jan przypominał sobie, jedna po drugiej, frazy, do każdej dodając krótki komentarz, aż do ostatniej:

— *Consummatum est. Wykonało się***. *Ojcze, w Twoje ręce powierzam ducha mojego****. — Stary zakonnik skonkludował: — Śmierć kończy nasz czas na ziemi, ale również przydaje znaczenia naszym ziemskim uczynkom. Śmierć jest czasem, kiedy oddajemy siebie w darze Bogu.

— Jak myślisz, bracie — spytał Konrad — dokonamy żywota w tej jamie? Czy to już kres naszych ziemskich uczynków?

Jan z Parmy mruknął potakująco.

Konrad opuścił rękę.

— Wybacz chwiejność mej wiary w boski plan, bracie Janie, ale jak to możliwe, że nasza Święta Matka Kościół wyparła się kogoś takiego jak ty? Nawet pracując poza zakonem, mógłbyś spieszyć z duchową radą świeckim władcom i prałatom. A gdybyś tak obiecał Bonawenturze nie wspominać więcej o opacie Joachimie i jego herezjach? Nie mieliby już powodu dalej cię więzić.

Konrad dokuśtykał do Jana i usiadł przy nim niezdarnie. Z każdym miesiącem coraz trudniej mu się było poruszać. Jan nie wstawał już prawie w ogóle, a do latryny za potrzebą pełzał i Konrad musiał mu pomagać, kiedy wracał stamtąd po śliskiej pochyłości.

Jan spojrzał na Konrada, a w jego oczach odbiło się blade światło przesączające się do celi.

---

* Mateusz 27,46.

** Jan 19,30.

*** Łukasz 23,46.

— Naprawdę myślisz, że trzymają mnie tutaj za dawanie posłuchu naukom Joachima? Wszak wiesz, że Kościół nigdy nie potępił Joachima, lecz interpretację jego proroctw autorstwa Gerardina di Borgo San Doninno. Gerardina więziono w tych lochach na krótko przed moim uwięzieniem. Nie, ja — i podejrzewam, że ty również — siedzę tutaj za dążenie do naśladowania naszego założyciela. Chciałem prowadzić zakon tak, jak czynił to sam święty Franciszek. Wędrowałem pieszo z kraju do kraju, osobiście odwiedzając każdy z naszych klasztorów, zamiast wydawać pisemne rozporządzenia, starałem się raczej świecić przykładem. Ale ci, którzy chcieli odejść od Reguły świętego Franciszka i zlekceważyć jego testament, uznali mnie za zagrożenie dla swojego wygodnego życia. Tak więc siedzę, razem siedzimy, w tej niewygodzie.

Konrad drgnął. Niemal zapomniał o testamencie świętego Franciszka! Jął kołysać się na boki i wytężać pamięć. Leon pisał, że początek testamentu rzuci światło — *okruchy światła*, brzmiało dokładnie to sformułowanie — na jego zagadkowy list. Dziwne, ale Konrad przestał niemal myśleć o swoim dochodzeniu, przez które trafił do więzienia.

Zwrócił się znowu do byłego generała zakonu:

— Ojcze, może nigdy stąd nie wyjdziemy, ale sądzę, że Bóg przywrócił ci umysł w jakimś szczytnym celu. Pamiętasz, jakimi dokładnie słowami zaczyna się testament?

Jan zwiesił głowę i zastanawiał się przez chwilę nad tak postawionym pytaniem, po czym powiedział:

— Święty Franciszek rozpoczyna od nawiązania do swojego nawrócenia. Pisze: *Pan dał mi tak rozpocząć pokutę: Gdy żyłem w grzechu, widok trędowatych był dla mnie bardzo gorzki. I Pan sam wprowadził mnie między nich, i okazywałem im miłosierdzie. I kiedy odchodziłem od nich, to, co wydawało mi się gorzkie, zmieniło się w słodycz, i wkrótce potem porzuciłem świat.*

Nasz święty założyciel odnosił się do leperów ze szczególną miłością. Nie tylko sam wśród nich pracował, karmiąc i odziewając, kąpiąc i całując ich rany, ale wymagał tego samego od wielu pierwszych braci. Nazywał ich *pauperes Christi*, biedaczkami Chrystusa.

Konrad zacisnął pięści.

— Czy brat Leon też pracował wśród trędowatych?

— Najprawdopodobniej.

Jan zachichotał.

— A wracając do moich odwiedzin w klasztorach... Wykruszyło mi się w tych wędrówkach dwunastu sekretarzy. Bo jak święty Franciszek z bratem Leonem, tak i ja zawsze podróżowałem z sekretarzem. Mój pierwszy sekretarz, brat Andrea da Bologna, został później prowincjałem w Ziemi Świętej i penitencjariuszem papieża. Po nim nastał brat Walter, Anglijczyk z urodzenia, anioł z temperamentu. Trzecim był niejaki Corrado Rabuino, wielki, mięsisty i czarny — poczciwina. Nigdy nie spotkałem zakonnika, który potrafiłby z takim smakiem zajadać *lagano* z serem...

Konrad siedział nieruchomo, jednym tylko uchem słuchając wspomnień Jana. Przez cały ten czas Leon przygotowywał go do służby w leprozorium, gdzie kiedyś sam prawdopodobnie służył. Przypomniał sobie również wzmiankę Leona o prawdzie przebijającej z dłoni martwego trędowatego. Gdybym, zamiast wracać do Sacro Convento, zastosował się najpierw do polecenia zawartego w tych słowach listu — *servite pauperes Christi* — nie gniłbym teraz w lochu. Zadrżał, kiedy wyobraźnia podsunęła mu drugą straszną możliwość: gdyby wszedł do leprozorium, ręce i nogi mogłyby mu teraz gnić toczone przez trąd. Jak miałby od tego zmądrzeć?

— ...ostatni mój sekretarz pochodził z Iseo, był stary zarówno wiekiem, jak i służbą w zakonie, i bardzo mądry. Wyczuwałem jednak, że pozuje na ważniejszego, niż był w istocie, bo wszyscy wiedzieli, że jego matka była oberżystką...

Boże, jeśli sprawisz, że kiedykolwiek się stąd wydostanę, ślubował Konrad, pójdę służyć w Ospedale di San Lazzaro pod Asyżem, zobaczę, czego mogą mnie nauczyć tamtejsi trędowaci, będę podążał śladem wskazanym mi przez Leona (jeśli okaże się to konieczne), aż do najgorszego z możliwych końca. W skrytości ducha próbował wmawiać sobie nieśmiało, że Bóg tylko czekał, aż wydusi z siebie to przyrzeczenie, i teraz, kiedy je wreszcie złożył, uwolni go z tej klatki.

— *Donno* Amatino, zbudźcie się. Macie gościa.

Amata przekręciła się z jękiem na wznak. Obarczona nowymi dla siebie obowiązkami głowy domu i postawiona przed koniecznością zamążpójścia, która wisiała nad nią jak topór kata, miała za sobą kolejną źle przespaną noc. Tak jak przewidywała zmarła przed kilkoma tygodniami *donna* Giacoma, od pogrzebu przez dom przewijała się nie mająca końca procesja mężczyzn chętnych jeśli nie do małżeństwa z Amatą, to przynajmniej do zagarnięcia domu i dochodowych dzierżaw, które zostawiła jej w spadku szlachcianka. Wśród zalotników byli z jednej strony wiejscy arystokraci — i ci zubożali, i ci pragnący powiększyć swe majątki — z drugiej podstarzali kupcy i wdowcy, a między nimi wielu mężczyzn pośrednich stanów w rozmaitym wieku, jednak do tej pory nie trafił się jeszcze taki, który by jej odpowiadał, taki, do którego z ochotą przytuliłaby się w te chłodne zimowe noce. Pio, szesnastoletni już i z dnia na dzień coraz bardziej czujący się mężczyzną, nadal był po uszy zadurzony w Amacie i z coraz bardziej ponurą miną wprowadzał kolejnych konkurentów.

Amata zamrugała i spojrzała na pochylającą się nad nią twarz. Większość sług *donny* Giacomy, w tym (dzięki Bogu) *maestro* Roberto, pozostała w domu. Stojąca przy łóżku służąca — miła hoża dziewczyna kilka lat młodsza od Amaty, poza domem *donny* Giacomy, w którym się wychowała, nie znała innego. Amata dla żartu zaproponowała jednemu z zalotników jej rękę w zamian za swoją, a kiedy ten zauważył, że dziewczyna nie ma posagu, zacytowała Plautusa: *Dummondo morata recte veniat, dotata est satis*. Jeśli moralność kobiety jest bez zarzutu, powinno to starczyć za posag. Mężczyzna gapił się na nią tępo, bo nie znał łaciny. Gdyby okazał choć cień zrozumienia albo samego cytatu, albo jego sensu, kiedy mu go przetłumaczyła, kto wie, czy nie ofiarowałaby mu siebie w posagu. Może *donna* Giacoma za bardzo ją wyedukowała, zapewniając po uwięzieniu Konrada najlepszych nauczycieli?

— W sieni czeka *signore*, który chce się z panią widzieć — powtórzyła służąca, kiedy Amata przetarła palcami piekące oczy.

— Która to godzina, Gabriello?

— Dopiero co bił poranny dzwon. Musiał warować pod bramą miasta, czekając, aż ją otworzą.

— Po bramą? — Sens słów dziewczyny nie od razu dotarł do zaspanej Amaty.

— To zalotnik z Todi, brat kardynała. Mówi, że musi z panią pilnie rozmawiać.

XXIX

Amata narzuciła na płócienną nocną koszulę błękitny szlafrok. Zwinęła warkocz z tyłu głowy, luźne kosmyki włosów upchnęła pod czepek z siateczki. Czego, u licha, może od niej chcieć hrabia Roffredo o świtaniu? Nawet szlachcic z potężnego rodu Gaetanich powinien okazać trochę przyzwoitości i wstrzymać się z wizytą do stosowniejszej pory dnia. Cóż, nie ujrzy jej w pełnej krasie. Może zniechęci go widok jej nieprzemytego lica w bezlitosnym świetle brzasku. Byłoby to sprawiedliwe zadośćuczynienie za wyrwanie jej ze snu.

Roffredo Gaetani zrobił na Amacie jak najgorsze wrażenie. Był chyba najbardziej odpychającym z konkurentów, jacy do tej pory ją odwiedzili. Rozumiała już, dlaczego Jacopone, ogarnięty euforią po stoczonej w lesie walce, z taką egzaltacją porównywał ją do dawnych zwycięstw nad Gaetanimi na ulicach Todi. Już po pierwszym krótkim spotkaniu z hrabią Roffredem przyznała rację swemu na pół obłąkanemu powinowatemu, który znał ten ród od dziecka i uważał go za obmierzły — o wiele bardziej obmierzły od polityków partii gwelfów i gibellinów, którzy skłócali każde umbryjskie miasto.

Roffredo, choć dopiero czterdziestokilkuletni, był już po raz trzeci wdowcem. Nie chciał jej jednak opowiedzieć o swoich byłych żonach, a pytanie o przyczynę ich śmierci zbył machnięciem ręki.

— Zaraza. W każdym przypadku zaraza. I malaria. — Jego pożółkła twarz sugerowała, że sam może być zarażony tą ostatnią chorobą, co w jakimś stopniu usprawiedliwiałoby jego zdawkowe wyjaśnienie.

Tak czy owak wyrachowanie w jego małych, czarnych, rozbieganych oczkach, aura chłodu, jaką wokół siebie roztaczał, podkreślana przez ziemistą ospowatą cerę, oraz łysiejąca głowa skłaniały Amatę do przypuszczenia, że tego człowieka stać zapewne na największe okrucieństwo, że może być chory nie tylko zewnętrznie, ale i od środka. Ciarki chodziły jej po plecach, kiedy na niego patrzyła. Rozmowa, a ściślej, jego monologi, koncentrowała się na wielkich wpływach jego rodu we wspólnocie Todi oraz w Rzymie, a zwłaszcza na prominentnej pozycji brata, kardynała Benedetta Gaetaniego, który niewątpliwie zostanie kiedyś papieżem. Roffredo, bawiąc się złotym łańcuchem zdobiącym mu pierś, z lekkim uśmieszkiem błąkającym się na wargach, mówił o pieniądzach i posiadłościach, o bogactwach, jakie przyniosły mu poprzednie małżeństwa, i które powiększy poprzez związek z Amatą. Był przynajmniej szczery, nie próbował kryć się ze swoimi motywami i zakończył przemowę poradą, by zapomniała o innych konkurentach, bo on postanowił ją zdobyć *per amore o per forza* — miłością bądź siłą. Uśmiechnął się, zadowolony ze swojego żarciku, ale złoty łańcuch ściągnięty jego dłonią napiął się jak struna.

Zaraz po wyjściu Roffreda Amata wzięła kąpiel, żeby zmyć z siebie nieprzyjemny osad, jaki pozostawiła na jej samopoczuciu ta wizyta. Ten człowiek na pewno mnie nie dostanie, poprzysięgła sobie. Po moim trupie.

No i znowu tu był. Przylazł o tej nieprzyzwoitej porze, żeby nadal ją nagabywać. Wciąż rozespana, wyszła na długi korytarz. Roffredo ze swym giermkiem czekał w sieni przy frontowych drzwiach. Stojący obok nich Pio nie starał się nawet ukrywać niezadowolenia, kiedy mężczyźni się skłonili.

— Nie mogłam zasnąć tej nocy, *signore*, a kiedy wreszcie mi się to udało, ty się zjawiasz. — Miała nadzieję, że w jej głosie słychać rozdrażnienie, które czuła. — Co cię sprowadza o tak wczesnej porze?

Usta Roffreda wykrzywiły się w tym samym ironicznym grymasie, który tak ją drażnił podczas poprzedniego spotkania.

— Mężczyzna, który śpi, nie zarabia — powiedział. — Przyszedłem po odpowiedź.

Spojrzała na niego z niedowierzaniem. Poczucie przyzwoitości kazało jej nie okazywać gniewu, który w niej wzbierał, lecz Roffredo jej tego nie ułatwiał.

— Myślałam, *signore*, że nawet głupiec nie ryzykowałby rozczarowania przed śniadaniem. Ale szczerość za szczerość. Nie kocham was, hrabio Gaetani.

Roffredo nie wydawał się ani trochę stropiony jej oświadczeniem, prawdopodobnie dlatego, że od początku nie o miłość mu szło.

— Sprawiasz mi zawód, *signorina* — odrzekł. — Mój brat również będzie zawiedziony. Czeka w Todi, by udzielić nam dziś wieczorem ślubu. — Zrobił przestraszoną minę. — Martwi mnie też twoja odpowiedź. Narażanie się kardynałowi może być bardzo niebezpieczne.

Amata uznała, że już dostatecznie długo była uprzejma dla tego napuszonego koguta. Pragnęła tylko pozbyć się go i wrócić do łóżka.

— Najwyraźniej nie widziałeś jeszcze mnie rozgniewanej, *signore* — odparowała — bo nie mówiłbyś z taką beztroską o niebezpieczeństwie. Usłyszałeś moją ostateczną odpowiedź. Teraz zmuszona jestem prosić cię o opuszczenie mego domu.

Roffredo skłonił się, ale tym razem giermek, zamiast pójść za jego przykładem, otworzył na oścież drzwi i do sieni wpadli dwaj czekający na zewnątrz rycerze. Pio rzucił się na nich, ale jeden chwycił go za uniesioną rękę. Drugi dobył zza pasa sztylet i przyłożył ostrze do gardła chłopca. Zanim Amata zdążyła ochłonąć, Roffredo z giermkiem złapali ją za nadgarstki. Hrabia zatkał jej usta dłonią w rękawicy. Próbowała się wyrywać, trzymali jednak mocno, a Roffredo wykręcał jej boleśnie rękę, uśmiechając się przy tym triumfalnie.

— Albo pójdziesz z nami po dobroci, *signorina* — syknął — albo twój paź uśmiechnie się zaraz pod brodą.

Krzyk Amaty stłumiła skutecznie skórzana rękawica. Nie mogła uwierzyć, że to dzieje się naprawdę. Jak to możliwe, że ci zdeprawowani szlachcice porywają kobiety z ich własnych domów i zmuszają do małżeństwa? Spojrzała na Pia i zobaczyła w jego oczach panikę, która odzwierciedlała jej poczucie bezsilności.

Szarpnęła się raz jeszcze, wściekła na hrabiego i własną bezradność, ale nic to nie dało. Roffredo, wciąż zatykając jej usta, zmusił ją, by spojrzała na Pia. Spod sztyletu przystawionego do szyi chłopca ściekała wąska strużka krwi. Przestała się szarpać i krzyczeć w rękawicę. Roffredo odjął dłoń od jej ust.

— Coś mówiłaś?

— Zostawcie go. Pójdę z wami.

Droga do Todi brała swój początek od Porta San Antimo — południowej bramy w murach Asyżu. Roffredo i jego siepacze zbiegali z Amatą opatuloną w płaszcz, z narzuconym na głowę kapturem, po pustych jeszcze o tej porze kamiennych schodach, łączących zaułek z dolnym miastem. Amata strzelała oczyma na boki, wypatrując drogi ucieczki. Żaluzje w oknach domów, które mijali, były jeszcze opuszczone, rycerz, który omal nie poderżnął gardła Pio, przystawiał teraz sztylet do jej boku. Z jednej strony martwa nie przedstawiałaby dla Roffreda żadnej wartości, z drugiej hrabia wyglądał jej na człowieka, który nie zawahałby się poślubić ją umierającą. Jego rycerz pokazał już, że biegle włada nożem, a kardynał połączyłby ją węzłem małżeńskim z Roffredem, nawet gdyby była martwa.

Nie wiedzieć kiedy zbiegli ze schodów i Amata ujrzała przed sobą trzy kościoły — San Antimo, San Leonardo i San Tomaso — a za nimi bramę miejską. W mrocznym zaułku między dwoma z kościołów czekał powóz. W widoku tym było coś tak ostatecznego, że pod Amatą ugięły się nogi i osunęła się na bruk. Kiedy znajdą się za murami, będzie już całkowicie zdana na łaskę i niełaskę Roffreda.

Rycerz chwycił ją za rękę i poderwał na nogi, ale poślizgnęła się na oszronionych kocich łbach i upadła znowu, tym razem na twarz. Dźwigając się na czworaki, zobaczyła postać wyłaniającą się, również na czworakach, zza węgła kościoła San Tomaso i wyszydzaną przez grupkę rannych ptaszków — jeszcze jeden akcent nienormalności tego nierealnego poranka. Pełzający mężczyzna dźwigał na grzbiecie zniszczone siodło i wołał gromkim głosem:

— Kto chętny dosiąść to pokorne juczne bydlątko?! — Uniósł głowę, którą wieńczyła grzywa piaskowych włosów, i spojrzał błagalnie w niebo.

— Ja mogę się na tobie przejechać, Jacopone! — odkrzyknęła jakaś kobieta z otaczającej go grupki szyderców. — Ale pod warunkiem, że potem ty mnie dosiądziesz.

— Jacopone! *Aiuto!* Pomóż mi! — wrzasnęła Amata. — Broń mnie przed Gaetanimi! — Więcej nie zdążyła wykrzyczeć, bo rycerz poderwał ją bezceremonialnie z ziemi, zatkał usta dłonią w stalowej rękawicy i mały oddziałek Roffreda ruszył biegiem ku powozowi. Kiedy wciągali ją w zaułek, zobaczyła jeszcze, że pokutnik z groźną miną podnosi się powoli na nogi. Potem rycerz wepchnął ją do powozu i zatrzasnął drzwi, pozbawiając wszelkiej nadziei.

O Boże, błagam, błagam! Powóz ruszył i zaczął nabierać rozpędu. Cisnęło ją na ścianę, kiedy skręcili ostro w kierunku bramy, i w tym momencie usłyszała przeraźliwy ryk trąbki. Spłoszone konie stanęły dęba, powóz zatrzymał się i zakolebał.

Poczuła uderzenie, usłyszała okrzyk bólu, a potem rozpętało się piekło. Coś twardego i ciężkiego rąbnęło w powóz, przewracając go na bok. Drewniany szkielet poszedł w drzazgi. Kwik przerażonych koni zmieszał się z przekleństwami ludzi i rykiem rozjuszonego wołu.

Amata wygramoliła się z rozbitego pojazdu. Kolana wciąż miała miękkie ze strachu, bolały ją twarz i ramiona. Wmieszała się w tłum gapiów i obejrzała. Jacopone leżał na boku zwinięty w kłębek. Nie ruszał się, w ręku dzierżył nadal trąbkę. W szczątkach powozu utknął kupiecki wóz, wokół walały się bele tkanin. Konie wciąż stawały dęba i wierzgały, młócąc kopytami powietrze, a zaplątany w ich uprząż wół zamiatał rogami niebezpiecznie blisko końskich brzuchów.

Wściekły Roffredo Gaetani darł się co sił w płucach, obrzucając kupca obelgami, barczysty, brodaty mężczyzna nie pozostawał mu dłużny. Hrabia i jego ludzie zeskoczyli z koni, kupiec odrzucił płaszcz na prawe ramię i dobył rapiera. Widać było, że gotów jest podjąć walkę, gdyby okazało się to konieczne. Zbrojna eskorta kupca podjechała bliżej, nawet jego woźnica sięgnął do wozu i spod wymieszanego wskutek zderzenia ładunku wyciągnął topór.

— Nawet nie próbuj sięgać po miecz — ostrzegł kupiec jednego z rycerzy Roffreda. — Neno odrąbie ci rękę, zanim wyciągniesz go z pochwy.

Mieszczanie z bezpiecznej odległości podjudzali obie strony, po bruku potoczyło się kilka kamieni. Zwaśnione obozy stały naprzeciwko siebie czujne, szacując nawzajem swe siły, niezdecydowane, co dalej. Amata zerknęła na Jacopone, a potem przeniosła wzrok na dwóch strażników miejskich, którzy dopiero teraz nadbiegali od wartowni przy bramie.

— Co to za zbiegowisko?! — zawołał jeden.

Obie partie znowu zaczęły się przekrzykiwać i gestykulować, krąg ośmielonych gapiów zacieśnił się. Strażnicy unieśli ręce, apelując o ciszę. Amata wystąpiła z tłumu i odrzuciła kaptur.

— Ci ludzie z Todi chcieli mnie uprowadzić — powiedziała — chociaż jestem mieszkanką Asyżu. — Trudno jej było mówić, rycerz, uciszając ją, musiał jej rozciąć rękawicą wargę.

— To *donna* Amata! — krzyknęła jakaś kobieta.

— Ich konie stratowały tego dobrego i spokojnego człowieka — ciągnęła, wskazując na ciało Jacopone. — To on pokrzyżował im plany.

— Staranowali również mój wóz i uszkodzili połowę towaru — warknął kupiec. — A ja również jestem mieszkańcem Asyżu.

I znowu rozpętała się pyskówka. Amata podeszła do pokutnika i uklękła przy nim. Słyszała, jak ludzie wyładowują na Roffredzie swój gniew i oburzenie.

— Wynoście się stąd — warknął jeden ze strażników. — Zełgaliście co do sprawy, która was sprowadza, wjeżdżając do miasta.

— A co z moim powozem i zaprzęgiem?

— Twój powóz nadaje się na podpałkę. Po zaprzęg wróć jutro, lecz nie spodziewaj się dostać go z powrotem — powiedział strażnik. — Są tu asyżanie, którym należy się zadośćuczynienie, a i zarzut morderstwa będzie na ciebie czekał.

Amata podniosła wzrok i napotkała wściekłe spojrzenie Roffreda. Oby Bóg dał, żeby nie musiała już nigdy patrzeć na tę nienawistną gębę. Hrabia i jego rycerze dosiedli koni i odjechali w stronę bramy. Gawiedź biegła za nimi, pohukując i obrzucając kamieniami.

Amata pochyliła się znowu nad Jacopone i pogłaskała go po policzku, a potem po skołtunionej brodzie.

— Kuzynku, biedny kuzynku — wyszeptała. — Słyszysz mnie?

Stanął nad nią jeden ze strażników.

— Zabili go?

— Żyje jeszcze, ale jest ciężko ranny.

Ktoś ukląkł obok niej na bruku.

— Towarem zajmie się woźnica z moimi ludźmi. Może pomóc ci, pani, przenieść tego człowieka?

Spojrzała w brązowe oczy kupca. Nie odwrócił wzroku.

— Byłabym wdzięczna — odrzekła. — Sprowadzę medyka, żeby go opatrzył. — Przesunęła palcami po brudnych pozlepianych włosach i dodała cicho: — A jak będzie trzeba, godnie pochowam.

Mężczyzna naciągnął płaszcz na ramiona, wziął wychudzonego Jacopone na ręce i wstał bez wysiłku.

— Prowadź, *madonna*. Jestem do twoich usług. — Jego głos wibrował taką czułością, że odwróciła się, by jeszcze raz na niego spojrzeć. Czyżby próbował z nią w takiej chwili flirtować? Ciepły uśmiech pojawił się w gęstwie smoliście czarnej brody. Patrzył na jej usta.

Dotknęła obolałych warg i oblała się rumieńcem, wyczuwając pod palcami, że są spuchnięte i krwawią. Nie dość, że wyglądała strasznie, zanim człowiek Roffreda tak brutalnie się z nią obszedł, to jeszcze to.

Kupiec uśmiechnął się współczująco, ale nie skomentował jej wyglądu.

— A-ma-ta — powiedział, każdą sylabę przeciągając i smakując na języku niczym kiper wino z nowego rocznika. Spojrzał jej z zachwytem w oczy. — Śliczne imię, *madonna*.

Amata stała w uchylonych frontowych drzwiach. Kupiec poszedł wreszcie szukać swojego uszkodzonego wozu. I bardzo dobrze! Uczynił to w samą porę, a ona stała teraz ogłuszona słowami, które wypowiedział na odchodnym. Dlaczego jednak czuje się taka zawiedziona?

Odłamała sopelek od żaluzji okna przy drzwiach, przyłożyła go do posiniaczonych warg i weszła do domu. Było jej strasznie głupio. Co ją naszło tam, na ulicy? Może nastroiła ją tak ulga po wyrwaniu się z rąk hrabiego Roffreda, a może desperacja? W każdym razie przez całą drogę powrotną do domu paplała jak najęta. Ni z tego, ni z owego zapragnęła nagle opowiedzieć temu nieznajomemu wszystko o sobie i swoim położeniu.

— Jeszcze dwa lata temu chciałam wieść prosty żywot pustelniczki w leśnej chacie, ale potem zakonnicy uwięzili mojego przyjaciela, a właściwie mojego duchowego przewodnika. Przez wiele miesięcy myślałam tylko o pomszczeniu swojej rodziny, o zemście za to, co ją spotkało, kiedy byłam jeszcze dzieckiem, ale ten, na którym chciałam tej zemsty dokonać, zniknął z miasta. Na szczęście przez cały ten czas mieszkałam u pewnej przemiłej szlachcianki. Byłam jej służącą, lecz ona traktowała mnie jak córkę, czy może raczej wnuczkę. Umarła niedawno, zapisując mi w spadku dom i pieniądze, i teraz nie dają mi spokoju chciwi zalotnicy w rodzaju hrabiego Roffreda. Poradzono mi, żebym wyszła za mąż, by ocalić to, co posiadam, ale ci wszyscy zalotnicy są tacy wstrętni, a ja cenię sobie wolność, co samo w sobie jest dziwne, bo kiedyś nie mogłam się doczekać, kiedy wreszcie wyjdę za mąż. — Zamilkła na chwilę, a potem wypaliła: — Teraz lękam się małżeństwa. A wy co o nim myślicie, *signore*? Macie żonę i rodzinę?

Zarumieniła się, zawstydzona własną śmiałością, śmiałością wymuszoną zapewne przez decyzję, którą musiała podjąć, i to szybko. Mężczyzna nie dał jednak po sobie poznać, że rozbawiło go to pytanie. Zatrzymał się na schodach, poprawił sobie na rękach Jacopone i spojrzał na nią.

— Nie, *madonna* — powiedział bez cienia zadyszki, jakby w ogóle się nie zmęczył. — Brak mi czasu i pieniędzy, żeby się ożenić. Ale przeciwko małżeństwu nic nie mam i pochlebia mi, że pytasz mnie o zdanie.

— Och, nie chciałam... — Urwała, i tak za dużo już powiedziała. Właśnie że chciała, a on był na tyle mądry i dyskretny, że pomógł jej wybrnąć z niezręcznej sytuacji, w którą sama się wpędziła. Zmieniła temat: — Nie zmęczyliście się? Taki wysoki mężczyzna jak Jacopone musi być bardzo ciężki.

Kupiec podjął wspinaczkę po schodach.

— Ha! Ten jest lekki jak piórko. Chyba ze trzy lata nie jadł. Zanim zostałem kupcem, byłem wioślarzem na weneckiej galerze. Te lata ciężkiej pracy owocują do dzisiaj.

— Zatem dużo podróżowaliście?

— Można tak powiedzieć. Wróciliśmy właśnie z Flandrii i Francji. Pływałem na Wschód, aż do Ziemi Obiecanej. — Uśmiechnął się, oczy mu pojaśniały. — Mógłbym wam opowiedzieć takie historie, *madonna*...

Przerwał mu tupot nóg. Po schodach zbiegali ku nim na łeb na szyję Pio, *maestro* Roberto i kilku służących.

— Amatina! Bogu dzięki, żeś bezpieczna! — wołał lokaj. — Pio powiedział nam, co się stało, i pędzimy ci z odsieczą.

— Dziękuję wam. Jestem trochę potłuczona, ale hrabiego Roffreda przepędzono już z miasta. Potrzeba mi medyka dla *sior* Jacopone. Ucierpiał bardzo, spiesząc mi z pomocą.

Roberto szybko zorientował się w sytuacji. Posłał jednego ze służących po medyka. Potem objuczył Pia całą bronią, którą ze sobą mieli, i z drugim służącym odebrał rannego Jacopone od kupca.

— Połóżcie go w dawnej izbie brata Konrada! — zawołała za nimi Amata, kiedy ruszyli po schodach na górę. — Ja zaraz tam przyjdę. Podziękuję tylko za pomoc temu człowiekowi.

Ruszyła z nieznajomym za sługami. Pio, udając, że ciąży mu niesiona broń, wspinał się wolniej od pozostałych, Amata zwolniła jednak jeszcze bardziej i chłopiec, chcąc nie chcąc, musiał zostawić ich z tyłu.

— Chętnie posłuchałabym tych opowieści, *signore* — powiedziała do kupca, kiedy znowu zostali sami.

— Proszę bardzo, *madonna* — odparł. — Mogę zajść do was za kilka dni, ale najpierw muszę załatwić pewną rodzinną sprawę. Coś w rodzaju odwróconej *vendetty*. Stać mnie na to teraz, kiedy mój pracodawca jest mi winien pewną sumę.

Następne pytanie podsunął Amacie kobiecy instynkt. A może zadała je, ulegając euforii, która nie opuszczała jej, od kiedy zeszli z placu?

— Czy ta sprawa dotyczy kobiety? — Uśmiechnęła się do kupca, zdając sobie jednak sprawę, że komuś, kto chce się tylko podroczyć, serce nie bije tak szybko jak jej.

Tym razem mężczyzna się roześmiał.

— Znowu mi pochlebiasz, *madonna*. Tak, teraz to już chyba kobieta, choć ja pamiętam ją jako dziecko.

Dałby Bóg, żebyś nadal widział w niej dziecko, pomyślała Amata. Nie chciała, żeby zaprzątał sobie teraz myśli inną niewiastą.

Byli już pod jej domem. Zaproponowała kupcowi kubek czegoś ciepłego i chwilę odpoczynku w kuchni, ale podziękował.

— Innym razem, *madonna*. Muszę wracać do swoich ludzi i zająć się interesami. — Już miał odejść, kiedy uświadomiła sobie, że w całym tym rwetesie i zamieszaniu nie zapytała go nawet o imię.

— Orfeo — odparł, kłaniając się. — Orfeo di Angelo Bernardone. — Odwrócił się i zaczął oddalać zaułkiem. — *A presto, madonna!* — zawołał jeszcze przez ramię.

Amata stała jak zdzielona obuchem między oczy. Odżyła dawna nienawiść, jaką do tego syna swojego wroga w sobie wyhodowała. Kiedy jego kroki ścichły na schodach, rąbnęła pięścią we framugę i przyłożyła czoło do zimnego dębu. Dlaczego on musi być tak piekielnie czarujący?

XXX

Orfeo, wystawiając twarz na promienie zimowego słońca, piął się konno stromą dróżką prowadzącą z fortecy do Rocca Paida. Z dziupli drzewa rosnącego obok drogi wyskoczyła na zwiady wiewiórka. Cienka gałązka ugięła się pod jej ciężarem, kłaniając się lecącemu na północ, rozgęganemu kluczowi dzikich gęsi. Orfeo zanotował sobie w pamięci, że zanim spotka się po południu z Nenem, musi zgolić brodę i przystrzyc sięgające ramion włosy. Lodowate wiatry hulające na górskich przełęczach miał za sobą, nie potrzebował już ochrony dla karku i szyi, a poza tym zarośnięta twarz nie była zbyt dobrze widziana w jego rodzinnym mieście.

Pobrzękiwanie monet w sakiewce wprawiało go w dobry humor. Tak jak się umówili z *sior* Domenikiem, przypadła mu w udziale jedna czwarta zysku z tej wyprawy. Wiózł teraz połowę rocznego dochodu, na pewno więcej niż trzeba na wykupienie z niewoli uprowadzonej dziewczynki — o ile mieszka jeszcze w Rokce. Po napadzie forteca jakby ją połknęła.

Dowiedział się tylko, że stary Simone umarł i panem na zamku jest teraz jego syn Calisto. Rycerze z Rokki żyli odcięci od świata w swoim zamku górującym nad miastem i jego mieszkańcami. Tylko głupiec odważyłby się mieszać w ich sprawy, napomykano.

On jednak udawał się tam z pokaźną sumką — to zmieniało chyba postać rzeczy. Orfeo miał nadzieję, że nowy *signore* nie będzie zbytnio się targował. Spodziewał się uzyskać dobrą cenę, na pewno niższą, niż płacono za niewolnicę na weneckim targu. Mimo wszystko miał jeszcze do sfinansowania swoje marzenia.

Znowu pomyślał o mieszkance Asyżu, którą niedawno poznał. Nie wierzył własnemu szczęściu. Piękna, pomimo sińców, opędzająca się przed zalotnikami, za to wyraźnie rada, że go poznała. A przy tym bogata. Przez dwa lata tłukł się po gościńcach Europy za stosunkowo skromne wynagrodzenie, ale wciąż marzył o prowadzeniu interesów na skalę braci Polo. Własne oszczędności, powiększone o majątek Amaty, mogłyby wystarczyć do urzeczywistnienia tych planów — zwłaszcza jeśli dobije targu z *signore* z Rokki. Miał powody, żeby się uśmiechnąć, a ogrzewające się powietrze jeszcze bardziej poprawiało mu nastrój. Nadchodziła wiosna, a z nią nowe życie, nowe przedsięwzięcia.

Z parapetów zamku obserwowało nadjeżdżającego Orfea kilku strażników. Brama stała otworem, ale krata w niej była na wszelki wypadek opuszczona. Kiedy Orfeo oświadczył, że ma sprawę do *signore*, strażnik uniósł ją tylko na tyle, żeby mógł pod nią przejechać. Potem wziął konia za uzdę i poprowadził Orfea w stronę grupki rycerzy zebranych na dziedzińcu. Zatrzymali się w dyskretnej odległości od nich. Strażnik kazał kupcowi zsiąść z konia i czekać. Jeden z rycerzy odłączył się od grupy.

— Panie Calisto — skłonił się strażnik — ten człek chce z wami rozmawiać. Mówi, że nazywa się Orfeo di Angelo Bernardone.

Calisto della Rocca odprawił sługę gestem ręki. Mężczyzna ponownie wziął konia Orfea za uzdę i poprowadził go ku stajni.

— Twoje nazwisko mi brzmi znajomo — powiedział gardłowym głosem Calisto, ruszając przodem. — Ciekawym czemu?

— Mój ojciec przed ośmiu laty wszedł w spółkę ze zmarłym *signore*.

Calisto obejrzał się na Orfea, ale nic nie powiedział. Weszli do budynku. Rycerz rozsiadł się w wielkim fotelu, kupcowi wskazał miejsce na ławie i pocierając czyraka na szyi, patrzył, jak Orfeo je zajmuje.

Orfeo odprowadził wzrokiem dwie służki przechodzące przez salę. Uznał, że są starsze od dziewczyny, której szuka. *Signore* podążył za jego spojrzeniem.

— Podobają ci się? — Usta rozciągnął mu lubieżny uśmiech. — Gdybyś został tu na noc w gościnie, mógłbyś mieć obie.

Orfeo odniósł wrażenie, że Calisto naigrawa się z niego.

— Ich widok przypomniał mi, co mnie tu sprowadziło — odparł. — Szukam pewnej kobiety, która, jak sądzę, ma teraz osiemnaście, dwadzieścia lat.

Dłoń Calista przesunęła się bliżej rękojeści miecza, lecz jego głos pozostał pogodny.

— Krewna?

— Nie. Nie wiem nawet, jak ma na imię. Wiadomo wam, panie, o napaści na Coldimezzo we wspólnocie Todi, której przed kilkoma laty dokonał wasz ojciec?

— Czy mi wiadomo? Brałem w niej udział! Piękna to była jatka. Nawet nie wiedzieli, co na nich spadło. — Jego ciemne oczy zabłysły, kiedy to mówił.

Orfeo zacisnął szczęki. Najchętniej ucapiłby tego zadowolonego z siebie bydlaka za gardło i udusił, ale przypomniał sobie, że przybył tu w interesach. Pierwsze, czego uczy się każdy kupiec, to panować nad emocjami.

— Była tam dziewczynka — powiedział. — Wasz ojciec wziął ją podobno w niewolę.

Calisto zerwał się na równe nogi.

— A więc o tę sukę chodzi?! Dlaczego jej szukasz? — Wyciągnął prawą rękę. — Spójrz na tę bliznę. Próbowała uciąć mi palec. Od tamtego czasu nie mogę swobodnie władać bronią.

Orfeo, siląc się na spokój, wstał z ławy. W obecności ludzi o tak zmiennych, łagodnie mówiąc, nastrojach, lepiej być czujnym. Nie wiadomo, co może takiemu strzelić do głowy. Siedząc, nie mógłby się bronić przed *signore*. Zaczęła go ogarniać obawa, że dziewczynka już nie żyje. Za atak na takiego człowieka prawdopodobnie ciężko odpokutowała.

— Ukarałeś ją?

— Uciekła przede mną, nędzna dziwka! Odeszła stąd następnego dnia z moją świętoszkowatą siostrą. Diabeł obrabia teraz ich śmierdzące piczki, chociaż osłaniają je zakonnymi habitami.

Sakiewka u boku Orfea od razu stała się cięższa. Skoro mała jest bezpieczna za murami klasztoru, to nie ma się co targować z tym mordercą. Ciekaw był jednak, dokąd trafiła dziewczynka.

— To gdzie mam jej szukać, gdybym chciał się z nią widzieć?

— Życzysz jej dobrze czy źle? — Calisto przymrużył oczy. — Jeśli dobrze, to utnę ci zaraz głowę i zawieszę ją na bramie.

Kupcowi ciarki przeszły po krzyżu, ale nie dał po sobie poznać, jak wstrząsnęła nim ta pogróżka.

— To nie będzie konieczne. Jest teraz, jak mówicie, w rękach Boga, i nic mi do niej. — Uśmiechnął się nieszczerze i skłonił, nie spuszczając oczu z rękojeści miecza *signore*. Kiedy to czynił, łańcuszek, który nosił na szyi, wymknął się spod tuniki i zawieszony na nim pierścień zadyndał w powietrzu.

Calisto wytrzeszczył oczy i wodził nimi za kołyszącym się pierścieniem.

— Skąd go masz? — zapytał, postukując palcem w kamień. — Osobliwa inskrypcja.

— Dostałem od ojca — odparł Orfeo.

Calisto cofnął się.

— Oczywiście.

Orfeo uniósł pierścień do oczu i przyjrzał się wyrytemu w lazurycie wzorowi. Zastanowiło go zainteresowanie Calista. Całkiem możliwe, że ten pierścień miał coś wspólnego z układem, jaki zawarli ich ojcowie.

— Czy ta inskrypcja coś wam mówi, *signore*? — spytał. — Bo dla mnie jest zagadką.

Calisto machnął ręką.

— Powiedz mi, gdzie się zatrzymałeś, *sior* Bernardone, na wypadek, gdybym przypomniał sobie coś więcej o tej dziewczynie. — Głos miał znowu miły, niemal obłudny.

— Wróciłem właśnie z podróży — powiedział Orfeo. — Można mnie znaleźć w domu kupca Domenica. — W tym momencie przypomniał sobie ostrzeżenie brata i ugryzł się w język, ale było już za późno. Skłonił się jeszcze raz i wyszedł, kierując się do stajni najszybszym krokiem, na jaki pozwalała udawana nonszalancja. Włoski jeżyły mu się na karku, wytężał słuch, żeby w razie czego nie dać się zaskoczyć Calistowi od tyłu. Gdyby jednak *signore* postanowił go napaść, to w starciu z nim i jego rycerzami i tak nie miałby najmniejszych szans.

Promienie słońca, cienie rozpychające się na kremowo-białej ścianie.

Ciepło. Domowe odgłosy, miotła zamiatająca posadzkę, polana wrzucane na kratę kominka.

Twarze. Pochylające się, unoszące, znikające.

Ból. W barku, żebrach, kolanie, w połowie ciała. Pulsujący ból w głowie.

Teraz, Panie Jezu, pozwól Swemu słudze odejść w pokoju.

Vanno. Niedługo przyjdę. Czekaj na mnie.

Szept kobiety:

— Lepiej z nim?

Vanna?

— Co się ocknie, to znowu zasypia, Amatino. Ma na głowie wielkiego guza. Ale medyk mówi, że wyżyje. Jest twardy jak leśne zwierzę.

Głaskanie po policzku.

— Jestem tutaj, kuzynie. Musisz walczyć z demonem. Nie daj mu się jeszcze zabrać.

Wysiłek, by zostać z tym głosem. Czarny lśniący żuczek przebierający nóżkami w błotnistej kałuży na skraju drogi.

Pragnienie odejścia, opuszczenia tego padołu łez. Pragnienie wiecznego odpoczynku. Z Vanną.

Czyj to głos? Czyj, jeśli nie Vanny?

Kuzyn?

Twarz okolona czernią jak u zakonnicy, zamazana, tuż nad nim.

Zapach migdałowego kremu. Chłodna wilgoć na czole.

Cienie rozszerzają się. Odległy pomruk słów zlewających się ze sobą.

Ciemność. Cisza.

Panie Jezu Chryste, Synu Boga, zmiłuj się nade mną grzesznikiem. Panie Jezu Chryste, Synu Boga, zmiłuj się...

— Podsłuchałem, żeście rozmawiali o Troyes. — Korpulentny zakonnik o czerwonej twarzy usiadł na ławie naprzeciwko Orfea i Nena i napełnił sobie kubek z ich dzbana. — Niech Bóg was błogosławi za szczodrość, przyjaciele — sapnął.

— Wszystkie gardła są sobie braćmi — odparł wesoło Orfeo.

Zakonnik zakręcił kubkiem, uniósł go do nosa i powąchał.

— Frankowie mawiają, że najlepsze wino powinno mieć pięć B i siedem F:

C'est bon et bel et blanc
Fort et fier, fin et franc,
Froid et frais et fretillant.

Upił łyczek wina i oświadczył:

— Nie dziwota, że tak się lubują w dobrym winie, bo wino *rozwesela bogów i ludzi*, jak stoi napisane w dziewiątym rozdziale Księgi Sędziów*. — Uniósł kubek. — Dlatego o tym winie możemy spokojnie powiedzieć za mądrym królem Salomonem: *Dajcie mocnego wina tym, co zasmuceni, i wina tym, co się gryzą. Niech piją i zapomną o swoich pragnieniach, i nie pamiętają już o smutku***.

— Dobry cytat — przyznał Orfeo. Podniósł głos: — Niech smutek na zawsze pójdzie precz z tego miejsca! — Unieśli z Nenem swoje kubki i stuknęli się z zakonnikiem. Ich zgodny okrzyk odbił się echem od ciemnych kątów winiarni.

Kiedy wypili, Orfeo poklepał się po piersi.

— Orfeo, jeszcze niedawno z Bernardonich, i Neno, silny i wierny jak woły, którymi powozi — powiedział.

Zakonnik pokiwał łysą różową głową.

— Brat Salimbene, powracający z Romanii, w służbie Boga i wszystkich zacnych mężczyzn... i kobiet też, niekoniecznie zacnych. — Roześmiał się i pogładził po brodzie.

Neno zaczął śpiewać, ale w połowie piosenki stracił wątek, położył ramiona na stole i powoli opuścił na nie głowę. Orfeo potrząsnął nim i dolał mu wina.

— Nie śpij. Może ten pobożny mnich ma dla nas jakiś wierszyk albo piosenkę, którą dociągnie do końca.

Brat Salimbene kiwnął głową i zabębnił pięścią w stół. Potem wstał i rozejrzał się, jakby zwracał się do całej izby.

— Wiersz *maestro* Morando, który nauczał gramatyki w Pad-

---

* Księga Sędziów 9,13.

** W tłum. Biblii Tysiąclecia cytat ten (Prz. 31,6) brzmi: *Daj sycerę skazańcom, a wino zgorzkniałym na duchu, niech piją, niech nędzy zapomną na trud niepomni* (sycera, hebr. *szeker*, mocny napój ze sfermentowanych owoców — np. daktyli — jak też z niektórych zbóż i miodu).

wie, kiedy mieszkałem tam za chłopięcych lat. Niech Bóg ma w opiece jego duszę. — Pociągnął jeszcze jeden łyk i zaintonował z taką powagą, jakby odprawiał mszę:

Wino pijasz miodne, przednie?
Krzepkiś w sobie w noc i we dnie,
Kiedy wola plwasz;
Stare w dzbanie, smakiem rusza?
Raduje się twoja dusza,
Dowcip cięty masz.

Trunek twój mętnawy, blady?
W gębie sucho, nie ma rady,
Wiatry z ciebie dmą;
Gust mający w ciężkim winie,
Tuczą się jako te świnie,
Szarolicy są.

Cienkusz lekki jest, różowy
Lecz uderza wnet do głowy,
Przeto umiar miej;
Zaś przebrzydłej białej cieczy
Nie bierz do ust rodzie człeczy,
Bo zdychasz po niej.

Orfeo pacnął dłońmi o stół i trzepnął Nena w pochylone plecy. Dał znak karczmarzowi, że chcą jeszcze jeden dzban wina. Salimbene posadził tymczasem swoje szerokie pośladki z powrotem na ławie.

— Byłeś we Francji, bracie? — spytał kupiec.

— Dwadzieścia pięć lat temu — odparł zakonnik. — W roku Pańskim tysiąc dwieście czterdziestym ósmym wybrałem się do klasztoru w Sens na zebranie kapituły prowincjonalnej naszego zakonu we Francji. Swój udział zapowiedział Ludwik, król Francji, ze swoimi trzema braćmi, i bardzo chciałem go zobaczyć. Przybyli również minister prowincjonalny Francji, arcybiskup Rouen, generał naszego zakonu Jan z Parmy oraz wielu *custodes, definitores* i *discreti* kapituły. — Zawiesił głos upił łyk wina i wzniósł oczy do nieba. — Prowincjał Francji, pomny zalecenia Eklazjastyka *a w dniu swojej chwały nie bądź zarozumiały**, nie chciał się wywyższać i chociaż król poprosił go, żeby zajął miejsce u jego boku, usiadł przy stole ze zwykłymi braciszkami, zaszczycając ich swoją obecnością i podnosząc wielu na duchu.

— Obyśmy wszyscy brali przykład z pobożnych ludzi — powiedział Orfeo i znów podniósł w toaście kubek. — I wypijmy też za zdrowie pięknych kobiet, zwłaszcza tej jednej, którą dzisiaj poznałem.

— I wielu czarujących dam, których przewodnikiem byłem — dodał Salimbene.

Neno pochrapywał cicho, a Orfeo z Salimbene wymieniali się opowieściami ze swych podróży. Zdaniem Orfea zaczynali dopiero poważne dzieło upicia się do nieprzytomności, kiedy na pobliskiej dzwonnicy odezwał się dzwon.

— Nieee! Za wcześnie uderzono dziś w ten pijacki dzwon. — Wychylił kubek do dna i rąbnął nim o stół. Dźwignął się z trudem z ławy, obudził Nena i pomógł mu wstać.

— *Addio, signori!* — krzyknął od drzwi zakonnik. — Będę was tu szukał jutro wieczorem.

W odpowiedzi Orfeo pomachał zakonnikowi latarnią. Nocny wiatr szczypał go w nagie, wciąż wrażliwe po niedawnym goleniu policzki, a kocie łby wydawały się ponad miarę śliskie, kiedy wytoczywszy się z Nenem z winiarni, obrali kurs na dom *sior* Domenica, gdzie całe poddasze przeznaczone było na kwatery dla zatrudnionych przez niego ludzi. Zdradliwe uliczki przechylały się niebezpiecznie. Neno zatrzymał się i wysikał na ścianę kamienicy. Chciał znowu śpiewać, lecz Orfeo pociągnął go dalej.

---

* Syr 11,4.

— Zaraz uderzą w dzwon na gaszenie świateł, *amico*. Musimy zdążyć przed nim do *sior* Domenica.

Z naprzeciwka nadchodzili trzej mężczyźni z naciągniętymi na głowy kapturami. Orfeo przypomniał sobie, że wciąż ma przy sobie sakiewkę. Instynktownie wsunął wolną rękę pod opończę i zacisnął ją na rękojeści rapiera. Neno, nie zwracając uwagi na zbliżających się mężczyzn, zatoczył się na drugą stronę uliczki i przytrzymał dłonią ściany.

— To on — mruknął najwyższy z mężczyzn. — Ten z brodą. — Zanim Orfeo zdążył zareagować, cała trójka rzuciła się na woźnicę. W mdłym blasku latarni błysnęły sztylety i Neno osunął się z jękiem na kolana.

— Brać pierścień. Ma go na szyi.

— Diabła tam! Nie ma. Na palcu też nie.

— Do diaska!

Orfeo ryknął i spadł na mężczyzn od tyłu, wymachując dziko latarnią i rapierem. Najbliższy odwrócił się, by stawić mu czoło, i Orfeo ciął go w szyję. Pozostali dwaj krzyknęli i rzucili się do ucieczki, nie oglądając za siebie. Ten, który został, przyciskając dłonią ranę, opędzał się sztyletem od Orfea, nacierającego nań z uniesionym mieczem i osłaniającego się latarnią jak tarczą. Mężczyzna chciał się cofnąć, ale potknął się o leżącego Nena. Orfeo wytrącił mu latarnią sztylet z ręki i ciął rapierem jak toporem. Rąbał, dopóki mężczyzna nie ucichł i nie znieruchomiał. Wtedy postawił latarnię na ziemi, oparł się zdyszany o drzwi i zapłakał, patrząc na przyjaciela leżącego w mroku uliczki niczym kupka brudnych łachmanów.

W końcu otarł grzbietem dłoni twarz i wyszarpnął spod tuniki łańcuszek z pierścieniem. Ścisnął pierścień w garści, przeklinając ojca, Calista di Simone i jego skrytobójców. *Signore* z Rokki zabił mu towarzysza, tak jak wcześniej wymordował rodzinę dziewczynki, która schroniła się w klasztorze. Chociaż wstrząśnięty śmiercią Nena, poczuł się związany z nieszczęsną bardziej niż kiedykolwiek. Poprzysiągł sobie w duchu, że kiedyś zemści się za siebie i za nią.

Najchętniej zerwałby łańcuszek z szyi i odrzucił go razem z tym przeklętym pierścieniem najdalej, jak się da. Opanował się jednak, wsunął go z powrotem pod kaftan i schował miecz do pochwy. Po raz drugi tego dnia przyklęknął na jedno kolano, by wziąć na ręce ofiarę bezprzykładnej szlacheckiej deprawacji.

— Teraz, *amico* — szepnął do niesłyszącego ucha Nena — wyrwałeś się wreszcie na wolność z tego okrutnego bezsensownego świata.

XXXI

Jacopone zamrugał i otworzył oczy płowe i okrągłe jak złote floreny.

— Masz okruszek dla biednego grzesznika? — spytał schrypniętym szeptem kobietę, która siedziała na stołku przy jego łóżku.

Kobieta skinęła na stojącego obok chłopca.

— Powiedz matce, że nasz pacjent chce jeść. Zupa i chleb chyba na razie wystarczą.

Pokutnik powąchał swoje przedramię i zmarszczył nos.

— To maść, którą nacieraliśmy twoje sińce — powiedziała kobieta. — Medyk zostawił ci też proszek na podreperowanie sił.

— Boże chroń mnie przed cyrulikami — warknął Jacopone. — Oszczędź mi ich cudotwórczych ekstraktów, które pędzą z suszonych odchodów trędowatych. Żadnych smarowideł, mikstur, wywarów. Jedyny lekarz, jakiego mi trzeba, to natura. — Skrzywił się i ostrożnie obmacał palcami włosy. — Rozbili mi czerep?

— Nie, ale masz wielkiego guza. Musiałeś uderzyć głową o kamień, kiedy upadłeś, potrącony przez powóz.

Lekko zezujące, orzechowe oczy usiłowały skupić się na kobiecie.

— Słyszałem już gdzieś twój głos. Kim jesteś?

— Kuzynką Vanny. Na imię mi Amata. Źli ludzie porwali mnie z naszego domu, zanim zdążyliśmy się poznać. — Oczywiście poznali się na drodze przed z górą dwoma laty, ale wolała nie mieszać mu teraz w głowie przypominaniem nowicjusza Fabiana.

— Mała Amata di Buonconte? To ty żyjesz? — Ściągnął brwi, które utworzyły nad nasadą nosa wielkie „V". Jego oczy błądziły po izbie, szukając odpowiedzi na pobielonych ścianach. W końcu spoczęły na jej twarzy, badały przez chwilę rysy, aż w końcu skryły się znowu pod ciężkimi powiekami. — Za tobą tęskniła najbardziej — powiedział. — Nie wiedziała, co się z tobą stało.

Amata wzięła go za rękę i splotła palce z palcami jego wielkiej dłoni.

— To długa historia, *sior* Jacopone. Opowiem ci ją, kiedy nabierzesz sił, a będzie czego posłuchać.

— To ty wzywałaś pomocy na *piazza*, tak?

Skinęła głową.

— Ale dlaczego Gaetani chcieli cię porwać?

Amata wygięła w półuśmiechu kącik ust.

— Tak hrabia Roffredo Gaetani wyobraża sobie zaloty. Mężczyźnie, który mnie poślubi, przypadnie w wianie spora fortuna.

Jacopone nie spuszczał z niej wzroku. Uderzyła ją czystość jego oczu — ani jednej karmazynowej żyłki. Ona z braku snu miała ich gęstą siateczkę na białkach obu.

— A upatrzyłaś już sobie kandydata na męża? — spytał.

Roześmiała się i pokręciła głową.

— Nie przypadł mi do serca żaden z tych, którzy do tej pory prosili mnie o rękę. Ale poradzono mi, żebym szybko dokonała wyboru, bo potrzebny mi opiekun, który będzie mnie strzegł przed takimi szakalami, jak Roffredo.

Jacopone rozkasłał się.

— Z tym... z tym nie ma pośpiechu. Wszak mężczyźni z twojej rodziny mogliby roztoczyć nad tobą taką opiekę... Sprawować nadzór nad twoim majątkiem. — Mówił z trudem, oddech miał świszczący. — Sporządzałem takie umowy... w moim poprzednim życiu.

Pokutnik zaczął kręcić spoczywającą na poduszce głową, krzywiąc się i walcząc o zachowanie przytomności. Jego prosta sugestia wywarła na Amacie hipnotyczny efekt. Wpatrywała się z fascynacją w tego z pozoru szaleńca, a w istocie człowieka tak uczonego, że potrafiłby gęsim piórem na jednym arkuszu pergaminu z gęstwy paragrafów prawa cywilnego utkać jej bezpieczeństwo.

Tylko że lista mężczyzn w jej rodzinie bardzo się skurczyła. Dziadek Capitanio zmarł rok przed rodzicami, zostawiając tacie pierścień, który zrabował później Simone della Rocca. Stryjeczny wuj Bonifazio w ogóle nie wchodził w rachubę. Najpewniej ograbiłby ją ze wszystkiego i zostawił na łasce losu, albo zamknął znowu w klasztorze, gdzie dożyłaby swoich dni jako *suor* Amata. Do roli takiego opiekuna nadawałby się tylko wuj Guido, ojciec Vanny. Jeśli jeszcze żyje, jest teraz jedynym panem na Coldimezzo. I gdyby Jacopone porozmawiał z nim w jej imieniu... teść notariusza na pewno by nie odmówił, pomimo dawnego skandalu z udziałem jej i Bonifazia.

Spękane wargi Jacopone znowu się poruszyły.

— Twój brat.

— Fabiano?

— Jeśli nie ślubował jeszcze żyć w ubóstwie, nadałby się.

Na wspomnienie nieżyjącego brata Amata zacisnęła szczęki — to wspomnienie wciąż sprawiało jej ból. Lecz w aluzji kuzyna do ślubu ubóstwa Fabiana było też coś ujmującego. Musi kiedyś wyprowadzić *sior* Jacopone z błędu co do „braciszka Fabiana".

Usłyszała za sobą szuranie sandałów, cięższe od kroków Pia. Kucharka sama przyniosła posiłek.

— Proszę pozwolić, że ja usłużę naszemu gościowi, *madonna*. W podzięce za ocalenie wam życia.

— Widzicie, *signore*, jakie dobre duszyczki się tu wami opiekują — powiedziała Amata z uśmiechem. Ciekawa była, czy zainteresowanie kucharki rannym pokutnikiem nie wynika aby z faktu, że ona jest wdową, a on wdowcem.

Ustąpiła kobiecie miejsca na stołku, wyszła na korytarz i stanęła przy oknie. Między listwami żaluzji widziała lśniące w zimowym słońcu, mokre szare kocie łby, którymi wybrukowany był zaułek. Powłócząc nogami, przygarbiony, ze zwieszoną głową, zbliżał się do drzwi frontowych bezbrody Orfeo Bernardone. Źle trafił, wybierając sobie na odwiedziny porę, kiedy ona wspomina brata. Jeśli po jego poprzedniej wizycie zrodziły się w niej jakieś wątpliwości co do podjętej decyzji, to teraz się rozwiały.

— Mam gościa! — zawołała, wsuwając głowę do izby Jacopone. — Ale będę jeszcze chciała z tobą porozmawiać o rozwiązaniu, które mi podsunąłeś.

Otwierając przybyszowi, plan miała już z grubsza obmyślony. Za jednym zamachem zemści się i zapewni sobie opiekę. Kiedy Jacopone dojdzie do siebie na tyle, by móc podróżować, pojadą do Coldimezzo — zakładając, że hrabia Guido wciąż tam mieszka. Nie wiedziała nawet, czy zameczek przetrwał napaść, ale Jacopone będzie to wiedział. Ona zacznie udawać, że jest zainteresowana Orfeem i poprosi go, żeby im towarzyszył jako ochrona przed grasującymi na drogach zbójcami, a kiedy dotrą do Coldimezzo... to idealne miejsce, by syn Bernardone zapłacił za mord dokonany na jej rodzinie! Kamienista ziemia Coldimezzo wchłonie z radością jej ofiarę, stanie się ołtarzem ofiarnym, na podobieństwo tych spływających krwią płaskich kamieni, na których hebrajscy patriarchowie zarzynali kozły, cielątka i gołębie, by odkupić swoje grzechy.

Amatę, pomimo tych fantazji o ostatecznym wyrównaniu rachunków, przygnębienie Orfea zbiło nieco z tropu. Jaką będzie miała satysfakcję z zabicia kogoś, kto już wygląda na takiego, który najchętniej wyzionąłby ducha? Bladość świeżo ogolonych policzków jeszcze bardziej potęgowała to wrażenie. Usiadł ciężko naprzeciwko niej na krześle przed kominkiem, ale spojrzenie, zamiast na nią, skierował na płomienie.

— Skąd ta posępna mina, *signore*? — spytała. — Czyżbyście zawsze tak wyglądali pod zarostem? Myślałam, że przychodzicie bawić mnie opowieściami o przygodach.

— Nie powinienem był przychodzić tak prędko — westchnął. — To był błąd. — I zamilkł znowu, obracając się na krześle twarzą do ognia, jednak do wyjścia się nie zbierał. Usta miał otwarte jak imbecyl, który chciał jeszcze coś powiedzieć, ale zapomniał co.

W końcu odezwał się głosem mrocznym jak loch:

— Musiałem z kimś porozmawiać. I opowiem ci, pani, o Starcu z Góry imieniem Ala-al-Din, wyznawcy wuja Mahometa, Alego.

Wpatrując się w płomienie, zaczął:

— Wódz ów mieszka pod Alamut, za granicą Armenii Większej. Założył tam ogród, w którym znaleźć można każdy owoc, każdy wonny kwiat. Na jego ziemiach wznoszą się marmurowe pałace z wyrobami ze złota, obrazami i jedwabiami. Rurami w tych budowlach płyną we wszystkich kierunkach wino, mleko, miód i czysta woda. Mieszkają w nich eleganckie panny, które tańczą i śpiewają przy dźwiękach lutni i są specjalnie szkolone w sztuce uwodzenia.

Amata uśmiechnęła się, wyobrażając sobie to wszystko. Czemuż nie dane jej było przyjść na świat w takim wspaniałym pogańskim otoczeniu i jest skazana na tę chrześcijańską szarzyznę. Zerknęła na twarz Orfea, lecz ta pozostawała zasępiona, kontrastując ostro z kwiecistym opisem, jaki przed nią roztoczył. Przymknęła oczy, żeby jego mina nie przeszkadzała jej śnić na jawie.

— Niewielu wie o raju na ziemi stworzonym przez Ala-al-Dina — ciągnął młodzieniec tym samym monotonnym głosem — bo rozciąga się on w dolinie, a sekretnej drogi do niego strzeże warowny zamek. Ala-al-Din stworzył to niebiański miejsce, żeby uchodzić za proroka, za kogoś, kto może wpuszczać do tego raju tylko tych, którzy są posłuszni jego woli.

Na swoim dworze podejmuje wielu młodzieńców z okolicznych gór, dobieranych pod względem umiejętności i nieprzeciętnej odwagi. Opowiedziawszy im o raju i zaznaczywszy, że tylko on może ich tam wpuścić, częstuje gości specjalnym zielem zwanym *hashishin*. Potem, kiedy odurzeni zapadają w półsen, prowadzi ich do tajemnych miejsc, gdzie przez wiele dni zażywają wszelkich rozkoszy, i w końcu zaczynają wierzyć, że ich gospodarz naprawdę mieszka w raju.

Amata poprawiła się w fotelu.

— I ci przystojni chłopcy zostają tam na zawsze?

— Czy ja powiedziałem, że są przystojni? — Orfeo przekrzywił głowę i zerknął na nią spod oka. — Nie, wychodzą stamtąd, ale nie z własnej woli. Wódz odurza ich znowu i każe zaprowadzić do pałacu. Tam pyta, gdzie byli, i zapewnia, że jeśli będą mu posłuszni, pozwoli im wrócić do raju, który właśnie opuścili.

I ci młodzi mężczyźni wykonują każdy jego rozkaz, a nawet gotowi są umrzeć, służąc mu, albowiem wierzą, że po śmierci będą szczęśliwsi niż za życia. Jeśli któryś z książąt z sąsiednich krain ośmieli się obrazić Ala-al-Dina, ginie z rąk wojowników wodza, z których żaden nie lęka się poświęcić życia. Żaden człowiek, choćby najpotężniejszy, naraziwszy się Starcowi z Góry, nie ujdzie jego *assassinom* — bo tak się ich nazywa od *hashishinu*, którym się odurzają. Z aktów mordu, których się dopuszczają, zasłynęli tak, że słowo *assassino* weszło nawet do naszego języka.

Orfeo zamilkł i podrapał się po plamce na kciuku. Amata zaklaskała entuzjastycznie, ale kupiec nadal siedział ponury.

— Piękna i straszna historia, *signore* — pochwaliła. — I to wszystko prawda?

— Najprawdziwsza — odparł. A potem ukrył twarz w silnych dłoniach. Kiedy znowu na nią spojrzał, w oczach miał łzy.

— Przedwczoraj w nocy *assassini* zamordowali mojego woźnicę, mojego przyjaciela — wyznał. — Tego, którego widziałaś, jak stanął z toporem przeciwko rycerzom hrabiego Roffreda.

Amata rozumiała teraz smutek kupca. Nie pozwoliła sobie jednak na okazanie współczucia. Ten kącik serca pozostał zamknięty. A żeby się nie otworzył, skupiła się na pewnej myśli: *assassini* wymordowali też moją rodzinę, *assassini* wynajęci przez twojego ojca.

— Mieli zabić mnie — podjął kupiec — ale ponieważ ja zgoliłem brodę, a Neno nie, pomylili nas.

Orfeo wstał, nogi krzesła odsuniętego jego łydkami zaszurały po posadzce.

— Przyszedłem się pożegnać, *madonna*. Nie rozumiem, dlaczego obudziłem w kimś taką wrogość, ale wiem, że moje życie byłoby w niebezpieczeństwie, gdybym pozostał w Asyżu. Zamierzam poprosić *sior* Domenica, żeby zorganizował jeszcze jedną wyprawę kupiecką. Żałuję tylko, że muszę ruszyć w drogę właśnie teraz, kiedy poznałem ciebie, pani.

O nie! Nie możesz znowu zniknąć, pomyślała Amata.

— Czy nie na to właśnie czekają ci mordercy? — wyrzuciła z siebie. — Żeby dopaść cię za murami?

Ściągnął brwi, a ona wykorzystała ten moment, by przedstawić mu propozycję:

— Za kilka dni wybieram się do wspólnoty Todi i szukam do ochrony kogoś potrafiącego władać bronią. Miałam nadzieję, że ty się tego podejmiesz.

Widząc, że Orfeo się waha, dorzuciła szybko:

— Twój wróg nie spodziewa się takiego posunięcia, a ty i ja... — Ty i ja? Urwała, bo mało brakowało, a wszystko by zepsuła, skłamałaby.

Nie skończyła jeszcze, a jemu twarz zaczęła się już wypogadzać. Ciekawa była, co przemówiło do niego silniej — perspektywa wymknięcia się skrytobójcom czy słowa, których nie dopowiedziała.

Orfeo wziął ją za rękę.

— Jestem zaszczycony, *madonna* — powiedział. — Prawdziwie zaszczycony.

Mrówki przebiegły jej po udach, kiedy złożył delikatny pocałunek na grzbiecie jej dłoni.

— Źle z Gerardino. Grypa zajęła mu płuca i przestał jeść. — Zefferino przekazał tę wiadomość przez kratę Konradowi i Janowi, kiedy zszedł do nich z posiłkiem.

Jan z Parmy pokręcił ponuro głową, kiedy Konrad podał mu miskę z zupą.

— Wielu uważa, że brat Gerardino di Borgo San Donnino stał się mimowolnym sprawcą mego uwięzienia. Jak sądzisz, jak długo ja i on jesteśmy gośćmi Bonawentury? Szesnaście lat? Ciężki to był czas dla kogoś tak młodego i pełnego życia jak on. Pokochałbyś go, Konradzie — wybitny teolog, uprzejmy, pobożny, umiarkowany w słowach i jedzeniu, zawsze skory do pomocy z całą pokorą i wyrozumiałością.

— Opisujesz świętego. Co mu właściwie zarzucono? — spytał zakonnik.

— Podobnie jak ja wziął sobie do serca proroctwa opata Joachima. Ale on dodatkowo dopatrzył się w nich antyklerykalnych znaczeń i duchowieństwo świeckie z Paryża zwróciło się przeciwko niemu. Jako minister generalny powinienem był go ukarać, bo to, co głosił, ocierało się o herezję, nie uczyniłem tego jednak, gdyż widziałem w jego poglądach piękną logikę. Doszło do tego, że przypisywano mi nawet niektóre z jego rozpraw. I w konsekwencji, kiedy upadł, upadłem i ja. Dla konwentualnych był to tylko pretekst, żeby się mnie pozbyć.

Jan zanurzył w ciepłej zupie kawałek chleba i czekał, aż rozmięknie. Zjadł go, po czym uniósł miskę z zupą do ust. Konrad podjął próbę powrócenia do tematu:

— Kiedy Gerardino zaczął rozbudowywać nauki Joachima? — spytał.

Jan spojrzał na niego z roztargnieniem i zakonnik przygotował się na kolejną z jego dygresji.

— Przepraszam, bracie. Przypominałem sobie piosenkę, której nie śpiewałem od lat. Powiadają, że dzieciątko noszone jeszcze na rękach zaśpiewało ją pierwsze, żeby ostrzec przed tym, co nadciąga.

Raz Rzymianin zdzielił w głowę swego ziomka Rzymianina,
A zdzielony, za swą krzywdę w podarunku Rzym otrzymał.
Był raz lew, co wszedł na górę i został lisa kompanionem,
Lecz lamparta skórę przywdział, i to był jego smutny koniec.

Nigdy nie udało mi się rozszyfrować, kogo mieli reprezentować ci dwaj Rzymianie, i lew, i lis, tak samo jak nie wiem, kim w przepowiedniach Joachima jest Antychryst ani co znaczy Ohyda Spustoszenia. Przez lata uważałem, że tym Antychrystem jest cesarz Fryderyk. Jego zwyczaj codziennych kąpieli, nawet w niedzielę, dowodził, że nie przestrzega ani przykazań Boga, ani świąt i sakramentów Kościoła. Ale kiedy Fryderyk umarł, a reszta przepowiedni nadal się nie wypełniała, naszły mnie wątpliwości. Kiedy spytałem Gerardina, co on o tym myśli, powiedział, że osiemnasty rozdział Izajasza, zaczynający się od słów *Ach, kraju brzęczących skrzydeł** i tak dalej, aż do końca, odnosi się do króla Kastylii, Alfonsa. „Z pewnością to on jest tym przeklętym Antychrystem, o którym mówią wszyscy doktorzy i święci", powiedział. Co zaś do Ohydy Spustoszenia, to z taką samą pewnością twierdził, że opisuje świętokupnego papieża, który niebawem nastanie.

— I za takie interpretacje ministrowie uwięzili Gerardina? — zdziwił się Konrad.

* Księga Izajasza 18,1.

— Niezupełnie, chociaż wykpili go za nie ustami wykładowców z uniwersytetu. Opat Joachim dzieli cały czas na trzy części: w pierwszej Bóg Ojciec działał w tajemnicy poprzez patriarchów i proroków. W drugiej Syn działał poprzez apostołów i ich następców, kler, o której to części mówi: „Ojciec mój działa aż do tej chwili i ja działam" *. W trzeciej i ostatniej części działał będzie Duch Święty poprzez religijne zakony, zakonników i zakonnice, wprowadzając hierarchię na nowe drogi. Nie żeby przestały obowiązywać Testamenty Stary i Nowy, ale Duch otworzy ludziom oczy i ujrzą nowe objawienia zawarte w tych starożytnych tekstach — Wieczną Ewangelię wywodzącą się z Testamentów, tak jak jej Autor, Duch Święty wywodzi się z Ojca i Syna. Ale zanim tak się stanie, muszą nastąpić dramatyczne wydarzenia zapowiadane w Apokalipsie, rządy świętych musi poprzedzić Armagedon. Myśleliśmy, że przełom nastąpi w roku tysiąc dwieście sześćdziesiątym.

— Dlaczego akurat wtedy? — spytał Konrad.

— Tak by wynikało z historii Judyty. Judyta żyła jako wdowa trzy lata i sześć miesięcy, czyli tysiąc dwieście sześćdziesiąt dni. Symbolizuje Kościół, który przeżywa Chrystusa, swego małżonka, ale nie o tysiąc dwieście sześćdziesiąt dni, tylko lat. A zatem tym wielkim punktem zwrotnym w dziejach Kościoła musi być rok tysiąc dwieście sześćdziesiąty.

— Ale jeśli Nasz Pan zmarł w trzydziestym trzecim roku życia — zauważył Konrad — to czy rok spełnienia nie powinien nastąpić trzydzieści trzy lata po roku Pańskim tysiąc dwieście sześćdziesiątym?

Jan podniósł oczy na Konrada i potarł pięścią czoło.

— Oczywiście! To dlatego nie doszło jeszcze do wydarzeń przepowiedzianych przez Joachima. Tego Gerardino nie wziął pod uwagę. Ale to nie wszystko. Gerardino opublikował jeszcze *Wstęp do Wiecznej Ewangelii*, w którym zawarł najbardziej znane prace Joachima, opatrując je własnym wstępem

* Jan 5,17.

i przypisami. Twierdził tam, że Sakramenty to tylko przejściowe symbole, które podczas rządów Ducha Świętego zostaną odrzucone. Utożsamił również papiestwo z Ohydą Spustoszenia, jak już powiedziałem, a na kilka lat przed zapowiadanym spełnieniem papiestwo nie mogło być takim zrównaniem zachwycone. Obwieścił ponadto, że święty Franciszek był nowym Chrystusem, który miał zastąpić Jezusa, Chrystusem drugiej ery. Paryskie szkoły nie mogły dopuścić, by takie twierdzenia przeszły bez echa, i w roku tysiąc dwieście pięćdziesiątym piątym postawiono tę sprawę przed komisją papieską. Komisja potępiła dzieło Gerardina i spaliła wszystkie jego kopie. Teraz wygląda na to, że Gerardino sam umrze jako ekskomunikowany za swój upór heretyk, bo do dzisiaj nie odwołał swoich nieortodoksyjnych idei.

Do tematu Gerardina wrócili dopiero po kilku dniach, kiedy Zefferino schrypniętym szeptem obwieścił im to, co stać się musiało:

— Tej nocy dusza brata Gerardina opuściła we śnie jego ciało.

— Niech Nasz Pan i Jego Błogosławiona Matka przyjmą jego duszę — szepnął Jan.

Skrzypnęła otwierana krata i Zefferino zszedł do nich.

— Bernardo da Bessa wymienił go jako przykład na porannej kapitule. — Zefferino zniżył głos. — Tak to się kończy, kiedy zakonnik jest upominany przez ludzi większej wiedzy, a mimo to nie wyrzeka się swoich fałszywych poglądów, lecz trwa przy nich z uporem, oszukując samego siebie.

— To kapituły prowadzi teraz Bernardo? — spytał Konrad.

— No właśnie. Przynoszę jeszcze jedną nowinę — powiedział Zefferino. — Bonawentura pojechał do Rzymu. Ojciec Święty poprosił go, żeby przemówił na soborze Kościoła w Lyonie. Nie będzie go co najmniej do końca lata.

Konrad spuścił głowę. Wstał i poruszył palcami u stóp, które marzły mu w zimnej wilgotnej celi. Wlokąc za sobą łańcuch, podszedł z resztkami posiłku do koszyka na ścianie. Od dwóch lat żył nadzieją, że generał złagodnieje może i uwolni jego oraz Jana z Parmy. Teraz, zajęty przy papieżu, Bonawentura nie będzie miał pewnie czasu na przejmowanie się losem nieszczęsnych zakonników, których więzi w lochach Sacro Convento. Zostaną tu jeszcze przez co najmniej pół roku.

Konrad spojrzał na starego zakonnika chłepczącego zupę. Jan przesiedział tu tyle samo czasu, co Gerardino. Spuścił wzrok na swoje blade wychudzone dłonie, ścisnął przez rękaw habitu cienkie jak patyk przedramię. Czy jak Gerardino dokonają z Janem żywota w więziennym lochu? Czy nie będzie mu dane wypełnić ślubu i pracować wśród trędowatych? Czyżby po to właśnie Bóg przyciągnął ich do zakonu, żeby dożyli swoich dni w podziemnej ciemnicy w towarzystwie szczurów? Zaiste, niezbadane są ścieżki Twoje, Panie, pomyślał, odbierając pustą miskę od Jana i oddając ją Zefferinowi.

— Chodź, bracie — powiedział do Jana, kiedy dozorca odszedł. — Podziękujmy teraz za posiłek.

XXXII

— Wkrótce tam będziemy — mruknęła Amata, strzepując z opończy grudki schnącego błota, kiedy Orfeo spytał, dokąd zmierzają.

Naturalnie rozpoznawał trakt do Todi, podróżował tędy z ojcem jako chłopiec. Po prawdzie to znał go aż za dobrze i doskonale wiedział, że jeśli przez następną milę nie zjadą z niego na jakimś rozwidleniu w bok, to doprowadzi ich prosto do Coldimezzo.

Cóż najlepszego uczynił, przyjmując tak beztrosko propozycję tej kobiety? Ich mała karawana posuwała się teraz skrajem wiru, który tylko patrzeć, jak go wciągnie, wessie w samo jądro najmroczniejszych koszmarów i porzuci rozbitego na dnie. Był ciepły marcowy dzień i pot wystąpił mu na czoło, ściekając strużkami po skroniach i policzkach, kiedy przypomniał sobie obraz rzezi, który nawiedzał go w snach — ludzie ginący pod ciosami mieczy i podkowami bojowych koni — wzbogacony teraz o nową wizję szamocącego się w pętach dziecka uwożonego przez morderców, których wynajął jego ojciec.

Ściągnął wierzchowcowi wodze i został kawałek z tyłu. Jego przyspieszony oddech mieszał się ze świergotem ptactwa nawołującego się pośród zarośli po obu stronach drogi. Nawet ptaki kpiły sobie ze zmiany, jaka zaszła w jego nastroju. To, co z początku zapowiadało się tak romantycznie — jechali z *donną* Amatą strzemię w strzemię, on opowiadał jej o swoim przyjacielu Marku, ona jemu o *donnie* Giacomie i wspaniałej podróży do Marche, krew krążyła mu w żyłach jak żywica w tych budzących się do życia przydrożnych drzewach — teraz przeistoczyło się w koszmar niepewności, co też może czyhać za następnym zakrętem traktu.

Amata też sposępniała. Była chłodna, zamyślona, od godziny do nikogo się nie odezwała. Naciągnęła na głowę kaptur, zwolniła. Nie zachowywała się jak kobieta, która jedzie załatwić jakąś drobną sprawę, choć tak mu powiedziała. Nawet ten młody Pio chyba to zauważył, bo dał za wygraną i nie jechał już obok niej.

Orfeo dźgnął konia ostrogą i zrównał się z wozem Jacopone. Słudzy wymościli go słomą, a na słomę rzucili kilka warstw koców. Poturbowany mężczyzna drzemał spokojnie, nie zważając na muchę, która brzęczała mu koło twarzy i wzbijała się wyżej, ilekroć wóz podskoczył na wykrocie. Od przeprawy przez Tyber ciągle się wspinali, a im wyżej byli, tym twardsza stawała się droga. Każdą mijaną polanę pokrywał dywan świeżej trawy, po polach snuli się kmiecie, sprawdzając wilgotność gleby. Młode listki zieleniły się na krzakach i drzewach, te z drzewek owocowych, które przetrwały srogą zimę, puszczały pierwsze różowo-białe pączki.

Zebrał się w końcu na odwagę i podjechał stępa do Amaty. Kiedy był już blisko, dziewczyna wstrzymała nagle konia i patrząc na wprost, wydała cichy okrzyk. Powolnym ruchem ściągnęła kaptur z głowy i wiatr rozwichrzył jej czarne włosy, niewiele dłuższe niż u mężczyzny — powiedziała mu, że przywykła do takich w klasztorze. Z ociąganiem oderwał oczy od jej profilu, żeby spojrzeć, co ją tak poruszyło.

To chyba to miejsce, pomyślał. Ale wyglądało jakoś inaczej, niż je zapamiętał. Wtedy zamek otaczało ziemne obwałowanie, pod które podchodził las, a z kamienia wzniesione były tylko wieże i łuk nad bramą. Teraz Coldimezzo okalał wysoki kamienny mur, nad blank którego wystawała tylko górna kondygnacja zamkowego stołbu. Drzewa i zarośla wycięto, żeby ewentualny wróg zmuszony był nacierać pod górę szerokiej skarpy bez żadnej nadziei na zaskoczenie załogi.

— Umocnili go — stwierdziła pod nosem Amata — ale mleko już się rozlało. — Szarpnęła wodze i podjechała do wozu. Przechyliła się przez drabinkę i potrząsnęła za ramię śpiącego Jacopone. — Zbudź się, kuzynie. Jesteśmy w domu.

Pokutnik zamrugał, a Orfeo zesztywniał w siodle. Patrzył na Amatę oniemiały, zupełnie jakby widział ją po raz pierwszy, podsumowując w myślach to, co o niej wie: jej wiek, jej przyjaźń z zakonnikiem, jej pobyt wśród sióstr, wspaniałomyślność starej szlachcianki, która ją przygarnęła (bo była sierotą?), *vendetta*, którą wciąż nosiła w sercu (chciała się mścić na ludziach z Rokki?).

Widać tu było wyraźnie rękę Boga, rękę, która wyłuskała go z Akki, przeniosła do Asyżu, a teraz tutaj, razem z tą kobietą. Przyglądał się jej blademu licu, dopatrując się w nim rysów dziewczynki, która wtedy zerkała na niego wstydliwie z wieży przy bramie. Ile to lat już minęło? Osiem na pewno. Amata przyznała kiedyś z pewnym zaambarasowaniem, że biegnie jej już dziewiętnasty rok. Dobry Boże, to jak nic ona!

Serce waliło mu jak komuś, kto na swej drodze zoczył niespodziewanie cenną monetę. I jak taki ktoś, kto upewniwszy się, że nikt go nie obserwuje, przydepnąłby tę monetę butem, Orfeo postanowił, że póki co zachowa swoje odkrycie dla siebie. Pewnego dnia, we właściwym czasie i w bardziej sprzyjających okolicznościach, wyjawi jej, że ich drogi z tragicznym skutkiem już się kiedyś skrzyżowały. Na razie będzie tylko obserwował, studiował, jakim piętnem odcisnęły się na niej tamte wypadki. Ale już teraz był pełen podziwu dla hartu ducha tej kobiety, zważywszy, ile musiała wycierpieć.

Wciąż zaspany Jacopone wygramolił się ze słomianego legowiska i usiadł na koźle. Amata dała znak i ruszyli. Z zamku już ich zauważono. Na murach pojawiało się coraz więcej ludzi. Amata wodziła oczami po blankach, szukając chyba jakiejś znajomej twarzy. Kiedy byli już blisko, ktoś z załogi krzyknął z góry, żeby się opowiedzieli, kim są i czego chcą.

— Czy Cleto Monti nie stróżuje już tu przy bramie? — zawołała Amata.

— Nie znam takiego! — odkrzyknął strażnik.

— Już ósmy rok, jak Cleto nie żyje, pani — rozległ się inny głos. — Usieczon podczas napaści na ten zamek.

— Nie wiedziałam — powiedziała Amata tak cicho, że usłyszeli to tylko jej towarzysze. Na moment jakby upadła na duchu, szybko jednak wzięła się w garść i zawołała: — Amata di Buonconte i Jacopo dei Benedetti da Todi proszą o gościnę jej wuja, hrabiego Guida di Capitanio!

— Łżesz! — wrzasnął inny mężczyzna. — Amata di Buonconte też nie żyje, zginęła podczas tamtego napadu. A *sior* Jacopowi pomieszało się w głowie i skończył ze sobą po śmierci żony.

Na te słowa Jacopone poderwał głowę.

— Goń w te pędy po jej wuja, pyskaczu! — ryknął na strażnika. — Byle głupiec co ma oczy, widzi, żeśmy nie duchy.

Orfeowi, nie wiedzieć czemu, łzy napłynęły do oczu, kiedy strażnik zniknął za parapetem. To przekrzykiwanie się Amaty i jej kuzyna z załogą zamku śmieszyło go i wzruszało zarazem. Poprawił hełm na głowie i opuścił przyłbicę, żeby ukryć swoje poruszenie.

Zaległa pełna wyczekiwania cisza. Nie trwała długo, bo już po chwili za murem wszczął się rwetes. Słychać było nerwową krzątaninę i piski kobiet, ponad które wzbijał się gruby męski głos, wykrzykujący rozkazy do wszystkich naraz. Brama otworzyła się ze skrzypieniem na oścież i ten sam głos ryknął:

— Gdzie ona?!

Amata zsunęła się z konia.

— Dobrze tu jestem widziana, wuju? — zawołała do wielkiego niedźwiedzia, który wypadł z zamku na spotkanie przybyszom. Znalazł się przy niej w paru długich susach i porwał w ramiona. Spłoszony koń odsunął się, kiedy twarz Amaty utonęła w zmierzwionej siwej brodzie wuja. Wyściskawszy bratanicę, postawił ją na ziemi i odsunął od siebie na długość wyciągniętych ramion.

— Amata, dziecko kochane. Ileż to miesięcy szukaliśmy cię wszyscy, ale ty jakbyś się pod ziemię zapadła. Po zajeździe żaden z niedobitków nie potrafił powiedzieć, kto ich zaatakował.

— Przez wiele lat byłam więziona w Asyżu. To długa i niewesoła historia. Ale teraz przybywam jako wolna kobieta.

Hrabia Guido wziął ja za ręce i pokręcił głową.

— A mnie brakowało ciebie tak samo jak Vanny. Straciliśmy ją jakiś rok po twoim zniknięciu.

— Wiem. *Sior* Jacopo mi powiedział. Musieliście bardzo to przeżyć.

Mężczyzna rozejrzał się trochę błędnie, tak jakby dopiero teraz uświadomił sobie, że bratanica nie jest sama. Przenosił wzrok z twarzy na twarz i Orfeo podniósł przyłbicę. W końcu jego rudawobrązowe oczy spoczęły na oberwanym trupiobladym pokutniku, siedzącym na koźle.

— *Sior* Jacopo? — wykrztusił ze współczuciem. — Do tego stanu się doprowadziłeś?

— To dobry stan. — Jacopone zdobył się na uśmiech. — Widziałem piekło, *suocero mio*, ale teraz wróciłem.

— Pora zarżnąć tłuste cielę! — krzyknął hrabia do ludzi tłoczących się w bramie. — Ochmistrzu, bierzcie się do przygotowania uczty. — Złapał konia Amaty za uzdę, ją samą zaś objął wolną ręką w talii i na wpół poprowadził, na wpół poniósł w stronę zamku. Amacie już od jakiegoś czasu drżały ramiona i teraz wreszcie się rozpłakała.

Orfeo również zsiadł z konia i ruszył za nimi. Dolatywały go strzępy ich rozmowy.

— Nie byłam pewna...

— Ha! Bonifazio to spasione łajno wołu. Wszyscyśmy wiedzieli...

Hrabia Guido zatrzymał się nagle i spojrzał na mokrą od łez twarz bratanicy.

— Nie było dnia, żeby twój ojciec nie wyrzucał sobie kary, którą ci wymierzył — powiedział z naciskiem. — Uczynił to, bo uważał, że tak trzeba, ale złamało mu to serce. Byłaś dla niego najcenniejszym na świecie darem i stracił głowę, kiedy Bonifazio ten dar skalał. Nigdy tego wujowi nie wybaczył.

Amata przytuliła się do niego i oparła czoło na jego piersi. Szlachcic spojrzał ponad jej głową i widząc stojącego w pobliżu Orfea, zmarszczył czoło i machnął władczo ręką.

— Prowadź konie do stajni, człecze. Sługa wskaże ci drogę. Nie podsłuchuj, kiedy rozmawiamy o sprawach twojej pani.

— Ale... — zaczął Orfeo i urwał, pewny, że Amata wyjaśni zaraz wujowi, że nie jest zwyczajnym pachołkiem, lecz przyjacielem. Jednak ona nie uniosła nawet głowy. Rozejrzał się stropiony. Wóz odtaczał się już w kierunku stajni, jakiś sługa prowadził osłabionego Jacopone do zamku. Orfeo wzruszył ramionami, odebrał od hrabiego uzdę konia Amaty i powlókł się za wozem. Hrabia gwizdnął na chudą, piaskowowłosą, siedmio-, może ośmioletnią dziewczynkę.

— Pójdź tu, Teresino. Dziadek ma dla ciebie wielką niespodziankę.

Jacopone wyciągnął obolałe członki na szerokim łożu teścia w wielkiej sali zamku. Ciepło bijące od kominka i zmęczenie po podróży na podskakującym i kolebiącym się wozie sprawiły, że znowu ogarniała go senność.

W tej sali po raz pierwszy zobaczył Vannę. Zamknął oczy i przywołał z pamięci chwilę, kiedy weszła w czepku i prostej zielonej sukni. Nawet na niego nie spojrzała. Wpatrywała się w podłogę, on też nie zwracał na nią większej uwagi, pochłonięty omawianiem warunków mariażu z jej rodzicami. Jakże niepodobna do pewnych siebie, wyzywających kobiet z Todi była ta skromna wiejska dziewczyna. Ujmował go jej brak ogłady, a jednocześnie deprymował: będzie musiał nadać jej poloru, zanim odważy się pokazać ludziom. Ale jej naturalna uroda, odpowiednio podkreślona i przyozdobiona, będzie kiedyś błyszczącym klejnotem i dźwignią jego kariery. Kupcy z miasta będą zlatywali się do jego domu stadami dla samej przyjemności złożenia wśród komplementów pocałunku na jej drobnej, choć może za bardzo opalonej dłoni.

Vanna *non vanitas*. Tyle mógłby się od niej nauczyć, gdyby nie umarła, gdyby bardziej otworzył się na prawdę, którą żyła na co dzień. Dlaczego trzeba było dopiero tego fatalnego wypadku, żeby przejrzał na oczy? Naciągnął na głowę kołdrę Guida, przesiąkniętą zapachem tego starego niemyjącego się wojownika. Kiedy, o Panie, raczysz mnie uwolnić? Kiedy będę mógł zobaczyć jej świetlistą duszę i osobiście poprosić o wybaczenie?

Nagle usłyszał szepty.

— No, idź — ponaglał ktoś kogoś. — Przecież cię nie ugryzie.

I zbliżył się cherubin. Ostrożnie ściągnął mu kołdrę z głowy, odkrywając ramiona i pierś. Poczuł, jak malutka chłodna rączka dotyka jego zrogowaciałej dłoni. Otworzył jedno oko. Na cherubina padały pod kątem promienie popołudniowego słońca, przydając blasku jasnym włosom i białej szacie przepasanej złotym sznurem. Dziecięce liczko miało te same usta i tę samą bródkę, co Vanna, o której właśnie śnił. Z radością powitał ów omen.

— A zatem już czas? — zapytał. — Przychodzisz po mnie?

Cherubin podskoczył jak ptaszek i przysiadł na krawędzi łóżka. W milczeniu, z powagą w oczach, przypatrywał się jego twarzy. Jacopone uniósł brwi, a potem jął na przemian to marszczyć, to wygładzać skórę czoła i policzków. Z mrowienia, jakie odczuwał, wynikało, że wciąż żyje.

— *Nonno* Guido mówi, że jesteś moim tatą.

Jacopone rozejrzał się po izbie. Przy drzwiach stali jego teść i Amata.

— Coś ci dolega? — spytała dziewczynka. — Dziadek powiedział, że wiele lat byłeś chory i dlatego nie mogłeś do mnie przyjść.

Jacopone ścisnął małą rączkę.

— Jak cię zwą, dziecko?

— Teresa di Jacopo. Ale wszyscy wołają na mnie Teresina.

— Bardzo ładne imię. — Wciąż trzymając ją za rękę, sięgnął pamięcią wstecz przez mgłę minionych lat. Znowu zobaczył zmiażdżone ciało Vanny wnoszone do ich sypialni, służące mnące w dłoniach fartuszki, zawodzącą zapłakaną mamkę, tulącą do piersi *bambino*. Vanna i mamka dokładały wszelkich starań, żeby dziecko nie przeszkadzało mu w prowadzeniu interesów, i robiły to tak skutecznie, że ledwie uświadamiał sobie obecność tej kruszyny w domu. Niemowlę miało wówczas nie więcej niż dwa miesiące.

Rozprostował palce, ale dziewczynka nie cofnęła rączki.

— Kiedy ostatni raz cię widziałem, byłaś niewiele większa od mojej dłoni — westchnął. — Patrzcie tylko, jak urosłaś. — Zwrócił się do Guida, który podszedł tymczasem do łóżka. — Niech Bóg ci wynagrodzi, *suocero*. Dobrze jej strzegłeś.

— Aż do dzisiaj była wszystkim, co mi pozostało. Jest dla mnie darem niebios. — Jego niedźwiedzie warczenie przeszło w mruczenie. Usiadł na łóżku obok dziewczynki i siennik ugiął się pod jego ciężarem. Pogłaskał wnuczkę po główce. — Widzisz, nawet włosy masz tego samego koloru — powiedział do małej — chociaż liczko odziedziczyłaś zdecydowanie po matce.

— *Deo gratia* — roześmiał się Jacopone. — Niech Bogu będą dzięki.

— Ten śmiech coś zgrzytliwie mi brzmi — stwierdził Guido. — Mam wyśmienite wino, które szybko naoliwi ci gardło.

Hrabia wstał i zdjął Teresinę z łóżka.

— Zaopiekujemy się twoim tatą, podtuczymy go i niedługo nabierze sił na tyle, żeby się z tobą bawić — obiecał. — A teraz niech odpoczywa. Macie oboje mnóstwo czasu na zapoznanie się i zaprzyjaźnienie.

Calista di Simone aż skręcało ze złości. Jego ludzie tak pokpili sprawę. Nie dość, że nie odzyskali pierścienia bractwa, to jeszcze pozwolili młodemu Bernardone uciec z miasta. Jakby tego było mało, czyraki z szyi rozsiały mu się na plecy po obu stronach kręgosłupa. Nie mógł nawet usiąść wygodnie na krześle z wysokim oparciem.

Leżał teraz na stole na brzuchu, a służąca nacinała ohydne wrzody i kładła na nie gorące kompresy, żeby odciągnąć z nich ropę. Jedna z parujących szmat była tak rozgrzana, że go oparzyła. Ryknął z bólu i machnął na oślep pięścią, trafiając kobietę w żołądek.

— Specjalnie to zrobiłaś!

Cios na moment pozbawił kobietę tchu, zdołała jednak wykrztusić:

— Nie, panie. Przysięgam. — Pochlipując cicho i trzymając się za brzuch, wróciła truchtem do kotła z wrzątkiem. — Na moje życie, to się więcej nie powtórzy.

— Lepiej dla twojego życia, żeby się nie powtórzyło.

Do izby wszedł wysoki barczysty mężczyzna i skłonił się *signore*. Jego zabłocone buty, rajtuzy i opończa świadczyły, że gnał tu co koń wyskoczy. Calisto łypnął na niego spode łba.

— Ty znowu tutaj, Bruno? Myślałem, żeś już na dobre zlazł mi z oczu!

Mężczyzna uśmiechnął się krzywo. Nie bał się rozsierdzonego pana tak jak służąca.

— Wytropiłem Orfea Bernardone — oznajmił. — Wiem już, gdzie przywarował.

— To czemuś go od razu nie utrupił i nie odebrał pierścienia? Nie chcę słuchać gadania, chcę widzieć wyniki.

Bruno usiadł na ławie, pochylił się i zaczął zeskrobywać nożem świeże błoto z butów, strzepując je z ostrza brudnymi pacynami na posadzkę.

— Sam nie dałbym rady — podjął, nie unosząc głowy. — Schronił się w *castello* we wspólnocie Todi, przy samej granicy. Nazywa się Coldimezzo.

Calisto uniósł się na łokciach.

— Znam ten zamek. To stamtąd uprowadziliśmy tę sukę Amatę. Bernardone pytał o nią i to miejsce, kiedy tu niedawno był. — Potarł sztywny palec i spytał: — Czego on może szukać w Coldimezzo? Mój ojciec zostawił je w ruinie.

— Nie takiej znowu ruinie. Ludzie nadal tam mieszkają. — Mężczyzna otarł ostrze z resztek błota o podeszwę i wsunął nóż za pas.

Calisto przekręcił się na bok i spojrzał wściekle na kulącą się w cieniu kobietę.

— Zabieraj te przeklęte gałgany z moich pleców — warknął.

Służąca podbiegła i zachowując bezpieczną odległość, żeby znowu nie oberwać pięścią, zaczęła ostrożnie, dwoma palcami, zdejmować kompresy. Kiedy skończyła, Calisto usiadł i klnąc z bólu na czym świat stoi, wciągnął przez głowę kaftan, po czym zsunął się ze stołu i przypasał miecz.

Bruno patrzył beznamiętnie, jak jego pan, krzywiąc się z bólu, przeciąga się nad nim i kręci ramionami. W pewnej chwili Calisto zmrużył oczy, w czarnych źrenicach zapaliły się złe błyski.

— Nie cierpię zostawiać roboty niedokończonej — powiedział. — Zbieraj moich rycerzy. Każ im gotować się do drogi. Jutro będziemy pod Coldimezzo. Tym razem nie zostawimy kamienia na kamieniu. I nikt nie ujdzie z życiem.

— Ludzie się ucieszą. Znudziło im się próżnowanie.

Calisto bez uprzedzenia rąbnął podnoszącego się Bruna pięścią w pierś, posyłając go z powrotem na ławę. Mężczyzna uderzył potylicą o kamienną ścianę i z ucha pociekła mu strużka krwi. Podźwignął się z trudem, trzymając jedną ręką za ucho, a drugą sięgając po sztylet. Ale *signore* zdążył już dobyć miecza i przystawił teraz jego czubek do gardła Bruna.

— To za to, że dałeś uciec Bernardone z Asyżu. Nie waż się po raz drugi mnie zawieść, bo ucierpisz jeszcze bardziej.

XXXIII

Orfeo nie bardzo wiedział, czego się spodziewać, kiedy Amata przysłała po niego do kwater dla służby. Od przyjazdu do Coldimezzo odnosiła się do niego z lodowatym chłodem. Idąc do kuchni, powtarzał sobie, że tak naprawdę to niewiele wie o tej kobiecie i jej humorach.

Ale dzisiaj zastał Amatę w o wiele lepszym nastroju.

— Darujcie, *sior* Bernardone, że zostawiłam was samemu sobie — zaczęła. — Powrót po tylu latach do rodzinnego domu tak mnie rozkojarzył, że zapomniałam o grzeczności. Mam nadzieję, że mi wybaczysz i przyjmiesz rękę wyciągniętą na zgodę. — Stojący za nią sługa trzymał koszyk przykryty serwetą. — Pomyślałam sobie, że moglibyśmy oderwać się na kilka godzin od domowej krzątaniny.

— Przyjmuję z radością. — Orfeo skłonił się. — I mam nadzieję niczym ci się w przyszłości nie narazić, pani. Tydzień takiego chłodnego traktowania byłby dla mnie nie do zniesienia.

Amata wybuchnęła śmiechem.

— Jest tu niedaleko leśna polana, na której bawiłam się w dzieciństwie — powiedziała. Dziwiła się samej sobie, że głos ma taki spokojny. W jej odczuciu ten Bernardone z rozmysłem grał szarmanckiego błazna, nic jednak nie wskazywało, żeby coś podejrzewał. Tym większy z niego głupiec, że tak go zaślepia przeświadczenie o własnej urodzie.

Poprowadziła obu mężczyzn do furtki w murach. Tam spojrzała na Orfea i wskazała oczyma koszyk. Kupiec kiwnął głową.

— *Grazie mille* — powiedział do sługi. — Dalej sam poniosę koszyk mojej pani. — Uśmiechnął się szeroko. Świadomość, że wrócił do jej łask, poprawiła mu humor.

W drodze do lasu Amata niewiele się odzywała, a na jego próby nawiązania rozmowy odpowiadała przelotnymi uśmieszkami. Znieczuliła na ten dzień swe serce i ani myślała ulegać czarowi tego człowieka. Nie da się zarazić jego wesołością.

Polana skurczyła się przez tych osiem lat, zarastając krzakami. Sądząc jednak po wygniecionej trawie i wydeptanej ścieżce, która do niej prowadziła, ludzie nadal tu przychodzili. Amata, modląc się, żeby dzisiaj nikogo tam nie było, rozglądała się po lesie i nasłuchiwała odgłosów ludzkiej obecności, ale ciszę mącił jedynie śpiew ptaków, brzęczenie pszczół i szelest młodych liści na wietrze.

Wesoły dotąd Bernardone zmarkotniał, kiedy zabrali się za owoce i ser oraz napoczęli pierwszy z dwóch dzbanów wina, które spakowała do koszyka. Może była wobec niego zbyt powściągliwa? Musi uważać, żeby się czymś przed nim nie zdradzić. A może kupiec nie jest wcale taki pewny siebie, za jakiego stara się uchodzić, i poczuł się skrępowany, kiedy zostali całkiem sami. Kilka razy jego twarz nagle spoważniała, jakby nasunęła się na nią chmura. Odnosiła wtedy wrażenie, że chce podjąć jakiś poważniejszy temat, lecz on szybko pogodniał i znowu zaczynał się z nią przekomarzać. *Santa Maria*, czyżby zamierzał wykorzystać sposobność i poprosić ją o rękę? Czym prędzej odpędziła od siebie tę myśl. Musi widzieć w nim tylko i wyłącznie znienawidzonego wroga rodziny.

A może czeka, aż wykończą drugi dzban, i dopiero wtedy, podochocony winem, znajdzie w sobie odwagę, by wyłuszczyć, co mu chodzi po głowie? Wolałaby raczej, żeby zmorzył go sen. Słuchając jednym uchem jego opowieści, jak to podróżował w dzieciństwie przez te strony, dolała mu wina do pucharka. Uśmiechając się rozbrajająco, odstawiła dzban i namacała ukryty w rękawie nóż. Szkoda, że nie wie, jakie magiczne słowa wymawiali hebrajscy prorocy przed złożeniem ofiary. Powtórzyłaby je teraz za nimi. Pij, synu Lucyfera, ponagliła w myślach Orfea. Przygotuj się na wyrównanie rachunków.

Nie zabiła nigdy nikogo z zimną krwią. Walka stoczona z mnichem z Gubbio nie ułatwiała jej ani trochę zadania. Tamto pchnięcie zadała odruchowo, w obronie własnego życia. Gdyby nie uderzyła pierwsza, mnich rozbiłby jej głowę maczugą. Teraz zaś miała z premedytacją poderżnąć gardło śpiącemu człowiekowi, jak kucharka kurze. Czy raczej jak Judyta odcinająca głowę Holofernesowi, gnębicielowi jej ludu, kiedy zasnął po tym, jak ją posiadł. Amata przyrzekła sobie, że pomodli się szczerze nad ciałem Orfea, kiedy będzie już po wszystkim, bo nie był łotrem w rodzaju Simone della Rokki, a tylko urodził się pod złą gwiazdą. Potem zaciągnie trupa między drzewa i zostawi zwierzętom na pożarcie, a wujowi powie, że łajdak uciekł, ukradłszy jej... do diabła, o tym zapomniała! Powinna była zabrać ze sobą coś z biżuterii, jakiś cenny przedmiot, który wszyscy na zamku u niej widzieli.

Kiedy Orfeo dopił wino, słońce minęło już zenit i na polankę, od zachodniego jej skraju, zaczęły wpełzać cienie. Kupiec ziewnął szeroko i wyciągnął się wreszcie na kocu, powieki wyraźnie mu ciążyły, wino i ciepłe powietrze robiły swoje. Na złotym łańcuszku, który ma na szyi, zawieszony jest pewnie krzyżyk, pomyślała, ale nie ochroni go teraz nawet ten święty symbol. Napięła mięśnie przedramienia. Niech się stanie! Jeszcze chwila i będzie po wszystkim. Dopełni w końcu *vendetty* i będzie wolna. Odetchnęła głęboko, żeby uspokoić drżenie członków, i wysunęła nóż z pochwy.

Zmroziła ją wrzawa na ścieżce. Ukryła szybko nóż w fałdach sukni. Na polanę wbiegła w podskokach gromadka rozwrzeszczanych dzieci z Teresiną na czele.

— Tutaj jest! Znalazłam ją! — krzyknęła Teresina. Klapnęła zdyszana na trawie u stóp Amaty. Orfeo usiadł na kocu i potrząsnął głową, starając się odpędzić senność. Za Teresiną podbiegły do nich dzieci służby i obsiadły ich wkoło.

— Kuzynko Amato, opowiedz nam bajkę — poprosiła dziewczynka.

— Bajkę o księciu i księżniczce — uściśliła druga.

Amata nie ochłonęła jeszcze ze strachu, jakiego napędziły jej dzieci. Przyciskała rękę do piersi, czekając, aż uspokoi się walące serce.

— Ja wam opowiem bajkę — odezwał się zaspanym głosem Orfeo. Wyciągnął z rękawa chusteczkę i owinął nią sobie serdeczny palec. — To jest książę — wyjaśnił. Zwrócił się do Amaty: — Twojej chusteczki też będziemy potrzebowali, *madonna*.

Amata pomyślała o pustej teraz pochwie przypasanej do przedramienia.

— Nie mam... zapomniałam zabrać — wyjąkała.

— Ja mam — powiedziała z wyższością Teresina. Chusteczka była nieco przybrudzona, ale Orfeo podziękował jej szarmanckim gestem ręki. Potem poprosił Amatę, żeby podała mu swój serdeczny palec, i też obwiązał go chusteczką.

— Ty, pani, jesteś księżniczką.

Wyprostował palec i zaczął:

— Dawno, dawno temu był sobie książę, który wybrał się z ojcem i braćmi w podróż do dalekiej krainy. — Wyprostował przed dziećmi wszystkie palce. — Pewnego dnia zatrzymali się przed zamkiem i książę ujrzał piękną małą księżniczkę, niewiele starszą od was, stojącą na wieży. Książę pomachał do niej taką jak ta kukiełką. — Orfeo uniósł rękę Amaty ponad swoją i patrząc jej w oczy, zgiął w ukłonie obwiązany chusteczką palec.

Amata spojrzała gdzieś w bok. Do czego on zmierza? I od kiedy wie, kim ona jest? Czy to właśnie próbował jej dzisiaj powiedzieć?

Orfeo stuknął palcem wskazującym palec Amaty i podjął poważniejszym głosem:

— Jednak ich ojcowie pokłócili się i książę ze swoją rodziną odjechał, zanim zdążył poznać księżniczkę.

— Ojej — jęknęły zawiedzione dzieci.

— Ojciec księcia był bardzo rozsierdzony na ojca księżniczki. Po powrocie do domu wynajął złego rycerza i kazał mu napaść na zamek. Rycerz zabił tatę i mamę księżniczki, a ją porwał do swojej mrocznej twierdzy. — Orfeo ujął wolną ręką „księżniczkę" i przyciągnął ją wolno do siebie. — Więziona przez złego rycerza przez wiele lat, wyrosła na piękną młodą kobietę. Tymczasem książę był tak nieszczęśliwy i tak rozgniewany na swojego ojca, że uciekł z domu i pożeglował do Ziemi Świętej. Pewnego dnia, wiele lat później, kiedy był już dorosłym mężczyzną, spotkał papieża. *Il Papa* powiedział mu: „Musisz wrócić do domu, młody książę, i zadośćuczynić za zbrodnię swojego ojca".

Na wspomnienie papieża, którego rolę Orfeo powierzył swojemu kciukowi, dzieci wytrzeszczyły oczy.

— Tak więc książę pożeglował z powrotem do ojczystego kraju — ciągnął Orfeo. — Dowiedział się, że zły rycerz trzyma księżniczkę w swoim zamku, ale kiedy tam poszedł, okazało się, że jej już w zamku nie ma. — Puścił palec Amaty i cofnął rękę. — „Jest w klasztorze", warknął tylko rycerz, i tej samej nocy nasłał na księcia swoich skrytobójców, żeby go zabili, bo nie chciał, żeby książę odnalazł księżniczkę. Lecz los zrządził inaczej i skrytobójcy, zamiast księcia, zabili przez pomyłkę jego najlepszego przyjaciela.

Głos mu się załamał, ręka zaczęła drżeć. Dzieci popatrzyły po sobie, a potem znowu wlepiły szeroko otwarte oczy w Orfea.

Amata, widząc, że ten walczy ze wzruszeniem, podjęła opowieść:

— Książę przyszedł do pewnej damy, którą niedawno poznał, żeby jej powiedzieć, iż stracił przyjaciela. I ta dama poprosiła go, żeby towarzyszył jej w podróży do jej rodzinnego domu na wsi. I książę się zgodził. I wiecie co? — Amata zawiesiła głos i popatrzyła na buzie otaczających ją dziewczynek i chłopców. — Kiedy tam przybyli, okazało się, że to ten sam zamek, w którym książę po raz pierwszy widział księżniczkę.

Orfeo doszedł już do siebie, odzyskał głos i podjął:

— Książę zrozumiał, że ta dama to nikt inny, jak księżniczka, której szukał przez tyle lat. — Przyłożył owinięty chusteczką palec do palca Amaty.

— I poprosił ją, żeby wyszła za niego za mąż i żyła z nim długo i szczęśliwie? — spytała Teresina.

Orfeo spojrzał na przejęte twarzyczki. Zerknął na Amatę z tym samym pytaniem w oczach.

Pokręciła głową.

— To twoja bajka — powiedziała.

— Nie od razu — podjął kupiec. — Najpierw chciał jej wynagrodzić wszystko, co wycierpiała. Poprosił, żeby pozwoliła mu zostać swoim rycerzem i stawać w jej obronie. — Orfeo urwał, po chwili dorzucił: — Ale o tym opowiem wam kiedy indziej.

— Opowiedz teraz! — pisnęła błagalnie Teresina.

— Teraz muszę poważnie porozmawiać z twoją kuzynką — powiedział Orfeo. — W cztery oczy. — Dał dzieciom znak ręką, żeby wstały. — Pobiegajcie sobie po lesie. Tylko nie oddalajcie się zbytnio.

— Nie bój się. Nie zabłądzimy. Zawsze się tu bawimy.

Kiedy dzieci znikły między drzewami, Amata położyła się i zamknęła oczy. Nigdy jeszcze nie była tak skonfundowana. Koc napiął się pod nią i poczuła obok siebie Orfea. Kiedy dotknął ustami jej policzka, w kącikach jej oczu zebrały się łzy. Nie otwierała ich jednak. Objęła go prawą ręką za szyję i przyciągnęła do siebie, a lewą namacała sztylet. Bernardone, Bernardone! To nazwisko dudniło jej w uszach niczym diabelski bęben. Ścisnęła najmocniej jak mogła rękojeść noża i uniosła go, ale ten wysunął jej się z drżącej ręki, odbił od ramienia Orfea i upadł na koc.

Orfeo spojrzał na nóż, potem na łzy płynące po policzkach Amaty. Ujął ją pod brodę.

— Nie jestem twoim wrogiem, *madonna* — szepnął. — Twoim wrogiem był mój ojciec. Twoim wrogiem był Simone della Rocca. Jego syn, Calisto, chciałby nas oboje widzieć martwymi. Ja jestem tutaj po to, by w miarę moich możliwości spieszyć ci z pomocą. — Patrzył jej ze smutkiem w oczy. — Kocham cię, Amatino.

Intensywność jego spojrzenia wyparła z serca Amaty resztkę zalegającej tam nienawiści. Objęła go za szyję.

— To co chcesz, żebym zrobiła? — wyszeptała.

Przysunął usta tak blisko, że jego ciepły oddech łaskotał ją w płatek ucha.

— Naprawdę chcesz, żebym powiedział, nie bacząc na dzieci, które się tu bawią? — Uniósł głowę i odsunął się nieco, a na jego wargach igrał uśmieszek rozbawienia. Szybko jednak spoważniał.

— Nawiązywałem do tego, co powiedziałem o stawaniu w twojej obronie. Chcę ci wynagrodzić, jedną po drugiej, wszystkie krzywdy, jakie wyrządziła ci moja rodzina. I chyba nawet wiem jak.

— Jak?

— „Książę" naprawdę poznał papieża i spędził z nim wiele tygodni. Papież obiecał odwdzięczyć mu się za jego usługi.

To zaczynało być interesujące. Amata przekrzywiła głowę, nastawiając ucha.

— Wspominałaś mi o swoim przyjacielu pustelniku — ciągnął Orfeo. — Tym, którego minister generalny więzi w lochu. Gdyby hrabia Guido dał ci kilku ludzi, którzy odprowadziliby cię do Asyżu, ja pojechałbym do Rzymu i poprosił papieża o łaskę dla twojego zakonnika. Ale musiałbym ruszać bez zwłoki. Grzegorz jedzie niedługo do Lyonu na sobór powszechny.

Spojrzał jej głęboko w oczy.

— W zamian proszę tylko o jedno, Amatino. Obiecaj mi, że do mojego powrotu nie przyjmiesz żadnego zalotnika.

Ciepło rozeszło jej się po piersiach, po całym ciele — ciepło wywołane po części jego słowami, ale również ulgą, że nie dokonała zemsty. Ściskając jego spracowaną dłoń, przypomniała sobie, że był kiedyś wioślarzem. Co za interesujący mężczyzna!

— To szlachetna propozycja. I szlachetna prośba. — Uniosła jego dłoń do ust. — Nie bądź tylko jak ten legendarny poeta, którego imię nosisz. Nie musisz się oglądać przez ramię, żeby sprawdzić, czy za tobą idę. Uwierz mi na słowo, twoja Eurydyka będzie szła za tobą zawsze, po najmroczniejszych drogach, najtłoczniejszych zaułkach, dopóki nie wrócisz do domu. A jeśli wrócisz z papieskim ułaskawieniem, obiecuję, że za swoje wysiłki otrzymasz nagrodę.

Uniosła się na łokciu, pochyliła nad nim i przywarła ustami do jego warg.

— Traktuj to jako przypieczętowanie mojej wierności i cierpliwości — szepnęła.

Kiedy wychodzili na porębę oddzielającą las od zamku, Amacie przemknęło przez myśl, że brat Konrad byłby dumny z jej opanowania. Sam na sam z cudownie romantycznym mężczyzną, który odwzajemniał jej uczucia, który pierwszy ją pokochał, zachowała się skromnie i stosownie. Nie mogła się sobie nadziwić, chociaż musiała przyznać, że Orfeo również wykazał się powściągliwością. Nie zdając sobie z tego sprawy, musiała dojrzeć pod okiem *donny* Giacomy.

Jej nastrój harmonizował z budzącą się wiosną. Brat Konrad wkrótce będzie wolny; Orfeo powróci niedługo z papieskiego dworu. W końcu będzie mogła zająć się budowaniem własnego szczęścia. Nawet pachnąca ziemia zdawała się drżeć z podniecenia pod jej stopami.

Nagle przystanęła i zaczęła nasłuchiwać. Ziemia drżała tak samo jak wtedy, gdy *dom* Vittorio wracał galopem z uzbrojonymi mnichami do Sant'Ubaldo. Orfeo dojrzał tuman kurzu na skraju poręby w tej samej chwili co ona. Koszyk wypadł mu z ręki.

— Szybko! Do zamku! — krzyknął, chwytając ją za ramię.

— Dzieci! — wrzasnęła. — Zostały w lesie!

— Wrócę po nie. Ty pędź do furty!

Popchnięta przez niego, niewiele myśląc, puściła się biegiem w stronę zamku. Ponaglano ją z murów, brama była otwarta. Wpadając przez nią, obejrzała się. Orfeo znikał właśnie w lesie, za nim galopował samotny jeździec, który odłączył się od szarżującej watahy.

— Orfeo! — wrzasnęła. — Za tobą! — Jej głos utonął jednak w grzmiącym tętencie kopyt i bojowym okrzyku jeźdźców.

XXXIV

Rycerze i kusznicy z załogi zamku sprawnie, jeden za drugim, pięli się po przystawionych do murów drabinach na blanki. Amata dojrzała tam na górze Guida. Pal diabli skromność, zaklęła w duchu, podkasała suknię i jęła się drapać po drabinie najbliższej wuja.

Zajęty organizowaniem obrony, Guido z początku jej nie zauważył. Amata patrzyła na jeźdźców nacierających w tumanach kurzu niczym horda z piekła rodem. Zbliżywszy się do zamku, zwolnili, a kiedy ich dowódca wzniósł miecz nad głowę, ściągnęli wodze i wstrzymali konie. Szarża wytraciła impet niczym fala, która napotkawszy na swej drodze urwisty brzeg, rozbija się o niego i cofa, pozostawiając po sobie pianę. Wydawali się zaskoczeni, tak jak niedawno ona, zastając zamek ufortyfikowany i obsadzony liczną załogą. Tylko głupiec atakowałby z marszu taką twierdzę. W grę wchodziło jedynie oblężenie albo fortel.

Zdezorientowani napastnicy patrzyli na rząd kuszników czekających na rozkaz, by zasypać ich gradem bełtów. Dowódca, gniewnie tnąc mieczem powietrze, ruszył stępa wzdłuż szeregu swoich rycerzy.

— Do krocset, gdzie Bruno?! — darł się.

Amata domyślała się, że szuka człowieka, który odłączył się od oddziału i pognał za Orfeem. Spojrzała z niepokojem na las. Wydawało jej się, że słyszy stłumiony odległością i zagłuszany nerwowym parskaniem koni szczęk oręża, dobiegający zza zasłony obojętnych drzew.

— Kim jesteście?! — zawołał Guido. — Co ma znaczyć ten zbrojny najazd?

Dowódca odłączył się od swoich ludzi, wstrzymał konia w połowie drogi do bramy i podniósł przyłbicę. Miał hełm nowego typu z przyłbicą zamocowaną na zawiasach i drewnianym grzebieniem. Jego kończyny i tors chronił lekki, skopiowany od Saracenów pancerz ze zszytych bokami, bogato zdobionych kwadratów z utwardzonej skóry, modny teraz wśród umbryjskiej szlachty.

Amata wydała cichy okrzyk, rozpoznając w nim tego wieprza, Calista della Roccę. Dopiero teraz Guido zauważył wśród lśniących hełmów swoich zbrojnych zgromadzonych na parapecie niewieści czepek. Zgromiona surowym spojrzeniem wuja, wzruszyła ramionami i podeszła do niego.

— Jestem *signor* Calisto di Simone, pan na Rocca Paida w Asyżu. — Calisto zatoczył mieczem szeroki łuk, wskazując swoich ludzi. — Przepraszam, jeśli was przestraszyliśmy, *signore*. Ścigamy złodzieja, niejakiego Orfea di Angelo Bernardone, który zbiegł z naszego miasta, kierując się w te strony.

Nieudolna próba ukrycia prawdziwych zamiarów. Amata napawała się widokiem poczerwieniałej gęby Calista i gwarem, jaki podniósł się wśród jego zbirów, kiedy usłyszeli, jak stara się usprawiedliwiać szarżę na zamek. Guido wymamrotał pod nosem nazwisko Orfea, które wyraźnie nic mu nie mówiło.

— To mój przyboczny — wyjaśniła Amata. — Zapewniam cię, wuju, że nie jest złodziejem.

Wychyliła się zza blanków i krzyknęła:

— Znam cię, tchórzu! Twój ojciec zabił Buonconte di Capitania, pana na tym zamku, kiedy nieszczęsny modlił się nieuzbrojony, a ty, wielki pogromco bezbronnych kobiet, przebiłeś mieczem jego żonę Cristianę, która próbowała osłonić go własnym ciałem, kiedy upadł. A potem napastowałeś ich córkę, chociaż była jeszcze dzieckiem.

Furia wyparła ugodowość z tonu jeźdźca.

— Ja też poznaję twój jędzowaty głos! To z twoją pomocą ten złodziej wymknął się z Asyżu. Nie próbuj go osłaniać, sekutnico o lodowym sercu, bo źle się to skończy dla ciebie i wszystkich tutaj

— *Frocio!* Tchórzu! Nie odważysz się, cudaku bez kutasa — zakpiła. — Ty pożal się Boże rycerzu z jajami wróbelka!

Twarz jeźdźca oblała się purpurowym rumieńcem, kiedy usłyszał chichoty wywołane tymi słowami w jego własnych szeregach. Guido przysłuchiwał się z otwartymi ustami tej wymianie obelg, popatrując to na Amatę, to na Calista.

Teraz uznał, że dosyć się już nasłuchał.

— Co odpowiesz na jej zarzuty, *signore*? — krzyknął.

— Jestem wojownikiem. A tam, gdzie wojna, ofiary być muszą, i ani myślę przepraszać!

Twarz Guida stężała w granitową maskę. Wychylił się zza blanki.

— Ja też jestem wojownikiem, *signore*, i powinowatym szlachcianki, którąś zadźgał. Żądam satysfakcji należnej mi z mocy prawa krwi i wyzywam cię na ubitą ziemię tu i teraz.

Amata wyobrażała sobie, jakie myśli tłuką się w tej chwili po głowie Calista: człek ma siwą brodę — jest dwa razy starszy ode mnie — tylko że kawał z niego chłopa. Wiedziała, że o honorze pomyśli na końcu albo wcale. Patrzyła z uśmiechem, jak pociera niezdecydowanie kłykcie prawicy.

Koń albo odczytał myśli swego pana, albo Calisto nieświadomie szarpnął cugle, bo zaczął się cofać w kierunku rycerzy. Ci zaś, ku zdumieniu Amaty, jeden po drugim pochylali kopie, wymierzając je w swojego dowódcę i nie dając mu wmieszać się między siebie.

— Nie przynoś nam wstydu, panie! — krzyknął jeden z nich.

Amata szepnęła coś wujowi do ucha. Roześmiał się.

— Ty mi mówisz, jak mam walczyć, kobieto?

— Posłuchaj mej rady — powiedziała. — On prawe ramię ma nie całkiem sprawne.

Guido wyprostował się i zawołał:

— Każ swoim ludziom się cofnąć. Wdzieję tylko zbroję i wychodzę do ciebie przez bramę sam. Pieszo, na miecze i tarcze.

Calisto skłonił głowę. Zsiadł z konia i odwiązał tarczę przytroczoną do grzbietu zwierzęcia. Podjechał giermek i odebrał od niego uzdę. W tej samej chwili z lasu wybiegł koń bez jeźdźca. Jeden z rycerzy spiął wierzchowca, pocwałował za nim, dogonił i pochwyciwszy, wypatrywał czegoś między drzewami, po chwili jednak zawrócił do swoich, prowadząc za sobą ogiera. Amata, przygryzając mocno kłykieć, wytężyła wzrok, ale nie dostrzegała żadnego poruszenia pośród drzew.

— Zejdź z murów — zwrócił się do niej Guido. — Natychmiast. Nie chcę, żebyś na to patrzyła.

— Wyglądam Orfea — zaprotestowała. — Wrócił do lasu po dzieci. Popędził za nim jeden z rycerzy Calista. To jego koń wybiegł stamtąd przed chwilą.

Światełko zrozumienia zapaliło się w poważnych oczach hrabiego.

— Będę musiał lepiej poznać tego Orfea — mruknął. — Jeśli ujdzie z życiem. Jeśli obaj ujdziemy z życiem. — Przeżegnał się i zaczął schodzić po drabinie.

Słońce chyliło się ku zachodowi i Amata widziała kropelki potu zraszające coraz obficiej twarz Calista. Spoglądała to na niego, to na las, to na wejście do zbrojowni, w której zniknął Guido. Napięcie powoli opadało i ludzie — ci na murach i ci na koniach — zaczęli rozmawiać między sobą przyciszonymi głosami, lecz z lasu nie dolatywał żaden odgłos. Amata nachyliła się do stojącego obok kusznika.

— Jeśli ten łotr zabije hrabiego Guida, przeszyj go bełtem. Takiemu łajnu nie przysługuje rycerskie traktowanie. Hojnie cię wynagrodzę.

Mężczyzna uśmiechnął się i napiął kuszę. Amata ruszyła parapetem ku narożnikowi murów, z którego było najbliżej do lasu, zatrzymując się po drodze przy każdym kuszniku i powtarzając to samo polecenie.

Hrabia Guido wyszedł w końcu ze zbrojowni, witany owacyjnie przez swoich ludzi. Był w misiurce i kolczudze, na którą nałożył gruby skórzany kaftan wzmocniony od spodu paskami metalu, i wyglądał w tym rynsztunku jak żelazna góra. Pod pachą niósł hełm angielskiego wzoru, w kształcie stożka, po którym miecz się ześlizgiwał. Calisto sfajda się w portki, kiedy go zobaczy. Jego połyskująca tarcza była dwa razy szersza od tarczy asyżyjczyka, a pochwa wiszącego u pasa miecza dłuższa o długość męskiego przedramienia od tych, jakie Amata kiedykolwiek widziała. Przypomniała sobie, że kiedy była mała, kobiety z zamku nazywały go *spadalunga*, „długi miecz". Zachichotała na myśl, że przydomek ów wuj Guido mógł zawdzięczać również innym przymiotom, co uświadomiła sobie dopiero teraz, jako dorosła już kobieta. Jeśli tak w istocie było, to musiało mu się spodobać, że nazwała Calista „cudakiem bez kutasa".

Wróciła biegiem na swoje miejsce na parapecie, a hrabia nakreślił tymczasem w powietrzu znak krzyża i dał ruchem głowy znak słudze, żeby otworzył furtę w bramie. Ciekawa była miny Calista, ale ten opuścił już przyłbicę. Guido paroma długimi krokami pokonał dzielącą ich odległość i szybciej, niż się spodziewała, z marszu, ciął ogromnym mieczem. Pod asyżyjczykiem, który zasłonił się tarczą, ugięły się kolana, ustał jednak i zrewanżował się równie silnym uderzeniem na tarczę wuja. Przez chwilę trwała wymiana ciosów, potem Calistowi udało się wyprowadzić silniejsze uderzenie, pod którym wuj się cofnął.

— Nie robi, jak mówiłam! — krzyknęła Amata do stojącego obok kusznika.

Calisto, zagrzewany przez swoich ludzi, przejął inicjatywę i młócąc mieczem jak cepem, spychał coraz bardziej powolniejszego i starszego mężczyznę. Hrabia sprawiał wrażenie zdezorientowanego. Ciął z rozmachem, mierząc w głowę przeciwnika, ale odziany w lekką zbroję Calisto bez trudu się uchylił i odpowiedział gradem ciosów, spychając Guida w cień zamkowych murów. Guido już nie atakował, parował tylko uderzenia tarczą.

— Pamiętaj o swoich krewniakach! Pamiętaj o mojej matce! — krzyknęła do niego Amata, ale jej głos utonął w ogólnej wrzawie. Przeżegnała się, przeżegnała się jeszcze raz i złożyła ręce do modlitwy, kiedy wuj opadł na jedno kolano i osłonił tarczą głowę.

O dziwo, Calisto nie natarł na niego, wietrząc chyba podstęp. I rzeczywiście, Guido machnął mieczem jak kosą tuż nad ziemią, po czym poderwał się na równe nogi i runął na zaskoczonego Calista, który ledwie zdążył się zasłonić. W tych ciosach nie było już takiej furii, ale hrabia, zadając je, przesunął się niepostrzeżenie o pół kroku w prawo.

— O tak! — krzyczała Amata. — Właśnie tak!

Sprytnie, bardzo sprytnie, pomyślała. Przejrzała strategię Guida. Prowokował młodszego od siebie przeciwnika do forsowania ręki, swoją, starszą, trzymając w rezerwie. Coraz bardziej odsuwał się od prawego, osłabionego już ramienia Calista, zmuszając go w ten sposób do szerszych wymachów. Już następny cios ześlizgnął się po tarczy Guida, bo Calistowi rękojeść miecza przekręciła się w dłoni. Hrabia odpowiedział potężnym uderzeniem, odcinając górny lewy narożnik tarczy asyżyjczyka, i zrobił jeszcze jeden krok w prawo. Calisto odskoczył, a potem ruszył znowu na Guida, nieco ostrożniej, nie machając już mieczem, lecz dźgając, ale dłuższa głownia Guida trzymała go na dystans. Rycerze obserwujący z kulbak pojedynek przycichli, widząc, że szanse się wyrównują. Guido znowu odstąpił w prawo, a jego przeciwnik cofnął się, żeby zebrać siły i jeszcze raz przemyśleć taktykę. Amata zauważyła z niepokojem, że jeszcze jeden kroczek w bok i zachodzące słońce będzie świeciło prosto w oczy wuja.

Załoga zamku ucichła. Walczący ścierali się, lecz żaden nie uzyskiwał przewagi. Coraz bardziej zdenerwowanej Amacie każdy mięsień naprężał się w rytm uderzeń wuja, jakby sama je zadawała. W końcu, nie wytrzymując napięcia, wrzasnęła:

— Wróble jajeczka!

Obie grupy obserwatorów walki gruchnęły śmiechem. Calisto ryknął coś niezrozumiałego i runął na Guida z uniesionym mieczem. Hrabia przekrzywił lekko tarczę i odbijające się od niej promienie zachodzącego słońca trafiły prosto w wąskie szczeliny w przyłbicy asyżyjczyka. Potem znowu nieco się odsunął i cios Calista przeciął powietrze. Asyżyjczyk stracił równowagę, miecz wypadł mu z ręki, a wtedy hrabia wbił czubek swojego między płytki skórzanego kaftana i naparł na rękojeść. *Signore* na zamku Rocca osunął się z okrzykiem bólu na kolana. Guido naparł na rękojeść jeszcze silniej, po czym wyciągnął miecz spomiędzy żeber Calista. Calisto zadarł chronioną hełmem głowę ku blankom.

— Sprowadźcie kapelana! — zawołał błagalnie. — Konam!

Posoka sącząca się z przebitego boku spływała mu na biodro, na udo i skapywała w trawę, na której klęczał. Chciał ściągnąć hełm, ale nie mógł sobie z tym poradzić. Pomógł mu hrabia, zbliżywszy się do niego od tyłu, i wtedy Amata stwierdziła, że Calisto patrzy wprost na nią.

— Sprowadzę ci tego samego księdza, który spowiadał na łożu śmierci twojego ojca! — krzyknęła. Naciągnęła na czepek kaptur płaszcza, złożyła dłonie i tym samym zmienionym głosem, którym zwracała się do umierającego Simone della Rokki, zaintonowała: — Niech twoją duszę spotka sprawiedliwa nagroda.

Calisto przewrócił dziko oczami, domyślając się już, co oznacza ta parodia. Padł na twarz, orząc paznokciami wilgotną ziemię i rwąc kępki trawy.

— Suka. Zatracona, przeklęta suka — wycharczał i znieruchomiał.

Jego giermek podprowadził konia i z pomocą Guida przerzucił ciało pana przez siodło, po czym zwycięski hrabia Guido zatoczył mieczem wielkie koło. Jeźdźcy zawrócili konie i ruszyli przez porębę w stronę Asyżu.

Załoga zamku zgotowała swemu panu owację. Amata zbiegła po drabinie z murów i rzuciła się na szyję wchodzącemu przez furtkę w bramie wujowi. Guido zdjął hełm.

— Nie myliłaś się — powiedział. — Prawą rękę miał do niczego.

Amata puściła go, wybiegła przez furtkę i popędziła w kierunku lasu. Kiedy mijała leżący na trawie koszyk, spomiędzy drzew wyszedł Orfeo w otoczeniu gromadki dzieci. Na ten widok Amata padła na kolana i złożyła ręce. Orfeo zbliżał się wolnym krokiem, wlokąc za sobą zakrwawiony miecz i lewą ręką obejmując Teresinę. Dopiero teraz Amata zorientowała się, że dzieci nie bez powodu otaczają go takim ciasnym kółkiem. Był ranny, a one go podpierały.

Zerwała się i podbiegła. Orfeo padł ciężko w jej wyciągnięte ramiona, ugryzł ją lekko w szyję i wyszeptał:

— Wróble jajeczka?

— To nie jest zajęcie dla kupca — stwierdził Orfeo. Siedział podparty poduszkami obok Jacopone w królewskim łożu hrabiego Guida. — Nie jestem stworzony do robienia mieczem.

Mała Teresina leżała na kołdrze między dwoma mężczyznami i bawiła się z kotkiem, który zaanektował dla siebie jedną z mniejszych poduszek. Amata siedziała na brzegu łóżka obok Orfea, hrabia Guido, rozparty w fotelu, drapał za uchem żółtego psa.

Amata ścisnęła dłoń Orfea.

— Zwalniam cię z obowiązków mojego przybocznego —

oznajmiła. — Wuj Guido odprowadzi mnie do Asyżu. Ty musisz dostarczyć petycję.

— A każda godzina, którą tu spędzam, to kolejna mila drogi, jaką przyjdzie mi pokonać, żeby dogonić papieża.

Dotknął łańcuszka na szyi.

— Ten rycerz Calista mnie znał. Chyba był jednym z tych trzech, którzy zamordowali Nena. Wjeżdżając na polanę, krzyknął: „Pierścień albo życie, Bernardone!". Jak się okazało, chciał mi odebrać jedno i drugie. — Orfeo odchylił do tyłu głowę. — Co jest takiego w tym porysowanym bezwartościowym kamieniu, że ludzie gotowi są dla niego zabijać?

Amata wyrwała mu pierścień z palców, uprzedzając Guida, który też wyciągnął po niego rękę.

— Skąd go masz? — spytała. — Simone della Rocca ukradł taki sam mojemu ojcu.

— Dostałem go od swojego ojca.

Hrabia Guido wstał z fotela i podszedł do *soppedana*, kufra stojącego w nogach łóżka. Wyjął z niego małą drewnianą szkatułkę i podał Amacie.

— Nie wiem, co widziałaś u Simone, ale pierścień twojego ojca jest tutaj — powiedział.

Zdziwiona Amata uniosła wieczko szkatułki. Spoczywający w niej pierścień był bliźniaczo podobny do tego, który nosił na łańcuszku Orfeo: ten sam niebieski kamień i ten sam zagadkowy, wydrapany na nim symbol.

— Skąd się u ciebie wziął, wuju?

— Dał mi go twój brat Fabiano, kiedy szedł do czarnych mnichów.

Płonące na kominku polano strzeliło głośno. Amata pokręciła głową.

— Czegoś tu nie rozumiem — powiedziała, patrząc na pierścień. — Co to znaczy „kiedy Fabiano szedł do czarnych mnichów"?

— O Boże! — Guido objął ją i przytulił. — To ty nic nie wiesz, dziecko? No tak, skąd miałabyś wiedzieć. Nie było cię tu już, kiedy czarni mnisi znaleźli Fabiana na skałach pod kaplicą.

— Co ty opowiadasz? Widziałam, jak skacze z urwiska na pewną śmierć.

— Nie, Amato. On nie zginął. Na zawsze pozostanie kaleką, ale przeżył upadek. Jest teraz pomocnikiem piwniczego w klasztorze San Pietro w Perugii i niedługo zostanie wyświęcony na księdza.

— Fabiano zakonnikiem? — wyszeptała oszołomiona Amata.

— Już nie Fabiano — poprawił ją wuj. — Kiedy wdziewał zakonny habit, czarni mnisi nadali mu imię „Anzelmo". Benedyktyni zwykli nadawać nowe imię każdemu, kto porzuca świat, żeby nie pozostał żaden ślad jego dawnego życia.

Guido znowu podszedł do kufra. Pogrzebał pod stosami ubrań i pościeli i usiadł w fotelu ze zwojem pergaminu przewiązanym czarną wstążeczką.

— Siedemdziesiąt pięć lat temu, podczas powstań wspólnotowych, kiedy zbrojne watahy plądrowały i paliły dwory szlachty, hrabiowie z Coldimezzo powierzyli ten zamek i włości opiece czarnych mnichów. Opactwo San Pietro jest potężne, zarówno jeśli chodzi o siłę zbrojną, jak i o immunitety papieskie oraz cesarskie. — Rozwinął pergamin i zaczął czytać:

> Gdyby jakaś komuna, czy w ogóle ktokolwiek, napadła wyżej wymienionych kasztelanów, klasztor obiecuje stanąć w ich obronie. A gdyby oni, ich dziedzice bądź potomkowie znaleźli się w potrzebie, mogą swobodnie zwrócić się do wyżej wymienionego klasztoru z prośbą o wszystko, co do życia potrzebne. Gdyby zaś zrządzeniem losu popadli, co nie daj Boże, w skrajną opresję i postanowili oddać swe dorosłe córki, które poczują boskie powołanie, do zakonu, opat i mnisi z San Pietro de Cassinensi zobowiązują się zaopatrzyć je na własny koszt w posagi i umieścić w żeńskich

klasztorach reguły świętego Benedykta. Pryncypalni członkowie rodu mogą zawsze liczyć na gościnę i miejsce przy stole opata.

Guido przekazał umowę w drżące dłonie Amaty.

— Mnisi, dowiedziawszy się o napaści, przybyli tu co koń wyskoczy, ale było już oczywiście za późno. Ocalili, co się dało z zabudowań i znaleźli Fabiana ledwie żywego, z pogruchotanymi kośćmi. Wykurowali go i orzekli, że to Bóg oszczędził chłopca i powierzył ich pieczy, by mógł Mu służyć w ich szeregach. Nawet twój brat przyznał im rację. Czuje się wśród nich jak ryba w wodzie.

— Mój brat wciąż wśród żywych, a ja przez tyle lat go opłakiwałam. — Amata spojrzała na Orfea oczyma zamglonymi ze szczęścia. — Mamy w tych stronach takie powiedzonko, *sior* Orfeo: „Nie masz kamrata nad siostrę i brata". — Roześmiała się i dodała: — A niektórzy mawiają nawet: „Mąż to jedno, ale brat to zupełnie co innego".

— Mam nadzieję, że ty tak nie mawiasz — powiedział Orfeo. — Byłbym zazdrosny. — Wyciągnął rękę i pogłaskał ją po ramieniu. — Może przed powrotem do Asyżu odwiedziłabyś Fabiana w Perugii?

Amata zerknęła z prośbą w oczach na Guida i ten skinął głową.

— Naturalnie. Sam chętnie się z chłopcem zobaczę.

Przemknęło jej przez myśl, że aspekty prawne mogą zainteresować byłego notariusza i oddała pergamin Jacopone.

— Czy Fabiano powiedział, w jaki sposób wszedł w posiadanie taty — czy raczej *nonno* Capitania — pierścienia? — zwróciła się do wuja.

— Tak. Twój ojciec wsunął mu go do kieszeni, kiedy mordercy wtargnęli do kaplicy. To Buonconte kazał mu skakać, bo wiedział, że jeśli tam zostanie, nie ujdzie z życiem.

— Ale co oznacza ten symbol wygrawerowany na kamieniu, wuju?

Hrabia Guido wzruszył ramionami.

— Ojciec mógł coś o tym wiedzieć od twojego dziadka, ale ze mną się tą wiedzą nie podzielił.

Jacopone skończył tymczasem czytać pakt. Zrolował zwój i jął stukać się nim w czoło, jakby próbował sobie coś przypomnieć.

— Spotkałem kiedyś w Gubbio zakonnika, brata Konrada, który potrafiłby to wyjaśnić. Utrzymywał, że niczego nie rozumie, ale tak naprawdę był kuty na cztery nogi. Po mojemu, znał odpowiedź na każde pytanie. Lecz i tak pobłądziliśmy w lesie.

— Aż tak nie pobłądziliście — zapewniła go Amata. — Zachowałeś się w tym lesie jak prawdziwy bohater.

Uznała, że nadszedł czas, by powiedzieć Jacopone całą prawdę o tym drugim Fabianie — o Fabianie, nowicjuszu szarych mnichów — i o dzielnym niewidzialnym smoku, który ocalił chłopcu życie.

XXXV

Konrad wydrapywał na ścianie mrocznej celi ostatnią listę Jana z Parmy — nazwiska wszystkich generałów w krótkiej historii zakonu. Przyświecał mu latarnią Zefferino, obserwujący jego pracę ze schodków prowadzących do celi.

— Ministrowie zaalpejskich prowincji usunęli w roku tysiąc dwieście trzydziestym dziewiątym Eliasza i wybrali na jego miejsce Alberta z Pizy. Niestety, Albert rok później zmarł. Sukcesję po nim przejął Hajmon z Faversham, po nim nastał Krescenty z Iesi, a po nim, w tysiąc dwieście czterdziestym siódmym, ja. Kiedy po dziesięciu latach ministrowie poprosili mnie, bym ustąpił, nominowałem na swojego następcę brata Bonawenturę.

Wyskrobując skorupą na ścianie to ostatnie imię, Konrad wspomniał Bonawenturę, który tamtej nocy, kiedy niebo zdało się rozpęknąć na dwoje, podawał mu do pocałowania pierścień i ostrzegał. I przyszło mu do głowy pytanie, na które nie znalazł dotąd odpowiedzi.

— Bracie Janie, czy minister generalny nosi urzędowy pierścień przekazywany mu przez poprzednika?

Stary zakonnik pocierał przez chwilę w zamyśleniu palce lewej dłoni.

— Tak — odparł w końcu. — Ze skromnym lazurytem. Czemu pytasz?

Konrad wyprostował palec i zwrócił się do Zefferina:

— *Per favore*, bracie, możesz mi tu poświecić?

Zefferino podniósł się ze schodka i podszedł z latarnią do Konrada od strony jego zdrowego oka. Konrad jął zdrapywać mech z kamiennej ściany. Oczyściwszy spory jej fragment, wyskrobał patyczkowatą postać pod dwoma łukami, którą dwukrotnie już widział: wyrytą w płycie ołtarza dolnego kościoła i wyskrobaną na kamieniu osadzonym w pierścieniu ministra generalnego.

— Czy kiedykolwiek widziałeś ten symbol, a jeśli tak, to czy wiesz, co oznacza? — spytał. — Kiedy pierwszy raz się na niego natknąłem, pomyślałem, że to robota małych wandali, ale później zobaczyłem go na pierścieniu brata Bonawentury, tym samym, który musiałeś nosić ty, kiedy byłeś generałem zakonu.

Jan popatrzył beznamiętnie na rysunek.

— To wiedza zastrzeżona dla urzędu — uciął.

Konrad skinął głową i położył skorupę na ziemi.

— Rozumiem. Masz prawo odmówić odpowiedzi. Byłem tylko ciekaw. — Zawahał się, a potem dodał pojednawczym tonem: — A pozwoliłem sobie spytać, bo prawdopodobnie nigdy stąd nie wyjdziemy i... i wszystko, czego się od ciebie dowiem, pozostanie na zawsze między nami. — Zwiesił głowę, czekając z nadzieją na odpowiedź Jana.

— Bracie Zefferinie — odezwał się stary zakonnik po dłuższej chwili milczenia — zostaw nas, z łaski swojej, samych. Chcę się wyspowiadać przed bratem Konradem ze swych grzechów.

Konrad podniósł wzrok na Jana, próbując odczytać coś z jego skrytej w mroku twarzy, Zefferino zaś podniósł się ze schodka, wyszedł z celi i opuściwszy kratę, zamknął ją na kłódkę. Przez ponad dwa lata, jakie tu ze sobą spędzili, Jan nigdy nie wyraził takiego życzenia. Bo i, zdaniem Konrada, nie miał się z czego spowiadać.

— Wybacz mi, *padre*, bo zgrzeszyłem — wyszeptał Jan, kiedy Zefferino przekręcił klucz w kłódce. Wciągnął powoli powietrze w płuca i dodał: — Przez dziesięć lat odmawiałem wiernym prawa do modlitwy przy grobie świętego Franciszka.

— Jak to?

— Wiem, gdzie jest pochowany. Wiedziałem to przez cały czas sprawowania urzędu ministra generalnego.

— I chcesz może powiedzieć, że symbol na pierścieniu to wskazówka? Że to symboliczne przedstawienie samego świętego Franciszka?

— Rozmawiamy pod tajemnicą spowiedzi o grzechu, nie o znaczeniu symboli.

— Rozumiem, bracie. Nie będę naciskał. — Konrad nakreślił nad Janem znak krzyża. — *Ego te absolvo de omnibus peccatis tuis*. — Zawiesił na chwilę głos, zanim wypowiedział dalszy ciąg formuły rozgrzeszenia: — Odejdź w pokoju i nie grzesz więcej. — Mówienie Janowi, żeby odszedł w pokoju, zakrawało, zważywszy okoliczności, na okrutny żart.

Modlili się jakiś czas w skupieniu, po czym Konrad podjął:

— Rozmawiałem kiedyś z *donną* Giacomą dei Settisoli o zniknięciu szczątków świętego Franciszka. Szła w procesji przenoszącej je do nowej bazyliki i była świadkiem porwania. Nie wyobrażała sobie innego wytłumaczenia dla zachowania straży miejskiej, jak tylko ochrona kości świętego przed łowcami relikwii, zarówno dewotami, jak i rabusiami z innych wspólnot.

— Zawsze słyszałem to samo. Sam nie widzę innego motywu.

Konrad dokuśtykał do ściany.

— Czy oprócz Bonawentury ktoś jeszcze nosi ten znak? — spytał, stukając palcem w rysunek.

— Nikt ze znanych mi zakonników — odparł Jan. — Była jednak grupka ludzi nazywających siebie *Compari della Tomba*, Bractwem Grobu...

— Świeckie stowarzyszenie?

— Tak. Wszyscy oni są już teraz bardzo wiekowi albo pomarli. Ci czterej ludzie byli obecni przy złożeniu zwłok świętego do grobu i otrzymali od brata Eliasza taki sam pierścień. Przysięgli na swoje życie strzec tajemnicy miejsca pochówku kości świętego Franciszka, zniszczyć każdego spoza ich kręgu, kto odkryłby to miejsce albo domyślał się jego lokalizacji, a w końcu zabrać tę tajemnicę, wraz z jej symbolem, do grobu. Pierścienie miały zostać pochowane z nimi, tak jak przedmioty codziennego użytku ze starożytnymi faraonami.

Konrad rozumiał siłę tego stowarzyszenia. Każda, najmniejsza nawet wioska miała swoje tajemne bractwo — nieformalną sieć symbolicznego powinowactwa, *comparaggio*, należących do niego ludzi, tkaną w rytualnych obrządkach inicjacyjnych. Powinowactwo takie okazywało się nieraz silniejsze od więzów krwi. Było święte. Wierność aż po grób, albo przynajmniej przysięga na taką wierność, nie należały do rzadkości.

— Wspomniałeś o czterech świeckich — podjął Konrad. — Pamiętasz może ich nazwiska? — Schylił się po skorupę i tak jak na to liczył, Jan uznał ów gest za wyzwanie dla swojej pamięci. Przeciągnął się, przekręcił na plecy i zapatrzył w kratę.

— Był wśród nich człowiek z Todi, Capitanio di Coldimezzo, *signore*, który podarował grunt pod naszą bazylikę. Był brat świętego Franciszka, Angelo. Był rycerz gwardian naszego miasta, Simone della Rocca. No i Giancarlo di Margherita, wówczas burmistrz Asyżu.

— I brat Eliasz.

— Eliasz doglądał, oczywiście, pochówku. *Amanuesisem* bractwa został jego sekretarz. Jeśli jeszcze żyje, jest chyba jedynym poza mną z braci, który wie, gdzie spoczywają szczątki. — Jan uśmiechnął się. — Czy wymieniłem wszystkich czterech?

— Lepiej, z bratem Iluminatem i jego sekretarzem nawet sześciu — powiedział Konrad. Większość nazwisk z tej listy znał z rozmów z *donną* Giacomą, ale dopiero teraz dowiedział się, co łączy noszących je ludzi. Jan podsunął ważne tło dla zagadki Leona, lecz Konrad nadal nie rozumiał, jakim motywem kierował się Eliasz, ukrywając święte szczątki. Przecież dla samej ochrony kości świętego nie trzeba było stosować aż tak wyrafinowanych zabiegów ani uciekać się do użycia przemocy na placu. Jak zauważyła szlachcianka, ewentualny złodziej ściągnąłby sobie na głowę całą świętą krucjatę. Podejrzane było również to, że Iluminat starał mu się przeszkodzić w wypełnieniu jego misji. Czyżby między listem brata Leona a bractwem istniał jakiś ważny związek?

Symbol! Fascynujące! Co oznacza? Może uda mu się to wydobyć od Jana.

Odgłos, jaki dobiegł zza jego pleców, powiedział mu, że się nie uda, a przynajmniej nie dzisiaj. Towarzysz niedoli podłożył sobie rękę pod głowę i zasnął, co ostatnio często mu się zdarzało. Przy wtórze jego cichego pochrapywania Konrad wodził koniuszkami palców po dwóch łukach nad patyczkowatą postacią, jakby miał nadzieję rozszyfrować ich znaczenie samym tylko zmysłem dotyku.

Niecały tydzień później w Coldimezzo zatrzymała się na odpoczynek prowadzona przez smagłego kupca karawana zmierzająca z toskańskim winem do Wiecznego Miasta. Orfeo był już wypoczęty, lekkie rany zabliźniły się, niewiele więc myśląc, postanowił wykorzystać nadarzającą się sposobność i zabrać się z nimi do Rzymu, do papieża. Podróż z młodym kupcem zapowiadała się zresztą milej niż ze zbrojną eskortą Grzegorza, z którą przemierzył drogę z Wenecji do Asyżu. Mieli wspólne tematy dotyczące handlu, a i w wieku byli podobnym.

Amata, machając na pożegnanie odjeżdżającemu Orfeowi, odetchnęła głęboko chłodnym powietrzem wczesnego poranka.

Jeszcze tego samego dnia ruszała z wujem w przeciwnym kierunku, do odległej o dzień konnej jazdy Perugii. Zabierali ze sobą tylko garstkę ludzi, bo droga była uczęszczana, a co za tym idzie, bezpieczna, i przed zmrokiem powinni być w domu gościnnym opactwa.

W nocy prawie nie zmrużyła oka. Świadomość, że wkrótce stanie oko w oko z bratem, z którym nie widziała się od blisko ośmiu lat, spędzała jej sen z powiek. A jakie to będzie zaskoczenie dla Fabiana! Wyda mu się, że to jej duch powstał z grobu. Z uśmiechem pomyślała o pobieleniu sobie twarzy, jak to czyniły rzymskie *nobildonny*, ale przecież po długiej zimie cerę miała i tak wystarczająco jasną.

Jacopone zgodził się zostać w Coldimezzo, by wypocząć jeszcze trochę przed podróżą powrotną na wymoszczonym sianem wozie do Asyżu. Hrabia Guido namawiał go, rzecz jasna, do pozostania na zawsze w *castella*, i Jacopone nawet się ku temu skłaniał. Zmienił jednak zdanie, kiedy Amata przedstawiła mu swój plan urządzenia w swoim domu skryptorium, w którym zaufani kopiści sporządzać będą kopie manuskryptu Leona. Wyraziła przy tym nadzieję, że Jacopone będzie pierwszym z nich. Pokusa przyłożenia znowu pióra do pergaminu okazała się dla byłego notariusza nieodparta, i tak Jacopone podziękował za propozycję zamieszkania w Coldimezzo, za to hrabia Guido przyjął zaproszenie Amaty do Asyżu. W drogę mieli ruszyć po krótkiej wizycie w Perugii. Zabierali ze sobą Teresinę. Dziewczynka już podskakiwała z podniecenia, mając w perspektywie podróż z ojcem na wozie i spędzenie kilku tygodni w domu Amaty.

Dzisiaj jednak musiała zostać w domu.

— Teresino — powiedział przed odjazdem rycerz — zabawiaj tatę, dobrze go karm i pozwól pospać, kiedy się znuży.

Dziewczynka skinęła poważnie głową, przyjmując te obowiązki jak prawdziwa pani na zamku.

Wyjeżdżając z wujem i jego zbrojnymi przez zamkową bramę, Amata wróciła myślami do skryptorium, które zamierzała urządzić. Cieszyło ją, że Jacopone wygląda na zadowolonego, iż znalazł się znowu na łonie rodziny, i ciekawa była, czy w związku z tym porzuci raz na zawsze żywot wędrownego pokutnika. Pragnęła całym sercem, żeby pogodził się wreszcie z wypadkiem, w którym zginęła Vanna, przestał się obwiniać i odnalazł spokój ducha.

Szybko podchwyciła rytm wierzchowca. Ciepły wietrzyk i wiosenna zieleń po obu stronach traktu wprawiały ją w radosny nastrój. Po raz pierwszy od lat rozkoszowała się smakiem spokoju, słodkim i sycącym jak miód. Po raz pierwszy też patrzyła na wuja oczyma dojrzałej kobiety, a nie dziecka, dla którego wszyscy dorośli są jednacy. Była wdzięczna temu ogromnemu mężczyźnie, który jednym potężnym uściskiem zwrócił jej niewinność, rodzinę, przeszłość. A przed sobą miała spotkanie z Fabianem, które stanie się pomostem do utraconego dzieciństwa.

I to dziecko! Zachodziła w głowę, co też tak ją przyciąga do Teresiny: jej czysta duszyczka, jej niespożyta radosna energia, to, jak nuci pod nosem, rysując patykiem na piasku, podobieństwo do matki, które przenosiło Amatę do wieku niewinności? Pragnienie posiadania własnych dzieci, które wzbudzała w niej ta *angelina*? Obojętne, w czym tkwiło jej źródło, miłość do dziewczynki dodawała szczególnego posmaku spokojowi, który ją teraz przepełniał.

Na takich błogich rozmyślaniach, oraz słuchaniu opowieści wuja o furii i impecie krucjaty Fryderyka, długi dzień podróży upłynął niemal niepostrzeżenie. Nie wiedzieć kiedy wyrosły przed nimi ogromne szare mury San Pietro, benedyktyńskiego klasztoru spełniającego jednocześnie rolę południowej cytadeli warownego miasta Perugia. Amata zdawała sobie sprawę, że już za późno, by spotkać się z Fabianem, ale może po rozlokowaniu się w kwaterach gościnnych i wieczerzy uda jej się zobaczyć go choć z daleka. Większość klasztornych bazylik miała na tyłach nawy część przeznaczoną specjalnie dla odwiedzających, którą od terenu właściwego klasztoru oddzielała zazwyczaj krata. Może dziś wieczorem, podczas komplety, wypatrzy go wśród widmowych postaci modlących się w skupieniu w stallach dla mnichów albo wyłowi jego głos z oceanu pieśni?

Uśmiechnęła się na tę ostatnią myśl. Głos Fabiana, od czasu kiedy ostatni raz go słyszała, z pewnością się pogłębił. Nie wie, jak teraz brzmi. Jej młodszy brat był już teraz siedemnastoletnim młodzieńcem.

Brat Anselmo siedział na stołku przy wysokim pulpicie, czujny niczym bagienny ptak, mając baczenie na wszystko, co się dookoła dzieje. Do jego obowiązków jako pomocnika brata piwnicznego należało między innymi inwentaryzowanie wszystkiego, co wyprodukowano dla San Pietro w zagrodach należących do klasztoru, z wyszczególnieniem imienia wieśniaka, który dany produkt dostarczył, oraz ilości i jakości tego produktu. Dzisiaj była to tkanina na habity, efekt mozolnej pracy pod dachem przez całą długą zimę. Brat piwniczny dyktował, młodzian zapisywał.

Jego ziemista twarz lśniła w blasku świecy palącej się w lichtarzu obok pulpitu. Przygotował nowy arkusz, zaczynając jak zwykle literami A-M-D-G, *Ad Maiorem Dei Gloriam*, ku większej chwale Boga. Reguła świętego Benedykta łączyła śpiewanie psalmów z *Opus Dei*, Dziełem Bożym, i Anselmo zabierał się do pracy z takim właśnie nastawieniem. Pisząc, wolną ręką przytrzymywał się dla lepszej równowagi krawędzi pulpitu, a dodatkowo oplatał zdrową nogą nogę stołka. Nie podniósł nawet wzroku, kiedy do magazynu zajrzał brat opiekun gości, zakładając, że ten przyszedł pewnie po zmianę pościeli dla kwater gościnnych.

Zakonnik rozmawiał przez chwilę z piwnicznym, po czym ten ostatni zawołał:

— Anselmo, ktoś czeka na ciebie na dziedzińcu gościnnym! Dokończymy później.

Klasztor zezwalał swoim mnichom przyjmować raz do roku gości, ale ta wiadomość i tak wielce go zaskoczyła. Z każdym rokiem spędzonym w zakonie pierwsza połowa jego krótkiego życia wydawała mu się coraz bardziej odległa i nierealna.

— Wuj?

— Tak, to hrabia Guido — odparł opiekun gości. Tym razem przywiózł ze sobą młodą kobietę.

Anselmo, uśmiechając się od ucha do ucha, zeskoczył ze stołka na zdrową nogę.

— Amatina! Wiedziałem, że kiedyś tu trafi! — Złapał drewniane kule oparte o ścianę.

— Masz na myśli swoją zaginioną siostrę? Skąd wiesz, że to ona?

— Wy jej nie znacie, bracie. Jej nikt nie pokona! Wyobraźcie sobie któregoś z waszych perugiańskich rumaków bojowych, szarżującego pod północny wiatr dmący od gór, niepoddającego się żywiołom, albo szarżującego naprzeciw chmurze strzał, niedbającego o swe bezpieczeństwo, a wyrobicie sobie jedynie mgliste pojęcie o uporze mojej siostry.

— Tak, to rzeczywiście musi być upór. — Piwniczny zachichotał. — Modlę się, żebyś miał rację. No, idź już, idź, ciesz się odwiedzinami.

Anselmo, choć zmuszony wlec za sobą niewładną nogę, był na dziedzińcu tak szybko, że zadziwił opiekuna gości. Stary zakonnik, podobnie jak wszyscy mnisi z San Pietro, miał wielką słabość do tego kalekiego sieroty, który zamieszkał z nimi jako mały chłopiec. Był dla nich taką samą maskotką, jak ogar opata, i rozpieszczali go bezwstydnie do granic dopuszczonych przez regułę.

Opiekun gości wskazał chłopcu mężczyznę i kobietę czekających po drugiej stronie dziedzińca i wycofał się do klasztoru. Kuśtykając ku nim, Anselmo zauważył, jak wuj trąca kobietę łokciem.

— Fabiano! — krzyknęła, wybiegając mu na spotkanie i porywając w objęcia z taką energią, że o mało nie stracił równowagi. — Nigdy bym cię nie poznała!

— Anselmo — poprawił ją z uśmiechem, nieco zaambarasowany. — Jestem teraz brat Anselmo. I chyba nie uchodzi, żeby obściskiwały mnie kobiety. Nie wiem, czy nie będę musiał kajać się za to przed całym zgromadzeniem i spowiadać jutro rano na zebraniu naszej kapituły.

— E tam! — fuknęła Amata. Zrobiła krok do tyłu i zmierzyła go wzrokiem od stóp do głów. — Dobrze się czujesz? Boli cię coś jeszcze?

— Nic mi nie dolega. Żyję i jestem szczęśliwy jak nigdy, Amatino. Gdyby nie ci zbóje, nie byłoby mnie tu dzisiaj i nie wiedziałbym, co tracę. I ty też przeżyłaś. Wiedziałem.

— Tak, przeżyłam. — Wolała się nie wdawać w szczegóły, brat nie musiał ich znać.

— Może dowiem się wreszcie, kim byli ludzie, którzy na nas napadli? Kmieć, który widział, jak z tobą odjeżdżają, potrafił powiedzieć tylko, że kierowali się na wschód. Wuj Guido wszędzie cię szukał. Ale ty jakbyś się pod ziemię zapadła. — Anselmo zerknął pytająco na wuja.

— To byli najemnicy — odezwał się Guido. — Rycerze z Asyżu nasłani przez kupca, który tydzień wcześniej pokłócił się z waszym ojcem.

— Bo musiał płacić myto za przejazd przez nasze ziemie — dodała Amata.

Anselmo pokręcił głową.

— Taki był może pretekst, ale prawdziwa przyczyna inna — powiedział. — Słyszałem tę kłótnię, ukryty w bramie zamku. Tato krzyczał, że wie, co symbolizuje pierścień kupca, bo sam taki nosi. Podstawił go kupcowi pod nos i powiedział, że jeśli komuś z jego rodziny coś się stanie, to rozgłosi to na cały świat.

— Tego akurat nie dosłyszałam. — Amata zarumieniła się, przypominając sobie, że bardziej niż kłótnia ojca z kupcem interesował ją wówczas Orfeo. — Moją uwagę odwrócił pewien przystojny chłopiec ze świty tego kupca.

Tutaj wtrącił się hrabia Guido:

— Uważasz zatem, że kupiec kazał zabić twojego ojca z powodu tego pierścienia, a nie nałożonego myta?

— Tak mi się wydaje.

— Ale tato dostał go przecież od *nonno* Capitania — zwróciła się do Guida Amata. — Dziadek nie wydawałby go z rozmysłem na śmierć, jak to uczynił ojciec Orfea.

— Nie, oczywiście, że nie — przyznał Guido. — O ile znałem waszego ojca, był zapewne zdania, że to, co symbolizuje ów pierścień, jest zbyt ważne, by utrzymywać rzecz w tajemnicy. Nie ulega teraz wątpliwości, że Buonconte coś wiedział. Zwierzał ci się z tego, Anselmo?

— Nigdy wcześniej nie zwróciłem na ten pierścień uwagi — odparł chłopiec. — Nie wiedziałem nawet, że wsunął mi go do kieszeni, kiedy kazał mi skakać przez okno. Brat, który zwrócił ci pierścień, wuju, znalazł go przy mnie, opatrując moje rany. Jeśli tato coś wiedział, to zabrał tę wiedzę do grobu.

— Według mnie, po powrocie do domu powinniśmy zniszczyć ten przedmiot — zwrócił się Guido do Amaty. — I powinnaś poradzić Orfeowi, żeby postąpił tak samo ze swoim. Te pierścienie rzucają na nas wszystkich straszną klątwę.

— Cóż, możemy mieć przynajmniej pewność, że pierścień Simone został pogrzebany, jeśli nie na jego palcu, to na palcu jego syna. Dopilnowałeś tego. — Uśmiechnęła się ponuro.

Oczy patrzącego na siostrę Anselma zaszkliły się nagle, i ona, widząc to, też się rozpłakała. Ocierając rękawami łzy, śmiali się, jakby ona znowu miała jedenaście, a on dziewięć lat. Potem Amata wzięła brata za rękę i pociągnęła do ławeczki. Usiedli i zaczęli wspominać dzieciństwo, wuj zaś sypał jak z rękawa opowieściami z początków Coldimezzo, kiedy ich nie było jeszcze na świecie, a on i ich ojciec byli jeszcze dziećmi.

Anselmo opowiadał o swoim szczęśliwym życiu w klasztorze San Pietro, o swojej pracy, o tym, jak dzięki zdolności do rachunków został pomocnikiem piwnicznego, o tym, jaki jest rad, że pomimo swojej ułomności może być do czegoś przydatny. Powiedział, że Amata jest pierwszą kobietą, jaką widzi od blisko ośmiu lat, i wydaje mu się, że odwiedził go anioł, a jej czepek uważa za osobliwe i dziwaczne nakrycie głowy, bo dawno takiego nie widział.

Amata z kolei opowiedziała mu o swoim pobycie w San Damiano i obecnym życiu w Asyżu. Anselmo był wyraźnie rozczarowany, że nie podobało jej się zakonne życie i nie została w klasztorze. Jak można pogardzić życiem w służbie Bogu?

Największą niespodziankę Amata zachowała na koniec:

— Ale jak mogłabym być zakonnicą i mężatką zarazem? — spytała.

— Wyszłaś za mąż?

Uśmiechnęła się.

— Jeszcze nie, ale wkrótce wyjdę. A kiedy to się stanie, naszemu pierwszemu synowi damy na imię Fabiano... a drugiemu Anselmo. Nadal będziemy mieli w rodzinie Fabiana i dwóch Anselmów. — Zastanowiła się, czy wyjawić bratu, że Orfeo jest synem człowieka, który nasłał morderców na ich rodzinę, ale doszła do wniosku, że lepiej tego nie robić. Powiedziała mu jednak o przyjaźni Orfea z papieżem i jego podróży do Rzymu, bo wiedziała, że to zrobi wrażenie na młodym zakonniku.

W porze posiłku brat opiekun gości przyniósł im strawę i napoje, żeby nie musieli schodzić z dziedzińca. Wieczorny dzwon, wzywający mnichów na nieszpory, był dla Anselma przypomnieniem, że pora powrócić do klasztornego życia.

— Odwiedzisz mnie jeszcze? — spytał na odchodnym.

— Będę tu co roku — obiecała Amata. — Tak często, jak to dozwolone.

Jego następne pytanie zaskoczyło ją.

— I wybaczyłaś już zabójcom naszych rodziców? Bo wiesz chyba, że nie zaznasz spokoju, dopóki tego nie uczynisz.

Amata przełknęła z trudem.

— Większość z nich już nie żyje i z radością patrzyłam, jak umierają. Od lat prowadzę *vendettę*, i to z paru powodów. Ale już ją prawie zakończyłam. Spytaj mnie o to, kiedy odwiedzę cię za rok z moim mężem.

— A zatem do następnego roku. Módl się za mnie, tak jak ja będę się modlił za ciebie.

Anselmo wstał i wsparł się na kulach. A wtedy, zanim zdążył zaprotestować, Amata pocałowała go w policzek.

— To pocałunek na do widzenia — powiedziała. — Bo żyjemy.

Brat Jan nie wracał już więcej do tematu pierścieni. Zdawał się żałować, że wyjawił aż tyle, a Konrad nie naciskał. Słuchał za to cierpliwie Jana opowiadającego o swoich snach, wizjach i zwidach.

W jednym śnie siedział nad wezbraną rwącą rzeką i patrzył bezradnie, jak wielu jego braci, uginając się pod ciężarem wielkich tobołów, wchodzi w jej wzburzoną toń. Wartki nurt porwał ich i wszyscy potonęli. A kiedy ich opłakiwał, nadeszli inni bracia, którzy niczego nie nieśli. I ci przeprawili się przez rzekę bez kłopotu.

— Zaprawdę, zakon potrzebuje twego przewodnictwa bardziej niż kiedykolwiek — powiedział Konrad. — Ci pierwsi byli braćmi konwentualnymi, którzy obarczają siebie wszystkimi ciężarami tego świata. Drugą grupę stanowili spirytuałowie, którzy pozostają wierni ustanowionej przez świętego Franciszka regule ubóstwa i zadowala ich podążanie za nagim Chrystusem na krzyżu. Z nimi łatwo przebyć rzekę.

— Przypuszczam, że duchem byłem najbliżej braci spirytualnych — przyznał Jan — chociaż stojąc na czele zakonu, próbowałem wznieść się ponad podziały. Ministrowie prowincjonalni odgadli jednak moje prawdziwe preferencje i dlatego dotrzymuję ci teraz towarzystwa.

Pewnej nocy Jan tak głośno podzwaniał przez sen łańcuchami, że obudził Konrada. Konrad, pełen obaw, że to demony dręczą starca, wezwał na pomoc aniołów stróżów ich obu i potrząsając Jana za ramię, wybudził go z sennego koszmaru.

— Śnił mi się brat Gerardino i jego herezje — wyjaśnił Jan,

doszedłszy do siebie. — Boję się o jego duszę. Chociaż winić należy nie tyle jego, co kronikarzy naszego zakonu. Jego twierdzenie, że narodziny świętego Franciszka oznaczały drugie nadejście Jezusa, było niczym więcej, jak tylko logicznym wnioskiem wysnutym z legend. Byłeś zapewne w stajni w naszym mieście, gdzie pani Pica powiła Franciszka, pomimo że jej mąż był najbogatszym kupcem w Asyżu. I te opowieści idą dalej, opisując starca, który okrzyknął jakoby naszego założyciela świętym, kiedy ten był jeszcze dzieckiem, tak jak uczynił to Symeon, ujrzawszy naszego Błogosławionego Pana przed świątynią. Później, kiedy Franciszek wybrał się jako młody mężczyzna do Rzymu, żeby prosić papieża Innocentego o zgodę na powołanie nowego zakonu, towarzyszyli mu dwaj uczniowie. Jeden z nich, brat Jan od Kapelusza, wystąpił potem z zakonu, bo nie potrafił podporządkować się rygorom reguły. Kronikarze dopatrzyli się w nim drugiego Judasza. I tak jest ze wszystkimi opowieściami o uczynkach i cudach Franciszka.

Na freskach, którymi Giunta da Pisa ozdobił dolny kościół, zdarzenia z życia naszego założyciela znajdują się naprzeciwko scen z życia Jezusa. Nie robiono tego dotąd w kościele dla żadnego innego świętego. W każdej innej bazylice znajdziesz sceny z Nowego Testamentu naprzeciw tych ze Starego, ale żadną miarą istota ludzka, nawet największy święty, nie jest porównywany tak bezpośrednio z naszym Błogosławionym Panem.

Źle skrywany cynizm Jana poruszył Konrada. Nigdy nie słyszał, żeby jakiś zakonnik powątpiewał w dosłowną prawdę legend, może tylko Leon napomykał, iż kryje się w nich głębsza prawda. Nie spodziewał się takiego sceptycyzmu po byłym ministrze generalnym.

— Przecież są stygmaty — zauważył Konrad. — *Donna* Giacoma trzymała w ramionach poranione, prawie nagie ciało umierającego Franciszka. Opowiadała mi, że przypominał jej ni mniej, ni więcej tylko Jezusa po zdjęciu z krzyża.

Jan odchrząknął.

— Zaiste. Są stygmaty, i sam ten cud wystarcza, by uważać świętego Franciszka za drugiego Chrystusa.

Konrad nie dawał za wygraną.

— Jest również zeznanie brata, który w swej wizji widział naszego Pana, wchodzącego do katedry w Sienie na czele licznego tłumu świętych. Ilekroć Chrystus robił krok, na ziemi pozostawał odcisk Jego stopy. Wszyscy święci starali się jak mogli kroczyć po tych śladach, ale żadnemu nie udawało się w nie idealnie utrafić. Na koniec nadszedł święty Franciszek i zaczął stawiać stopy dokładnie w śladach pozostawionych przez Jezusa.

— Słyszałem o wielu takich dowodach — przyznał Jan — ale nadal wolałbym, żeby kronikarze dziejów zakonu nie kładli takiego nacisku na to przyrównanie. Gdyby nie oni, Gerardino nie głosiłby swoich herezji, a co ważniejsze, nie zgubił swojej nieśmiertelnej duszy.

XXXVI

Amata stała przed kominkiem w dużej izbie, ściskając w dłoni nieotwarty jeszcze list od Orfea, a bezzębny rzymski kupiec opowiadał jej z przejęciem o przygodach, jakie spotkały go w drodze do Asyżu. Słuchała z wymuszonym uśmiechem, wpatrzona we włochatą brodawkę na nosie mężczyzny. Gdzie ten Pio, czemu nie przychodzi? Kiedy w końcu się zjawił, jeszcze raz podziękowała kupcowi i kazała chłopcu zaprowadzić go do kuchni.

Sama wybiegła na podworzec, gdzie pławiąc się w słońcu, będzie mogła przeczytać list na osobności. Złamała pieczęć i rozwinęła welin.

Cara mia

Dnie bardzo się dłużą i to nie tyle z powodu zbliżającego się letniego przesilenia, co dlatego, że Ciebie przy mnie nie ma. Bez ustanku o Tobie myślę. Śniło mi się dziecko z ebonitowym warkoczem, kobieta na polanie z podświetlonymi przez słońce włosami. Czy to nie dziwne? Chociaż

Ty trapisz się, że włosy sięgają Ci zaledwie ramion, ja widzę je długie, rozwiewane wiatrem, przetykane pączkującymi kwiatami. To chyba wieszczy sen — te pączki to *bambinis*, owoce naszej miłości.

Moja misja, przykro przyznać, nie powiodła się, a ściślej rzecz biorąc, trochę się przeciągnie. Uzyskanie audiencji u Grzegorza jest teraz niemal niepodobieństwem. Myślałem już z rozpaczą, że nigdy nie uda mi się do niego dotrzeć, aż tu naraz spotykam znajomego, brata Salimbene, który, jak się okazuje, wchodzi w skład delegacji zakonników mającej udać się z papieżem do Lyonu. Ten Salimbene przedstawił mnie innemu zakonnikowi, bratu, który nazywa się Girolamo d'Ascoli i jest ministrem prowincjonalnym z Dalmacji, a od niedawna legatem Grzegorza na Kościoły wschodnie. Odniosłem wrażenie, że ten brat Girolamo nie przepada za Bonawenturą, bo kiedy wyłuszczyłem mu swoją sprawę, skwapliwie skorzystał z okazji, by postawić swojego ministra generalnego w niezręcznej sytuacji. Tak czy owak załatwił mi audiencję i osobiście mi towarzyszył. Papież bardzo się ucieszył na mój widok, ale nie rozpatrzył mej petycji od ręki, żeby nie urazić Bonawentury, który wspierał go przez ten ostatni rok i był jego wiernym sprzymierzeńcem. Powiedział jednak, że z miłości do mnie nie podejmie jeszcze ostatecznej decyzji, lecz porozmawia z ministrem generalnym po soborze powszechnym.

Poprosił mnie, żebym popłynął z nim jutro do Prowansji, albowiem uważa mnie za swój talizman. Zgodziłem się w nadziei, że uda mi się wpłynąć na jego stanowisko, kiedy skończy się sobór. W Marsylii przesiądziemy się na barkę i popłyniemy w górę rzeki Rodan do Lyonu. Kiedy otrzymasz ten list, obrady w katedrze lyońskiej będą już trwały. Jeśli Bóg da, wrócę pod koniec czerwca z bratem Salimbene. Ten człowiek jest kronikarzem i pasjonuje się historią, a szczególnie dziejami swojego zakonu.

Dnie są tu coraz upalniejsze, ale to mroźna zima w porównaniu z pożarem, który szaleje w mej piersi. Pomyśleć tylko, że nie mogłem niedawno przeboleć, iż ominęła mnie szansa zdobycia bogactwa w Kitaju, a tymczasem o wiele większy skarb leżał ukryty w moim rodzinnym mieście. Każdej nocy dziękuję Bogu, że postawił Cię na mej drodze. Marzyłem kiedyś o kąpieli w czystych stawach Kitaju, ale teraz pragnę tylko pławić się i swawolić w ciemnych jeziorach Twoich oczu.

Pod oknem mojej izby rozkrakały się znowu, niczym wrony na łące, wiekowe matrony. Krążą w swoich czarnych spódnicach nieśpiesznie jak moje bezsenne noce, zbierając chrust na podpałkę, ale po napełnieniu fartuchów rozejdą się w końcu do swoich domów. Takoż i ja będę krążył wokół papieża, póki nie wypełnię swojej misji, bo dopiero wtedy z podniesionym czołem będę mógł wrócić do Ciebie. Do tego czasu pamiętaj o Twoim samotnym słudze i módl się za mnie, pozostającego na zawsze

Innamorato tuo,
Orfeo

Amata, owijając sobie wokół palca pasmo włosów, kilka razy przebiegła wzrokiem list. Choć rozczarowana wieścią, że nie udało się jeszcze uzyskać ułaskawienia dla Konrada, przyłapała się na tym, że wraca do fragmentów, w których Orfeo wyznaje jej miłość. Obserwując go, kiedy lizał się z ran w Coldimezzo, widziała mężczyznę, który odzyskuje radość życia, który godzi się powoli ze stratą przyjaciela woźnicy. Widziała Orfea skorego do śmiechu, z kurzymi łapkami w kącikach oczu. Schlebiała jej namiętność przebijająca z tego, co pisał. Której kobiety nie ujęłyby takie słowa! Kiedy je czytała, udzielał się jej, rozprzestrzeniał na wszystkie członki, bijący od nich żar.

Martwiły ją jednak inne słowa listu. Może w ten sposób rozmawiają ze sobą kupcy, ale jej nie podobało się, że jest porównywana ze „skarbem" i „bogactwem". Rodziła się w niej obawa, że tak naprawdę nie przemawia przez niego miłość, lecz kosztowna ambicja handlowania z dalekimi krajami. Ale może od incydentu z Roffredem Gaetanim stała się zbyt wyczulona na zalotników, których interesuje nie tyle ona, co jej fortuna.

Odstręczało ją również słowo „Kitaj". Pamiętała, jak opowiadał jej o swoim przyjacielu Marcu, który ojca poznał dopiero w wieku siedemnastu lat. Żadne moje dziecko nie będzie narażone na tak długą rozłąkę, pomyślała. I ja też ani myślę ją znosić. Nie chciała malowanego męża. Przed ostateczną decyzją będą to musieli między sobą uzgodnić. Na szczęście ma teraz pełnomocnika w osobie wuja Guida i z małżeństwem spieszyć się nie musi.

Usłyszała za sobą kroki. To wuj, popatrując na nią spod oka, szedł krużgankiem z założonymi na plecach rękami i zaciśniętymi ustami.

— Dostałam właśnie list od Orfea — wyjaśniła. Hrabia nic nie powiedział, ale wyczytała w jego oczach pytanie.

— Wiem, że powinnam go pokochać — podjęła — ale niepokoją mnie niektóre z jego sformułowań. Jednego jestem jednak pewna: z dotychczas poznanych mężczyzn on odpowiada mi najbardziej. Czy to wystarczająco silny fundament, by myśleć o małżeństwie, wuju?

Guido uśmiechnął się z wyższością człowieka, który takie dylematy ma już dawno za sobą.

— Na to odpowiesz sobie sama, kiedy go znowu zobaczysz, Amatino. Tak czy owak można się pobrać z miłości, a potem odkryć, że kochanie kogoś od świtu do zmierzchu i od zmierzchu do świtu też może być nużące.

Amata wysunęła dolną wargę i skubiąc ją, zastanawiała się przez chwilę.

— No tak, ale gdybym wyszła za mąż z jakiegoś innego powodu, to czy nie musiałabym w końcu i tak zdobyć jego miłości, żeby nam obojgu było łatwiej?

— Dasz sobie radę, dziecko — powiedział wuj. — Przeżyłaś między tymi barbarzyńcami, przeżyjesz małżeństwo z Orfeem.

Ruszył dalej, mrucząc pod nosem. Ta dzisiejsza młodzież! Pobierać się z miłości! Kto to słyszał w moich czasach?

Orfeo wdział na kaftan swój najczystszy bliaut, przygładził włosy i podążył za papieskim posłańcem do refektarza minorytów. Grzegorz zaprosił Orfea, jako bratanka świętego Franciszka, na wspólną wieczerzę z zakonnikami, którzy mieli zeznawać w drugi dzień soboru powszechnego.

Papieska świta zajmowała cały główny stół. Oko Orfea przyciągnęła ręka machająca doń z końca tego stołu. Brat Salimbene zajął mu miejsce na ławie między sobą a bratem Girolamem d'Ascolim, tym samym, który w Rzymie pomógł Orfeowi uzyskać audiencję u papieża. Drobny, schludny, gładkolicy niebieskooki Girolamo, z tonsurą okoloną srebrzystobiałymi włosami, stanowił żywe przeciwieństwo tęgiego rozmemłanego Salimbene.

Tryskający wybornym humorem Grzegorz, popatrzywszy z promiennym uśmiechem na twarze biesiadników, pobłogosławił posiłek i podziękował za owocny pierwszy dzień soboru powszechnego, a zwłaszcza za szczęśliwe doprowadzenie do pojednania z Kościołem wschodnim.

Orfeo spóźnił się tego ranka do katedry lyońskiej i ugrzązł w tłumie wypełniającym już szczelnie transept. Lecz z rozmów, jakie przeprowadził wcześniej z Grzegorzem, wynikało jasno, iż zasypanie przepaści między Kościołami widnieje na pierwszym miejscu listy spraw do załatwienia, jaką przyjaciel sobie ułożył. Wspinając się na palce i słuchając komentarzy ludzi stojących z przodu, Orfeo widział bogato odzianą delegację Wschodu, występującą naprzód i klękającą przed papieskim tronem. Jej członkowie gromkim głosem oznajmili: „Uznajemy prymat i wszystkie obrządki Kościoła zachodniego". Przystali następnie na każdy z punktów Grzegorza, w tym na formułę *filioque* w *credo*, która proklamowała pochodzenie Ducha Świętego od Boga Ojca i od Syna Bożego, oraz użycie przaśnego chleba w liturgii Eucharystii.

Kiedy Grzegorz po raz kolejny wyrażał swoje zadowolenie z osiągniętych tego dnia porozumień, Orfeo szepnął do brata Girolama:

— Co zyskały w zamian Kościoły wschodnie? — Wiedział, że brat Girolamo, jako wysłannik papieża do cesarza Bizancjum, Michała Paleologa, dobrze orientuje się w subtelnościach negocjacji.

— Bardzo mało — odparł zakonnik przyciszonym głosem. — Obiecaliśmy im, że będziemy tolerowali liturgię grecką.

— Tylko tyle?

— Trzeba ci wiedzieć, młody laiku, że ustępstwo Michała nie ma nic wspólnego z religią. Saraceni rok po roku coraz głębiej wdzierają się w granice jego imperium. Potrzebuje naszego militarnego wsparcia i jego pozycja przetargowa jest żadna. — Brat Girolamo umoczył kromkę chleba w zupie i z przelotnym uśmieszkiem dodał: — Bóg osiąga swoje cele cudownymi sposobami, nie pogardzając nawet pogańskimi hordami.

Tu wtrącił się brat Salimbene:

— A ja wam mówię, że reszta soboru będzie dla naszego Ojca Świętego trudniejsza. Cztery lata zajęło kardynałom wybranie go na następcę Klemensa. A on chce teraz zamykać ich po śmierci papieża w osobnych celach. Chce pozbawić wszelkich dochodów na czas odizolowania na konklawe, dopóki nie wybiorą nowego papieża.

— I nie tylko to — dodał Girolamo. — Już jutrzejszy dzień nie będzie należał do najprzyjemniejszych. Posypią się zarzuty przeciwko świeckiemu duchowieństwu. — Chociaż mnisi z zakonów kaznodziejskich i minoryckich mieli teraz licznych przedstawicieli w szeregach prałatów — biskupów, arcybiskupów, a nawet kardynałów — Grzegorz uważał, że za całe zło świata odpowiedzialni są świeccy kapłani i prałaci, którzy nie przysięgali posłuszeństwa żadnej religijnej wspólnocie.

Salimbene otarł rękawem strumyczek tłuszczu ściekający mu między fałdami podgardla. Mrugnął i uśmiechnął się.

— *Non est fumus absque igne*. Nie ma dymu bez ognia. Nawet paru kardynałów może tu cienko zaśpiewać.

— Włączając w to waszego kardynała Bonawenturę?

Rozbawione spojrzenie Salimbene nie pozostawiało wątpliwości, co myśli o naiwności Orfea, jeśli chodzi o sprawy Kościoła.

— Nie, nie — powiedział. — On przewodniczy przesłuchaniom świadków zeznających przeciwko świeckim.

Orfeo pobiegł za spojrzeniami obu zakonników. Siedzący obok papieża kardynał Bonawentura zabierał się właśnie za szczególnie tłusty kawał pieczystego.

— Nasz minister generalny jest już prawie tak samo okrąglutki, jak ty, bracie Salimbene — zauważył z ironicznym uśmieszkiem Girolamo. Cedził słowa jak wytrawny nauczyciel dykcji i słowo „okrąglutki", zanim opuściło jego usta, zarezonowało i odbiło się echem od podniebienia.

— A i owszem, bo i czas po temu najwyższy. Zważ jednak, że brakuje mu jeszcze mojego wesołego usposobienia i końskiego zdrowia. Trochę to mało, jak na mój gust, żeby nas porównywać. I te podkrążone oczy. — Salimbene pokręcił głową z udawanym współczuciem. — Nawet Jego Świątobliwość się o niego martwi. Widzicie to zatroskanie w papieskim wejrzeniu?

Orfeo uśmiechnął się, słysząc, z jakim brakiem poszanowania bracia rozmawiają o Bonawenturze, którego cała reszta świata uznawała za osobistość wybitną. Od przybycia z papieskim orszakiem do Lyonu słyszał nieraz pogłoskę, że Grzegorz szykuje Bonawenturę na swego następcę. Nie była to wieść budująca, bo w tej sytuacji uzyskanie ułaskawienia dla zakonnika Amaty mogło okazać się trudniejsze, niż przewidywał.

Wrócił do tematu debaty, która miała się odbyć następnego dnia:

— Wygląda na to, że jeśli chcę znaleźć miejsce w pierwszych rzędach, powinienem zjawić się jutro w katedrze skoro świt, na czczo.

— Na pewno będzie na co popatrzeć i czego posłuchać — przytaknął Salimbene. — Warto powalczyć o dobre miejsce. Przyjdź z bochnem chleba za pazuchą. — Zakonnik nadział kawał chleba na nóż i podał go kupcowi. — A jeśliś nie widział jeszcze okien katedry o pierwszym brzasku od środka, to czeka cię dodatkowa nagroda.

Orfeo wszedł z ciepłego czerwcowego przedświtu w półmrok i chłód świątyni. Z tego, co widział w migotliwym blasku pojedynczej świecy płonącej na głównym ołtarzu, był pierwszym, który wsunął się przez ogromne drzwi do transeptu.

Od czasu, kiedy był tutaj w dzieciństwie, rozrósł się nie tylko Lyon, ale i sama katedra była już na ukończeniu i cała Dolina Rodanu szczyciła się teraz jej nowymi witrażami. Przyjechał wtedy do Lyonu z ojcem na doroczne targi włókiennicze, które zaczynały się tydzień po Wielkanocy i trwały do końca wiosny. Prace przy wznoszeniu katedry szły pełną parą. Widział szlachetnie urodzonych mężczyzn i kobiety, którzy z własnej nieprzymuszonej woli zaprzęgali się w miejsce zwierząt pociągowych do wozów wyładowanych kamieniem i drewnem, olejem i żwirem, i zginając karki pod jarzmami, ciągnęli je na plac budowy. Wieczorami robotnicy ustawiali wozy w półkole przed rosnącą katedrą i zapalali na każdym łuczywo albo latarnię. Na wozach kładli swoich chorych i umilali sobie czuwanie śpiewaniem hymnów i kantyczek. Potem chodzili z relikwiami świętych od chorego do chorego, by ulżyć im w cierpieniu.

Wspominając swój pierwszy tu pobyt, czekał, aż wzrok przywyknie mu do ciemności. Wyłaniały się z nich powoli zarysy wnętrza katedry. Zauważał już, że budowla nie przypomina ciężkich, przysadzistych, podpartych grubymi filarami romańskich kościołów w jego kraju. Smuklejsze kolumny, wzbijając się w niebo, przyciągały wzrok ku sklepieniu, ku zalegającym tam cieniom, kryjącym być może boskie tajemnice. Wszystko zdawało się dążyć ku górze, ku niebiosom. Wujowi

Franciszkowi mogłoby się tu spodobać, pomyślał, chociaż na pewno kosztowało krocie. Podczas gdy inne zakony w początkach swego istnienia gromadziły i chomikowały, wuj rozrzucał i rozdawał, pozbywał się majątku, rozsyłał swoich zakonników na cztery strony świata. Jego zakon znajdował się w bezustannym ruchu, i to w każdym tego słowa znaczeniu, tak jak konstrukcja tej świątyni.

Przez witraże w rzędzie ostrołukowych okien w nawie głównej, ponad nawą boczną, i przez misterne maswerki w oknach rozetowych powyżej, przesączało się do środka przytłumione światło. Każdy kwadrat i krzywiznę zapełniali aniołowie, święci i postacie biblijne, z rogów zaś spozierali lub pochylali się w nich nad swoją pracą prości lyońscy rzemieślnicy — piekarze, folusznicy, tkacze — ludzie, którzy ufundowali owe bajeczne dzieła sztuki. Ale to skromne preludium nie przygotowało Orfea na feerię barw, która nastąpiła. Kiedy słońce wyłoniło się w pełni zza horyzontu na wschód od Rodanu, światło zalało całą absydę. Magiczne cienie rozpierzchły się promieniście na wszystkie strony, a wszystkie kolory szaty Józefa spłynęły po skosie na główny ołtarz i złoty papieski tron ustawiony tam na czas soboru powszechnego, przedzierając się przez mroczną nawę niczym tęczowo odziane cielesne istoty. Orfeo odniósł wrażenie, że po tych snopach światła zstępują na ziemię anielskie chóry, sławiąc Najwyższego niekończącymi się alleluja.

Niestety, czar szybko prysł. Drzwi między transeptem i portykiem zaczęły się otwierać i zamykać, do katedry napływali ludzie pragnący być świadkami dzisiejszej debaty. Orfeo zajął miejsce w rogu, gdzie transept spotykał się z nawą i skąd będzie widać jak na dłoni papieża i zakonników. Z przytroczonej do pasa sakwy wyjął bochenek suchego chleba, który zabrał z wieczerzy.

— *Vin, monsieur?* Kuśtyczek za pensa z mojego dzbana.

Miła niespodzianka. Niespodzianka, bo jedna z proponowanych przez Grzegorza reform przewidywała położenie kresu profanacji świątyń przez przekupniów. Orfeo podejrzewał, że papież i tak odniesie sukces, jeśli uda mu się chociaż przepędzić z najciemniejszych kątów ladacznice.

Podwoje głównego portalu po zachodniej stronie nawy otworzyły się na oścież i Orfeo wepchnął do ust ostatni kawałek chleba. Na czele procesji wkraczającej do katedry szedł pod białym baldachimem papież Grzegorz X. Miał na sobie śnieżnobiały ornat podzielony na ćwiartki bladoniebieskim krzyżem. Jego jedwabne pantofle i tiara również były białe, a wstążki tiary podszyte złotym jedwabiem. W prawej ręce trzymał prosty drewniany pastorał i podpierając się nim, odmierzał swoje kroki. Kiedy siadał na tronie, a katedralni kanonicy ustawiali nad nim baldachim, kupieckie oko Orfea rozpoznało w tkaninie, z której uszyty został ornat, zwyczajną mannheimską serżę. Za papieżem postępowali kardynałowie w czerwonych sutannach i pelerynach oraz szerokoskrzydłych czerwonych kapeluszach, za nimi zaś biskupi, duchowieństwo, a na końcu świadkowie z minoryckich i kaznodziejskich zakonów.

Zwaśnione obozy zakonów i świeckich zajęły miejsca, a jakże, po przeciwnych stronach nawy — bracia pod południową ścianą, twarzami do Orfea, świeccy plecami do niego.

Orfeo starał się zwrócić na siebie uwagę Salimbene, lecz zakonnik siedział z poważną miną i nic nie wskazywało na to, że dostrzegł go w tłumie. Po prawej ręce Bonawentury usadowił się brat Iluminat, biskup Asyżu, który pod nieobecność Bernarda da Bessy pełnił obowiązki sekretarza ministra generalnego. Orfeo rozpoznał również Girolama d'Ascoliego i innych zakonników, z którymi wieczerzał poprzedniego dnia: francuskiego minorytę Hugona de Digne'a oraz brata arcybiskupa Rouen, Oda Rigaldiego. Po lewej ręce Bonawentury siedział odziany w biały habit minister generał braci kaznodziejów z San Domenico.

Pierwszy, popatrując to na jeden, to na drugi obóz, przemówił papież Grzegorz:

— Są tacy, którzy twierdzą, iż duchowni i prałaci świeccy nie są już uprawnieni do wygłaszania kazań, wysłuchiwania spowiedzi ani celebrowania Eucharystii. Wiele miast zwracało się do mnie z petycją, żeby funkcje te przejęli zakonnicy, albowiem straciły zaufanie do swoich duchownych. Kler świecki ripostuje, iż bracia zakonni zachowują się gorzej od nich i przejmując obowiązki przysługujące dotąd tylko duchowieństwu świeckiemu, pozbawiają go należnych mu słusznie dochodów. Dzisiaj zajmiemy się rozpatrzeniem zarzutów wnoszonych przez obie strony, na początek zaś wysłuchamy racji zakonnych.

Skinął na kardynała Bonawenturę. Generał minorytów podniósł się powoli spokojny, ale budzący respekt. Z jego zachowania wynikało, że także słyszał pogłoski, jakoby miał zostać następnym papieżem, i święcie w nie wierzył.

— Świat — zaczął znudzonym głosem bankiera podliczającego zyski — wydaje się teraz o wiele gorszy niż dawniej. Duchowni swoim złym przykładem osłabiają zarówno morale, jak i wiarę laików. Wielu nie dochowuje ślubów czystości i trzyma w swoich domach konkubiny albo dopuszcza się czynów lubieżnych gdzie i z kim popadnie. Gdyby nie my, zakonnicy, którzy potępiamy w swoich kazaniach owe grzechy, prosty lud mógłby sobie pomyśleć, że Bóg patrzy na nie przez palce, a zbałamucone kobiety mogłyby nabrać przekonania, że nie ma niczego złego w grzeszeniu z tymi kapłanami, a powszechnie wiadomo, że im się to wmawia. Porządna kobieta lęka się utraty reputacji, spowiadając się w tajemnicy przed takim księdzem.

Legat papieski w Germanii zawiesił w prawach do świadczenia posługi duszpasterskiej duchownych, którzy nakłaniali do grzechu siostry z rozmaitych zakonów, i ekskomunikował wszystkich, którzy z nimi grzeszyli. Wyrok ten objął wielu.

A przecież ci sami ekskomunikowani księża, tak jakby nic się nie stało, nadal prowadzili swoje parafie, codziennie na nowo ukrzyżowując Chrystusa. Spowiedzi przed nimi i uzyskiwane od nich rozgrzeszenia stały się nic niewarte, i świeccy nie mieli prawa brać udziału w mszach, które rzeczeni odprawiali. Tak więc całe parafie szły do piekła za utrzymywanie kontaktu z ekskomunikowanym. Tym, nie innym sposobem szatan pozyskuje najwięcej dusz. Bowiem ci lubieżni księża, te bękarty, ci świętokupcy utracili władzę udzielania sakramentów i odpuszczania win.

Nadal jednak przeszkadzają zakonnym w niesieniu duszpasterskiej posługi. Gdyby nasza obecność w parafiach zależna była od woli miejscowych księży, w żadnej by nas nie było. Czy to z własnej woli, czy za poduszczeniem swoich biskupów, wyrzuciliby nas z nich szybciej niż heretyków czy żydów.

Po przeciwległej stronie nawy przeszedł pomruk oburzenia.

— Uogólnienia. Oszczercze pomówienia — mruknął ktoś na tyle głośno, że dotarło to do uszu zakonników.

Na równe nogi zerwał się arcybiskup zakonnik, Odo Rigaldi.

— W roku Pańskim tysiąc dwieście sześćdziesiątym pierwszym papież Urban poprosił mnie o zwołanie soboru w Ravennie w celu zebrania pieniędzy na obronę przed najazdem Tatarów. Wasi proboszcze odmówili kontrybucji, dopóki nie wyjaśni się sprawa zawłaszczania przez zakonników waszych przywilejów. — Odo potoczył gniewnym wzrokiem po twarzach świeckich i podjął piskliwym głosem: — Łajdacy! Komu mam powierzyć spowiadanie mojej owczarni, jeśli nie zakonom? Nie mogę z czystym sumieniem posyłać ich do was, bo ci, którzy przychodzą do was po balsam dla duszy, dostają do picia truciznę. Pod pozorem spowiedzi prowadzicie kobiety za ołtarz i tam uprawiacie z nimi to, co synowie Eliego uprawiali w drzwiach świątyni. Strasznie to wspominać, a jeszcze straszniej czynić. To na was skarży się Pan ustami proroka Ozeasza: *Widziałem w domu Izraela rzeczy straszliwe, bo tam Efraim uprawia nierząd**. I utyskujecie, że spowiedzi wysłuchują zakonnicy, bo boicie się, że dowiedzą się z drugiej ręki o waszych grzesznych uczynkach.

---

* Księga Ozeasza 6,10.

— Znowu uogólnienia — odezwał się ten sam głos co wcześniej.

— Czy to biskup Ołomuńca pomrukuje o uogólnieniach? — Odo wskazał palcem księdza opierającego się o ścianę nawy. — Powiedzcie mi, jak mogę powierzać spowiadanie kobiet obecnemu tutaj księdzu Gerardowi, skoro wiem z całą pewnością, że w jego domu roi się od synów i córek i że można go opisać słowami Psalmisty: *Synowie twoi jak sadzonki oliwki dokoła twojego stołu**? I czy ów Gerard jest tutaj wyjątkiem?

Znowu popatrzył na twarze świeckich i zatrzymał wzrok na biskupie z pierwszego rzędu.

— A ty, Henri de Liege? Czyż wśród twoich konkubin nie ma dwóch matek przełożonych i jednej siostry zakonnej? Czy się kiedyś nie przechwalałeś, żeś w ciągu dwudziestu miesięcy spłodził czternaścioro dzieci? Czy nie jest prawdą, żeś niepiśmienny i że w zaledwie jedenaście lat po zostaniu biskupem wyniesiony zostałeś do stanu kapłańskiego?

Usiadł ciężko, żyły pulsowały mu na szyi, Henri zaś, przeciwko któremu skierowane były te zarzuty, uśmiechnął się drwiąco i odparował:

— Potępiają nas zakonnik kardynał i zakonnik arcybiskup. A przecie szeregi zakonników wyniesionych do prałatury cuchną równie dojrzale takimi samymi skandalami, jakie nam przypisujecie.

Debata trwała, a Orfeo przyglądał się smutnej zadumanej twarzy Grzegorza. Papież spodziewał się niewątpliwie tak ostrej dyskusji, bo słuchał, nie przerywając.

Z miejsca, obruszony szyderstwem Henriego, zerwał się teraz generał zakonu dominikanów. Odziany w biały habit z kapturem, miał w sobie coś ze świętych z katedralnych witraży.

— Kiedy Albert Wielki z naszego zakonu w imię przeprowadzenia od dawna wyczekiwanych reform przyjął biskupstwo Ratyzbony, nasz generał uznał tę decyzję za fatalny błąd.

---

* Księga Psalmów, Psalm 128 (127), 3.

„Kto by uwierzył, że właśnie ty, u schyłku życia, zbrukasz honor swój i braci kaznodziejów, dla których chwały tyle uczyniłeś? Zważ, co się dzieje z prałatami, co dali się obsadzić na takich urzędach, jaka jest teraz ich reputacja, jak kończą życie!". Albertus wziął sobie te słowa do serca, zrezygnował z biskupstwa i umarł w Kolonii jako prosty zakonnik.

Wiele lat stoję już na czele naszego zakonu, ale nie przypominam sobie choćby jednego przypadku, żeby ze strony Jego Świątobliwości Papieża — nie odnosi się to do obecnego tutaj nowego papieża — albo jakiegokolwiek legata, albo katedralnej kapituły, wpłynęła do mnie albo do któregoś z naszych zwierzchników, albo którejś z naszych kapituł prowincjonalnych, prośba o zaproponowanie zacnego kandydata na biskupa. Wprost przeciwnie, powodowani albo nepotyzmem, albo jakimiś innymi pobudkami, wybierali zawsze według własnego uznania swoich zakonników, tak więc nie nas winić za dokonywane przez nich wybory.

Usiadł, ale w tym samym momencie z miejsca zerwał się brat Salimbene, żeby kontynuować temat:

— Ja również w swoich podróżach poznałem wielu braci mniejszych i braci kaznodziejów obsadzonych na biskupstwach nie z rekomendacji ich zakonu, lecz przez wzgląd na ród, z którego się wywodzą, bądź koneksje. Kanonikom z katedr ze wszystkich miast nie zależy wcale, by mieć nad sobą prałatów w osobach świętych mężów z pobożnych zakonów, choćby ci świecili najlepszym przykładem zarówno w prowadzeniu się, jak i w wierności doktrynie. Boją się, że ci zaczną potępiać ich za oddawanie się cielesnym uciechom i nurzanie w rozpuście.

— Ufff. Znowu te żądze i rozpusta! — dobiegł szyderczy okrzyk ze świeckiej strony nawy.

— A tak, wiem, co mówię. I oby Chrystus nie pokarał was za te szyderstwa.

Salimbene otarł poczerwieniałą twarz wielką chustą. W katedrze zapełnionej po brzegi sługami Kościoła i gapiami robiło się coraz goręcej.

— Opowiedział mi tę historię brat Umile da Milano, który mieszkał u nas w Fano — podjął. — Któregoś roku, w Wielki Post, przyszli do niego górale i błagali na Boga i zbawienie swych dusz, żeby raczył do nich zawitać, bo chcą się przed nim wyspowiadać. Wziął więc towarzysza i wszedł między nich, czyniąc wiele dobra swoją zbawienną radą.

Jednego dnia przyszła do niego do spowiedzi pewna kobieta. Wyznała, że dwa razy była nie tylko nakłaniana, ale i przymuszona do grzechu przez księży, przed którymi się wcześniej spowiadała. Brat Umile powiedział jej: „Ja nie namawiam cię do grzechu, ani namawiać nie będę, namawiam cię za to, byś zechciała dostąpić raju, do którego Pan cię zaprosi, jeśli będziesz Go kochała i uczynisz pokutę". I udzielając jej rozgrzeszenia, zobaczył, że kobieta ściska w dłoni sztylet, i zapytał: „A co ma znaczyć ten nóż w twojej ręce w takiej chwili?". „Ojcze — odparła — nie będę ukrywała, że chciałam się nim pchnąć z rozpaczy, gdybyś zaczął namawiać mnie do grzechu, tak jak inni księża przed tobą".

Zakonnik tak się rozgrzał swoją oracją, że pulchne policzki płonęły mu rubinową czerwienią i Orfeo przestraszył się, że zaraz padnie rażony apopleksją.

— Spotykałem księży trudniących się lichwą — podjął — zmuszonych do bogacenia się koniecznością utrzymania swoich licznych bękartów. Spotykałem księży prowadzących oberże i sprzedających wino, księży, których domy pełne były dzieci z nieprawego łoża i którzy nocami nurzali się w grzechu, a rankiem odprawiali mszę. A rozdawszy wiernym komunię, księża ci utykali szpary w ścianach tym, co zostało z konsekrowanej hostii, nie bacząc, że to przecież żywe ciało naszego Pana. Trzymali swoje mszały, korporały i kościelne paramenty w zaniedbaniu — zaśniedziałe, brudne i poplamione. Hostie, które konsekrują, są tak małe, że ledwo je widać między ich palcami, nie okrągłe, lecz kwadratowe i obfajdane przez muchy. Do mszy używają cienkiego wiejskiego wina albo octu...

— A to przez zakonników, którzy spijają notorycznie najlepsze wina z połowy chrześcijańskiego świata! — huknął ktoś z głębi katedry. Jeden z kardynałów obserwatorów podniósł się z ławy i powiewając szkarłatną peleryną, ruszył nawą. Orfeowi przemknęło przez myśl, że czarne krzaczaste brwi, żółte oczy i haczykowaty nos upodabniają go do jastrzębia z czerwonym ogonem, spadającego na upatrzoną ofiarę.

— Kto to? — spytał otaczających go ludzi.

Większość wzruszyła ramionami, ale mężczyzna w długiej czarnej todze i czapce uniwersytetu powiedział:

— To Benedetto Gaetani, sądząc po stroju, twój krajan. Aspiruje do następnego pontyfikatu.

Benedetto skłonił się nisko przed papieskim tronem.

— Wybacz, Ojcze Święty. Wiem, że ten dzień przeznaczony został na zeznania zakonników, ale nie mogę dłużej pomijać milczeniem nieprawości dziejących się w mojej własnej diecezji. Jak Waszej Świątobliwości wiadomo, jestem Umbryjczykiem, mieszkańcem Todi. Całe życie upłynęło mi na tej samej ziemi, która żywiła tych braci minorytów.

Tu szerokim gestem wskazał na Bonawenturę.

— Mój zacny brat kardynał bardzo dobrze wie, że jego synowie włóczędzy są tak samo zepsuci, jak kler. Nadużywają swojej wolności, oddając się obżarstwu i obcując z kobietami. Wie również lepiej niż ktokolwiek z tu obecnych, dlaczego minorycka zwierzchność zmuszana jest do wypierania się raz po raz duchowego patronatu braci mniejszych nad Ubogimi Paniami.

Co zaś się tyczy składanych przez nich ślubów ubóstwa, to synowie brata Bonawentury z takim powodzeniem żebrzą po całym kraju, że kufry z zebranymi datkami muszą za nimi dźwigać specjalnie w tym celu utrzymywani słudzy. Na co wydają te pieniądze, najlepiej wiedzą oberżyści. Bracia ci zapisują nazwiska darczyńców i obiecują modlić się za ich dusze, ale zniknąwszy im z oczu za najbliższym pagórkiem, sięgają po pumeks i wycierają nim pergamin do czysta, żeby na tym samym arkuszu zapisać nazwisko następnego naiwnego.

Zyskują sobie sławę wśród ludu, udzielając łatwych rozgrzeszeń i unikając takich nieprzyjemnych obowiązków, jak obłożenie ekskomuniką.

Dwaj kandydaci na papieża mierzyli się rozpłomienionymi spojrzeniami z przeciwległych stron nawy. I naraz stalowy spokój wyparło z oczu Bonawentury zmieszanie. Przycisnął dłoń o rozcapierzonych palcach do piersi, dyszał ciężko. Po chwili minister generalny dźwignął się z trudem z ławy, twarz miał szarą jak popiół. Szarpnął czerwony sznurek, podtrzymujący pod brodą kardynalski kapelusz, szczęka mu drgała, tak jakby chciał coś powiedzieć, lecz opadł z powrotem na ławę, nie odpowiadając na zarzuty Benedetta.

Kardynał Gaetani skwapliwie wykorzystał jego milczenie. Wskazując Bonawenturę palcem, podjął swoją diatrybę:

— Tych zakonników, którzy naśladują swojego założyciela w świętym ubóstwie, usuwasz z zakonu albo, co gorsza, torturujesz i wtrącasz do lochu. Nawet sam Jan z Parmy, szanowany wszędzie za swą reputację świętego, gnije od szesnastu lat w ciemnicy. Czyż tak nie jest, bracie Bonawenturo? Zaprzeczysz temu, com powiedział?

Generał minorytów uczynił wysiłek, by przejąć w tym sporze inicjatywę:

— Pragnąłem tylko utrzymać harmonię w zakonie. — Twarz jeszcze bardziej mu pobladła. Stęknął znowu, tym razem głośniej i boleśniej, skręcił się na ławie jak suchy liść liźnięty płomieniem. Drobny brat Iluminat próbował go podtrzymać, ale Bonawentura był za ciężki i pociągnął go za sobą na posadzkę. Pod sklepienie katedry wzniósł się chóralny okrzyk. Orfeowi wydało się, że dostrzega sardoniczny uśmieszek przemykający przez wąskie wargi kardynała Gaetaniego.

Przeniósł wzrok na skulonego na posadzce Bonawenturę w momencie, kiedy Iluminat czynił znak krzyża nad swoim mistrzem. A zaraz potem sekretarz zrobił rzecz dziwną. Uniósł do ust bezwładną dłoń Bonawentury, jakby chciał złożyć na niej pocałunek. Lecz zamiast tego poślinił językiem jeden z palców umierającego, ściągnął z niego pierścień i schował go szybko do kieszeni.

Oszołomiony Grzegorz stał przed swym tronem, wspierając się na pastorale.

— Święte krzyżmo, prędzej! — zawołał w końcu. — Trzeba mu udzielić ostatniego namaszczenia!

Orfeo też patrzył oniemiały na rażonego apopleksją kardynała. Oto na jego oczach, zdając sobie wreszcie sprawę ze swojej śmiertelności i bezradny wobec niej, jak kiedyś śmiertelnie raniony Neno, kona prześladowca brata Konrada. Przyłapał się na tym, że tak jak kardynała Gaetaniego, tak i jego raduje ten widok, albowiem dostrzegł w nim szansę na pomyślne zakończenie swej misji.

XXXVII

— Niebywałe, Amatino. Kto cię tego nauczył?

Hrabia Guido przypatrywał się z podziwem zręcznym ruchom bratanicy, przygotowującej arkusz welinu do kopiowania. Wymagało to oskrobania cienkiego pergaminu pumeksem, zmiękczenia go kredą i wygładzenia na koniec gładzikiem. Amata rozpostarła gotowy welin na pochyłym pulpicie, nakłuła metalowym szpikulcem maleńkie dziurki na marginesach, a następnie, przy linijce, poprowadziła między każdą parą tych dziurek ledwie widoczną poziomą linię. Na pulpicie obok leżała pojedyncza stronica wycięta starannie ze zwoju brata Leona i przykryta matrycą z okienkiem, przez które widać było tylko kopiowany właśnie wiersz.

— *Sior* Jacopo pokazał mi, jak się przygotowuje arkusz. To prosta praca, która pozwala zająć czymś myśli i ręce. A czytać i pisać nauczyli mnie tutorzy sprowadzeni przez *donnę* Giacomę.

Z pustej izby przylegającej do południowej loggii, w której stały pulpity, dobiegał niosący się echem śpiew Teresiny. Z przeciwległej strony podworca, gdzie Amata zamierzała przenieść prace nad kopiowaniem, kiedy nadejdą zimne miesiące, dolatywało postukiwanie siekier i młotków cieśli wznoszących zasłonę od wiatru.

Amata sięgnęła po wąski ostry nóż i zabrała się do ostrzenia gęsiego pióra. Hrabia Guido oznajmił niedawno, że pod koniec tygodnia wraca do Coldimezzo, i od tamtej pory Amata biła się z myślami. Jak tu powiedzieć wujowi, że chce zatrzymać przy sobie Teresinę? To dziecko skradło jej serce. Ale był jeszcze jeden powód. W hołdzie *donnie* Giacomie pragnęła pójść w jej ślady i z czasem okazać taką samą szczodrość wobec kobiety z następnego pokolenia. Tylko czy dziadek Teresiny będzie skłonny rozstać się z wnuczką? Po śmierci swojej córki Vanny przelał na nią całą miłość, stała się całym jego światem. I chociaż Teresina mogłaby mieszkać w Asyżu ze swoim naturalnym ojcem, to nie ulegało wątpliwości, że Jacopone nie jest dobrze przygotowany do roli rodzica — i to nawet teraz, kiedy odnalazł nowy cel w życiu i z dnia na dzień wracał do zdrowia.

Guido spojrzał spod ściągniętych brwi na leżącą na pulpicie stronicę.

— Dla mnie to jakby kura pazurem naskrobała — przyznał. — Nigdy nie starczyło mi cierpliwości, żeby przysiąść fałdów i nauczyć się czytać. Moje rachunki zawsze prowadził notariusz.

— Mam nadzieję, że uczciwy. — Amata uśmiechnęła się, słysząc podskakującą w przyległej izbie Teresinę. Boże, jakżesz bym chciała mieć własne dzieci. To pragnienie przybierało na sile, od kiedy odwiedziła zdecydowanego pozostać w celibacie Fabiana. Teraz tylko na niej i na Teresinie spoczywała odpowiedzialność za przedłużenie rodu.

W nocy śnił jej się brat, ułomny i kaleki, ale z twarzą promieniującą szczęściem. Eunuch ku chwale Królestwa Niebieskiego! Potem, w tym samym śnie, znalazła się sam na sam z Orfeem na polanie w Coldimezzo. Ciągnęła tę fantazję najdłużej jak się dało, i drżąc z rozkoszy, kiedy wodził powoli dłońmi po jej wilgotnym od potu ciele (chociaż może były to jej własne dłonie), zaciskając mocno powieki, wmawiając sobie, że to dzieje się naprawdę, spała dzisiaj do późna.

I kto wie, czy teraz nie powróciłaby znowu do tych marzeń, już na jawie, gdyby do loggii nie zajrzała Teresina.

— Zobaczyłam właśnie przez strzelnicę mojego tatę. Nadbiega zaułkiem. — Dziewczynka zachichotała. — Tatuś, kiedy biegnie, przypomina długonogiego bociana.

Po domu rozeszło się echo plaskania bosych stóp wbiegającego po schodach Jacopone. Wpadłszy do loggii, zatrzymał się jak wryty, oparł o barierkę i dyszał, z trudem łapiąc oddech.

— Delegacja zakonników — udało mu się w końcu wykrztusić — wróciła z Lyonu.

Amata zerwała się ze stołka. Znaczyło to, że i Orfeo zdąża już do Asyżu. Może nawet przybył z nimi. Chciała coś powiedzieć, lecz Jacopone uciszył ją podniesieniem ręki.

— To nie wszystko. Bonawentura nie żyje i ministrowie prowincjonalni zbierają się, żeby wybrać nowego generała. To dobra wróżba dla brata Konrada.

Klepnął Guida w ramię.

— Chodź, *suocero*. Biegnijmy do bazyliki, może dowiemy się czegoś więcej.

Wyszli ramię w ramię i zbiegli po schodach, a Teresina deptała im po piętach. Amata pozbierała szybko z pulpitu przycięte już stronice manuskryptu i zamknęła je z resztą zwoju. Chociaż wszystkim odwiedzającym ją zakonnikom mówiła, że piętro domu rezerwuje dla siebie, to incydent z bratem Federikiem nauczył ją ostrożności. Zdjęła poplamiony inkaustem fartuch i spojrzała z rozpaczą na umazane palce i dłonie. Musi czym prędzej się umyć.

Zbiegła po schodach na dół, ale było już za późno. Od drzwi frontowych doleciał radosny pisk Teresiny. Obejrzała się i zobaczyła dziewczynkę uwieszoną szyi Orfea, który, starając się zachować równowagę, obejmował ją jedną ręką w talii, a w drugiej trzymał zapieczętowany zwój.

Kiedy dostrzegł Amatę, jego zarośniętą, pokrytą kurzem

twarz rozjaśnił uśmiech. Pochylając się, postawił Teresinę na ziemi i puścił ją.

— Wraca twój błędny rycerz — powiedział. — Przynoszę ze sobą Graala wolności dla twojego przyjaciela Konrada.

Kiedy podeszła, przykląkł na jedno kolano, nadal grając rolę dwornego rycerza. Widząc, że chce ją wziąć za rękę, szybko schowała za siebie obie.

— Uraziłem cię czymś, pani? — spytał.

Teresina roześmiała się.

— Ma ręce powalane inkaustem. Pisze książkę.

— No tak. — Orfeo uśmiechnął się szeroko i kręcąc głową, wstał. — Dobrze ci ją opisałem, *padre*? — rzucił przez ramię. Amata dopiero teraz zobaczyła stojącego za Orfeem zakonnika, ale ten serdeczny śmiech rozpoznała, zanim braciszek przekroczył próg.

— Witaj, bracie Salimbene — powiedziała. — Widzę, że z łaski naszego Pana krzepko się trzymasz.

— Czy my się znamy, *madonna*? — spytał Salimbene.

— A jakże. Gdybyś, wracając z podróży, w pierwszym rzędzie odwiedził u Ubogich Pań swoją krewniaczkę, stwierdziłbyś, że jej przyzwoitki już tam nie ma.

— To ty? Ta mała, pełna życia skierka? — Z rozbawieniem przyjrzał się jej twarzy. — Muszę usłyszeć tę historię.

— Przyjdzie na to czas, kiedy wy się rozgościcie, a ja umyję. — Zwróciła się do Orfea: — Pragnę ci towarzyszyć do furty Sacro Convento, kiedy będziesz tam szedł uwolnić Konrada. Chcę widzieć jego minę, kiedy wyjdzie i po raz pierwszy odetchnie wolnością.

— To nie nastąpi tak szybko, Amatino. Musimy zaczekać do czasu, kiedy ministrowie prowincjonalni wybiorą nowego generała, i dopiero jemu przedłożyć wystawione przez Grzegorza ułaskawienie. Ale wszystko wskazuje na to, że ten nowy generał będzie nam przychylny. Zarówno Grzegorz, jak i Gaetano Orsini, kardynał protektor zakonu, wysunęli na to stanowisko kandydaturę Girolama d'Asconiego, zakonnika, o którym pisałem ci w moim liście. — Orfeo spuścił głowę i wbił wzrok w kafle posadzki. — Poza tym, nie jest raczej wskazane, byś spotkała się już teraz z bratem Konradem. Nie wiesz, jak się zmienił przez te dwa lata. Jeśli jego widok tobą wstrząśnie...

Spojrzał na nią i zamilkł, nie kończąc zdania. Wydało jej się, że dostrzega w jego oczach to samo pożądanie, które widziała na polanie ze swoich fantazji, chociaż tam twarz miał ogoloną i czystą. Zapragnęła, żeby zakonnik i Teresina zniknęli, choćby na chwilę, wtedy mogłaby się mu rzucić na szyję, jak przed chwilą dziewczynka, i wyściskać. Na chwilę zamilkli oboje, a potem Orfeo rozładował napięcie, jakie między nimi powstało, kolejnym zakurzonym uśmiechem.

Sięgnął do sakwy.

— Przywiozłem ci z Prowansji prezent, takie małe lustereczko z brązu. — Przetarł je rękawem i uniósł, żeby mogła się przejrzeć. — Zbrakło ci gęsich piór, Amatino, że musiałaś pisać swoim ślicznym noskiem?

Salimbene machnął pucharkiem nad opróżnionym talerzem, błogosławiąc posiłek, który właśnie z niego zniknął. Poklepał się po brzuchu i podjął opowieść:

— Temu bratu Pierowi od braci kaznodziejów pochwały i dar prawienia kazań tak przewróciły w głowie, że uwierzył, że potrafi czynić cuda. Przychodzi jednego dnia do braci mniejszych, każe naszemu cyrulikowi zgolić sobie brodę i dalej z buzią na braciszka, że ten nie zbiera włosów z tej jego brody w charakterze relikwii.

Brat Diotisalve, minoryta z Florencji i przedni kpiarz, odpowiedział głupcowi, tak jak sobie na to zasłużył. Poszedł jednego dnia do klasztoru Kaznodziejów i powiedział, że odtąd nie będzie ich strzygł, jeśli nie dadzą mu kawałka habitu brata Piera na relikwię. Dali mu wielki kawał habitu Piera, a on, ulżywszy sobie po wieczerzy, wykorzystał go do wiadomego celu i wrzucił do kloaki. A potem krzyknął głośno: „Biada!

Pomóżcie mi, bracia, szukać relikwii waszego świętego, bo zapodziała mi się w gównach". Nie posiadali się ze wstydu, kiedy przybiegłszy na jego wołanie do latryny, zrozumieli, że sobie z nich pokpiwa.

Zakonnik wychylił do dna pucharek i ocierając grzbietem dłoni usta, podstawił go słudze do ponownego napełnienia. Nie czekając, aż chłopiec mu naleje, podjął:

— Tenże sam brat Diotisalve wyszedł pewnego zimowego dnia na ulice Florencji, pośliznął się na lodzie i upadł na twarz. Widząc to, florentyńczycy, naród z natury wesoły, zaczęli się śmiać i jeden z nich pyta leżącego; „Chowasz tam cosik pod sobą?". A brat Diotisalve na to: „A jakże. Twoją żonę". Florentyńczycy mało, że się nie obrazili, to gruchnęli jeszcze głośniejszym śmiechem i pochwalili braciszka, mówiąc: „Niech Bóg ma go w swojej opiece, bo się nam zaiste udał".

Amata zachichotała, chociaż nie tak otwarcie, jak wuj Guido i słudzy przy niższym stole. Wspomniała San Damiano i wizyty brata Salimbene u krewniaczki. Dziwne, ale jego poczucie humoru bawiło ją teraz mniej niż wtedy. Wiedziała, że będzie sypał takimi dykteryjkami do późnego wieczoru, dopóki biesiadnicy nie rozejdą się do łóżek albo nie posną na stołach.

Pamiętała, że brat Konrad nie miał najlepszej opinii o bracie Salimbene, zaryzykowała jednak i w obecności Orfea pokazała dzisiaj kronikarzowi kilka stronic manuskryptu Leona i zwierzyła mu się ze swoich planów powielenia go w tylu kopiach, ile zdołają z Jacopone sporządzić. Obserwowała rosnące podniecenie na twarzy czytającego tekst Salimbene. Kiedy spytała, czy byłby skłonny pomóc im w tej pracy, zgodził się od razu.

— Mogę przepisać chociaż fragment, zanim zamiłowanie do włóczęgi nie poniesie mnie znowu w świat — powiedział — ale muszę zobaczyć resztę kroniki.

— A potrafisz dotrzymać tajemnicy, bracie? — spytała. — Bo zakon, gdyby się dowiedział o istnieniu historii spisanej przez Leona, mógłby jej nie pochwalać. — Zadała to pytanie uświadamiając sobie raptem, że być może sama, zbytnio polegając na dobrym wrażeniu, jakie zrobił na niej Salimbene podczas swoich wizyt u Ubogich Pań, okazała się niedyskretna, wspominając mu o manuskrypcie.

— Na miłość do ciebie i twojego narzeczonego, przysięgam być taktowny!

Na dźwięk słowa „narzeczony" Amata spłonęła rumieńcem. Nie dała jeszcze Orfeowi formalnej zgody ani nie zamierzała tego uczynić, dopóki nie porozmawiają na osobności. Zauważyła jednak, że Orfeo przyjął komentarz zakonnika z błogim uśmiechem.

— I zachowasz dyskrecję nawet przy winie, bracie Salimbene? — Zdawała sobie sprawę z obcesowości pytania, lecz zakonnik na pewno wiedział, że jej obawy nie są płonne.

— *Madonna!* Uwłaczasz mi — żachnął się Salimbene z urazą na jowialnej twarzy.

Teraz, po wieczerzy, Amata, przyglądając się siedzącemu po drugiej stronie stołu mężczyźnie, którego mięsisty nos nabierał coraz bardziej czerwonego odcienia, a głos stawał się coraz bardziej donośny, miała wątpliwości, czy się co do niego nie pomyliła. Ilekroć konieczność zmusi ją do wyjścia z domu, będą musieli z nim zostawać Orfea albo Jacopone.

Spojrzała na Orfea. Uśmiechał się do niej, tylko jednym uchem słuchając Salimbene. On też był dzisiaj bardziej niż zwykle przygaszony. Rano był jego brat Piccardo z wiadomością, że kiedy Orfeo bawił w Lyonie, zmarł ich ojciec. Orfeo, mimo że z ojcem miał na pieńku, przyjął tę wiadomość ze smutkiem.

Chociaż Angelo Bernardone był do niedawna obiektem jej nienawiści, Amata, o dziwo, nie odczuła szczególnej satysfakcji, kiedy Orfeo jej o tym powiedział. Wizyta u Fabiana wygasiła płonącą w niej żądzę zemsty. Skoro okaleczony na całe życie brat potrafił przebaczyć ich wrogom, a nawet błogosławił ich za otworzenie mu drogi do wyższej, duchowej radości, to czy ona nie powinna również uodpornić się na podszepty niskich instynktów? Wiele się przez tych kilka ostatnich lat nauczyła.

A zresztą, gdyby nie zdrada starego Bernardone, Orfeo nie zbuntowałby się przeciwko ojcu i nie wyruszył na swoją odyseję, która w końcu doprowadziła go do niej.

Amata wstała i wyciągnęła do niego rękę, drugą dając znak reszcie biesiadników, żeby pozostali przy stole. Usiedli na krzesłach przy wygaszonym kominku, gdzie tyle razy rozmawiała z *donną* Giacomą. Być może to miejsce stanie się kiedyś, w długie zimowe wieczory, ich ulubionym zakątkiem domu... nie licząc łoża z baldachimem z opuszczonymi zasłonami.

Bo pobiorą się, oczywiście. Kochała go i obiecała mu to już, kiedy wyruszał zabiegać o uwolnienie Konrada. A on nie tylko wywiązał się z tego zadania, ale jeszcze pomógł jej wyrwać się z rąk Gaetaniego i obronił dzieci przez zbirami Calista. Dobry Boże, czegóż więcej mogłaby wymagać od tego mężczyzny? Czyż w dręczących ją nadal wątpliwościach powinna dopatrywać się czegoś więcej niż przekory?

Jednak ten wewnętrzny głos nie milkł, podszeptywał, że jego motywy nie są do końca jasne. Radził poddać go dla spokoju ducha dalszym próbom. Tak więc, kiedy Orfeo przysunął się do niej z krzesłem, spytała:

— Czy próbowałeś sobie wyobrażać, jak będzie wyglądało nasze życie po ślubie?

Wsparł się łokciem o poręcz krzesła, złożył brodę na dłoni i zastanawiał przez chwilę, wyraźnie rozbawiony.

— W najlepszym z przypadków?

Kiwnęła głową.

Nachylił się ku niej.

— Na południe stąd, Amatino, leży świat niepodobny do żadnego, jakie znasz, świat, gdzie przez cały rok jest ciepło, a ludzie przyjaźni. Zupełne przeciwieństwo chłodu i wrogości, których przez większość życia doświadczamy tutaj, w Umbrii. Jest tam również coś z naszego kraju, ale przyprawione kolorytem, muzyką i mądrością Orientu. Cesarz Fryderyk powiedział kiedyś: „Gdyby Jehowa znał Sycylię, nie robiłby takiego zamieszania wokół Ziemi Świętej".

— Brat Salimbene nazywa Fryderyka Antychrystem.

— Bzdura. Fryderyk był geniuszem, chociaż niejednemu papieżowi zagrał na nosie. Kiedy odebrał Jerozolimę Saracenom, nie uderzono w żaden dzwon, a patriarcha miasta odmówił odprawienia mszy na jego cześć. A dlaczego? Bo dokonał tego nie siłą, lecz dzięki przyjaźni z sułtanem Al-Kamelem. Pojął za żonę córkę sułtana, a do tego pięćdziesiąt innych saraceńskich kobiet. Podobnie jak muzułmanie umiłował sobie mądrość i podziwiał nawet Koran, ich świętą księgę. To Fryderyk sprowadził na Sycylię filozofów i astrologów z całego Lewantu i zatrudnił tłumaczy, żeby przełożyli każde ich słowo na łacinę. Jego najdroższym skarbem było astrolabium, które podarował mu sułtan.

Po raz pierwszy tego wieczoru Orfeo nieco się ożywił.

— W Palermo, gdzie cesarz wzniósł wielką twierdzę, stoją meczety i kwadratowe białe domy, takie jak na Wschodzie. Powiadają, że w południe połowa jego dworu modliła się do Mahometa. Służyli u niego Turcy i Negrzy, a w każdą podróż zabierał ze sobą swoje wielbłądy, lamparty, małpy, lwy, egzotyczne ptaki — nawet żyrafy.

— Widziałeś te stworzenia?

— Tak, Amatino, i chciałbym, żebyś i ty je zobaczyła. Podziwiając przepiękne kolorowe szyby w oknach lyońskiej katedry, myślałem o tobie i marzyłem, żebyś mogła zachwycać się ze mną wszystkimi cudami świata.

— A czym się w tym swoim marzeniu zajmujesz?

— Jestem wreszcie kupcem na wielką skalę — odrzekł Orfeo z uśmiechem. — Podróżuję po Lewancie, a może nawet dalej, do Kitaju. Ta cząstka mego snu pozostaje niezmienna, od kiedy poznałem Marca.

— A ja? Co porabiam ja, kiedy ty podróżujesz, targujesz się, kupujesz i sprzedajesz na wielkich targowiskach świata? Czy w twoich marzeniach jesteśmy również rodzicami?

— Ty pławisz się w słońcu Palermo, *cara mia*. — Roześmiał się. — Żeglarze za żadne skarby nie zabiorą na galerę kobiety.

To przynosi pecha. Jesteś moją cierpliwą wyrozumiałą żoną. — Pogroził jej palcem. — I wierną. Ktoś musi wychowywać nasze dzieci. A w moim marzeniu mamy ich dużo.

— A ty zawitasz od czasu do czasu do domu, żeby po raz kolejny uczynić mnie brzemienną?

Orfeo wychwycił osobliwą nutkę w jej głosie.

— To tylko marzenie, Amatino — westchnął. — Myślałem, że chcesz mieć dużo dzieci.

— Bo chcę. Ale spełnienie twojego marzenia drogo by kosztowało. Żeby handlować na wielką skalę, potrzeba wielkich pieniędzy.

— Gdybyśmy połączyli...

Położyła palec na ustach.

— Pamiętaj, że moim majątkiem zarządza teraz wuj Guido. Chcę go poprosić, żeby, zanim wyjdę za mąż, odłożył pewną część dla Teresiny. No i, rzecz jasna, jestem coś winna mnichom z San Pietro za ocalenie życia memu bratu. Noszą się z zamiarem rozbudowania domu dla gości. — Obserwowała jego oczy pewna, że zobaczy w nich odpowiedź na następne swoje pytanie, zanim usłyszy ją z jego ust. — Czy wiedząc, że dochodu zostało mi tylko tyle, ile trzeba na utrzymanie tego domu, nadal chciałbyś mnie poślubić?

Nawet odbicie płomyków świec w źrenicach Orfea nie zdołało rozniecić w nich na nowo iskry, którą zgasiło to pytanie.

— Chyba się ze mną droczysz, *madonna*. — Podniósł się z krzesła, bo w tym momencie podeszła do nich Teresina poprosić o całusy na dobranoc.

To dziecko go ubóstwia, pomyślała Amata. Tak się rozpromienia, kiedy on ją przytula. I ja też go kocham, i chcę, żeby mnie przytulał, ale...

Ogarnęło ją znużenie, czuła się przygnębiona rozczarowaniem, które dostrzegła przed chwilą na twarzy Orfea. Jego „marzenie", nawet jeśli były to tylko fantazje, zdawało się potwierdzać jej najgorsze obawy.

Pocałowała Teresinę w czoło i spojrzała na wuja.

— Pomogę *nonno* Guido ułożyć cię do snu — powiedziała. — Muszę z nim porozmawiać.

— O czym? — spytała Teresina.

— O tobie, świerszczyku.

Orfeo opadł z powrotem na krzesło markotny i milczący. Dała mu znak, żeby zaczekał na jej powrót, ale nawet na nią nie spojrzał. W drugim końcu izby Salimbene znowu rozśmieszył słuchaczy jakąś dykteryjką.

Lipcowy księżyc w pełni oświetlał izbę, w której Amata sypiała zwykle sama. *Donna* Giacoma wolała dzielić sypialnię ze służkami, ona jednak upodobała sobie wygodę posiadania w tym domu własnej izby, izby zajmowanej kiedyś przez synów szlachcianki. Od kilku tygodni było jednak inaczej. Na małym posłaniu w kącie spała zwinięta w kłębuszek Teresina, w dusznych, wilgotnych ciemnościach majaczyły jej jasne rączki i nóżki.

Amata przekręciła się na plecy i wyciągnęła ramiona nad głowę. Wpatrywała się szeroko otwartymi oczami w baldachim, a po jej skroni toczyła się łza. To miał być najszczęśliwszy wieczór w jej życiu. Zaczynała go przepełniona miłością, a w parę godzin słodkie wino przyjaźni sfermentowało w cierpki ocet.

Czy to egoizm, czy przesadny optymizm kazał jej oczekiwać od tych mężczyzn, że zrozumieją, o czym marzy ona? Myślała, że Guido bez dyskusji przystanie na jej plany wobec Teresiny. Kiedy dziewczynka zmówiła pacierz i zamknęła oczy, Amata wyprowadziła wuja na korytarz. Wysłuchał jej w milczeniu, ale zauważyła, jak spochmurniał, kiedy zaproponowała, żeby zostawił małą u niej. Przyznał, że dorastanie przy młodym małżeństwie — kiedy Amata wyjdzie już za Orfea — byłoby może i lepsze dla dziewczynki, ale nie widział powodu, dla którego miałby zostawiać ją w Asyżu tylko po to, by uczyła się czytać i pisać. Na koniec powiedział, że jeszcze się zastanowi.

Co za diabeł ją podkusił, żeby dodać:

— Nie wiem, czy powinnam wychodzić za Orfea. Chcę mieć prawdziwą rodzinę, a obawiam się, że on wciąż będzie w podróży.

— Bzdury — żachnął się Guido. — Mężczyźni zawsze podróżują. Ja, na ten przykład, kiedy pociągnąłem pod cesarzem Fryderykiem na krucjatę, nie widziałem swojej żony trzy lata. Kiedy wzywa wielka sprawa albo wielki interes, prawdziwy mężczyzna musi iść. Świat się rozrasta, Amato, i ludzie przedsiębiorczy, tacy jak Orfeo, będą zawsze poszerzać jego granice. Powinnaś się cieszyć, że trafił ci się taki energiczny pretendent do ręki.

— Ale kiedy on na mnie patrzy, boję się, że widzi tylko mój posag.

— To zupełnie normalne. — Guido wziął ją za ramiona i potrząsnął lekko, jakby to miało przywrócić jej rozsądek. — Co z tobą, dziecko? — Patrzył jej w oczy. Bił od niego kwaśny odór nieprzetrawionego wina. — Jednego możesz być pewna, Amato, nie oddam ci na wychowanie Teresiny, dopóki nie wyjdziesz za mąż. Nie oddam jej do domu, którego pani sama nie wie, czego chce. A póki co, za trzy dni mała wraca ze mną do Coldimezzo, tak jak zaplanowałem. — Odwrócił się i oddalił w kierunku wielkiej izby, pomrukując coś gniewnie pod nosem. Czekała, aż gorąco odpłynie jej z policzków i uszu. Bała się za nim iść, ale czuła, że winna jest Orfeowi przeprosiny. Miała nadzieję, że zechce kontynuować rozmowę, którą przerwali, i że uda jej się wytłumaczyć mu, jakie ją nachodzą obawy.

W izbie, kiedy tam wróciła, zastała już tylko służbę sprzątającą po wieczerzy i zakonników moszczących sobie posłania pod ścianą. I zadumanego Orfea, który wciąż czekał, ale nie dał jej dojść do słowa. Na jej widok zerwał się z krzesła.

— Najlepiej będzie, jak z samego rana przeniosę swoje rzeczy do *sior* Domenica i tam zamieszkam — wyrzucił z siebie i przygryzł dolną wargę. — Zostawię ci ułaskawienie dla twojego przyjaciela. Brat Salimbene dopilnuje, żeby trafiło do rąk nowego generała.

Jego oschłość ubodła ją tak bardzo, że zapomniała, iż wróciła do izby, by go przeprosić.

— Będziesz mnie odwiedzał? — spytała. — Chciałabym, żebyśmy bez względu na wszystko pozostali przyjaciółmi.

Burknął coś na odczepnego. Coś o kolejnej podróży, w którą będzie chciał go zapewne wysłać *sior* Domenico, i wyszedł.

Amata ze ściśniętym sercem kładła się do łoża. Swoim wahaniem co do małżeństwa rozzłościła wuja Guida i zraniła dumę Orfea, i ta zraniona duma przedzieliła ich nagle niczym niezdobyta góra. Oby tylko na ten wieczór. Naciągając na siebie kołdrę, Amata pocieszała się myślą, że może Orfeo zapragnie ją jeszcze zobaczyć. Ale czy kiedykolwiek naprawdę ją zrozumie?

— Tak się boję — wyszeptała w poduszkę. Właśnie to od początku chciała powiedzieć ukochanemu.

XXXVIII

Tunelem nad celą człapał Zefferino, kroków tego drugiego Konrad nie rozpoznawał. Przemknęło mu przez myśl, że dozorca prowadzi do ich lochu nowego więźnia.

Kiedy blask pochodni sięgnął otworu w suficie, zadarł głowę. Zgrzytnęła otwierana kłódka. Zefferino podniósł kratę i z towarzyszącym mu zakonnikiem zaczęli schodzić bokiem po schodkach.

— Bracia! — zawołał dozorca do Konrada i Jana. — Brat Girolamo d'Ascoli, wasz nowy minister generalny, chce z wami rozmawiać.

Więźniowie, podzwaniając łańcuchami, dźwignęli się niezdarnie z ziemi. Na znak Girolama Zefferino zdjął z kółka zawieszonego u pasa wielki klucz i przykucnął przed Konradem. Otworzył obejmy na jego kostkach i odrzucił je. Upadły pod ścianę z triumfalnym metalicznym szczękiem.

— Nasz Ojciec Święty, papież Grzegorz Dziesiąty — zwrócił się Girolamo do Konrada — daruje ci twoje przewiny wobec naszego zakonu, bracie. Jesteś wolny i możesz odejść. Możesz też zostać tutaj, w Sacro Convento, dopóki nie powrócisz do zdrowia. Radziłbym ci nie śpieszyć się z opuszczeniem tych murów i oddać pod opiekę naszego brata infirmariana.

Konrad zmrużył oczy porażone blaskiem pochodni. Mrowiły go rozkute kostki, w których żywiej krążyła krew. Chociaż przez tyle miesięcy pielęgnował w sobie nadzieję, ta pozbawiona dramatyzmu nagłość uwolnienia sprawiła, iż nie chciało mu się w nie uwierzyć. Potrząsnął głową otumaniony, niepewny, czy dobrze usłyszał.

— Porozmawiamy jeszcze, bracie Konradzie, kiedy nabierzesz sił — ciągnął Girolamo. — Mam co do ciebie pewne plany. Chcę, żebyś został moim emisariuszem do braci spirytualnych i pomógł mi sprowadzić ich z powrotem do owczarni. Tobie, jako jednemu z nich, byłemu więźniowi braci konwentualnych, najprędzej uda się ich przekonać, że zmiana jest konieczna, jeśli zakon ma się rozrastać i przetrwać. Jestem pewny, że obecny tu brat Jan rozumiał to, kiedy był generałem.

Konrad nie otrząsnął się jeszcze z oszołomienia.

— Pochlebia mi twoje zaufanie, bracie Girolamo — powiedział — ale uczyniłem niedawno pewien ślub, który, mam nadzieję, pozwolisz mi wypełnić. Obiecałem Naszemu Panu, że jeśli kiedykolwiek dane mi będzie stąd wyjść, przepracuję czas jakiś wśród trędowatych. Lecz obecnego tu brata Jana z Parmy miłują wszyscy bracia. Czy on nie mógłby zostać twoim emisariuszem?

— Tego zacnego ojca, niezależnie od wszystkiego, też zamierzam uwolnić — odparł Girolamo. Przyjrzał się w migotliwym blasku pochodni staremu wynędzniałemu zakonnikowi. — Wątpię jednak, czy podołałby trudom podróży, jakich wiele w tej misji trzeba będzie odbyć. — Tu zwrócił się do Jana: — Czy zastanawiałeś się kiedy, dokąd skierowałbyś swoje kroki, gdyby cię stąd wypuszczono, *padre*?

— Myślałem o tym... setki razy — wyjąkał Jan. — Chcę iść do Greccio... tylko do Greccio. — I drżącym głosem dodał: —

Pragnę dożyć swoich dni przed stajnią, w której święty Franciszek odtworzył scenę narodzin Naszego Pana.

Zefferino przykucnął, żeby uwolnić z kajdan Jana, a Girolamo spojrzał na Konrada i rozłożył ręce.

— Jak widzisz, brat Jan cię nie zastąpi. Powiedz mi coś bliższego o swoim ślubie. Jak długo zobowiązałeś się pracować wśród trędowatych?

— Dopóki nie dowiem się tego, czego muszę się dowiedzieć.

— A cóż to takiego?

— Nie potrafię powiedzieć. Sam nie wiem. Wiem tylko, że Bóg mi to podpowie w swoim czasie i na swój sposób. Może to zająć jeden dzień, a równie dobrze mogę tam spędzić całe życie i umrzeć, nie dowiedziawszy się niczego.

Girolamo, pocierając policzek, przyglądał się więźniom.

— Moje pragnienie doprowadzenia do jedności w naszym zakonie uczyniło mnie niecierpliwym, bracia. A przecież wam obu trzeba czasu na przystosowanie się do życia tam, na górze. Idź wypełniać swój ślub, bracie Konradzie. Nadal jednak liczę, że kiedy wypełnisz swą misję i odzyskasz siły, pomożesz mi w zadaniu, które przed sobą postawiłem.

Ich uwagę zwróciło głośne pociągnięcie nosem, które dobiegło z kamiennych schodków. Konrad dostrzegł w blasku pochodni łzy toczące się po policzkach dozorcy.

— Brat Jan będzie potrzebował towarzysza, który zaprowadzi go do Greccio — powiedział. — Może brat Zefferino... jeśli znajdziesz mu jakąś maskę... bo wstydzi się swojego oszpecenia...

Girolamo przekrzywił głowę.

— Wstawiasz się za swym oprawcą?

— Był nam przez te dwa lata dobrym pasterzem. Myślę, że już zaczyna tęsknić za swoim małym stadkiem.

Girolamo przypatrywał się przez chwilę twarzom tej trójki.

— Co ty na to, Zefferino? — spytał w końcu. — Jesteś gotów przekazać swoje klucze innemu bratu i opuścić te lochy?

Z gardła oprawcy wyrwał się stłumiony śmiech.

— Jestem gotów, ale powinienem pójść z bratem Konradem. Bratu Janowi potrzebny młodszy, silniejszy przewodnik. My, Konradzie, obaj jesteśmy ślepi na jedno oko, pasujemy do siebie jak dwie okładki księgi.

Konrad dotknął blizny nad policzkiem.

— Nie zastanawiałem się dotąd, jak na mój widok reagować będą ludzie. Nie będę aby straszył moją twarzą dzieci?

— Postarzałeś się, przyjacielu, nad wiek postarzałeś — odparł Zefferino. — Schodząc tutaj, włosy miałeś czarne i lśniące jak futro sobola, teraz nosisz na głowie zimową szatę gronostaja. Powłóczysz nogami jak ochwacony osioł, a w blasku dnia będziesz ślepy jak nietoperz. Krótko mówiąc, gdyby nie twoja broda proroka, stanowilibyśmy swoje idealne kopie. — Zapominając się na chwilę, dozorca zaczął przysuwać pochodnię do swojej twarzy, żeby Konrad mógł się jej lepiej przyjrzeć; kiedy jednak żar płomienia ogrzał mu policzek, odsunął ją szybko od siebie na długość wyciągniętego ramienia. Nigdy nie zapomni anioła zemsty z tamtego lasu.

Konrad dowlókł się do schodków i wsparł na ramieniu Zefferina.

— Zatem prowadź, bracie. Jeśli potrafisz mi wtórować w śpiewaniu hymnów pochwalnych i dziękczynnych, to stworzymy parę, która zawstydzi wszystkich tych, którzy swoje nadzieje pokładają w dobrach doczesnych.

Zefferino miał rację co do blasku dnia. Konrad, choć pilno mu było zostawić mury Sacro Convento daleko za sobą, ledwie znalazł się za klasztorną furtą, musiał osłonić zdrowe oko rękawem habitu. Stawiając niepewnie kroki, skrył się czym prędzej w mrocznym wnętrzu dolnego kościoła bazyliki. Jego dawny oprawca deptał mu po piętach. Jak uczące się chodzić niemowlę, dowlókł się do grobu brata Leona.

Stłumiwszy pokusę zwymyślania swego mentora, przypomniał sobie hymn pochwalny, o którym wspominał Zefferino w lochu, i mamrocząc go, starał się utwierdzić ponownie w wierze w boski plan.

— Widzę tu coś nowego — powiedział stojący za nim Zefferino. — Tej tablicy nie było, kiedy ostatnim razem tu zaglądałem. To grób kobiety. *Jacoba... sancta romana.*

— Jacoba-Jakubina? — Konrad przeżegnał się i powiódł palcami po inskrypcji. — Data, bracie, data?

— Z zimy. Mówiłem ci, bracie, że to nowy grób.

Konrad opuścił rękę.

— *Requiescas in pace*, bracie Jakubino.

Zefferino spojrzał nań ze zdumieniem.

— Zakonnik o żeńskim imieniu?

— Piękna i szlachetna pani, bracie, i temat na wędrówkę. Opowiem ci o niej w drodze. — Ciekaw był, czy *donna* Giacoma zdołała wprowadzić w życie plan uczynienia z Amaty swojej dziedziczki.

Amata jest już teraz dorosłą kobietą. Niewiele o niej myślał przez ostatni rok, i teraz nagle naszła go ciekawość, co u niej. I czy wywietrzał jej z głowy, tak jak ona jemu. Miał nadzieję, że nie.

Nagle z transeptu doleciała ostra reprymenda. W północnym rogu bazyliki płonął rząd łuczyw. Osłaniając oczy, Konrad rozróżnił tam dwie postaci krzątające się po rusztowaniach. Gdyby nie dosadny język, pomyślałby, że to anioły zstępujące i wstępujące po drabinie Jakuba. Gniewny starczy głos, który przyciągnął jego uwagę, odezwał się znowu florentyńskim dialektem.

— Pigmenty mam już gotowe, Giotto. Żwawiej, chłopcze. Kładź tu tynk. Chcę jeszcze dzisiaj wykończyć tę Dziewicę.

Konrad ruszył przez absydę w kierunku rusztowania, żeby z bliska przyjrzeć się malarzom fresków przy pracy. W miejscu osadził go gromki okrzyk:

— Byłbym wam wdzięczy, braciszkowie, gdybyście tu nie podchodzili, bo peszycie mojego ucznia!

Konrad otworzył szeroko niedowidzące zdrowe oko. Z początku poraził go blask łuczyw i przemknęło mu przez myśl, czy w takiej właśnie jasności pławią się bez ustanku święci boscy. Po jakimś czasie zaczął rozróżniać kolory na ścianie. Gromada cherubinów otaczała na wpół ukończoną Madonnę na tronie. Na rękach trzymała dzieciątko, dzieciątko jak żywe — nie jakąś miniaturę rzymskiego cezara, typową dla takich fresków.

Po lewej ręce Dziewicy stał, również jak żywy, święty Franciszek w prostym szarobrązowym habicie zakonu. Ciemne oczy patrzyły na coś ponad ramieniem Konrada, grube wargi ni to się uśmiechały, ni ściągały. Odstające uszy i oliwkową twarz świętego, szerść jego rudawej brody i tonsurę, jego rzadkie brwi, otaczała złota aureola. Artysta namalował Franciszka z prawą ręką w poprzek piersi, a lewą zaciśniętą na Biblii, czy może regule zakonu. Na obu dłoniach widać było wyraźnie stygmaty. Konrad zauważył również ślady po gwoździach w obu bosych stopach. Poprzez rozcięcie w tunice widać było ranę po włóczni w boku Franciszka. Uwagę zakonnika przyciągnęły puste spokojne oczy. Przypomniał sobie, że w czasie, kiedy serafin naznaczył go stygmatami, Franciszek był już prawie zupełnie ślepy, i podziękował Bogu, że zostawił mu chociaż jedno oko.

— Pięknie, *signore*! — zawołał do starego malarza.

— Piękno to moja specjalność. — Nutka sarkazmu w głosie artysty mogła oznaczać, iż porównuje swoje dzieło z powierzchownością przyglądających się jego pracy mnichów, którzy z pewnością do pięknych się nie zaliczali. Kto wie, czy wrażliwy florentyńczyk nie upatrywał w nich nawet uosobienia szpetoty. Konrada opuściła nagle pewność siebie, z którą opuszczał celę. Naciągnął na głowę kaptur.

— Chodź, bracie — zwrócił się do Zefferina. — Znam dom, w którym przyjmą nas z otwartymi ramionami i udzielą schronienia.

Konrad i Zefferino, kryjąc twarze pod kapturami, czekali w wielkiej izbie domu Amaty. Sługa Pio nie poznał Konrada, kiedy ten pytał, czy Amata wciąż tu mieszka. Czyżby w lodowatej wilgoci lochu zmienił mu się nawet głos, pomimo że przez ostatni rok używał go często, dyskutując z Janem?

Sam dawno już wybaczył swojemu oprawcy i dopiero teraz przyszło mu do głowy, że Zefferino może się tu spotkać z wrogim przyjęciem. Lecz Amata widziała mnicha tylko raz, w mroku opuszczonej kapliczki, a on swoje imię zdradził Konradowi dopiero na spowiedzi. Poza tym Zefferino też się przez te lata zmienił — rany po oparzeniach zagoiły się, swoje zrobił też czas spędzony pod ziemią. Nie wiadomo było tylko, jak z kolei on zareaguje na widok Amaty, czy rozpozna w niej nowicjusza z lasu. Przez tych kilka dni, bo dłużej w domu Amaty nie zabawią, lepiej będzie unikać tematów mogących wywołać skojarzenia.

Słysząc wchodzącą do izby Amatę, jeszcze niżej pochylił głowę.

— Pokój niech będzie z wami, bracia — powiedziała. — Szukacie schronienia?

— Tak, Amatino — powiedział Konrad. — Dla mnie i mojego towarzysza.

Zawahała się.

— Konrad? — Głos jej drżał.

— Tak. Jestem wolny.

— Boże! Pokaż mi się! — Chciała mu ściągnąć kaptur, lecz powstrzymał ją, unosząc rękę.

— Proszę, nie. Przeraziłabyś się.

Zacisnęła pięści i opuściła ręce.

— Co oni ci zrobili?

— Nie „oni", *madonna* — odezwał się Zefferino. — To ja go torturowałem.

— Byłeś tylko narzędziem w ręku Boga — warknął Konrad. — Nie obwiniaj się.

— Dosyć, bracia! Ani słowa więcej, proszę — powiedziała Amata. — Teraz obaj torturujecie mnie. — Położyła dłoń na ramieniu Konrada. Nie strącił jej. — I przez resztę życia chcesz ukrywać się pod tym kapturem? Zważ, że jesteś teraz w domu oddanej ci przyjaciółki. — Pogłaskała go przez materiał po głowie. — Może byś spróbował?

Konrad nachylił się do towarzysza.

— Ty też, Zefferino. Musimy, bo jak nie, to równie dobrze możemy wracać do naszego lochu.

Jednocześnie ściągnęli kaptury z głów. Oczy Amaty zaszły łzami. Zamrugała, potarła pięścią policzek i cofnęła się, popatrując to na jednego, to na drugiego. Konrad zauważył z ulgą, że nie rozpoznaje w Zefferinie mnicha, który próbował przebić ją włócznią. Zarumienił się, kiedy jej wzrok spoczął w końcu na nim.

— Konradzie... Konradzie — powiedziała. — Tak za tobą tęskniłam. Tak mi brakowało rozmów z tobą. — Głos miała spokojny, zupełnie jakby nie dostrzegała niczego niezwykłego. Zdobyła się nawet na słaby uśmiech. — I mam dla ciebie niespodziankę. Chodź ze mną.

Podtrzymywany przez Amatę i Zefferina, wstąpił na schody prowadzące do loggii. Nie przeszkadzało mu, że dziewczyna trzyma go za łokieć. Zaczynał zdawać sobie sprawę, jak bardzo tęsknił przez te miesiące za odrobiną czułości i jak wiele tej czułości zaznał przed laty w tym domu.

Pokonawszy ostatni stopień, ujrzał dwóch skrybów — zakonnika i świeckiego — pochylonych nad pulpitami. Obaj wydali mu się znajomi, chociaż nie mógł jeszcze w pełni polegać na swoim wzroku. Czasami miał wrażenie, że porusza się we mgle i małe skryptorium Amaty wydawało mu się teraz niemal nierealne.

— Bracie Salimbene. *Sior* Jacopone — powiedziała Amata. — Zobaczcie, kto przyszedł. Pamiętacie naszego brata Konrada?

Jacopone uniósł głowę i twarz mu pociemniała. Odwrócił wzrok. Salimbene nie znał Konrada na tyle, by pamiętać, jak wyglądał dawniej, okazał więc tylko zainteresowanie.

— Brat Leon powierzył ci niezwykły dokument — powiedział — chociaż brakuje w nim cudów.

Amata wyjaśniła szybko, co mają kopiści na swoich pulpitach.

— Mam nadzieję, żeś rad, Konradzie. Robię to, o co kiedyś mnie prosiłeś. — Zerknęła na niego niepewnie.

Konrad, wspierając się na Zefferinie, podszedł do pulpitów i przebiegł wzrokiem weliny.

— Dobrzy z was skrybowie — orzekł. — Co zaś do cudów, to brat Leon opisał tylko to, co miało miejsce w rzeczywistości. Wzdragał się upiększać swoją kronikę zmyślonymi zdarzeniami, choćby te miały budująco wpływać na czytelników.

Salimbene spuścił pokornie głowę, być może z szacunku dla stanu Konrada.

— I naturalnie miał rację. Znam wielu takich, co wymyślają rzekome wizje, żeby wynieść się ponad innych jako święci mężowie, którym objawiane są boskie tajemnice. Niektóre zaś wizje to rojenia chorego umysłu, choć ten, który ich doświadcza, może nawet święcie w nie wierzyć.

Zapalił się do tego tematu.

— Oj, a ileż ja fałszywych relikwii widziałem w swoich podróżach! Mnisi z Sisson chwalą się, na przykład, mlecznym zębem małego Jezusa, który wypadł Mu jakoby w dziewiąte urodziny. W trzech różnych relikwiarzach widziałem pępowinę Naszego Pana, chociaż niewykluczone, że w każdym znajdował się jej kawałek. Ale widziałem też cały Jego napletek w siedmiu różnych miejscach. I każdy wystawiany jest z całą ceremonią na widok publiczny w Święto Obrzezania.

Jacopone ze skruszoną miną odłożył pióro.

— Dotknąłem raz tego napletka i byłem bardzo poruszony. Modliłem się potem żarliwie przez kilka tygodni.

Salimbene odwrócony do Jacopone plecami uśmiechnął się sardonicznie.

— I tak to jest z prostą wiarą. Mimo wszystko to najlepszy argument dla cudów i relikwii. Abstrakcja nie dociera do liczącej każdy grosz wdowy. Ale buteleczka z paroma bezcennymi kroplami mleka Dziewicy... czyż nie odda za nią wszystkiego, co ma?

Konrad ściągnął brwi, ale nie odpowiedział.

— Jestem teraz zmęczony — zwrócił się do Amaty, nie dodając, że zmęczyło go słuchanie Salimbene. — Gdzie mógłbym odpocząć?

Kiedy zeszli na dół, podzielił się z nią swymi wątpliwościami.

— *Sior* Jacopone ufam i rad widzę go za pulpitem, ale obawiam się, że popełniłaś błąd, pokazując zwój Leona bratu Salimbene. Może wydaje się bezstronny i nieuprzedzony, ale sympatyzuje z konwentuałami.

— On jest kronikarzem, Konradzie — uspokoiła go Amata. — I jego zainteresowanie historią zakonu przyćmiewa sympatię do tej czy innej frakcji.

— A kiedy zaspokoi już swoją ciekawość?

— Przyrzekł mi solennie. W obecności... — Amata urwała, nie bardzo wiedząc, jak określić Orfea. Na pewno nie mogła go nazwać swoim narzeczonym, jak to zrobił Salimbene. Nie była nawet pewna, czy może go nadal nazywać swoim przyjacielem.

— Muszę z tobą porozmawiać, Konradzie. Czy brat Zefferino odstąpi mi ciebie po kolacji?

Zefferino skłonił głowę.

— Jeśli chcecie się teraz zdrzemnąć albo potrzebujecie czegoś z kuchni, wystarczy, że powiecie. Cała moja służba jest na wasze rozkazy.

Po kolacji wyjdzie z przyjacielem w zacieniony kąt podwórca. I tam opowie mu o wszystkim, co zyskała, od kiedy się rozstali, i o wszystkim, co ostatnio straciła. A jeśli on zechce podzielić się z nią swoimi przeżyciami, to w skupieniu go wysłucha. Tyle się zmieniło w jego i jej życiu przez te dwa lata.

XXXIX

Orfeo sprawdził płachty z żaglowego płótna, którymi przykryte były załadowane już dwukołowe fury, upewniając się, czy jego ludzie dobrze je uwiązali. Przy ustawionym nieopodal stole stary Domenico liczył wory wełny i bele gotowej tkaniny. Kilku woźniców zaprzęgało woły do trzech pustych jeszcze wozów.

Przed podróżą Orfeo był zwykle podekscytowany. Ale nie dzisiaj. Dzisiaj starał się koncentrować na przygotowaniach do drogi, lecz bez zapału do niej się szykował.

Kilka tygodni upłynęło od czasu, kiedy usłyszał, że „zakonnik Amaty" zamieszkał znowu w jej domu. Dostał od niej liścik z podziękowaniami i zaproszeniem, by ją odwiedził i poznał Konrada, ale nie zdobył się nawet na to, by odpisać. Nadal miał do niej żal po ostatniej rozmowie.

Przeciął dziedziniec, żeby pomóc woźnicom. Większość z nich towarzyszyła mu poprzedniej zimy w kupieckiej wyprawie do Flandrii i Francji. Była to banda zarośniętych, krzepkich, pyskatych typów, odzianych jak kowale w skórzane kaftany, ze sztyletami dyndającymi u ud. Lecz Orfeo wiedział, że z tymi ludźmi pokona każdą przeszkodę rzuconą mu pod nogi czy to przez naturę, czy człowieka. Tylko jeden — woźnica w średnim wieku, najęty na miejsce Nena — nie był jeszcze wypróbowany. Reszta jak dotąd akceptowała nowego.

Orfeo pomacał palcami spód jarzma, sprawdzając, czy jest zabezpieczone tam, gdzie ociera się o kark wołu, po czym przesunął wzrokiem wzdłuż rzędu wozów. Zza ostatniego, stojącego na tle wschodzącego słońca, wykuśtykał, wspierając się na lasce, zakapturzony mnich. Na piersi spływała mu siwa broda, przypominał patriarchę ze Wschodu. Zbliżywszy się, uniósł głowę i spojrzał najpierw na *sior* Domenica, a potem na Orfea. Orfeo skrzywił się na widok zabliźnionego oczodołu i przymrużonego zdrowego oka zakonnika. Taki potrafiłby rzucić urok samym spojrzeniem, nie wypowiadając jednego słowa.

— Orfeo di Angelo Bernardone! — zawołał mnich. Było to nie tyle pytanie, co stwierdzenie. I w tym momencie Orfeowi przemknęło przez myśl, że oto przybył Ponury Żniwiarz, by skosić jego życie.

— Stoi przed tobą, bracie. Czego ode mnie chcesz?

— Niczego dla siebie. Wystarczająco już mi się przysłużyłeś. Bóg wynagrodzi cię za ułaskawienie, któreś wyprosił dla mnie u papieża. — Mnich zsunął powoli kaptur z głowy, promienie słońca podświetliły szopę siwych włosów.

Orfeo zapomniał na chwilę języka w gębie. Wyobrażał go sobie jako o wiele młodszego, może nawet przystojnego mężczyznę — mężczyznę, który mógłby pociągać Amatę fizycznie. Chłód, jaki mu okazywała, od kiedy wrócił z ułaskawieniem, nasuwał podejrzenie, że za jej dążeniem do uwolnienia tego Konrada kryło się coś więcej — zwłaszcza kiedy powiedziała, że chce na niego czekać pod furtą klasztoru. Teraz, widząc przed sobą byłego pustelnika, uświadomił sobie, w jakim był błędzie. Zbył podziękowanie machnięciem ręki.

— Pomoc niewinnemu to powinność. — Wrócił do sprawdzania jarzma.

— Przyszedłem ci również powiedzieć, żeś głupi — dodał zakonnik.

Orfeo znieruchomiał. *Sior* Domenico i kilku woźniców spojrzeli na nich ciekawie — może nie tyle na nich, co na niego, krępował ich bowiem widok twarzy zakonnika.

— Nie tobie mnie oceniać — burknął, zadzierając dumnie głowę.

— Może przyznam ci rację, jeśli mi powiesz, dlaczego nie potrafisz pokochać kobiety za to, jaką jest, a nie za jej majątek. Znam taką jedną, która kocha cię całym sercem.

Swymi słowami Konrad rozdrapał najwyraźniej niezagojoną jeszcze ranę. Dotknięty i zaambarasowany Orfeo zerknął na towarzyszy.

— Wybacz, *sior* Domenico — powiedział. — Muszę porozmawiać z tym mnichem na stronie.

Konrad wpatrywał się jednym okiem w starego kupca. Domenico, spuściwszy wzrok na bele materiału, machnął przyzwalająco ręką.

Orfeo zaprowadził zakonnika za łukową bramę dziedzińca. Co ta Amata mu naopowiadała?

Zakonnik odezwał się pierwszy:

— Czytam z twoich oczu, że się nie myliłem. Tęsknisz za nią tak samo, jak ona za tobą. Ale kiedy spojrzałem przed chwilą na twojego pracodawcę, przyszedł mi do głowy pewien pomysł. To mogłoby się udać, gdybyś tylko chciał, gdybyś pojął Amatinę za żonę z samej miłości, tak jak ona tego pragnie.

Orfeo spojrzeniem dał zakonnikowi do zrozumienia, żeby mówił dalej. W tej chwili wolał się nie odzywać, bo wiedział, że głos będzie mu drżał. Słuchając Konrada, postara się nad sobą zapanować.

Mnich wyłożył mu swój plan, akcentując każdy jego punkt warunkiem: „jeśli naprawdę ją kochasz". Jego propozycja wydała się Orfeowi nad podziw sensowna, zważywszy, że ten człowiek nie znał się zupełnie na handlu.

— Do tego będzie, oczywiście, potrzebna zgoda *sior* Domenica — zaznaczył, kiedy Konrad skończył — i mojego brata Piccarda. — Ale tak, zapalił się do pomysłu mnicha. Ścisnął oburącz dłoń zakonnika i potrząsnął nią energicznie. — Teraz może ty ocalisz mnie, bracie — powiedział.

— Oby Bóg ci poszczęścił — odrzekł Konrad, a kiedy Orfeo puścił jego rękę, dodał: — Bądź tak dobry, *signore*, i przekaż ode mnie wiadomość Amatinie, kiedy do niej zajdziesz. Wychodząc dzisiaj od niej, nie pożegnałem się z obawy, że będzie chciała mnie zatrzymać. Powiedz jej, proszę, że udałem się do Ospedale San Salvatore delle Pareti i wrócę, jak tylko będę mógł.

— *Do lazaretto*?

Konrad kiwnął głową.

— Zostawiłem też w jej domu mojego towarzysza, nie mówiąc mu, co zamierzam. Nie chciałem wywierać na niego żadnego nacisku, niech sam w spokoju zadecyduje, czy chce podążyć w me ślady. Nie wiem, kiedy wrócę, a jemu może nie odpowiadać pobyt w miejscu, do którego idę. — Zakonnik zdobył się na blady uśmiech. — *Addio, signore*. Niech Bóg błogosławi ciebie i twoją panią.

Zefferino przez całą prawie noc przewracał się z boku na bok na posłaniu i dopiero nad ranem zmorzył go sen. Niepokój płynął jego żyłami niczym trucizna. Nie wyszedł poza klasztorne mury od dnia, kiedy mnisi znaleźli go półżywego w opuszczonej kapliczce i przynieśli do Sacro Convento. Z lochów wychodził tylko po jedzenie dla więźniów. Zasłonił przedramieniem głowę, izolując się w ten sposób od majaczących w mroku ciał i chrapania otaczających go obcych. Podciągnął kolana pod brodę, zwijając się w kłębek. Trochę ukojenia przynosił mu miarowy oddech Konrada śpiącego na sąsiednim posłaniu.

Tuż przed pierwszym brzaskiem Konrad poruszył się. Zefferino uchylił powiekę i zobaczył towarzysza zmierzającego do drzwi, tak jak wtedy, kiedy wysłuchawszy jego spowiedzi, wychodził z kapliczki. Zefferina zdjęła obawa, że znowu go porzucają, ale uspokoił się szybko, że przecież otaczające go odgłosy wydają ludzie, nie zwierzęta. Znów odpłynął w sen.

Kiedy się obudził, po izbie kręcili się słudzy, uprzątając posłania, ziewając, przeciągając się i prosząc Boga o błogosławieństwo na nowy dzień. Posłanie Konrada było puste i niezrolowane. Może poszedł najpierw do latryny?

Zefferino wstał, naciągnął na głowę kaptur i ruszył za innymi w tamtym kierunku. Przez cały czas miał świadomość, że ci ludzie odwracają od niego wzrok. Konrad może tego nie zauważał, ale dla Zefferina ich odraza, a może strach, były aż nadto widoczne.

Szybko stwierdził, że towarzysza nie ma w latrynie, nie było go też przy stole na śniadaniu. Amata zapytała skubiącego bez apetytu posiłek zakonnika o swojego przyjaciela, ale Zefferino wzruszył tylko ramionami i rozejrzał się po izbie. Panujący w niej gwar rozbrzmiewał mu w uszach niczym łopot skrzydeł nietoperzy w tunelach lochów.

— Poszukam go w kaplicy — powiedziała Amata i wyszła.

Słyszał ją, jak idzie korytarzem i woła Konrada po imieniu. Coś w jej głosie... „Konradzie! Bracie Konradzie!". Jak tamten nowicjusz w lesie. Słyszał niemal jego głos, wrzeszczący: „Oni się Boga nie boją, bracie Konradzie". Potem zagrał na trąbce ognisty anioł i dla Zefferina zaczęło się cierpienie. Nie pytał nigdy Konrada o tego anioła. Po wizji, którą miał jego więzień w lochu, uświadomił sobie, że ów człowiek żyje na o wiele wznioślejszym poziomie niż on. Dozorca bał się wnikać zbyt głęboko w święte tajemnice.

Inni szybko skończyli śniadanie i Zefferino został sam przy stole w wielkiej sali. Słudzy zbierali opróżnione miski i kubki. Owsianka bulgotała mu w żołądku. Dwaj kopiści zasiądą wkrótce do swej pracy. Może Konrad poszedł do loggii, żeby im pomóc?

Zefferino wspiął się ze spuszczoną głową po schodach. W loggii zastał tylko skrybę Jacopone. Przyglądał się, jak kopista odcina nożem arkusz z grubego zwoju i rozkłada go na pulpicie. Zakonnik wziął do ręki zwój i pomacał cienki materiał. Słyszał o tym „papierze" — tani i wygodniejszy w użyciu od pergaminu, ale wątpliwe, by przetrzymał wilgoć klasztornej biblioteki. O proszę, jak łatwo ktoś zrobił dziurę w tym *rotolo*. Wsunął w otwór serdeczny palec.

— Z tym rozdarciem wiąże się pewna historia, bracie — odezwał się Jacopone. — Pewnej ciemnej nocy ten manuskrypt ocalił naszej pani życie. Gdyby nie była nim owinięta, jeden podstępny zakonnik morderca przebiłby ją włócznią. Do dzisiaj przypominam jej, żeby dziękowała Bogu, że brat Leon był piśmienny.

Zefferino ścisnął w rękach zwój.

— Zakonnik? Dlaczego zakonnik miałby dybać na życie kogoś tak wspaniałomyślnego dla bractwa?

— Nie nazwałbyś jej wspaniałomyślną dla braci, gdybyś ją widział tamtej nocy! Walczyła jak lwica i własnoręcznie ukatrupiła jednego z ich bandy, ale oni też zabili jednego z naszych. Z jakiegoś powodu chcieli uprowadzić brata Konrada. Napadli na nas w lesie po zmroku.

Zefferino zamknął oko. Usłyszał znowu straszny rytm tamtej nocy, dobiegające zewsząd krzyki, a potem ryk trąbki i płomień zbliżający się z wrzaskiem do jego twarzy.

— Ty też tam byłeś? — spytał.

— Byłem, ale mało brakowało, a spóźniłbym się z pomocą. Podpaliłem ich herszta, a reszta rozpierzchła się jak łasice do nor.

Zwój upadł ze stukotem na podłogę loggii i tocząc się po niej, częściowo rozwinął. Jacopone zerwał się ze stołka i podniósł go.

— Ostrożniej, bracie! Dobrze się czujesz?

Zefferino wsunął dłonie w rękawy i spuścił głowę. Odchrząknął przez ściśnięte gardło.

— *Angelus Domini* — wykrztusił. — Anioł Pański. To ty!

Drewniana loggia zadygotała lekko. Po schodach wbiegała Amata, a za nią, posapując, piął się Salimbene.

— Brat Konrad odszedł, bracie — powiedziała do Zefferina. — Kazał ci przekazać, że jeśli chcesz z nim być, znajdziesz go w szpitalu dla trędowatych. — Z twarzą zaróżowioną z podniecenia zwróciła się do Jacopone: — Przybiegł posłaniec od *sior* Orfea. Będzie tu jutro i powiedział, że ma nadzieję przynieść dobre wieści.

Jacopone i Salimbene uśmiechnęli się szeroko.

— Wiedziałem, że długo bez ciebie nie wytrzyma, *madonna* — powiedział gruby zakonnik.

Amata odwróciła się z rozpromienioną twarzą do Zefferina.

— Przepraszam, bracie. Nawet nie wiesz, jaka to ważna dla mnie wiadomość. — Zerknęła na karteczkę, którą trzymała w ręku. — Martwię się jednak, że brat Konrad będzie żył wśród tych odrażających leperów. Wiesz może, dlaczego się tam udał?

— Żeby wypełnić ślub, *madonna.*

— Pójdziesz tam za nim? Kazałabym kucharce przygotować prowiant. Konrad wyszedł bez śniadania.

Pójść za nim? Za człowiekiem, który zostawił go tu samego wśród wrogów? Zefferino machnął dłonią przed zdrowym okiem, żeby odpędzić wizje płomieni.

— Za pozwoleniem, *madonna*, chciałbym tu zostać jeszcze jedną noc. Rano wrócę do Sacro Convento.

Tego wieczoru to Konrad, nie Orfeo, zajmował przed zaśnięciem myśli Amaty. Nadal uważała zakonnika za jedynego mężczyznę, który kochał ją bezwarunkowo, nie żądając niczego w zamian. W dniu jego powrotu starała się jak mogła ukryć awersję, ale żal jej było przyjaciela. Już nigdy nie zobaczy tych wypełnionych światłem, szarych oczu. A jeśli, pomimo czystości serca, zarazi się w szpitalu trądem? Odmówiła modlitwę w intencji jego bezpieczeństwa i ochrony przed chorobą, ale nie wiedzieć czemu, zwracała się do *donny* Giacomy, nie do Boga. Potem przekręciła się na bok, zwinęła w kłębek i zasnęła. W środku nocy zbudziły ją krzyki.

Służąca Gabriella szarpała ją za ramię, ściągając z łóżka.

— Ubierajcie się szybko, *madonna*. Pali się na podworcu.

Zaspana Amata owinęła się w kołdrę i wybiegła z izby w dym. Skąd wziął się ogień w najgorętszym okresie lata, kiedy wszystkie kominki były wyczyszczone i zasłonięte, a paliło się tylko w kuchennym piecu? Ktoś zapomniał pewnie zdmuchnąć świecę. Zbliżając się do wyjścia na krużganek, zobaczyła pomarańczowy odblask płomieni tańczący niczym diabelski wschód słońca na kamiennych kolumienkach i ścianach. Służba i goście nabierali wiadrami wodę z fontanny pośrodku podworca, część biegała tam i z powrotem między pożarem a najbliższą publiczną studnią.

Przecierając oczy, patrzyła na podworzec spod łuku krużganka. Żołądek podchodził jej do gardła, przygryzła kciuk, żeby nie krzyknąć. Z przerażeniem stwierdzała, iż w płomieniach stoi ta część drewnianej loggii, w której znajdowały się pulpity. Ogromna kula ognia obejmowała schody prowadzące do południowej części oraz całą południową ścianę. Mężczyźni walczący z pożogą i starający się nie dopuścić do rozprzestrzenienia się ognia wbiegali z wiadrami wody północnymi schodami, ale pulpity już spłonęły. Amata patrzyła tępo w płomienie, usiłując zlokalizować wśród nich szafę, w której przechowywała manuskrypt Leona oraz jego niedokończone kopie. Na jej oczach południowy balkon runął, pociągając za sobą wschodnią część loggii. Na podworzec posypały się wielkie odłamki płonących głowni. Zobaczyła wśród nich fragment pulpitu i serce jej zamarło.

Wszystko stracone!

Kamienne ściany i kryty dachówką dach powinny oprzeć się płomieniom, loggię da się odbudować, ale kronika Leona poszła nieodwracalnie z dymem. Ukryła twarz w dłoniach. Zawiodła Konrada!

Walka o ocalenie przed ogniem reszty jej domu trwała do białego rana. Nocna straż pobudziła sąsiadów i od wejścia w kierunku każdej okolicznej studni ustawiły się szeregi ludzi podających sobie wiadra. Krzepcy mężczyźni dźwigali parami większe cebry. Amata pomagała tymczasem kobietom gasić płonące wszędzie kawałki drewna. Miotając się po podworcu i krużganku, odnosiła wrażenie, że płuca pękną jej zaraz od dymu, żaru i wyczerpania, a tłum i wrzawa wewnątrz i na zewnątrz jej domu wciąż rosły.

W końcu, zaraz po tym, jak kościelny dzwon obwieścił godzinę prymy, odszukał ją *maestro* Roberto i powiedział, że płomienie wreszcie zostały zduszone. Otępiała, wyszła za nim na środek podworca i rozejrzała się po osmalonych, popękanych, kamiennych ścianach i okopconych łukach krużganka. Nie ostało się nic drewnianego, ani jedna framuga, ani jedna okienna rama. Pośród popiołów, na kamiennej ławeczce, na której rozmawiała z Konradem w wieczór jego powrotu, siedział Jacopone. Trzymał się za głowę i mamrotał coś pod nosem, chociaż nikogo w pobliżu nie było. Podszedł do niej umazany sadzą Pio.

— Pio uratował twój dom, Amatino — powiedział Roberto. — On pierwszy poczuł dym i podniósł alarm.

Amata przyłożyła dłoń do piersi młodego mężczyzny.

— Bóg zapłać — szepnęła. Znowu rozejrzała się po podworcu, gdzie służba polewała wodą żarzące się jeszcze węgle i zamiatała szczątki na stosy, z dala od ścian. Nie było wśród nich ani brata Salimbene, ani towarzysza brata Konrada.

— Czy zakonnikom nic się nie stało? — spytała.

— Nie widziałem ich — mruknął Roberto.

— Ja widziałem na samym początku twojego skrybę, pani — odezwał się Pio. — On pierwszy wpadł do loggii. Pewnie też poczuł dym. Pobudziwszy ludzi, pognałem tam za nim, ale on zbiegał już po północnych schodach. Myślałem, że szuka wiadra na wodę, i zawołałem do niego, żeby biegł do kuchni, ale później już go nie widziałem.

— *Angelus Domini!* — krzyknął do nich z kamiennej ławeczki Jacopone. — Ten ślepy zakonnik to przepowiedział.

— Anioł? — Amata uniosła brwi i spojrzała na Roberta.

Ten wzruszył ramionami.

— Ja jestem człek praktyczny, *madonna*. Odkrywanie głębszych przyczyn takich zdarzeń pozostawiam *sior* Jacopone.

Odwrócili się i powlekli do domu. Z kąta, gdzie siedział Jacopone, rozbrzmiała pojedyncza, melancholijna nuta wygrana na trąbce. Amata odwróciła się na pięcie. Jacopone przemknął obok niej jak wicher, w paru długich susach przebył korytarz i wypadł z domu drzwiami frontowymi.

— Kuzynie! — zawołała za nim Amata, ale pokutnika już nie było.

XL

Pierwszy dostrzegł go wygrzewający się na słońcu trędowaty siedzący w kucki przed drzwiami. Osobnik zaklekotał ostrzegawczą kołatką, kiedy Konrad był jeszcze daleko na ścieżce, która prowadziła z lasu w dół i oddzielała od siebie dwa najdłuższe baraki *ospedale*. Ze swoich cel, zaciekawione hałasem, wyległy inne upiory — kobiety i dzieci z baraku po lewej, mężczyźni z baraku po prawej stronie ścieżki — popiskując i wszczynając bełkotliwą niesamowitą wrzawę. Konrad zatrzymał się jak wryty. Bardziej nie mógłby go przerazić widok cmentarza z powstającymi z mogił zmarłymi. Leon znowu wprowadzał go w samo serce jego największych lęków. Zamknął oko i pomodlił się o siły do wytrwania w swoim postanowieniu. *Servite pauperes Christi*, wyszeptał pod nosem.

Obok baraków zajmowanych przez trędowatych stały dwie mniejsze chaty. Konrad domyślał się, że mają tam swoje kwatery mnisi i siostry z zakonu crucigeri, opiekujący się nieszczęsnymi. Jeden z mnichów wyjrzał przez otwarte okno. Z chaty wyszedł drugi — wysoki szczupły mężczyzna o czerstwej cerze, w długiej czerwonej sukni i czapce medyka — i ruszył mu ścieżką na spotkanie. Na jego widok trędowaci uciszyli się.

— Pochwalony, bracie. — Mężczyzna przedstawił się schrypniętym głosem jako Matteus Anglicus, Matthew Anglijczyk.

— Niech Bóg obdarzy cię pokojem — odparł Konrad. — Przychodzę tu pracować.

Matteus zmierzył go wzrokiem od stóp do głów, nie pomijając twarzy, na widok której odwracali niedawno głowy ludzie Orfea. Napatrzył się tu już zapewne na rozmaite groteskowe okaleczenia i te nie robiły na nim wrażenia.

— A co cię skłania do podjęcia tutaj pracy?

— Przykład mojego mistrza, świętego Franciszka... i uroczysty ślub.

— Unieś nieco kraj habitu — poprosił Matteus. Konrad spełnił polecenie i medyk wydął wargi. — Tak myślałem. Zaczekaj tu, przyniosę ci sandały. Zasada pierwsza: nikt z moich podwładnych nie chodzi po terenie szpitala boso.

— Nie noszę sandałów od swojej inwestytury — zaoponował Konrad. — Nie pozwala mi na to ślub ubóstwa, który złożyłem.

— No to będziesz się musiał zdecydować, którego ze swych ślubów wolisz dotrzymać — powiedział Matteus. — Jeśli chcesz tu pracować, musisz uznawać moje polecenia za wolę boską obowiązującą w tym miejscu. Duchową opiekę nad pacjentami pozostawiam mnichom, opiekę medyczną mnisi pozostawiają mnie. Jeśli chcesz uspokoić sumienie, to mogę ci obiecać, że będziesz tu żył aż za skromnie. A sandały wyszukam ci jak najniewygodniejsze. — Konrad kiwnął z ociąganiem głową i medyk się uśmiechnął. — Zatem, witaj, bracie — powiedział. — Ponieważ przybywasz tu prosto z klasztornych lochów, zakładam, żeś dobry człowiek.

— S-skąd... — zająknął się Konrad.

Matteus wskazał jego oko.

— Byłeś torturowany. Włosy masz siwe, ale skórę jasną i gładką jak u młódki, od jakiegoś czasu niewystawianą na słońce. Twoja broda od paru lat nie widziała się z brzytwą. Kostki twoich nóg nie są porośnięte włosem i widnieją na nich ślady otarć po kajdanach. Do tego nosisz wystrzępiony habit spirytuałów i chodzisz boso — co samo w sobie wystarcza, byś za rządów Bonawentury trafił do ciemnicy.

— Wiesz o podziale...

— Chciałem kiedyś wstąpić do zakonu, ale w końcu zamiast waszego szarego, wybrałem habit czerwony. Papież Honoriusz przed sześćdziesięciu laty zakazał księżom studiowania medycyny. Postanowiłem więc, że nigdy nie zostanę kapłanem.

Konrad podszedł za Matteusem do granicy osady. Tam medyk kazał mu zaczekać, a sam poszedł po sandały. Powiewy wietrzyka chłodziły mu czoło, ale przynosiły również mdląco słodki zapach gnijącego ciała. Opanował odruch zasłonięcia nosa rękawem. Wkroczył do świata żywych trupów, i to one wydzielały ten odór. Mężczyzna, który wszczął alarm, miał mięsiste usta, a niebieskawe guzy na twarzy świadczyły, że zapadł na tę straszną chorobę niedawno. Spłaszczony nos sugerował jednak, że kształtująca go chrząstka zaczęła już gnić. Konrad przeniósł wzrok na pozostałych. Wielu kryło na szczęście twarze za kawałkami płótna i mógł się tylko domyślać, że również na niego patrzą. Ale najgorsze przypadki... widział wypełnione ropą kratery tam, gdzie kiedyś były oczy, przegniłe dziury po nosach i wargach, grudy gąbczastego ciała uchodzące za podbródki, obwisłe uszy kilka razy większe od spotykanych w naturze, dłonie bez palców, ręce bez dłoni, wzdęte albo skurczone torsy, skórę w dziobach albo w ropiejących liszajach. Trędowaci przyglądali mu się obojętnie, i tylko niektóre kobiety odwracały ze wstydem oszpecone twarze. Równie apatyczne były dzieci siedzące obok nich w kucki niby skarlali starcy i patrzące na Konrada z powagą dorosłych.

Fascynowała go ta galeria makabry. Przemknęło mu przez myśl, czy nie ma aby przed sobą wizji siebie samego w przyszłości, swojego trupa w późnym stadium rozkładu. Odetchnął z ulgą, kiedy wrócił Matteus z sandałami. Widok chorych zdezorientował go, sandały, do noszenia których nie nawykł, jeszcze bardziej. Nie czuł już kamyków pod stopami, ani samej ziemi, poszczególnych źdźbeł trawy. Odnosił wrażenie, że cały teren osady pokryty jest skórą.

— Pierwszy widok jest zawsze najgorszy — pocieszył go Matteus, wprowadzając Konrada do izby w chacie za barakiem trędowatych. — Dopóki nie przygotujemy ci kwatery, pomieszkasz u mnie.

Bałagan panujący w izbie medyka stanowił ostry kontrast z analitycznym umysłem tego człowieka. W kącie naprzeciwko drzwi stała wąska prycza, przy jedynym oknie mały stolik i dwa stołki, a pośrodku dłuższy stół roboczy. Ludzka czaszka i klepsydra na mniejszym stoliku oraz malowany krucyfiks na ścianie miały zapewne przypominać pacjentom Matteusa o przemijalności życia i czekającym ich zbawieniu. Blat większego stołu zapełniały prawie całkowicie ogarki świec, buteleczki na mocz, pilularia, aludele i alembiki, moździerz z tłuczkiem oraz stos oprawionych manuskryptów. Jedna z ksiąg otwarta była na stronicy z pokolorowanym kołem, chyba kręgiem uryny. Konrad, studiując w Paryżu, czytał coś o tym w podręczniku uroskopii: jeśli mocz chorego jest czerwony i gęsty, to człowiek ten jest niepoprawnym optymistą; jeśli czerwony i rozrzedzony, to chronicznym malkontentem. Każdy kolor — purpura, zieleń, błękit, czerń — odpowiadał jakiejś chorobie.

Na obramowaniu wielkiego kominka stały fiolki z proszkiem oznakowane symbolami pierwiastków metalicznych, słój z narkotyczną mandragorą oraz pojemniczki ze stosowanymi w medycynie przyprawami — cynamonem, kubebą i kwiatem muszkatołowym. Półka przy pryczy medyka uginała się pod księgami; tyle tomów naraz Konrad widział dotąd jedynie w klasztornej bibliotece.

— Nie stój tak w progu, bracie — powiedział Matteus i wykonując zamaszysty gest, dodał: — To wszystko dzięki Konstantynowi z Afryki. Przez większość swego żywota wędrował po Lewancie, by na koniec osiąść w Monte Cassino jako mnich. Resztę klasztornego życia poświęcił tłumaczeniu dla nas, studentów z Salerno, medycznych tekstów — prac starych greckich mistrzów, które zachowały się po arabsku, jak również dzieł Saracenów. I tak Galen stał się naszą Biblią (wybacz to porównanie), i uczyliśmy się na pamięć wszystkich dziesięciu ksiąg *Pantechne* Ali Abbasa.

Konrad z mieszanymi uczuciami wodził wzrokiem po grzbietach ksiąg. Był pod wrażeniem ich ilości i ambarasowała go własna naukowa ciekawość. Święty Franciszek by jej nie pochwalił! Porządek na półkach bardziej pasował do logicznego umysłu niż nieład panujący w izbie: słynni Grecy, Galen i Arystoteles, na samej górze, pod nimi saraceńscy filozofowie lekarze. Wypatrzył cztery z czterdziestu dwóch opracowań Hermesa Trismegistosa, *Theatrum sanitatis* Abula Asana, rozprawę o psim wodowstręcie, kanon medycyny Awicenny oraz, na półce poniżej, dzieła Maimonidesa oraz Hiszpanów Avenzoara i Averroesa.

Najniższa półka przeznaczona była na prace mistrzów Mateusza z Salerno, stało tam dzieło Trotuli da Salerno, a obok farmakopea, *Antidotum*, autorstwa *maestro* Praepositusa z tej samej uczelni. Za tą ostatnią piętrzył się stos prac o wykorzystaniu ziół w medycynie, a wśród nich *De virtutibus herbarum* Platheariusa. Konrada zastanawiało, dlaczego chrześcijańskich autorów relegowano na najniższą półkę.

Otworzył na pierwszej stronie *Methodus medendo* Galena i ściągnął brwi na widok rysunku przedstawiającego pogańskiego Eskulapa z córkami Hegeą i Panaceą, trzymającego skrzydlatego kaduceusza.

— Dobremu chrześcijaninowi mógłby się nie spodobać ten księgozbiór — zauważył. — Na tej stronicy widziałbym raczej świętych bliźniaków Kosmosa i Damiana albo świętego Antoniego Abbasa. Są symbolami wiary w uzdrowicielską moc Naszego Pana.

Matteus wzruszył ramionami.

— Wierz mi, bracie, że rad gromadziłbym prace medyków naszej wiary, ale poza moimi nauczycielami z Salerno niewielu takich znam. Nasza Święta Matka Kościół obstaje przy uznawaniu ciała za przekleństwo, a choroby za karę boską. Słyszałem kiedyś w Asyżu, jak pewien pokutnik prosił poetycko o jakąś dolegliwość: *O Signore, per cortesia, manname las malsania!* Wszystko jedno jaką — zimnicę czwartaczkę albo trzeciaczkę, puchlinę wodną, ból zęba, ból brzucha, apopleksję. Powiedz mi, co mogę zdziałać ze swoją sztuką leczenia wobec takiego nastawienia?

Konrad zachichotał, odstawiając Galena na półkę.

— Chyba znam tego pokutnika. Wiedz, że takim dobrym zdrowiem jak teraz dawno się nie cieszył.

— Miło mi to słyszeć. Mam tylko nadzieję, że nie będzie to dla niego zbytnim obciążeniem.

Konrad potarł dłonią zarośnięty policzek.

— Powiedz mi, co twoim zdaniem jest źródłem choroby, jeśli nie kara za złą naturę człowieka albo boski test na wiarę?

— Masz na myśli przypadek Hioba?

— Między innymi — przyznał Konrad. — A skoro już jesteśmy w tym szpitalu, można też wspomnieć o Bartolo, trędowatym z San Gimignano. Znosił swój los z taką radosną rezygnacją, że ludzie nazwali go Hiobem z Toskanii.

— Po prawdzie — odparł po chwili zastanowienia medyk — ani ja, ani moi koledzy medycy nie potrafimy z całą pewnością stwierdzić, gdzie leży źródło choroby. Mawiamy czasami: Galen jest za, Hipokrates przeciw. Medycy spierają się i nie wiadomo, kto ma rację. — Matteus poszperał w leżącym na stole stosie manuskryptów i wyciągnął cienki oprawiony traktat.

— Usiądź przy oknie, bracie, i przejrzyj to — powiedział. — To krótkie opracowanie autorstwa mojego krajana, Bartolomeusa Anglicusa. Tak się składa, że jest on braciszkiem z twojego zakonu. Postudiuj, dopóki nie przygotujemy ci kwatery. Wyrobisz sobie jakie takie pojęcie o pracy, którą będziesz tu wykonywał.

Matteus wyszedł, a Konrad pochylił się nad manuskryptem. Od utraty oka nie próbował jeszcze czytać. Litery rozmazywały się. Przysunął się bliżej światła, przymrużył oko.

Brat Bartolomeus pisał o przyczynach trądu, zaczynając od żywności, która przegrzewa krew albo szybko się psuje: pieprzu, czosnku, mięsa chorych psów, nieumiejętnie przyrządzonej ryby czy wieprzowiny, gorszych gatunków chleba pieczonych z zanieczyszczonego jęczmienia albo ryżu. Dalej, ze zbyt drastycznymi jak na wrażliwość Konrada szczegółami, opisywał zakaźną naturę choroby: jak to nieświadomie można się nią zarazić poprzez spółkowanie z kobietą, która obcowała cieleśnie z trędowatym mężczyzną, jak niemowlę karmione piersią przez trędowatą mamkę zasysa śmierć z jej sutka, że trąd może być również dziedziczny. Pergamin zadrżał Konradowi w dłoniach, kiedy przeczytał o ostatnim źródle trądu: *Zaraźliwe mogą się też okazać sam oddech albo spojrzenie lepera*. Jeśli wierzyć Bartolomeusowi, mógł już nosić w sobie chorobę, z tym że wiele oczu skierowanych na niego, kiedy nadchodził ścieżką, było niewidzących.

Przełknął z trudem, zbrzydzony dosadnym katalogiem Bartolomeusa. Ten zakonnik przekroczył granice przyzwoitości. Tak czy owak ci, którzy zarazili się trądem poprzez stosunki cielesne, otrzymali słuszną karę za swój grzech. Ani Bartolomeus, ani Matteus nie przekonają go, że jest inaczej. Co do dziedziczenia, to czyż Pismo Święte nie mówi: *Ojcowie zjedli zielone winogrona, a zęby ścierpły synom*?*. Zatem i w tym przypadku chory płaci za grzechy przodków. Bartolomeus przyznawał to sam w części poświęconej leczeniu trędowatych. *Trąd jest bardzo trudny do wyleczenia i liczyć tu można tylko na pomoc Boga* — ani chybi dlatego, że to właśnie Bóg zsyła tę chorobę.

Ale Bartolomeus podpowiadał również medykom kilka niespirytualnych metod kuracji: upuszczanie krwi (jeśli pozwalają

---

* Księga Ezechiela 18,2.

na to siły chorego); oczyszczanie z robactwa i wrzodów; leki do użytku wewnętrznego, okłady i maści do użytku zewnętrznego. Anglijski zakonnik podsumowywał: *najlepszym remedium na uleczenie albo ukrycie trądu jest czerwona żmija z białym brzuchem, której trzeba odciągnąć jad, a potem obciąć łeb i ogon. Resztę należy namoczyć w wywarze z porów i często jeść.*

Kiedy wrócił Matteus, Konrad odkładał właśnie traktat na miejsce. Czuł, jak do głosu dochodzi znowu jego skłonność do dyskusji. Jeszcze trzy lata temu wdałby się z Matteusem w polemikę, dzisiaj jednak nic nie powiedział. Bóg przysłał go tutaj po naukę. Musi pytać i słuchać, a nie się spierać.

— Czy hipotezy twojego ziomka sprawdzają się w praktyce?

Matteus wziął traktat i kiwając głową, przebiegł szybko wzrokiem kilka stron.

— Dieta — powiedział w końcu, postukując w pergamin palcem. — Podajemy tutaj wyłącznie świeże mięso. A o tej porze roku, kiedy dostępne są owoce i warzywa, odnotowujemy zwykle kilka całkowitych ozdrowień.

Zaskoczył Konrada tą odpowiedzią.

— Myślałem, że tylko cud może wyleczyć z trądu.

— Słyszałem w moim kraju o cudownych ozdrowieniach, do których dochodziło przeważnie przy grobie Tomasza z Canterbury. Studnia w krypcie tego świętego zawiera święconą wodę zmieszaną z kroplą jego krwi, i wielu twierdzi, że pijąc ją, powrócili do zdrowia. Ale tutaj jeśli coś skutkowało, to tylko dieta.

— W takim razie dlaczego nie zdrowieją wszyscy twoi pacjenci?

Matteus uśmiechnął się.

— Masz lotny, dociekliwy umysł, bracie. Może zrobimy z ciebie lekarza. Zadałeś dobre pytanie. — Wodził palcem po manuskrypcie Bartolomeusa, aż znalazł definicję trądu.

— Greckie słowo *lepra*, czyli „łuska", odnosi się do wielu chorób objawiających się łuszczeniem skóry. Jest tutaj sporo ludzi, których przepędzono z domów i pozbawiono środków do życia, bo okrzyknął ich trędowatymi jakiś ciemny ksiądz, który nie ma pojęcia o medycynie, a trędowatym jest dla niego każdy, kogo krew rozcierana na dłoni skrzypi albo wlana do misy z czystą wodą unosi się na powierzchni, każdy, kto stracił czucie w palcach u rąk albo nóg albo ma miedziany odcień skóry. Niektóre z tych skórnych chorób są uleczalne i wielu ludzi, którzy na nie cierpią, wykurowałem już i odesłałem na łono rodziny. Ale z mojej praktyki wynika, że na to, co nazywam „prawdziwą leprozą" i co po grecku zwie się *elephantiasis*, bo objawia się grubieniem i chropowaceniem skóry, nie ma lekarstwa. Próbowałem już oczyszczania i wenesekcji, i tuzina innych metod sugerowanych w rozmaitych księgach — nawet leków odzwierzęcych.

— Karmienia mięsem żmii?

— Czerwono-biała żmija należy w tej części świata do rzadkości. Ale stosowałem bez powodzenia kurację Avenzoara, polegającą na smarowaniu ran leperów bezoarem z oczu jelenia. Nie przyniosły również rezultatu tradycyjne metody leczenia ciepłem wydzielanym przez zdychającego kota albo psa. — Matteus zdjął czapkę i zniechęcony, opadł na stołek naprzeciwko Konrada.

Zakonnik przyjrzał się bliżej jego czerstwej twarzy. Dopiero teraz zauważył przerzedzające się brwi, niewielki, odbarwiony guzek na czole i opuchnięty płatek ucha. Medyk podchwycił jego spojrzenie i uśmiechnął się.

— Tak. Wkrótce i na mnie kolej. — Widać było, że pogodził się już z tym, co nieuniknione.

— A więc Bartolomeus ma rację, twierdząc, że ta choroba jest zaraźliwa.

— Na to wygląda, chociaż jestem tu już piętnaście lat, a objawy wystąpiły dopiero teraz. Niektórzy z crucigeri, którzy mi pomagają, też zarażają się trądem, ale nie wcześniej jak po kilku latach pracy. Miałbyś powody do obaw, gdybyś zamierzał zostać z nami na dłużej. Ale jedna stara zakonnica jest tu już dwadzieścia dwa lata, i nic.

— W takim razie jakim sposobem choroba się rozprzestrzenia?

— Sam chciałbym to wiedzieć. Próbowałem pójść za wskazówkami Bartolomeusa. Na przykład przeprowadzałem bardzo specyficzne rozmowy z tymi, którzy zanim tu trafili, pozostawali w związkach małżeńskich. Większość, już po wystąpieniu pierwszych objawów, nadal utrzymywała intymne stosunki ze swoimi mężami lub żonami, przeważnie bez żadnej szkody dla małżonka. Wyjątek stanowili ci, którzy po pojawieniu się pęcherzy wokół ust nadal całowali swoich partnerów.

Matteus wzruszył ramionami.

— Widzę, że moja szczerość wprawia cię w zakłopotanie, bracie, ale staram się choć po części odpowiedzieć na twoje pytanie. Fizyczne zachowanie ludzi stanowi przedmiot zainteresowania lekarzy; ciało nie jest już tabliczką, na której piszemy. Jak powiedziałem, osąd moralny pozostawiam wam, księżom. W każdym razie doszedłem do wniosku, że najbardziej zaraźliwą częścią ciała lepera są jego usta. To dlatego moi współpracownicy noszą sandały — żeby chronić podeszwy stóp przed kontaktem ze śliną pacjentów.

Konrad przeczesał palcami brodę. Wyobraził sobie Franciszka, Leona i innych współczesnych im braci pracujących wśród trędowatych w tym samym szpitalu przed sześćdziesięcioma paroma laty; bosych, poszczących, odżywiających się najpodlejszym jadłem, nawet całujących te nieszczęsne dusze w usta, by dowieść swojej pokory. Nie słyszał jednak o ani jednym przypadku, w którym ten brak ostrożności doprowadziłby do zarażenia się trądem — z tym, że w ich świętej posłudze zapewne Bóg szczególnie nad nimi czuwał. Konrad doszedł do wniosku, że teorie Matteusa to w większości tylko domysły. Tak czy owak poruszył z wdzięcznością palcami u obutych w stare sandały stóp.

Orfeo popatrzył na zniszczoną loggię, potem na nadpalone deski i stosy zwęglonych szczątków na podworcu Amaty.

— Nie najlepsza to sceneria dla sprawy, z którą przyszedłem — westchnął współczująco. — Szczęście w nieszczęściu, że nikt nie ucierpiał, Amatino.

Amata wzięła go za rękę i przytuliła policzek do jego ramienia.

— Loggia to nic — powiedziała. — Odbuduję ją przed zimą. Najbardziej gnębi mnie, że spłonął zwój Leona.

— Nie mogłaś nic na to poradzić. Brat Konrad zrozumie. Dopatrzy się w tym woli Boga. I słusznie.

Zdobyła się na blady uśmiech.

— Taka jestem szczęśliwa, że wróciłeś, Orfeo. Straciłam już prawie nadzieję, że kiedykolwiek jeszcze cię zobaczę.

— Myślałem, że nie chcesz mnie widzieć. Przy najbliższym spotkaniu ze swoim zakonnikiem podziękuj mu ode mnie, że otworzył mi oczy. Nie wiem, czy brat Konrad ci powiedział, ale zatrzymał mnie, kiedy kończyłem już ładować wozy *sior* Domenica i ruszałem do Flandrii.

— Nie wiedziałam. Po rozmowie z tobą Konrad już tu nie wrócił. Czy Domenico nie wścieka się na ciebie za to opóźnienie? Teraz nie zdążysz już dotrzeć do Flandrii przed śniegami.

— Nie jest już moim pracodawcą — odparł Orfeo, kopnął kawałek zwęglonego drewna w kierunku stosu usypanego przy fontannie.

— Orfeo! Nie! Z czego będziesz teraz żył?

Uśmiech rozjaśnił mu twarz.

— To właśnie przyszedłem ci powiedzieć. *Sior* Domenico jest już starym steranym człowiekiem. Zaproponowałem mu, że odkupię od niego towary i wozy, woły i wszystko — nawet magazyn i kram na *mercato*. I on się zgodził. Oczywiście, nie stać by mnie było na zapłacenie za to wszystko z własnej sakiewki, ale mój brat Piccardo zgodził się wejść ze mną w spółkę z udziałem równym mojemu.

— To Piccardo chce konkurować z braćmi?

— Tak, bo to jego szansa na usamodzielnienie się. Piccardo

dostał w spadku po ojcu pewną sumę pieniędzy, ale rodzinny interes przejął, jako najstarszy, Dante. Od tamtego czasu Piccardo nie ma tam nic do gadania. Resztę pożyczymy od lichwiarza. Jeśli szczęście nam dopisze i handel będzie dobrze szedł, w kilka lat go spłacimy. A co najlepsze, Piccardo chce wziąć na siebie podróże. Ja mam zostać tu, w Asyżu, i prowadzić magazyn, kram na targu oraz księgi.

Odwrócił się do Amaty, wziął ją za ręce i spojrzał w oczy. Podworzec, okopcone ściany, nawet zarysy jego postaci i twarzy rozmyły się na chwilę Amacie pod tym spojrzeniem. Widziała tylko żar płonący w jego czarnych jak węgiel źrenicach.

— Teraz, jeśli mnie tylko chcesz, możemy się pobrać, Amato, i założyć rodzinę. To ciebie i miłości pragnę. Pieniądze nie są dla mnie ważne. Wystarczy, że mamy siebie. Reszta przyjdzie z czasem i z ciężką pracą.

Amata cofnęła ręce.

— I dobrze będziesz się czuł w domowym zaciszu?

— Mogę tylko ślubować, że będę się bardzo starał.

— To mi wystarczy.

Zawahała się, ale tylko przez moment. Potem podskoczyła, zarzucając mu ręce na szyję.

— Orfeo, wiedz, że pragnę cię ponad wszystko. To właśnie chciałam ci powiedzieć tamtego wieczoru, kiedy się rozstaliśmy.

Orfeo przytulił ją mocno do piersi.

— Uprzedzam, że czasami bywam uparty jak osioł. I nierzadko potrafi mi się wyrwać jakieś nieobyczajne słowo. Obiecaj, że będziesz w przyszłości wyrozumiała.

Amata ukryła twarz w ciepłych fałdach jego tuniki i trwała tak, dopóki nie poluźnił uścisku. Wyczuła, że patrzy na coś albo na kogoś ponad jej ramieniem. Obejrzała się. Na skraju podworca, przestępując z nogi na nogę, stał Pio. W cieniu krużganka za jego plecami zakotłowało się — to podglądające ich do tej pory służące wróciły do wycierania i zamiatania.

— Wieczerza prawie gotowa, *madonna* — wybąkał Pio.

— Pobieramy się, Pio! — zawołał radośnie Orfeo.

Młodzieniec uśmiechnął się od ucha do ucha. Jego reakcja, nie wiedzieć czemu, rozczarowała Amatę. Być może spodziewała się raczej przygnębienia, zważywszy, że chłopiec tak długo się w niej durzył.

— *Con permesso, madonna.* — Pio skłonił się nisko swojej pani. — Ja też chcę się żenić.

— Ty, Pio? A z kim? — Spojrzała na grupkę służących. Wszystkie patrzyły na Gabriellę. Dziewczyna spłonęła szkarłatnym rumieńcem i cała gromadka zniknęła z chichotem w korytarzu. Zaczerwieniony Pio poszedł w ich ślady. I wtedy Amata przypomniała sobie, że w noc pożaru obudziła ją Gabriella, a Pio pierwszy zaalarmował mężczyzn. Jak mogła niczego nie zauważyć? *Donna* Giacoma na pewno wyczułaby jakimś szóstym zmysłem rozkwitający romans.

— To dobrze, że nie wiem, co się wyprawia nocami pod moim dachem — powiedziała do Orfea. — Podejrzewam, że moje gapiostwo ocaliło ten dom.

Wzięła go za rękę i ruszyli razem do wielkiej izby.

— Co do pieniędzy... To chciałam się tylko upewnić, Orfeo. Nie musimy się zwracać o pożyczkę do lichwiarza. A jeśli zajdzie taka potrzeba, będę pracowała u twojego boku tak samo ciężko jak mężczyzna. Mam również nadzieję, że od czasu do czasu wybierzesz się... wybierzemy... w jakąś podróż. Oboje wiemy, że nadal masz we krwi domieszkę słonej wody. A ja jeszcze nie widziałam kolorowych okien lyońskiej katedry o wschodzie słońca...

XLI

Matteus zajrzał do Konrada nazajutrz po śniadaniu.

— Chodź ze mną na obchód, bracie — poprosił. — Przedstawię cię twoim podopiecznym i zapoznam z obowiązkami.

Konrad, na polecenie Matteusa, nabrał do wiadra wody z kadzi i ruszył za medykiem przez klepisko oddzielające refektarz od baraku trędowatych, w którym swoje komórki mieli mężczyźni. Matteus zapukał cicho do drzwi pierwszego pacjenta, jednego z wielu zbyt chorych, by uczestniczyć we wspólnym posiłku.

— Tu mieszka stary Silvano — wyjaśnił. — Najpierw go obmyjemy i wysprzątamy izbę, potem nakarmimy.

Konrad skupił uwagę na krucyfiksie przybitym do drzwi komórki, przygotowując się na widok, który niewątpliwie ukaże się za chwilę jego oczom. Kiedy Matteus pchnął lekko drzwi, ze środka buchnął mdlący odór. Smak zjedzonej niedawno owsianki podszedł Konradowi do gardła.

W kącie, na drewnianym krześle siedziała skurczona przygarbiona postać — ślepa, stara istota niknąca w fałdach workowatej szaty ze zgrzebnego płótna. Matteus dał Konradowi znak, żeby stanął obok krzesła, a potem krzyknął do chorego:

— Dzisiaj znowu słoneczko, Silvano! Przewietrzymy trochę ciebie i twoją izbę.

Wynieśli mężczyznę razem z krzesłem przed barak i ustawili plecami do słońca.

— To brat Konrad — krzyknął znowu medyk. — Od dzisiaj będzie się tobą opiekował. — Opatulił trędowatego kocem, a tymczasem Konrad wymienił powalane zakrzepłą krwią i ropą prześcieradło, którym przykryte było posłanie Silvana, potem chlusnął wodą z wiadra na podłogę, ukląkł i zabrał się do szorowania.

Kiedy skończył, Matteus potrząsnął delikatnie starcem.

— Zaraz cię wykąpiemy — powiedział. Silvano w słońcu jakby odżył. Po raz pierwszy kiwnął głową.

Medyk posłał Konrada do pomywalni po gorącą wodę, a sam ruszył dalej wzdłuż baraku, zaglądając do następnych komórek i zachęcając co sprawniejszych pacjentów, żeby wyszli na świeże powietrze.

Konrad napełnił wiadro z wielkiego kotła gotującej się w kuchni wody i wrócił z nim do komórki Silvana. Matteus kazał mu zdjąć choremu zasłonę z głowy i ściągnąć szatę. Konrad, myjąc rozkładające się, całe w otwartych ranach ciało i twarz Silvana, nie czuł, ku swojemu zaskoczeniu, odrazy. Żal mu było tego człowieka i współczuł mu ogromnie. Z załzawionymi oczami płukał i wyżymał szmatkę w wiadrze z parującą wodą.

Matteus obserwował bacznie zakonnika przykładającego szmatkę do ropiejących liszajów, by odciągnąć z nich ile się da żółtawego płynu. Na koniec Konrad osuszył starca ręcznikiem i owinął mu dłonie i stopy bandażem. Z trudem oparł się pokusie pocałowania go, jak to przed laty czynił święty Franciszek. Wczorajsze ostrzeżenie Matteusa odniosło zamierzony skutek.

— Niech Bóg obdarzy cię pokojem i ulży w cierpieniu — powiedział tylko.

Chory zamachał w odpowiedzi ręką.

— On ci dziękuje — wyjaśnił Matteus.

— Nie może mówić?

Mężczyzna pokazał na swoje otwarte usta i dopiero teraz Konrad zauważył obumarły kikut tam, gdzie powinien znajdować się język.

Kiedy przechodzili do następnej komórki, Matteus położył dłoń na ramieniu Konrada.

— Jak się czujesz?

— Wstyd mi. Jeszcze wczoraj uważałem ich za słusznie ukaranych grzeszników. A oni naprawdę są biedaczkami, jak nazywał ich święty Franciszek.

— Widzę, że zaczynasz rozumieć, a to najważniejsze. Dasz tu sobie radę.

Następny pacjent, o wiele młodszy od Silvana, zadziwił Konrada. Nie miał na ciele ani jednej rany, tylko placek obumarłej skóry na plecach, pofałdowany i pomarszczony jak płatki goździka. Palce miał za to zagięte w szpony, przy czym kciuk leżał bezwładnie na dłoni. Konrad, przemywając to wyschnięte miejsce, zerknął pytająco na Matteusa.

— Nawet wśród prawdziwych leperów spotkasz rozmaite odmiany tej choroby, bracie — wyjaśnił Matteus. — Niektórzy nie mają żadnego gruzełka, a jeśli już, to najwyżej kilka. Różnią się one kolorami — od różowego, jak ten tutaj, do ciemnoczerwonego. Mogą pojawiać się na ciele gdziekolwiek. Ale ten placek, chociaż na razie wysechł, jest zupełnie niewrażliwy. On nie poczuje niczego, nawet gdybyś polał to miejsce wrzącą smołą. Ten obszar ciała obumarł na zawsze.

Matteus mówił o chorym swobodnie, jakby ten siedział w innej izbie. Mężczyzna, ze swej strony, patrzył przed siebie, nie okazując żadnego zainteresowania ich rozmową — emanowała z niego taka obojętność i rezygnacja, że Konradowi ciarki przeszły po plecach, podobnie jak wczoraj na myśl, że wchodzi do świata żywych trupów. Skończywszy, pobłogosławił lepera jak wcześniej Silvana, ale pacjent nie zareagował. Kiedy wychodzili z komórki, Matteus z wymuszonym uśmiechem pogłaskał mężczyznę po łysej czaszce.

— Widziałem wiele podobnych przypadków — podjął na zewnątrz. — Nazywam takich chorych „linią graniczną". Podobnie jak ten człowiek, mają tylko jeden liszaj, choć może nie aż tak wyschnięty. I chociaż tracą w tym miejscu czucie, to nie do końca, nadal odczuwają jakiś tam ból. Ich liszaje są owalne w kształcie, często z wybrzuszeniem pośrodku i mają wyraźnie wyczuwalną krawędź. — Matteus pokręcił głową. — Jakaż złożona to choroba. Wątpię, czy kiedykolwiek zrozumiem jej mechanizmy.

Konrad wrócił do pomywalni po czystą wodę. Starał się zapamiętać jak najwięcej z wyjaśnień Matteusa. Będzie je musiał przemyśleć. Minął kilku crucigeri, również niosących kubły z wodą. Tego ranka spotkał pięciu mnichów i trzy zakonnice. Zajęci swoimi obowiązkami, pozdrawiali go kiwnięciem głowy.

Byli bardzo poważni w porównaniu do czarnych mnichów *dom* Vittoria — może dlatego, że poruszali się w świecie o wiele bliższym dnia Sądu Ostatecznego, może dlatego, że w swojej pracy nie znajdowali powodów do radości. Konrad podziwiał ich małomówność i fakt, że poświęcili życie tym wyrzutkom. Z takimi mężczyznami — nawet kobietami — istotami skromnymi i pełnymi poświęcenia, mógłby pracować do końca swych dni.

Być może, chociaż nie był medykiem, Bóg sprowadził go w to zakazane miejsce dlatego, że Matteus był już u kresu swej drogi. Szybko odrzucił tę myśl jako przejaw pychy i przesadne wzięcie sobie do serca pochwały medyka. Próżność wyjeżdża na koniu, a wraca piechotą, upomniał się w duchu. Brak mu przecież było unikalnej wiedzy dobrego lekarza; nie potrafił również wyrobić w sobie tej specyficznej więzi, jaka łączyła Matteusa z jego pacjentami. Co więcej, w głębi duszy nadal uważał, że to wola boska, a nie starania człowieka, decyduje, kogo choroba uśmierci, a kto zostanie uleczony — tego przekonania doktor z Salerno zdecydowanie nie podzielał.

W ciągu miesiąca Konrad, wykonując ze spokojem swoje monotonne obowiązki, wtopił się całkowicie w gromadkę crucigeri. Niemal codziennie rozmawiał z Matteusem, a po obmyciu i opatrzeniu chorych, których powierzono jego opiece, pomagał często lekarzowi. Dowiedział się sporo o jego pacjentach i złożonej naturze ich choroby, nadal jednak nie rozumiał, w jakim celu Leon skierował go do tego *ospedale*.

Lato się kończyło i noce stawały coraz chłodniejsze, ale popołudniami było jeszcze wystarczająco ciepło i słonecznie, by pacjenci mogli pozostawać na świeżym powietrzu. W jeden z takich dni Konrad wypatrzył przy baraku czerwoną szatę i skierował się tam z wiadrem gorącej wody. Matteus wyprowadzał właśnie jednego z leperów z jego komórki.

— Jak się dzisiaj czujesz, Mentore? — spytał.

Mężczyzna z obojętną miną uniósł ręce. Rękawy opadły, odsłaniając liczne wrzody na skórze, ale Konrad zauważył, że te są w większości pokryte łuskowatą, purpurowo-szarą skorupą. Guzki na twarzy także zdawały się zanikać. Konrad po raz pierwszy widział u pacjenta oznaki poprawy. Może Mentore cierpiał na jedną z tych uleczalnych chorób skóry, o których wspominał Matteus? Spojrzał z nadzieją na medyka, ale zobaczył w jego oczach tylko głęboki smutek.

— Jesteś gotów? — spytał cicho chorego.

Mężczyzna kiwnął głową.

— Przyślę księdza, który cię wyspowiada i udzieli sakramentów — powiedział Matteus. Skinął na Konrada, żeby podszedł bliżej. — Umyj go dzisiaj szczególnie starannie — zwrócił się do niego. — Przygotowujesz go na spotkanie ze Zbawicielem.

— Przecież te rany wyglądają lepiej niż u innych — żachnął się Konrad. — Jego skóra nigdy nie wyglądała lepiej.

— Niektóre z tych ran do jutra znikną zupełnie — odparł

Matteus. — To oznaka zbliżającej się śmierci, którą każdy tutaj rozpoznaje. Wyczekują jej z utęsknieniem i witają jeśli nie z radością, to z ulgą.

Mentore miał zamknięte oczy, jego twarz pozostawała doskonale beznamiętna. Jeśli odczuwał jakieś emocje, to tego nie okazywał. Konrad przypomniał sobie swoją rozmowę z Jacopone, kiedy wędrowali drogą do Asyżu; tematem była poezja i doświadczenie, oraz nierówny oddech konającego. Jednak ten człowiek siedzący na stołku i czekający na śmierć oddychał na tyle swobodnie, na ile pozwalał mu na to zapchany nos, obojętny jak kupiec za swoją wagą.

Konrad zanurzył ręcznik w gorącej wodzie i obmył mężczyźnie dłonie. Przypomniała mu się fraza z listu Leona: *Prawda z dłoni martwego lepera przebija*. Z niezdrową w swoim mniemaniu ciekawością uniósł za nadgarstek drugą rękę lepera, ale obie dłonie, poza tym że bez palców i kończące się kikutami stawów, nie miały w sobie niczego szczególnego. Z wyjaśnieniem, o co chodziło Leonowi, trzeba się będzie wstrzymać do następnej takiej sposobności.

Tej nocy Konrada wyrwało ze snu coś jakby wycie wilków. Wybudzając się stopniowo w ciemnościach, uświadomił sobie nagle, że to zwierzęce zawodzenie dolatuje z kwater trędowatych. To pewnie nad Mentore, pomyślał. Pukanie do drzwi i głos Matteusa wzywający go do kaplicy potwierdziły to przypuszczenie.

Medyk trzymał w ręku pochodnię, ponieważ nocą nadciągnęły chmury i przesłoniły księżyc. Ruszyli w drobnej mżawce przez dziedziniec.

Mnisi przenieśli już trupa do kaplicy. Leżał wyciągnięty na stole w nawie, otoczony palącymi się świecami. Crucigeri stojący po przeciwnych stronach prezbiterium recytowali chórem psalmy pokutne. Z tyłu budynku tłoczyli się ci trędowaci, którzy mogli jeszcze chodzić.

Konrad złożył ręce i podszedł za Matteusem do zwłok. Chciał dodać swoje osobiste błogosławieństwo do rytualnych modłów tej społeczności. Tak jak zapowiedział Matteus, z twarzy Mentore znikły wrzody. Jego skóra była teraz bielutka i lśniła w blasku świecy palącej się przy głowie.

Uwagę Konrada przyciągnęły skrzyżowane na piersi ręce lepera. Rany na grzbietach dłoni Mentore zupełnie się zasklepiły i w blasku świec połyskiwały, twarde i czarne niczym kolce. Konrad drżącymi palcami uniósł rękę spoczywającą na wierzchu i obrócił ją. Liszaj na poduszce dłoni był tak samo twardy i czarny. Nacisnął go palcem i kolce, ten na poduszce i ten na grzbiecie dłoni, poruszyły się, tak jakby stanowiły całość. Konrad ostrożnie opuścił rękę zmarłego na miejsce.

Przytrzymując się jedną ręką stołu, ukląkł i spojrzał na krucyfiks z ukrzyżowanym Chrystusem wiszący nad ołtarzem. Spłynął na niego spokój, jakiego nie zaznał od dnia, kiedy próg jego chaty przekroczyła Amata. Wszystkie napięcia i udręki minionych trzydziestu czterech miesięcy mogły wreszcie wypłynąć z jego ciała na falach spokojnego już oddechu.

Wreszcie zrozumiał! Podobnie jak Giancarlo di Margherita, dotknął własną ręką prawdy — prawdy przebijającej z dłoni martwego lepera.

— Dwie jeszcze rzeczy trzeba mi wiedzieć. — Konrad siedział po uroczystości pogrzebowej w izbie Matteusa. — Czy te objawy trądu mogą się pojawić nagle, powiedzmy w ciągu czterdziestu dni? — Pochylił się, wspierając łokciami o stół. Trzymał już wszystkie nici prowadzące do rozwiązania zagadki, brakowało mu tylko kilku potwierdzających węzłów, żeby je połączyć. Gobelin utkany z myślą o nim przez Leona mógł na zawsze rozwiać cześć, jaką otaczano powszechnie świętego Franciszka. Jednak dla Konrada prawdziwa natura stygmatów była cudowniejsza i wznioślejsza od tej z mitu, tak samo jak prawda o hulaszczej młodości Franciszka od uświęconej wersji Bonawentury.

— Zazwyczaj pojawiają się stopniowo i trwa to dłuższy czas — odparł Matteus. — Ale znam przypadki, kiedy liszaje wysypywały się z dnia na dzień, pękając i pulsując. W takich przypadkach rany powstają na grzbietach dłoni i podbiciach stóp. Zwłaszcza dłonie stają się wtedy gorące, puchną i sprawiają dotkliwy ból. — Medyk pokazał palcem na grzbiecie swojej żylastej dłoni dotknięty chorobą obszar.

— Ten stan zaognienia może trwać kilka dni albo i tygodni, zanim przyjdzie odrętwienie. Kiedy zaognienie ustępuje, stawy i ścięgna kurczą się; zastygają w pozycji, którą zajmowały w spoczynku w czasie etapu zaognienia. Widziałeś te zagięte w szpony palce u niektórych z naszych pacjentów.

— A oczy?

Matteus skinięciem głową wyraził uznanie dla pytania Konrada.

— Jesteś bystrym obserwatorem, bracie. To prawda, owe gwałtowne napady trądu atakują przede wszystkim dłonie i stopy — ale również i oczy. Zazwyczaj kończy się to ślepotą. Po pierwsze dlatego, że zniszczeniu ulega tęczówka, po drugie dlatego, że sparaliżowana zostaje twarz i pacjent nie może zamykać powiek, by chronić oczy przed zgubnym działaniem promieni słonecznych. Dlatego właśnie sadzamy naszych pacjentów plecami do słońca.

Konrad spuścił głowę i pogładził się po siwej brodzie.

— A więc wszystko, co napisał Leon, to prawda. — Jego wewnętrzny spokój przeszedł w uczucie pustki, w coś bliskiego depresji, jakby poczucie straty, o doznaniu którego po powiciu dziecka opowiadała mu Rosanna, albo którego może doświadczać artysta, kiedy po długiej pracy kończy wreszcie dzieło.

— Bracie?

Zatroskanie w głosie Matteusa przywołało zakonnika do rzeczywistości. Uświadomił sobie nagle, że musi podzielić się z medykiem swoimi wnioskami, opowiedzieć mu o wszystkich wydarzeniach i odkryciach swojego blisko trzyletniego dochodzenia prawdy. Wykształcony laik, niezagrożony jego ustaleniami tak, jak wyznawca świętego Franciszka, może go wysłuchać z większą cierpliwością i współczuciem, niż uczyniliby to bracia zakonni.

I tak, w mrocznej izbie lazaretu usytuowanego w odciętej od świata dolinie, z ust Konrada popłynęły słowa, które mogły zmienić na zawsze historię jego zakonu. Opowiedział o miłości Franciszka do trędowatych, o górze Alwernia i hymnach pochwalnych podyktowanych tam przez świętego, o ślepocie, która zaczęła się na tej górze, o tym, jak *donna* Giacoma opisała wygląd świętego po śmierci — śnieżnobiała skóra i przypominająca różę rana po lancy na boku, o tym, jak Eliasz porwał i ukrył zwłoki Franciszka, i jak ministrowie zafałszowali historię jego życia. Na koniec powiedział medykowi o liście Leona i swoim dochodzeniu jego znaczenia. To znaczenie było teraz chyba oczywiste: biedaczkiem Chrystusa, leperem, któremu służył Leon, był nikt inny, jak biedaczek z Asyżu, *Il Poverello di Cristo*.

Zafascynowany Matteus słuchał tego wszystkiego w milczeniu.

— I twój święty Franciszek — spytał, kiedy Konrad skończył — nigdy nie przyznawał się do stygmatów, nie ogłaszał słowami świętego Pawła: *Ego stigmata Domini Jesu Christi in corpore meo porto*, „Noszę na swym ciele rany Pana Naszego Jezusa Chrystusa"?

— Powiedział tylko: „moją jest ma tajemnica". Ale opowiadania o uniesieniu, jakiego doznał na górze Alwernia, są całkowicie wiarygodne. W swojej głębokiej pokorze starał się na każdym kroku umartwiać. Bardziej podziękowałby serafinowi za dar trądu niż za stygmaty, uważając, że na to pierwsze sobie zasłużył, a tych ostatnich nie jest wart. Po zejściu z Alwernii mógłby śmiało powtórzyć za swoim ukrzyżowanym Panem: *Jestem robakiem, nie człowiekiem*. Mógłby dzielić z Chrystusem upokorzenie, nie dzieląc z Nim chwały Jego ran.

— Ale wierzysz, że ujrzał anioła, chociaż mógł być już wtedy ślepy? — spytał Matteus.

Sceptycyzm w głosie medyka uraził Konrada, chociaż sam przed chwilą podważał prawdziwość opisu wydarzeń na Alwernii.

— Nawet ślepy może widzieć wzrokiem wewnętrznym — powiedział. I po chwili wahania dodał cichym głosem: — Sam doświadczyłem czegoś podobnego w ciemnościach lochu, w którym mnie więziono.

Matteus przyglądał mu się przez chwilę, a potem powiedział:

— Oczywiście. Wybacz, bracie. Rozważam takie zjawiska z punktu widzenia medyka. Jako lekarz nie byłbym wcale zaskoczony, gdyby ktoś mi powiedział, dajmy na to, że człowiek, który pościł przez czterdzieści dni, medytując o archaniele Michale i o Świętym Krzyżu, ujrzał przed sobą unoszącego się w powietrzu serafina naznaczonego ranami Chrystusa. Dla mnie osobiście chwila duchowego uniesienia świętego Franciszka na tej górze jest bardziej znacząca niż jej fizyczne manifestacje.

— Jak to? — zdziwił się Konrad.

— Kiedy cesarz nagradza żołnierza za zasługi jakimś cennym podarunkiem, lud wiwatuje na jego cześć. Jednak ten podarunek jest tylko symbolem zasługi, za jaką został wręczony. — Pociągnął się za przód szaty. — Moi pacjenci patrzą z podziwem i szacunkiem na tę czerwoną suknię, którą noszę, a przecież ona nic by nie znaczyła bez lat studiów, które symbolizuje. Nadążasz za tokiem mojego rozumowania?

— Chcesz przez to powiedzieć, że nieważne, co fizycznie przydarzyło się świętemu Franciszkowi na górze Alwernia? Że bardziej liczy się duchowość, za którą został fizycznie obdarowany?

— Tak, mnie, a uważam się za dobrego chrześcijanina, bardziej niż stygmaty, które pozostaną na zawsze poza moim zasięgiem, a nawet przekraczają moją zdolność pojmowania, inspiruje jego uduchowione życie, w którym nawet ja mogę próbować go naśladować.

Konrad popatrzył na mały guzek na czole Matteusa.

— A jednak pewnego dnia możesz zostać naznaczony takimi jak on, upokarzającymi ranami.

— Owszem, mogę, i od dzisiaj będę się tą myślą pocieszał. — Matteus zaczął postukiwać palcami o stół. Sprawiał wrażenie, jakby chciał powiedzieć coś jeszcze, ale nie mógł się zdecydować. W końcu spojrzał na Konrada i dodał: — I tak, z czysto fizycznych powodów, nie wierzyłem nigdy w opowieści o stygmatach świętego Franciszka.

Widząc zaskoczenie na twarzy Konrada, pokazał mu swoje odwrócone poduszkami do góry dłonie.

— Studiując anatomię, doszedłem do wniosku, że Nasz Pan nie mógł zostać przybity przez Rzymian do krzyża za dłonie. Ciało w nich nie utrzymałoby Jego ciężaru przez trzy godziny. Rozdarłoby się. — Matteus lewym kciukiem nacisnął ścięgna prawego nadgarstka. — Żeby tak się nie stało, gwóźdź musiał zostać wbity tutaj. A przecież świętemu Franciszkowi rany pojawiły się, z tego co słyszałem, na dłoniach. Zastanawiało mnie też zawsze, dlaczego, jeśli naprawdę naznaczony został ranami od ukrzyżowania, nie pojawiły mu się również na czole otarcia od korony cierniowej? A co ze śladami po czterdziestu batach, jakie spadły na plecy Jezusa? Nie słyszałem, żeby święty je miał.

— I nie podzieliłeś się nigdy z nikim swoimi wątpliwościami? — spytał Konrad.

Matteus roześmiał się głośno.

— I ty, który niedawno wyszedłeś z ciemnicy, zadajesz takie pytanie? Słyszałeś o zakonniku kaznodziei Tomasie d'Aversa?

Konrad pokręcił głową. Nie słyszał.

— Wygłaszał kazania w Neapolu w czasie, kiedy ja studiowałem w Salerno. Powiadają, że raz publicznie rzucił oszczerstwo na te stygmaty. W konsekwencji papież zakazał mu na siedem lat wygłaszania kazań, co dla syna świętego Dominika jest równoznaczne z zakazaniem tobie życia w ubóstwie. Brat Tomas jest teraz inkwizytorem Neapolu. Wyładowuje swoją frustrację — o wpędzenie w którą obwinia świętego Franciszka — na waszych braciach spirytualnych, powoli i metodycznie mordując ich jednego po drugim wymyślnymi torturami.

Ale wracając do twojego pytania: nie, bracie, nigdy nie zdradziłem się ze swoimi wątpliwościami, i nie zamierzam tego robić. Nie zaliczam się do tych, którzy siusiają pod wiatr. — Matteus rozciągnął wargi w charakterystycznym dla siebie wymuszonym uśmiechu. — A co ty zamierzasz począć ze swoją nowo nabytą wiedzą?

Konrad odchrząknął i przygarbił się.

— Podzielę się nią z Girolamem d'Ascolim, naszym nowym generałem. Sądzę, że Bóg celowo ukrywał przede mną prawdę aż do teraz, do śmierci Bonawentury. Girolamo jest uczciwym i dobrym człowiekiem. Zrobi, co uzna za słuszne.

Matteus zagwizdał cicho i wstał od stołu.

— Tęsknisz do męczeństwa, prawda? — Wyjrzał przez drzwi na wschodzące słońce. — Szkoda, że tak szybko stąd odchodzisz — rzucił przez ramię.

— Jestem tutaj szczęśliwy — powiedział Konrad. — Jeśli mój generał mi pozwoli, wrócę.

Matteus obejrzał się i pokazał na zasnute mgiełką zachodnie niebo.

— Spójrz. Łuk przymierza.

Konrad odwrócił głowę i wysoko nad wierzchołkami drzew zobaczył łuk podwójnej tęczy.

— Czemu tak ją nazywasz?

— To taki kalambur, bracie. Łukowy znak boskiej obietnicy, Jego przymierza z Noem.

— Ale ty przyrównałeś go do Arki Przymierza, Świętości nad Świętościami, w której Hebrajczycy przechowują tablice z dziesięciorgiem przykazań.

Matteus zachichotał.

— Nie doszukuj się w tym żadnej głębszej interpretacji, bracie.

Konrad zbył jego uwagę machnięciem ręki.

— Rozumiem, o co ci chodzi. Ale ja myślami jestem już gdzie indziej, przyjacielu. Niech Bóg cię błogosławi, Matteusie. Podpowiedziałeś mi właśnie, gdzie pogrzebali świętego Franciszka.

XLII

Konrad czekał na Girolama d'Ascoliego w półmroku dolnego kościoła bazyliki. Na wszelki wypadek poprosił generała o spotkanie poza murami właściwego klasztoru. Jakże miłym był chłód posadzki pod podeszwami brudnych, uwolnionych znowu, bosych stóp. Oby już nigdy nie musiały ziębnąć od klepiska podziemnego lochu.

Był Dzień Pana i malarz fresków nie krzątał się ze swym uczniem po szkieletowych rusztowaniach, ustawionych w północno-wschodnim rogu absydy. Czekając na ministra generalnego, Konrad sycił oczy ukończonym już przez artystę freskiem przedstawiającym Madonnę ze świętym Franciszkiem. Pod nieobecność malarza miał sposobność, niestrofowany przez mistrza za to, że przeszkadza, przyjrzeć się lepiej wizerunkowi świętego. Wargi i uszy Franciszka wydawały mu się grubsze, niż kiedy po raz pierwszy oglądał fresk, a źrenice patrzące poprzez niego w wieczność przywodziły mu teraz na myśl ślepych pacjentów Matteusa. Nawet twarz świętego wyrażała tę samą obojętność, którą widział u ludzi w lazarecie.

Uznał, że to podobieństwo do leperów dostrzega pewnie zasugerowany nabytą ostatnio wiedzą albo że ulega złudzeniu w półmroku rozpraszanym przez jedną lampkę oliwną palącą się na głównym ołtarzu. Artysta Cimabue nie widział nigdy Franciszka żywego i namalował go tak, jak go sobie wyobrażał. Z drugiej jednak strony, czyż można wykluczyć, że przy tak uświęconej pracy jego rękę z pędzlem prowadził Duch Święty?

Na końcu nawy huknęły głucho zamykane drzwi. Zakonnik, który po chwili wyłonił się z mroku, szedł drobnym szybkim krokiem i zatrzymał się nieopodal głównego ołtarza.

— Bracie Konradzie! Nie spodziewałem się was tak rychło z powrotem. — Blask lampki oliwnej odbijał się w oczach Girolama.

— Ani ja nie spodziewałem się tak szybko wrócić. Dowiedziałem się jednak w San Salvatore czegoś bardzo ważnego, tak ważnego, że uznałem, iż muszę wam o tym bez zwłoki powiedzieć.

— Tutaj, w kościele? Czemu nie u mnie, w klasztorze?

Konrad zwlekał z odpowiedzią, nie chciał sprawić przykrości temu zacnemu generałowi oświadczeniem, że nie ufa nawet jemu.

— Wiadomo, jaki los spotyka czasami posłańca przynoszącego złe wieści — mruknął w końcu wymijająco.

Girolamo ściągnął brwi.

— I cóż to za wieść, bracie?

Konrad wskazał fresk z wyobrażeniem założyciela ich zakonu. Uznał, że najlepiej będzie przejść od razu do sedna.

— *Francesco Lebbroso*. Franciszek Leper. Ma to swój wydźwięk, nie sądzicie? — Wypowiadając te słowa, przyglądał się twarzy Girolama, ciekaw jego reakcji. Niebieskie oczy generała spojrzały we wskazanym przez niego kierunku, ale nie zdradziły żadnej emocji.

— Ten medyk z leprozorium, stwierdzając u niego pojedynczy różowy liszaj owalnego kształtu na boku oraz łuszczące się strupy na dłoniach i stopach w połączeniu z pogarszającym się wzrokiem — podjął Konrad, posługując się fachowym słownictwem, które przyswoił sobie przez ten miesiąc spędzony z Matteusem — określiłby najprawdopodobniej jego stan jako krańcową fazę trądu.

Girolamo zmrużył oczy.

— Aaa. Już wiem, co chcesz mi zasugerować, bracie Konradzie — zaćwierkał ptasim głosem. — Zadaję sobie tylko pytanie: dlaczego? Czy leżąc przez te trzy lata w lochu, skuty kajdanami, zacząłeś tkać pajęczynę kłamstw powtarzanych przez wszystkich pierwszych towarzyszy świętego Franciszka, niewykluczone, że zapoczątkowaną przez samego naszego mistrza? Czy twój pobyt w leprozorium miał służyć podsyceniu jakiejś iskierki, która tliła się już wcześniej w twojej wyobraźni? Nie ty pierwszy powątpiewasz w stygmaty, bracie, ale muszę przyznać, że jestem wstrząśnięty, słysząc takie rzeczy właśnie od ciebie. Jesteś chyba pierwszym, który twierdzi, że święty Franciszek chorował na trąd.

— Wysłuchaj mnie, proszę, do końca, bracie Girolamo.

Generał westchnął ciężko, w jego oczach malował się smutek i współczucie, jakie okazuje się obłąkanym. Takie miałem względem ciebie plany, czytał z nich Konrad, nigdy nie przyszło mi do głowy, że aż tak źle z tobą. Dał mu jednak znak, żeby kontynuował.

Konrad wziął głęboki oddech i zaczął opowiadać od początku historię swej pielgrzymki. Prowadził Girolama krok po kroku tą samą drogą, co niedawno Matteusa Anglicusa, a minister generalny słuchał z rękami skrzyżowanymi na piersi. W pewnym momencie splótł delikatne dłonie na plecach i ze spuszczoną głową zaczął się przechadzać tam i z powrotem między freskiem a głównym ołtarzem, zerkając co jakiś czas na malowidło. Kiedy Konrad skończył swoją opowieść, jego twarz nie wyrażała niczego.

— Czy brat Iluminat powiedział wam to wszystko, kiedy obejmowaliście urząd? — spytał Konrad. — Czy nie należy to do tajemnej wiedzy przekazywanej każdemu nowemu ministrowi generalnemu? W lochu odnosiłem wrażenie, że brat Jan z Parmy wie. Dawał to do zrozumienia, chociaż wprost nigdy tego nie powiedział.

— Nie ma żadnych tajemnic związanych z urzędem — odparł Girolamo. — Nigdy się nie dowiemy, czy Eliasz rzeczywiście ukuł przed pięćdziesięciu laty taki mit. Biskup Iluminat być może wie, ale mnie nic o tym nie powiedział. Poza tym, nawet jeśli twoje przypuszczenia są prawdziwe, to ja popieram decyzję Eliasza. W takich okolicznościach postąpiłbym chyba podobnie.

— I hodował kłamstwo? Dlaczego? — Konrad zacisnął skryte w rękawach habitu pięści. — Święty Franciszek nie pochwaliłby takiej manipulacji.

Girolamo zatrzymał się i zapatrzył w postać z fresku. Po chwili przeniósł wzrok na Konrada.

— Jeszcze przed zejściem z góry Alwernia święty Franciszek przekazał kierowanie zakonem Eliaszowi, swojemu zaufanemu wikariuszowi. Sam ostatnie swoje lata spędził na kontemplacji, pogrążony w świętej ekstazie, Eliaszowi pozostawiając zarządzanie rozrastającą się organizacją. Pozostał jednak symbolem, świętym, który inspirował młodych mężczyzn i kobiety do porzucania swoich majątków i wstępowania w nasze szeregi, książąt i prałatów do zgody, a laikat do pozbywania się grzesznych nawyków. Czyż Eliasz, nawet gdyby z całą pewnością wiedział, co jest prawdziwą przyczyną fizycznej przemiany swojego mistrza, mógł dopuścić, żeby ten symbol został zamknięty w leprozorium? Wierz mi, bracie, święty Franciszek w roli drugiego Hioba nie uczyniłby tyle dobrego, co uważany za drugiego Chrystusa.

Eliasz lepiej niż ktokolwiek rozumiał sytuację. To dlatego papież, kiedy zapragnął odpowiednio upamiętnić świętego Franciszka, właśnie Eliaszowi powierzył budowę bazyliki, za co do dziś odżegnują tego ostatniego od czci i wiary twoi bracia spirytualni. Eliasz zebrał pieniądze i wywiązał się z zadania niewiarygodnie szybko. A jednak z najwyższą pokorą kazał umieścić na ukończonej budowli napis *Frater Elias precator*, brat Eliasz, grzesznik.

Girolamo wziął Konrada za długą brodę i spojrzał mu w oczy.

— Pięćdziesiąt lat za późno przychodzisz ze swoją rewelacją, bracie. Gdyby Leon naprawdę chciał, by świat dowiedział się o chorobie świętego Franciszka, sam by ją rozgłosił. A on tymczasem zrzucił to na ciebie. Zważ również, że ludzie będą wierzyli w to, w co chcą wierzyć. Podejrzewam, że stwierdziłbyś, iż stygmaty Naszego Pana bardziej przemawiają do wyobraźni ludu niż *Francesco Lebbroso*.

Cichnące w głębi nawy echo głosu generała stwarzało wrażenie jakiejś ostateczności. W miarę jak Girolamo wypuszczał stopniowo brodę Konrada z ręki, wokół ołtarza, przed którym stali, coraz bardziej gęstniał milczący cień. Konrad wyobraził sobie, że to duchy pierwszych towarzyszy Franciszka powstają z grobów, zbijają się w mroku w gromadkę i zachęcają go, by próbował dalej, by wydobył jakoś prawdę na światło dzienne.

— Ale możemy tego dowieść — upierał się. — Możemy ekshumować jego szczątki. Medyk z San Salvatore powiedział, że mając szkielet, potrafiłby orzec, czy Franciszek cierpiał kiedykolwiek na tę chorobę.

— A jak, według ciebie, mamy to zrobić? Nikt nie wie, gdzie Eliasz ukrył te szczątki.

— Wskazówka, gdzie szukać trumny, wyryta jest na pierścieniu, który nosisz od objęcia urzędu.

Girolamo zaniemówił. Otworzył usta, zamknął je, uniósł do nich pierścień, westchnął i odwrócił się. Podeszli do ołtarza i tam, przy świetle lampki oliwnej, Girolamo obejrzał lśniący lazuryt.

— Myślałem, że to przypadkowe zadrapania. Brat Iluminat zaofiarował się, że da kamień do oszlifowania. — Wymuszony uśmiech rozciągnął wargi generała. — Jego zapał do usunięcia tych rys zdawałby się potwierdzać twoją historię.

— To oczywiste, że mu na tym zależy! Chce zabrać tajemnicę do grobu! — stwierdził Konrad. — Ale tę samą postać wyryto tutaj, na tym ołtarzu. Odkryłem ją kiedyś przypadkiem.

Zaprowadził Girolama za ołtarz, do rogu, w którym widniał symbol. Uniósł przykrywający płytę obrus i namacał palcami rowki podwójnego łuku i patyczkowatą postać z koncentrycznymi kołami na ramionach — te koła, jak już wiedział, symbolizowały głowę świętego i aureolę wokół niej. A co, jeśli nie sarkofag, mogłoby wyobrażać większe koło otaczające całą postać?

Girolamo otworzył szeroko oczy.

— Na pierścieniu jest podobny rysunek.

— Według mnie, te dwa łuki symbolizują tabernakula na głównych ołtarzach górnego i dolnego kościoła — powiedział Konrad. — Znajduje się w nich świętość nad świętościami, konsekrowane ciało Naszego Pana, tak jak w oryginalnej arce znajdowały się tablice dane Mojżeszowi. Ta postać z aureolą w krypcie pod dolnym łukiem to święty Franciszek. Stoimy w tej chwili na jego grobowcu.

Girolamo gryzł przez chwilę paznokieć kciuka, ale nie wydawał się przekonany.

— Owszem, to możliwe. Ale żeby zerwać ołtarz i zacząć kopać, potrzebowałbym dowodu bardziej namacalnego niż twoje odczytanie znaczenia elementów tego rysunku.

— Ale coś zrobić trzeba — powiedział z desperacją Konrad. — Mógłbyś zmusić biskupa Iluminata do wyznania prawdy. Musimy przywrócić legendom integralność. — Zwątpienie i żal chwyciły go za serce. Czyżby ostatnie trzy lata poszły na marne? Czyżby na próżno poświęcił swoją samotność, swe zielone lata i połowę wzroku?

— Nie jestem nawet przekonany, czy to potrzebne, bracie — odparł Girolamo. — Ani czy biskup Iluminat byłby skłonny potwierdzić twoje domniemania. — Założył znowu ręce do tyłu i obszedł ołtarz, przyglądając się uważnie płytom posadzki i podstawie ołtarza, jakby widział je po raz pierwszy.

— Oto, jak chcę, byś się zachował, bracie Konradzie — powiedział, stając znowu obok zakonnika. — Chcę, żebyś nie mówił nikomu o swoich odkryciach aż do święta Świętych Stygmatów, które wypada za dwa tygodnie. Ponieważ będzie to jednocześnie pięćdziesiąta rocznica naznaczenia świętego Franciszka stygmatami, ściągnie tu cały chrześcijański świat — z papieżem Grzegorzem włącznie, jeśli zdrowie mu pozwoli. Planujemy to wydarzenie od miesięcy i niepotrzebne nam teraz żadne komplikacje. Czy tyle możesz mi obiecać? Czy też mam ci nakazać półmiesięczne milczenie w imię świętej obediencji?

— A dlaczego nie nakażesz mi milczenia po grób, jak Eliasz Leonowi?

Girolamo chwycił Konrada za ramię i powiedział z naciskiem:

— Bo jeśli mam być szczery, to jestem skłonny ci uwierzyć, bo wiem, ile wycierpiałeś w poszukiwaniu prawdy Leona. Zwłaszcza zaś dlatego, że wolałbym, byś milczał z własnej nieprzymuszonej woli.

Dwa tygodnie. Czy generałowi naprawdę chodzi tylko o dwa tygodnie milczenia? Czy też chce wygospodarować sobie czas na obmyślenie sposobu uciszenia mnie na zawsze?

Konrad przestąpił z nogi na nogę. Wzdragał się mówić o osobistych duchowych sprawach, ale sytuacja stawała się poważna. Odezwał się w końcu urywanym głosem:

— Miałem wizję brata Leona... tej nocy, kiedy otrzymałem jego list. Powtórzył zawarte w nim polecenie, jeszcze raz kazał mi szukać prawdy zawartej w legendach. I nie przyszedł do mnie sam. Razem z nim ukazał mi się święty Franciszek, jakby chciał poprzeć swoim autorytetem nalegania Leona.

— I co powiedział?

Konrad spuścił głowę.

— Nic. Nie odezwał się słowem, ale poczułem strumień bijącej od niego nieskończonej miłości.

— I tu może tkwi źródło twoich cierpień. Kogo Bóg kocha, tego doświadcza. Tak czy inaczej, masz moje słowo, że po obchodach porozmawiamy jeszcze na ten temat.

— Tutaj?

— Tutaj albo u mnie, w klasztorze. Jak wolisz. Nie musisz się mnie obawiać. Nie jestem tyranem. Nie obetnę ci języka ani nie wyłupię drugiego oka, jeśli nadal będziesz obstawał przy swoim. Ale potrzeba mi dwóch tygodni. Co ty na to? Dasz mi je?

Konrad złożył ręce i skłonił się nisko przełożonemu.

— Przymuszony, nie. Ale z szacunku dla twojej osoby, tak. Masz dwa tygodnie.

Przykląkł przed ołtarzem z jego złotym tabernakulum, ukłonił się bezcennym szczątkom, które, jak już wiedział, pod nim spoczywały, i utykając, oddalił się w mrok nawy.

W zaułku przed domem Amaty unosił się silny swąd spalonego drewna — zapach pasujący bardziej do zimowego poranka niż wczesnego wrześniowego popołudnia, pomyślał Konrad. Przygnębienie w oczach *maestro* Roberta, który mu otworzył, świadczyło, że pod jego nieobecność wydarzyło się tu coś niedobrego. Zamiast pozostawić przekazanie złych wieści swej pani, Roberto od razu wyprowadził zakonnika na podworzec i pokazał spaloną loggię. Pio tymczasem pobiegł po Amatę. Po chwili wyszła do nich z domu.

Oniemiały Konrad stał przy fontannie, kręcił głową i patrzył z niedowierzaniem na zwęglony piedestał pulpitu sterczący z pogorzeliska. Odór zniszczenia zaczadzał mu umysł i drażnił nozdrza. Dopiero po pewnym czasie uświadomił sobie obecność Amaty. Lękał się zadać pytanie, zwłaszcza że rozmowa z ministrem generalnym przypomniała mu właśnie o drugim zadaniu powierzonym mu przez Leona.

— Nie znaleźliśmy zwoju — odezwała się Amata, jakby czytając w jego myślach.

Kogo Bóg kocha, tego doświadcza, powtórzył sobie w duchu Konrad.

— Jak do tego doszło? — spytał.

Zwiesiła głowę.

— Jacopone obwinia o to anioła.

— Tylko sługa upadłego anioła, Lucyfer, byłby zdolny do wyrządzenia takiej szkody.

— Jacopone powiedział: *angelus Domini*. Ale sam wiesz, jakimi krętymi ścieżkami potrafi wędrować jego umysł.

— Muszę z nim porozmawiać — mruknął Konrad.

— Nie ma go tu, bracie — wtrącił Roberto. — Bardzo się przejął i znowu go wzięło.

— A co z bratem Salimbene i bratem Zefferinem?

Amata pokręciła głową.

— Zniknęli podczas pożaru. Ale Pio widział, jak Salimbene na samym początku wbiegał do płonącej już loggii.

Konrad, skubiąc brodę, próbował wyobrazić sobie tę nieprawdopodobną scenę. Zażywny kronikarz nie wyglądał mu na takiego, co skłonny jest narażać się bez wyraźnej potrzeby, nie mówiąc już o bieganiu. I tu tliła się może iskierka nadziei.

— Salimbene nie uciekłby, wiedząc, że w niebezpieczeństwie znajduje się kronika Leona — powiedział. Dla takiego manuskryptu ten człowiek zaryzykowałby życie. Kto wie, czy nie ukradł go, by na jego podstawie wypełnić lukę w historii zakonu, którą, jako kronikarz, zapewne dostrzegał. Uderzył kilka razy pięścią w dłoń. — Podejrzewam, że zabrał zwój. Nie jest też wykluczone, że sam podłożył ogień, żeby zamaskować kradzież.

— Oby tak było — westchnęła Amata. — Wiedzielibyśmy przynajmniej, że manuskrypt nie spłonął, że gdzieś tam jest.

— Najprawdopodobniej w którejś z szaf Lodovica. Zakon jest zbyt rozmiłowany w swojej przeszłości, by posunął się do zniszczenia zapisków Leona. — Spojrzał spod przymrużonych powiek na osmaloną ścianę podpierającą jeszcze niedawno skryptorium Amaty. — Nadejdzie czas, kiedy Nasz Pan ujawni tę kronikę.

Urwał, poruszony własnymi słowami. A może to samo odnosiło się do trądu Franciszka? Może Bóg uznał, że nie pora jeszcze na rozgłoszenie odkrycia, którego dokonał? Może dlatego właśnie Girolamo prosił go o zwłokę, o podarowanie mu jeszcze dwóch tygodni na przemyślenie sprawy? Ten dzień stał pod znakiem samych dylematów.

— Mam ci coś jeszcze do zakomunikowania — powiedziała niepewnie Amata i Konrad wyczytał z jej miny, że to dobra wiadomość. Uśmiechnął się.

— Był tu twój kupiec?

— Lepiej. Dwie niedziele temu daliśmy na zapowiedzi. Chcemy, żebyś ty udzielił nam ślubu, bo to dzięki tobie się poznaliśmy.

Konrad policzył na palcach.

— Zapowiedzi muszą być ogłoszone z ambony jeszcze dwa razy. Po raz ostatni na niedzielę przed....

— Przed świętem naznaczenia wuja Orfea Świętymi Stygmatami — dokończyła Amata. — Już to wiemy. Orfeo mówi, że to cudowny omen, że nasz ślub zbiega się z największym wyróżnieniem świętego Franciszka. Mówi, że możemy udawać, iż te wszystkie dekoracje i uroczystości są na naszą cześć. I że święty Franciszek pobłogosławi nasz związek wieloma dziećmi.

Konrad już się nie uśmiechał, ale swoje wątpliwości zatrzymał dla siebie. To była pierwsza próba na dochowanie przyrzeczenia, które dał ministrowi generalnemu. Skinął tylko głową.

— Zatem, w przeddzień święta Świętych Stygmatów.

Zaaferowana Amata nie dostrzegła zmiany, jaka zaszła w jego nastroju.

— Niech Bóg cię błogosławi, Konradzie — powiedziała. — Znaczy, wszystko ustalone. — Uśmiechnięta i podniecona zwróciła się do sługi: — *Maestro* Roberto, tego samego wieczoru wydamy ucztę weselną. Pchnij od razu posłańca do Coldimezzo, niech powiadomi wuja Guida. I muszę kupić *panni franceschi* na suknię. Tak mało czasu zostało. — Chwyciła Roberta za łokieć i pociągnęła za sobą, wołając przez ramię: — Na uczcie będę miała dla ciebie niespodziankę, Konradzie.

Zakonnik rozłożył ręce w pytającym geście, ale ona tylko się roześmiała.

— Nie byłoby niespodzianki, gdybym ci teraz powiedziała — zawołała, znikając w drzwiach.

Konrad podszedł do stosu śmieci. Pochylił się i wydłubał z niego nadpalony strzęp pergaminu. Okopcone, wyrwane z kontekstu zdanie, skopiowane ręką Jacopone, ledwie dało się odczytać, złożył jednak ten strzęp i schował pod habit. Podobnie jak Amata miał nadzieję, że oryginał kroniki przetrwał pożar w nienaruszonym stanie i spoczywa bezpieczny — choć niedostępny dla niego — w Sacro Convento. Gdyby tak jednak nie było, ten strzęp stanowił jedyne świadectwo trwającej pięćdziesiąt lat walki Leona o prawdę.

XLIII

Ostatnie dni przed ślubem, a nawet sama ceremonia, upłynęły Amacie jak we śnie. Powaga orszaku, który z pochodniami odprowadzał nowożeńców na ucztę weselną, prysła, ledwie pozostały za nim mroczny portyk i dzwonnica kościoła. Brat Konrad odłączył się od weselników pod pretekstem, że już dawno zamierzył sobie spędzić tę noc pod miastem, w Porcjunkuli.

— Byłbym na waszej uczcie jak to piąte koło u wozu — wyjaśnił Amacie.

W gości weselnych, uwolnionych od wszelkiej księżej obecności, jakby nowy duch wstąpił. Ktoś zaintonował od razu pieśń do starego rzymskiego boga małżeństwa:

— *Hymenie, O, Hymeńku, Hymenie...*

I dorzucił inwokacje Wenus i cherubinka:

A gdy ugodzi cię Kupida strzała...

Zasiedli do stołów w wielkiej izbie domu Amaty i Orfea, polało się strumieniem wino. Wuj Guido chyba całą jego piwnicę przywiózł ze sobą z Coldimezzo. Słudzy mieszali się z woźnicami, kupcami i szlachetniejszymi gośćmi, pieśni i toasty szybko przeszły ze swawolnych w sprośne. Amata, rozejrzawszy się po tańcujących, obściskujących się na ławach, szepcących, zarumienionych parach, przepowiedziała Orfeowi, że przed końcem tej nocy dojdzie zapewne do niejednych oświadczyn, i pozostaje tylko żywić nadzieję, iż za dnia, po otrzeźwieniu, nie zostaną odwołane.

Jedna z takich par próbowała wymknąć się niepostrzeżenie i poszukać samotności w izbie na piętrze, gdzie po pożarze dostać się było można tylko po drabinie. Nie udało się. Kobieta trzymała się kurczowo szczytu drabiny, a kilku podpitych mężczyzn na dole starało się ściągnąć za nogi podążającego za nią towarzysza. Temu ostatniemu udało się wreszcie od nich uwolnić i wspiąć na samą górę. Goście zgotowali mu gorącą owację, kiedy wyrwał drabinę prześladowcom i wciągnął ją za sobą na piętro. W powstałym zamieszaniu Orfeo szepnął Amacie na ucho, że to idealny moment, by i oni opuścili już dyskretnie gości.

Dzień był niezwyczajnie duszny, jak na połowę września, najlżejszy wietrzyk nie poruszał zasłonami ich łoża z baldachimem. Amacie to nie przeszkadzało, wprost przeciwnie, rada była, że dzięki temu nie będą musieli okrywać niczym w tę szczególną noc swej nagości. Pomarańczowy blask jedynej świecy był dla kochanków w sam raz, na tyle słaby, by ukryć wszelkie wady urody, wystarczająco jasny, by uwypuklić cieniami kobiece krągłości tudzież grę mięśni na męskim ramieniu. Przez zasłonięte żaluzjami okna wpływał do izby słodki zapach kapryfolium.

Amata rozwiązała złoty sznur ściągający w talii jej długą białą suknię i zerwała wianek z głowy. Rozpuszczone czarne włosy spłynęły puklami na ramiona. Orfeo, wciąż trzymając pucharek z winem, pożerał ją wzrokiem, kiedy zdejmowała suknię przez głowę. Uwolniwszy się z niej do połowy, powiedziała, siląc się na swobodny ton:

— Pamiętasz, kochany, przypowieść o nowożeńcach ze

Starego Testamentu, którzy pierwsze trzy noce po ślubie spędzili na modlitwie? Może i my powinniśmy...

Pożałowała, że powiedziała to przed rozebraniem się do końca, bo z suknią na głowie nie mogła widzieć jego miny. Usłyszała tylko, jak krztusi się winem, a ściągnąwszy wreszcie suknię, zobaczyła opryskane nim ściany. Orfeo pogroził jej palcem, ale nic nie powiedział, żeby się znowu nie zadławić. Uśmiechnęła się do niego przez ramię i zadzierając zapraszająco kuperek, wczołgała się na czworakach między zasłony łoża.

Orfeo zzuł buty, zdjął pas i wpełzł tam za nią, ale wielobarwnej ślubnej tuniki nie ściągał.

— Orfeo, dlaczego się nie rozebrałeś? — spytała zawiedziona.

Patrzył na nią iskrzącymi się w półmroku oczyma.

— Musisz zapracować na tę tunikę, jak żona pewnego wodza nomadów — powiedział.

Droczył się z nią, wodząc palcem najpierw pod piersiami, potem wokół sutków.

— Słyszałaś przypowieść o błaźnie Kareemie?

— Och, kochany, to nie pora na opowieści.

— Ta ci się spodoba, obiecuję. Każde zdanie będę kończył pocałunkiem... albo inną pieszczotą. — Rozniecał w niej powoli ogień, opowiadając, jak pewien sułtan nagrodził Kareema za dowcip wykazany w targu o swoją bajecznie kolorową szatę, szatę, której zapragnęła żona wodza, kiedy zobaczyła go w niej z daleka.

— „Bądź ostrożna — ostrzegła ją służąca. — Kareem nie jest taki głupi, na jakiego wygląda". Ale zachłanna kobieta odprawiła służkę i zaprosiła Kareema do swojego namiotu. Najadłszy się do syta i napiwszy, Kareem oświadczył kobiecie, że szatę skłonny jest oddać tylko za akt miłości, bo jej uroda obudziła w nim niespotykaną żądzę.

Żar ogarnął już wszystkie członki Amaty, miłosna wilgoć rosiła obficie jej bramę Isztar, a każdy mięsień dygotał, zanim jeszcze Orfeo w nią wszedł. Przez soczysty, błogosławiony, niezmierzony czas nic nie mówił, doprowadzając ją na sam skraj, a kiedy, zdyszana i drżąca, już miała eksplodować, on nagle znieruchomiał i wyciszył ją.

— A teraz zdejmuj tę przeklętą tunikę! — wykrztusiła.

— Dokładnie to samo wykrzyczała żona nomady do Kareema — odparł. — Ale błazen powiedział, że nie, że to, co do tej pory, było dla niej, bo on kocha ją bardziej niż jakąkolwiek kobietę, jaką zna. Za szatę będzie dopiero teraz.

Był tak samo prężny, jak kiedy zaczynali. Krótkimi mimowolnymi okrzykami podkreślała jego rytm, a on przyśpieszał, by w końcu opaść na nią z głośnym przedłużonym jękiem. Oplotła go ramionami rada, że tak mu dogodziła.

— Szata?

— Ten raz był dla mnie — wyszeptał zdyszany Orfeo. — Obiecuję, że następny będzie za szatę.

Coś nieprawdopodobnego, on chciał jeszcze! Rano będzie go musiała spytać, jak to robił, bo z tego, co wiedziała o mężczyznach, wynikało, iż dokonał rzeczy fizycznie niemożliwej. Teraz nie chciała mu przerywać, wybijać ze stanu podniecenia, zażądała więc tylko:

— Ale najpierw szata!

— I znowu powtarzasz słowa żony nomady. — Roześmiał się, po czym z jej gorliwą pomocą ściągnął tunikę przez głowę i cisnął za zasłony łoża.

Tors, ramiona i plecy miał tak szerokie, że Amata ledwie mogła je objąć. Każdy mężczyzna powinien spędzać pięć lat przy wiośle, przemknęło jej przez głowę, zanim zalewające ją raz po raz fale ekstazy nie pozbawiły jej zdolności myślenia, a Orfeo odwlekał w nieskończoność moment spełnienia.

— Ze mną, skończ razem ze mną — poprosiła.

— Tak się stanie — odparł cicho — ale na razie znajduję rozkosz w dawaniu rozkoszy tobie.

Zatraciła się zupełnie, tonąc, pływając, szybując, aż ogarniający ją słodki ból stał się nie do zniesienia. Orfeo oddychał coraz szybciej i głębiej, pojękując przy tym, jakby i on był już u kresu, i tym razem szczytowali jednocześnie.

Przez długą chwilę leżeli w milczeniu. Amata przyciskała dłonie do brzucha, czując, że przed chwilą, w momencie wspólnego spełnienia, w jej łonie zasiane zostało nowe życie — ale pozostanie to jej tajemnicą, dopóki nie nabierze całkowitej pewności. Orfeo uniósł się w końcu na łokciu i uśmiechając się, jął odgarniać jej ze spoconego czoła wilgotne kosmyki włosów. Pieszczota w jego dotyku podniecała ją tak samo, jak fizyczne doznania.

Doszedłszy do siebie, zachichotała i zawołała z nutką triumfu w głosie:

— Tunika moja!

— Ty też nie doceniasz Kareema — odparł cicho Orfeo. Przetoczył się na krawędź łoża, usiadł i rozsunął zasłony. — „Gorący dziś dzień. Jestem spragniony", powiedział Kareem do kobiety, kiedy ta, w zamian za jego szatę, dała mu starą szatę męża. — Orfeo wstał i sięgnął po pucharek z winem. — Usiadł na ziemi przed namiotem z miską wody, którą mu dała, i pił. Zobaczył z daleka jej wracającego męża, ale zanim ten się zbliżył...

Pucharek wyśliznął się z ręki Orfea i roztrzaskał o podłogę.

— Och, Orfeo, uważaj! — krzyknęła Amata, ale on uśmiechnął się tylko przekornie.

— ...Kareem też stłukł swoją miskę i zaczął płakać. Wódz zsiadł z konia i zapytał, co go tak zasmuciło. Kareem wyjaśnił, iż żona wodza, za to, że stłukł tę zwyczajną glinianą miskę na wodę, zabrała mu piękną szatę, którą dostał w podarku od sułtana. Wódz, wściekły na żonę, że tak potraktowała błazna — bo uważał gościnność za swój święty obowiązek — wpadł do namiotu i zagroził żonie, że ją obije, jeśli natychmiast nie zwróci szaty.

— A ona...?

— A ona wykazała się rozsądkiem i bez oporu szatę oddała.

— Ale Kareem — zauważyła Amata — kochając się z takim

zapamiętaniem z żoną wodza, mógł coś zapoczątkować. Prawdopodobnie nawiedzał ją potem przez lata w snach.

Amata miała do wymazania swój własny koszmar, własną przypowieść, której dotąd nie dokończyła. Kiedy Orfeo znowu się obok niej położył, zaczęła mu opowiadać historię pustelnika Rustica i młodej Alibech, tę samą, której nie dane było dosłuchać do końca Enricowi tam, w lesie, kiedy zostali napadnięci. Powtórzyła jeszcze raz, jak to eremita przecenił swoją odporność na wdzięki dziewczyny i jak w końcu nauczył ją wpychać diabła do piekła. W pewnym momencie musiała przerwać, bo Orfeo tak wczuł się w fabułę, że jął aktywnie i z zapałem odgrywać rolę pustelnika. Ale nawet tuląc się do niego, Amata nie mogła zapomnieć nieszczęsnego Rica, który nigdy nie będzie miał już okazji zaznać takiego szczęścia, jakie ona dzieliła z Orfeem. Może z pomocą Orfea uda jej się wreszcie przynieść ukojenie jego duszy?

Kiedy Orfeo stoczył się z niej wyczerpany i legł obok na wznak, Amata dosiadła go, wyobrażając sobie, że ściska udami muskularnego wołu.

— Rustico — podjęła zdyszana — dlaczego tracimy czas na odpoczywanie, zamiast wpychać diabła do piekła?

Orfeo spojrzał na nią spod ciężkich powiek.

— Myślałem, że chcesz dokończyć swoją przypowieść.

Dostrzegła w tym spojrzeniu cień obawy i to jeszcze bardziej zmotywowało ją do kontynuowania.

— Ona nie ma końca — ostrzegła. — Z początku piekło wydawało się Alibech nad wyraz niegościnnym miejscem, bo diabeł Rustica zadał jej wiele bólu. Ale im dłużej trwał ów akt poświęcenia, tym bardziej się w nim rozsmakowywała. Słusznie powiada Pan: *Albowiem jarzmo moje jest słodkie, a moje brzemię lekkie**, myślała. Dziwiła się nawet, dlaczego wszystkie kobiety nie porzucają miast, by tak jak ona służyć Bogu na odludziu.

---

* Mateusz 11,30.

Amata, ze smutną minką, masowała tors i barki Orfea.

— Niestety, im bardziej skore do wchłaniania i więzienia diabła Rustica stawało się piekło dziewczyny, tym skwapliwiej diabeł jej unikał, aż w końcu poskarżyła się: „Ojcze, przyszłam tu służyć Bogu, nie próżnować". Pustelnik, który żywił się samymi korzonkami i pijał tylko wodę, przez co nie miał dość sił, by być na każde jej zawołanie, tłumaczył, że musi też zajmować się swoim ogródkiem, a diabeł zasługuje na wtrącenie do piekła tylko wtedy, kiedy unosi dumnie głowę. Młodzian rychło zrozumiał, że do pełnego zaspokojenia jej piekła trzeba co niemiara diabłów, i chociaż z początku udawało mu się ją zadowalać, to z czasem zdarzało się to coraz rzadziej, aż w końcu jego starania zaczęły przynosić równie mierny skutek, co fasolki wrzucane w rozdziawioną paszczę wygłodniałej lwicy.

Świeca wypaliła się i zgasła. Orfeo zachichotał w ciemności i uniósł się na łokciach. Siedząca wciąż na nim Amata ujęła oburącz jego głowę i przycisnęła ją sobie do piersi. Boże, nigdy nie skończę tej przypowieści, pomyślała, będę ją opowiadała noc w noc. No ale sama przecież powiedziałam, że ona nie ma końca.

— Kiedy trwała ta debata pomiędzy Alibech i jej piekłem a Rustikiem i jego diabłem — powiedziała szybko — przy czym jedna strona uskarżała się na niezaspokojenie, a druga na brak sił... — Nie skończyła jednak, albowiem diabeł Orfea znowu uniósł pod nią łeb i wtargnął w jej piekło, i tym razem nie ugiął swojego sztywnego karku aż do pierwszego brzasku.

W szarówce przedświtu Amata błogosławiła w duchu kurtyzany z Akki, Wenecji czy skąd tam jeszcze, że wtajemniczyły Orfea w te niezliczone subtelne sekrety miłości i nauczyły cierpliwości i wytrzymałości, by mógł je stosować w praktyce. W ramionach tego mężczyzny, pachnącego morzem i gorącym Lewantem, zasypanymi śniegiem górskimi przełęczami i wschodnimi bazarami, po raz pierwszy uzmysłowiła sobie seksualny potencjał swego ciała, radość, dla przeżywania której się urodziła.

W kącikach jej oczu zebrały się łzy zaspokojenia.

— Jestem szczęśliwa jak nigdy — szepnęła, a w duchu dodała: I tak się cieszę, że cię nie zabiłam. Położyła głowę na ramieniu Orfea i gładziła dłonią jego brzuch, dopóki nie rozległo się pukanie do drzwi sypialni.

— *Scusami signore, signora*. Zaraz rusza procesja na świętego Franciszka. Kazaliście się obudzić. — Kroki oddaliły się korytarzem, a za oknem rozbrzmiał dźwięk trąbki.

Mile zabrzmiała Amacie w uchu ta *signora*.

Przez całą noc w lasach otaczających Porcjunkulę skwierczały i syczały żywiczne pochodnie. Kiedy niebo na wschodzie zaczęło jaśnieć, Konrad wyszedł z maleńkiej kapliczki i zobaczył korowód dalszych pochodni spływający ze wzgórza. To członkowie gildii stawili się w pełnej sile i kiedy rąbek słońca wychynął zza góry Subasio, przy wygrywanych na trąbkach fanfarach rozwinęli proporce swoich rzemiosł.

Konrada, lubującego się w samotności, odzianego w niepozorny szary habit, otoczył nagle wir barw. Wraz z zakonnikami, którzy zebrali się przy kaplicy, ruszył pod górę za oddziałem rycerzy i straży miejskiej, za nimi kroczyli członkowie gildii ze sztandarami, przed nimi kler — biedni wiejscy księża w przetartych, wyświeconych, czarnych sutannach i białych komżach, biskupi i kardynałowie w szkarłatach i gronostajach — a gdzieś tam, na samym przedzie procesji, papież Grzegorz.

Kiedy ruszyli, od bram miasta rzucił im się hurmem na spotkanie wielobarwny rozwrzeszczany tłum mieszczan. W szale ciżba odarła z najniższych gałęzi drzewka oliwne w gaju, przez który przebiegała droga, gaju, w którym Konrad przed trzema laty dziurawił kupę niedojrzałego kompostu. Falujące liście utworzyły bladozielone tło dla sztandarów gildii i przywodziły na myśl morską pianę rozbijającą się o namiot na plaży. Compagnia di San Stefano, zespół śpiewających nabożne pieśni biczowników z Asyżu, zaintonował hymn do stygmatów.

Sia laudata San Francesco,
Quel caparve en crocefisso,
Como redentore...

Pochwalon niech będzie święty Franciszek,
Który wyglądał na ukrzyżowanego
Jak Zbawiciel...

Rycerze z trudem panowali nad wierzchowcami spłoszonymi przez płonące pochodnie i zgiełk. Konrad, czując unoszący się nad drogą zapach świeżego końskiego łajna, stąpał ostrożnie, zerkając pod nogi. Niebo bez jednej chmurki jaśniało, z szarego zrobiło się purpurowe, potem fioletowe, by po godzinie, kiedy procesja dotarła do miejskich murów, przyjąć barwę czystego błękitu. Za bramą San Pietro tłum się rozdzielił — mnisi i prałaci szli dalej do dolnego kościoła bazyliki, rzesze świeckich skierowały się do kościoła górnego i zalały Piazza di San Francesco. Konrad odłączył się od obu grup, doszedłszy tylko do południowego skraju *piazza*, skąd miał lepszy widok na zgromadzenie.

Na główną ceremonię w dolnym kościele zaproszono kilku znacznych mieszczan: wysokiej rangi przedstawicieli władz oraz miejscowych darczyńców. Konrad wypatrzył w tej grupce zaspanego Orfea i ziewającą Amatę. Domyślił się, że Amata ufundowała zapewne grobowiec *donny* Giacomy. Do tego jej mąż był nie tylko bliskim przyjacielem papieża, ale i krewnym świętego.

Stojący z nimi, nieco wyższy i szczuplejszy od Orfea mężczyzna, to pewnie jego brat i od niedawna wspólnik w interesach, Piccardo. Amata przykucnęła przy noszach niesionych przez czterech służących. Twarz jednego z nich wydała się Konradowi znajoma, ale wzrok i pamięć nie dopisywały mu już na tyle, by rozpoznać go z tej odległości. Na noszach leżała inwalidka w fałdzistej szacie, kobieta przybywająca dziś do bazyliki w nadziei na cudowne uleczenie, i Amata widocznie ją znała. Konrad przygryzł dolną wargę, zdegustowany łatwowiernością falującego wokół tłumu. Frustrowała go myśl, że tylko on i Girolamo w pełni pojmują fałsz, na którym wyrosły płonne nadzieje tej kobiety.

Amata podniosła się i przesunęła wzrokiem po szeregu zakonników wchodzących do kościoła. Konrad też na nich spojrzał. Wydało mu się, że w jednym z zakapturzonych mnichów po niezbornych ruchach poznaje Zefferina. Wywabienie dozorcy z lochu pod Sacro Convento okazało się błędem, ten dawny towarzysz jeszcze bardziej zamknął się w sobie. Zobaczył też Ubertina, chłopca, który przed dwoma laty ostrzegł go przed niebezpieczeństwem. Młodzieniec zdawał się śpiewać szczerze, ale oczy latały mu na wszystkie strony, bystre jak zawsze. Konrad ciekaw był, czy któryś z braci spirytualnych zaryzykuje i wejdzie do kościoła, czy też będą woleli uczcić to święto gdzie indziej, w bezpiecznym zaciszu swoich grot, chat i miejsc tajnych spotkań w górach. Z zakonników, których tu widział, żaden nie wyglądał mu na obdartego, niedożywionego miłośnika ubóstwa.

I nagle Konrad dostrzegł człowieka, którego szukał. W procesji, niezwyczajnie poważny, z rękoma splecionymi na wydatnym brzuchu, szedł w parze z chudym Lodovikiem brat Salimbene. Konrada ogarnęła nieprzeparta pokusa porozmawiania z nimi o zwoju Leona tu i teraz, w trakcie ceremonii. Ruszył po schodach w stronę dolnego kościoła. Przydybanie ich poza murami klasztoru mogło być jedyną szansą na dowiedzenie się, czy kronika nadal istnieje, czy też strawił ją ogień. Chciał ufać Girolamowi, ale wspomnienie dwóch lat spędzonych w piekle było jeszcze zbyt świeże; wiedział, że upłyną lata, zanim przemoże się i wejdzie znowu do Sacro Convento.

Był już parę kroków od zakonników, kiedy drogę zastąpił mu strażnik miejski i trzymaną poziomo piką odepchnął wraz z innymi pod mur.

— Przejście dla doży Wenecji — warknął.

Na widok strojnie odzianego szlachcica wysiadającego z lektyki tłum przycichł. Mężczyzna kiwnął głową gapiom po obu stronach i ruszył w kierunku wejścia do kościoła. Ledwie uszedł kilka kroków, wrzawa znowu się podniosła.

Procesja mnichów też ruszyła dalej. Ścisk zrobił się taki, że Konradowi zaczynało brakować tchu. Rozmowę z Salimbene trzeba będzie odłożyć. Wycofał się z ciżby i kiedy znowu wchodził po schodach, rozglądając się za jakimś dogodnym miejscem do obserwacji, usłyszał za sobą głos Amaty:

— Bracie Konradzie! Jesteś! Przyjdź do nas na wieczerzę.

— Jeśli będę mógł! — odkrzyknął. — Wpierw muszę porozmawiać z bratem Girolamem.

— Musisz! — zawołała, pokazując kobietę na noszach, ale reszty nie dosłyszał, bo tłum porwał go ze sobą i poniósł w górę schodów. Przyłożył dłoń do ucha i zamachał bezradnie ręką. Amata złożyła dłonie w błagalnym geście. Widząc to, skinął głową, że tak, spróbuje przyjść.

Znalazł sobie miejsce na skraju *piazza*, gdzie nie było tak tłoczno. Od tłumu odłączyli się i podeszli do niego *maestro* Roberto oraz hrabia Guido z wnuczką. Sługa uśmiechnął się i zatoczył ręką szeroki łuk.

— Widziałeś kiedy coś takiego, bracie?

Konrad rozejrzał się po placu. Większość ze zgromadzonych na nim ludzi patrzyła na bazylikę, niektórzy płakali, bili się w piersi i wyciągali ręce do nieba. Inni śmiali się i ściskali z sąsiadami. Konrad podsłuchał, jak dwóch mężczyzn przeprasza się za dawne przewiny, których się wobec siebie dopuścili. Wśród tłumu kręcili się jak zawsze przekupnie z pasztecikami i ciastkami. Na uboczu klęczał ze spuszczoną głową jakiś mężczyzna odziany, mimo iż ranek był ciepły, w grubą czarną opończę. Z sylwetki i szerokich ramion przypominał Konradowi pokutnika, byłego notariusza Jacopone, zanoszącego modły do fałszywego napletka. Czymże różnił się Jacopone od tego człowieka czczącego stygmaty, które nigdy nie istniały?

Natłok emocji — współczucie dla tych ludzi ulegających zbiorowej iluzji, udzielające się podniecenie tłumu, oburzenie, że dawne kłamstwo Eliasza przyniosło taki skutek — wyczerpały Konrada. Lud uwielbia widowiskowe cuda, a im są fantastyczniejsze, tym lepiej, pomyślał, wspominając swoją rozmowę z Amatą na wzgórzu pod Gubbio, kiedy opisywał jej drużyny pnące się na wyścigi pod Mont'Ingino z wielkimi posągami świętych. „Prosty lud potrzebuje prostych symboli, które podsycają jego wiarę bardziej niż kazania i uczone traktaty".

Symboli takich, jak pokorny święty z ranami Chrystusa na ciele! Jakże gorzkimi były dla niego teraz te słowa! Czy te rany były prawdziwe czy nie, jedno Konrad musiał przyznać: stygmaty świętego Franciszka rozpalały wyobraźnię i religijność wiernych z każdej warstwy społecznej, choćby tylko tego poświęconego im dnia. Czy miał prawo albo obowiązek pozbawiać ludzi takiej wiary, nawet gdyby potrafił przekonać do swych racji tych fanatycznych dewotów?

Klęczący mężczyzna wstał i patrzył pustym wzrokiem ponad głowami otaczających go ludzi. Oczy miał zaczerwienione od płaczu, pozlepiane w strąki, piaskowe włosy w nieładzie. Modlił się, nie zważając na tumult, i nie przerwał modlitwy, nawet kiedy mała Teresina, która też go teraz zauważyła, podbiegła doń i szarpiąc za opończę, krzyknęła:

— Tato! To ty! Wszędzie cię szukaliśmy!

XLIV

Publiczna celebracja stygmatów przeciągnęła się do późnego popołudnia i Konrad musiał czekać na audiencję aż do zakończenia nieszporów. Kiedy wszedł do zakrystii górnego kościoła, gdzie zgodził się go przyjąć Girolamo, zamiast generała zakonu zastał tam wysokiego mężczyznę w białej sutannie i piusce. Stał twarzą do okna, z założonymi na plecach rękoma. Na szczupłych palcach połyskiwały pierścienie wysokiego urzędu.

Mężczyzna odwrócił się powoli. Twarz miał szczupłą, żółtawa skóra obciągała wydatne kości policzkowe jak stary welin. Miał sinawe wory pod oczami i przez chwilę przyglądał się Konradowi w milczeniu spod ciężkich powiek.

— Witaj, bracie — odezwał się w końcu majestatycznym tonem, który kontrastował ze świszczącym oddechem. — Twój generał zadośćuczynił naszemu życzeniu poznania zakonnika, którego dociekliwość zaprowadziła do więzienia. Naszą ciekawość co do twojej osoby obudziło wstawiennictwo Orfea di Bernardone.

Konrad padł na kolana i zgiął kark.

— Życie zawdzięczam Waszej Świątobliwości. — Trwał w tej pokornej pozycji, dopóki nie poczuł na głowie delikatnego dotyku dłoni papieża, wypowiadającego ściszonym głosem łacińskie błogosławieństwo. Potem Grzegorz wziął go za ramiona i kazał wstać.

— Brat Girolamo nie może nam towarzyszyć. Gotuje się do podróży z dożą, który wraca jutro do Wenecji. — Papież wskazał zakonnikowi krzesło, i sam usiadł naprzeciwko niego. — Widzisz — podjął — potrzebny nam jest bardziej niż waszemu zakonowi. Poprosiliśmy go, by wrócił do Bizancjum i dopracował detale dzieła ponownego zjednoczenia Kościoła.

Konrad zastanawiał się, co Girolamo powiedział o nim papieżowi. Czy podejmując się owej misji na Wschodzie, nie poprosił aby najwyższego autorytetu Kościoła o dopilnowanie w zamian, by on, Konrad, nie rozgłosił, że świętego Franciszka toczył trąd?

— Jedność między członkami mistycznego ciała Chrystusa jest błogosławieństwem od Boga — ciągnął Grzegorz — zwłaszcza zaś jedność między braćmi. Brat Girolamo przedstawił nam swój plan wykorzystania cię w charakterze pośrednika w leczeniu rozłamu w twoim zakonie. Oczywiście, kiedy już sam wyleczysz się ze swoich dolegliwości. Wzniosłe to i ogromne zadanie. Teraz, kiedy obarczyliśmy go naszą misją, będzie musiał w większym niż zamierzał stopniu zdać się na zakonników takich jak ty. Mówiąc między nami, jak również w imieniu Kościoła, uważalibyśmy to za wystarczający dowód wdzięczności za zwrócenie ci wolności.

Papież przyglądał się bacznie twarzy Konrada, a ten starał się nie okazywać żadnych emocji. Nie otrząsnął się jeszcze z zaskoczenia, a poza tym do propozycji Grzegorza zamierzał ustosunkować się odpowiednio dopiero po wysłuchaniu jej do końca.

— Brat Girolamo sympatyzuje bardzo z twoimi spirytualnymi przyjaciółmi. Dorastał w Ascoli, w Marches, gdzie się ukrywają. Ale rozumie przy tym, że umiarkowani, pragmatyczni bracia są do przeprowadzenia planu świętego Franciszka i zreformowania Kościoła — usunięcia barier dzielących księży od ludu — przygotowani lepiej niż bardziej ortodoksyjni członkowie zakonu. Moim zdaniem wasz zakon powinien kłaść mniejszy nacisk na ubóstwo, większy zaś na prostotę, mniejszy na ascezę, większy na skromność. Nie zmieni to zbytnio zasadniczej idei, a przemówi do większej liczby wiernych niż bezkompromisowość twoich przyjaciół. — Papież wskazał habit Konrada. — Skoro już o tym mowa, wolimy widzieć zakonnika w habicie z porządnego grubego materiału, który posłuży mu wiele lat i nie będzie rozpraszał podczas modlitwy w chłodnej bazylice, niż oglądać go odzianego w łachmany. Mamy nadzieję, że po zastanowieniu przyznasz mi rację.

Grzegorz podniósł się z krzesła, podszedł znowu do okna i stanął przy nim plecami do Konrada. Konrad wygładził połatane rękawy habitu. Dyskutował już na ten temat z *donną* Giacomą i czuł teraz, że policzki krasi mu rumieniec.

— Brat Girolamo twierdzi — podjął Grzegorz — że chciałbyś służyć w leprozorium, ale w naszym przekonaniu Bóg przewidział dla ciebie donioślejsze zadanie. Zasugerowaliśmy twojemu generałowi, byś spędził czas jakiś w klasztorze na Alwernii, medytując o głębszym sensie życia świętego Franciszka, o jego misji w służbie Kościoła jako całości, wszystkim wiernym.

Aha, a więc chcą mnie uciszyć.

— Dlaczego akurat na górze Alwernia? — spytał, udając, że nie kojarzy faktu, iż to tam właśnie u Franciszka po raz pierwszy pojawiły się liszaje. Grzegorz i Girolamo kpili sobie z niego. — Czyż prawda nie pozostaje ta sama i niezmienna wszędzie? — dorzucił pewny już, że papież wie, do jakiej prawdy nawiązuje.

Papież zauważalnie zesztywniał.

— *Quid est veritas?*, spytał Piłat naszego Pana. Cóż to jest prawda? Na nieszczęście dla całej ludzkości nie zaczekał, aż Jezus mu odpowie. Bo cała ludzkość chciałaby to usłyszeć.

Przeżyliśmy na tym świecie dwakroć tyle lat, co ty, bracie Konradzie, a wiele z nich spędziłem nad kronikami i opisami historii uznawanymi powszechnie za prawdziwe. Zauważyliśmy, że gęsie pióra skrybów potrafią wykuwać kategoryczne i giętkie prawdy z taką łatwością jak młoty płatnerzy miecze.

— Ale to absolutna prawda, że święty Franciszek dotknięty był trądem.

Grzegorz odwrócił głowę. Twarz miał ściągniętą, jakby bezpośredniość Konrada sprawiła mu ból. On na ten temat wyraźnie wolał rozmawiać ogródkami.

— Pewien mędrzec wyobraził sobie kiedyś, że Bóg podaje mu prawą ręką całą prawdę o wszechświecie. W lewej ręce Stwórca trzymał tylko aktywne poszukiwanie prawdy, wraz z warunkiem, że w tym poszukiwaniu człowiek zawsze będzie błądził. I powiedział do mędrca: Wybieraj! Człowiek pokornie ujął lewą rękę Boga i powiedział: Boski Ojcze, wybieram tę, albowiem prawda absolutna należy tylko do Ciebie.

Papież zamilkł na chwilę, a potem świszczącym łamiącym się głosem dodał:

— Z pewnością zauważyłeś dzisiaj na *piazza*, że prawda, przy której obstajesz, nie jest wcale taka prosta, taka absolutna. Twoja prawda byłaby włócznią, która przebija serce wiary ludu.

Konrad spuścił głowę. Zaślepiony swoimi przekonaniami, przekroczył granicę. Winien był pierwszemu kapłanowi posłuszeństwo, nie mówiąc już o wdzięczności.

— Wybacz mi, Ojcze Święty, moją pychę — powiedział. Zamknął oko, serce omal nie wyskoczyło mu z piersi. Cichym głosem podjął: — Obserwując tłum, doszedłem do tego samego wniosku, co Wasza Świątobliwość, i nie darowałbym sobie nigdy, gdybym podkopał w tych ludziach wiarę. Zaprawdę, nie jest to czas na takie rewelacje, powiedziałem sobie. Czy jednak, z szacunku dla tejże prawdy, nie powinniśmy zamieścić w którejś z kronik wzmianki o niej dla tych, którzy przyjdą po nas?

— Nie. — Słowo to wypowiedziane zostało cichym, lecz stanowczym głosem i na jego ramieniu spoczęła dłoń papieża. — Nie, mój synu. — Konrad, zdumiony czułym tonem Ojca Świętego, uniósł głowę. — Ale jesteśmy ci coś winni za to, co wycierpiałeś i za to... za to, co tu ukrywać, za to, że razem z bratem Girolamem skłonni jesteśmy przyznać ci rację. Twoje odkrycie powinno umrzeć tylko... tymczasową śmiercią. Bóg, kiedy uzna to za stosowne, wskrzesi je, tak jak wskrzesił Swego Syna. Zawieramy zatem następujący kompromis: udasz się z bratem towarzyszem na Alwernię. Od niego możesz zapoczątkować tradycję ustnego przekazywania z pokolenia na pokolenie prawdy o swoim *Francesco Lebbroso*. Ustnie, nie na piśmie! Resztę pozostaw Bogu.

— A czy tego towarzysza będę mógł sobie wybrać?

Papież skinął głową.

— Pod warunkiem, że wasz generał zatwierdzi twój wybór.

Da Bóg, że zatwierdzi, pomyślał Konrad. Zajaśniała w nim nagle iskierka nadziei. A wraz z nią spłynął na niego niespodziewany spokój, poczucie pewności, że jakiś zakonnik, z jakiegoś przyszłego pokolenia ujawni wreszcie mistyfikację Eliasza. Wracała mu pewność siebie, ale wolał nie okazywać tego przed papieżem.

— Gdyby był tu brat Girolamo, poprosiłbym go również o zwolnienie na ten wieczór, żebym mógł odwiedzić Orfea i jego nowo poślubioną żonę. Obiecałem, że przyjdę do nich na wieczerzę.

— Nie widzę przeszkód, bracie. I do swoich dołącz gratulacje ode mnie, bo szczerze go kocham. — Grzegorz urwał i uśmiechnął się. — Kiedy przyjdziesz po swojego towarzysza?

— Gdyby mógł czekać na mnie przy Porta di Murorupto jutro rano po tercji...

Papież skinął głową, obiecał przekazać jego prośbę i odprowadził Konrada do frontowych drzwi bazyliki. I tak dylemat, który nie dawał Konradowi spokoju od spotkania z bratem Girolamem, rozwiązał się sam z ostatecznością i niepodważalnością papieskiego dekretu.

W czasie gdy Konrad rozmawiał z papieżem, ludzie rozeszli

się do domów na wieczerzę i Piazza di San Francesco opustoszał. Samotny kundel żywiący się odpadkami pozostawionymi przez pielgrzymów podbiegł, obwąchał mu stopy i towarzyszył aż na skraj placu. Konrad po raz kolejny zapragnął znaleźć się z powrotem wśród swoich leśnych przyjaciół i zapomnieć o ostatnich trzech latach. Pogłaskał psa po łbie i obudziła się w nim tęsknota za Chiarą, łanią, która podchodziła pod jego chatę. Odpędził od siebie psa i ruszył dalej sam.

Bez odpowiedzi pozostawało jeszcze tylko pytanie, czy kronika Leona nadal istnieje, a jeśli tak, to gdzie się znajduje. Konrad chciał spytać o to brata Girolama, lecz generał opuszczał Wenecję i nie było na to szans. Należało zaś wątpić, że brat Salimbene albo bibliotekarz, nawet gdyby udało mu się przycisnąć ich w tej sprawie do muru, powiedzieliby prawdę. Żeby zyskać całkowitą pewność, musiałby znowu włamywać się pod osłoną nocy do szafek w klasztornej bibliotece, a tego nie brał nawet pod uwagę. Ale może zakonnik, który miał mu towarzyszyć w drodze na Alwernię... wtajemniczony przez niego w prawdziwą naturę stygmatów Franciszka... podejmie poszukiwania kroniki Leona?

Wspinając się znajomymi schodami prowadzącymi do domu Amaty, Konrad uświadamiał sobie, że nagły zwrot wydarzeń przyniósł mu spokój i ulgę. Treść listu Leona przez trzy lata ciążyła mu na duszy niczym gruba pokrywa śniegu, pod którą omal się nie załamał. Żar autorytetu Grzegorza stopił w końcu to brzemię i znów mógł się swobodnie wyprostować. Zaginiony manuskrypt brata Leona reprezentował jeszcze jeden ciężar, który z ochotą powierzał teraz Bogu. Zaczynał już tęsknić za znalezieniem się na górze Alwernia; tyle warstw podobnych brzemion miał jeszcze do zrzucenia.

W domu Amaty zastał wszystkich w wielkiej izbie jedzących wieczorny posiłek. Przy stole dla służby siedzieli ci sami czterej mężczyźni, których widział rano przy noszach przed dolnym kościołem. Teraz, z bliska, rozpoznał wreszcie tego, który wydał mu się wtedy znajomy. Człowiek Rosanny, sługa, który co tydzień przynosił mu prowiant do górskiej chaty.

Konrad podbiegł z nadzieją w sercu do stołu dla rodziny i specjalnych gości, ale Rosanny tam nie było. Poczuł ten sam zawód, co dawno temu, kiedy odchodząc do klasztoru, nie mógł się z Rosanną pożegnać.

Amata zaprosiła go gestem do zajęcia wolnego miejsca między nią a hrabią Guidem. Guido powitał serdecznie zakonnika, a Amata dała znak pomocy kuchennej, że potrzebny jest jeszcze jeden talerz. Konradowi przypomniał się rezolutny młodzieniaszek, który wrzucając sobie do ust winogrona, beształ go w jego własnej chacie. Siedząca teraz obok niego młoda kobieta była żywym dowodem mądrości i cierpliwości *donny* Giacomy.

— Obiecałam ci niespodziankę, Konradzie! — powiedziała Amata. — Nie wiedząc o jej chorobie, zaprosiłam do Asyżu na dzień świętego Monnę Rosannę. Mamy nadzieję, że dzięki wstawiennictwu świętego Franciszka jej zdrowie się poprawi.

— To jakaś poważna choroba? — spytał Konrad.

Twarz Amaty pociemniała.

— Bardzo poważna. Medyk mówi, że bez jakiegoś cudu długo już nie pożyje. Za dużo porodów. Błogosławieństwo i przekleństwo naszej płci. — Zdobyła się na blady uśmiech na myśl, że wkrótce i jej życiu zagrożą śmiertelnie ciąża i poród.

Konrad ukrył twarz w dłoniach i zacisnął zęby. Najdroższa towarzyszka jego dzieciństwa cierpi, bo jej mąż zachowuje się jak samiec w rui. Rodziła rok w rok. Ale pomimo frustracji i gniewu przyznać musiał, że Rosanna i Quinto wypełniali tylko biblijny nakaz, by żyć i się rozmnażać. Czy jej życie byłoby choć trochę inne, gdyby poślubiła mężczyznę takiego jak on?

Amata upiła łyczek wina z pucharka, a potem położyła mu dłoń na ramieniu i powiedziała:

— Pyta o ciebie od dnia przyjazdu.

Zakonnik, nie bacząc, że sługa postawił właśnie przed nim talerz z jedzeniem, chciał zerwać się z miejsca, lecz Amata przytrzymała go za rękaw habitu.

— Ona teraz odpoczywa, Konradzie. Zjedz wpierw wieczerzę i opowiedz nam, co zamierzasz. Mamy nadzieję, że zostaniesz u nas jakiś czas. Jacopone też przydałoby się twoje towarzystwo.

Wskazała głową stół pod jednym z gobelinów zdobiących ściany. Teresina, która skończyła już posiłek, siedziała obok ojca, opierając główkę o jego ramię, i ściskała małymi rączkami wielką dłoń. Pokutnik kręcił ospale głową.

Ten widomy dowód nawrotu choroby przygnębił Konrada. Na chwilę zakrył dłonią twarz, a potem wyjaśnił, że nazajutrz musi ruszać w drogę.

— Mogę udzielić ci tylko rady, Amatino — powiedział. — Posadź go do pisania, niech prowadzi twoje rachunki, niech zapisuje swoje wiersze, kopiuje, cokolwiek. On ma wrażliwość artysty. Dla takich umęczonych dusz pisanie jest najlepszym, a może nawet jedynym lekiem oczyszczającym. Mógłby nawet zamieszkać w naszym klasztorze w Todi. Znają go tam i był bardzo szanowany, zanim oszalał z żalu.

Konrad widział, że jego odpowiedź rozczarowała Amatę, ale taka była wola papieża, a zresztą czuł, że i jego dusza potrzebuje wyciszenia. Będzie mu brakowało tych uroczych ludzi, ale wiedział, że musi ich opuścić. Stał na kolejnym rozdrożu, przed nim kolejna nieodwołalna zmiana kierunku. Jedząc zupę, wrócił myślami do Rosanny, którą opuścił już dwa razy — kiedy dostał w klasztorze wiadomość o jej zaręczynach, a potem kiedy porzucił swoją pustelnię, by powrócić do Asyżu. Teraz musi opuścić ją po raz trzeci i kto wie, czy tym razem nie na zawsze.

Tego wieczoru jedzenie nie miało dla niego aromatu ani smaku, prawie nie słyszał gwaru toczonych wokół rozmów. Myślami był już daleko, w jakiejś ciemnej nocy, a te wabiły jego duszę, by podążył ich śladem, i to bez zwłoki. Sparafrazował w myślach linijkę ze znanego wiersza: *Żegnając przyjaciół, wkroczyłem w jesień Alwernii.*

Goście opuścili już wielką izbę, udając się na spoczynek, ale Amata nie wstawała od stołu.

— Konradzie — powiedziała cicho — skoro nie masz apetytu, odwiedźmy może teraz Rosannę. Zanim jednak powiemy sobie dobranoc, obiecaj mi, że nie wymkniesz się rankiem bez pożegnania, jak ostatnio, kiedy udawałeś się do San Lazzaro.

— Obiecuję, Amatino. — Zawiesił głos i po chwili dodał: — Mam nadzieję, że Bóg skieruje tu kiedyś me kroki, ale w tej chwili moim jedynym celem jest Alwernia.

Szukał słów, które wypadałoby w takiej chwili powiedzieć.

— Będzie mi was wszystkich strasznie brakowało, ale łatwiej mi będzie znosić rozłąkę, kiedy wiem, że żyjesz wreszcie w spokoju, którego pragnęła dla ciebie *donna* Giacoma, którego wszyscy dla ciebie pragnęliśmy. — Podejrzewał jednak, że nie będzie mu wcale tak łatwo, jak mówił. Rozstanie z Amatą mogło okazać się tak samo rozdzierające, jak to drugie, przed którym właśnie stał.

Nie opierał się, kiedy wzięła go za rękę i poprowadziła do izby, gdzie kiedyś ślęczał nad manuskryptami. Zatrzymał się w progu, a Amata, szepnąwszy: „Orfeo na mnie czeka", wycofała się dyskretnie na korytarz. Dym z kominka snuł się ku sufitowi, ale kobieta leżąca na posłaniu oddychała swobodnie. Zatrzepotała powiekami i zauważywszy go w progu, szeroko otworzyła oczy.

— To ja. Konrad — powiedział.

Pomarańczowa poświata ognia odbiła się w powleczonych warstewką wilgoci oczach kobiety.

— Co oni zrobili mojemu przyjacielowi? Amata uprzedzała mnie, że bardzo się zmieniłeś w więzieniu, ale nie spodziewałam się...

Konrad ukląkł przy posłaniu i położył palec na ustach.

— Powiadają, że Bóg srogo obchodzi się z tymi, których kocha, traktuje ich jak dzieci traktują swoje ulubione zabawki. Nas bardzo musi kochać, Rosanno. — Zadziwiając sam siebie, ujął ją bezwiednie za rękę, jakby znowu mieli po dziesięć lat. — Amata powiedziała mi, że na mnie czekałaś.

Przekręciła głowę na poduszce i zapatrzyła się w dym.

— Chciałam cię prosić o modlitwę za oczyszczenie mej duszy i za łaskę dla mojego męża i dzieci, kiedy odejdę. Bo wiem, że odchodzę, Konradzie. — Ledwo poczuł delikatny uścisk jej palców na swej dłoni. — Chcę się też wyspowiadać — dodała.

Konrad puścił jej rękę i usiadł prosto na podłodze. Rosanna roześmiała się cicho w półmroku.

— Nie, nie. Nie tak formalnie. Przed wyruszeniem z Ankony wyspowiadałam się już księdzu na wypadek, gdybym nie przetrzymała podróży. Tobie wyspowiadam się tylko jak przyjaciółka przyjacielowi. Weź mnie znowu za rękę, proszę.

Uczynił to, ale tym razem już bardziej świadomie.

— Przez wszystkie lata małżeństwa z *sior* Quintem — zaczęła — kochałam innego mężczyznę. Czy cię to nie oburza?

Konrad stracił na moment oddech. Gdyby nie była taka osłabiona, puściłby znowu jej rękę. Chociaż nazywała to oczyszczenie sumienia nieformalnym, on zareagował jak surowy pastor.

— Czy kochałaś go w sensie cielesnym? — spytał i natychmiast pożałował tego pytania.

Rosanna zachichotała urywanie.

— Nie. Jedynie w dziewczęcych fantazjach, no i teraz, już jako matrona, uważam go za najbardziej naiwnego głupka pod słońcem, skoro dotąd niczego nie zauważył.

— Znałaś go już jako młódka? Dlaczego więc, zamiast wyznać mu, co do niego czujesz, wyszłaś za innego?

— Przecież wiesz, że córki nie mają w tych sprawach nic do powiedzenia, Konradzie. Wyznałam rodzicom, że go kocham, w dniu, kiedy oznajmili mi, że zaręczają mnie z Quintem. Urządziłam niewyobrażalną awanturę i przysięgłam, że poślubię tylko... ciebie. Myślisz, że dlaczego ni z tego, ni z owego oddali cię do klasztoru? — Siennik zaszeleścił, kiedy obracała się z trudem na bok. — I popatrz, na co nam przyszło. Dwie stare, sterane życiem szmaciane lalki, którym nie pozwolono stworzyć najszczęśliwszego na świecie małżeństwa. Wiem, że i ty mnie kochałeś, chociaż była to miłość młodzieńcza.

Konradowi gardło tak się ścisnęło, że nie mógł odpowiedzieć. Kąt izby oświetlił blask wschodzącego księżyca. W tej bladej smudze rozpoznał nagle samotność swojego życia.

— Powiedz to, Konradzie. Niech pożegnam się z tobą w pokoju.

Ujął w dłonie jej rękę i jął wodzić opuszkami palców po jej palcach.

— Wiemy, że nasze dusze nie umrą, Rosanno — powiedział zduszonym głosem. — Nie wolno nam się żegnać. Spotkamy się jeszcze pewnego dnia, w bardziej szczęśliwym miejscu.

— Powiedz to, Konradzie. Proszę.

Chciał wstać, ale go przytrzymała.

— Konradzie!

Puścił jej rękę, a ona położyła ją sobie na brzuchu

— Bóg mi świadkiem, że cię kochałem, Rosanno, Bóg mi świadkiem, że nadal cię kocham. Właśnie to sobie uświadomiłem. — Uśmiechnął się. — To chyba najlepszy dowód, żem w istocie naiwny głupek, jakeś mnie przed chwilą nazwała.

Dotknął wargami jej wilgotnego czoła, po czym wsunął rękę pod jej plecy i uniósł na posłaniu. Długo tulił ją do piersi, powstrzymując łzy, które, wiedział to, zaraz popłyną mu z oczu. Położył ją ostrożnie na sienniku i tym razem musnął wargami jej usta.

— Dziękuję, Konradzie — szepnęła.

— *Addio*, Rosanno. Do widzenia, przyjaciółko.

Podniósł się z podłogi i podszedł do drzwi. Tam zatrzymał się i opierając o framugę, popatrzył spod krużganka na rozgwieżdżone niebo. Skinął gwiazdom głową i powiedział:

— Tam się niebawem spotkamy.

Konrad zdecydowanym krokiem wyszedł na skąpany w blasku księżyca podworzec domu Amaty. Siwa broda zasrebrzyła się, przywabiając ćmy, które otoczyły mu całą chmarą głowę, przysiadając na włosach. Najchętniej zapuściłby tu, pośród tego pogorzeliska, korzenie, i obrósł mchem jak sędziwy dąb, siedlisko miliona owadów, ocieniając gościnny dom Amaty swoimi liśćmi i użyczając konarów jej żywotnym *bambini*.

Ale jego pielgrzymka nie pozwalała na taki luksus. Miał misję do spełnienia. I nie kończyła się ona na Alwernii. To był tylko przystanek na drodze ku Królestwu Niebieskiemu, które, zgodnie z kazaniami Jezusa, kryło się w nim.

Jutro przekaże brzemię Leona towarzyszowi, którego sobie wybrał, zakonnikowi nowego pokolenia, bratu Ubertino. Nie odnalazł Boga w całej tej kweście ani w połatanym szarym habicie, który okrywał teraz jego drżące ciało. Wiedział, że Ojciec mieszka o wiele głębiej, niż sięgają wszystkie ludzkie rozterki, niż ten strzęp opalonego pergaminu w jego kieszeni i czysta dusza zakonu, który reprezentował, a nawet głębiej niż ogromna bazylika, która odebrała mu spokój ducha. O wiele głębiej niż jakakolwiek rzecz, którą Konrad potrafił nazwać albo sobie wyobrazić, głębiej niż jego najszczersze pojmowanie Boga, które jest tylko wytworem umysłu.

Był pewny, że droga do Boga rozmyje się w tajemnicy, być może w nicości, ale nie w nicości zupełnej, nie w całkowitej pustce — bo na jej końcu będzie miłość. Przepowiedział to w natchnieniu jeden z apostołów: *Bóg jest Miłością*.

I Konrad wiedział, że tam, u źródła Miłości, znowu spotka Rosannę.

EPILOG

Po zejściu z Alwernii brat Konrad da Offida zyskał sławę wędrownego kaznodziei i wizjonera. Do końca wierny swojej spirytualnej frakcji zakonu, zmarł w klasztorze Santa Croce w Bastii w roku 1306 i został potem beatyfikowany. Współczesny mu brat Clareno zeznał, że Konrad z uporem i samozaparciem przez pięćdziesiąt lat nosił ten sam habit. Szesnaście lat po jego śmierci grupa rycerzy z Perugii wykradła kości błogosławionego Konrada i uczyniła z nich relikwię swojego miasta.

Ubertino da Castale pod koniec trzynastego wieku stał się przywódcą spirytuałów. W swojej księdze *Arbor Vitae* (Drzewo życia) wspomina o manuskrypcie Leona. Ubertino cytował fragmenty manuskryptu zasłyszane od brata Konrada, lecz okrzyknięto go kłamcą, albowiem nikt nie widział oryginału. A tego nie odnaleziono po dziś dzień.

W roku 1294 kardynał Benedetto Gaetani wybrany został na papieża i przyjął imię Bonifacy VIII. Za jego pontyfikatu papiestwo popadło w najdłuższy i najgorszy kryzys w dziejach.

Jeśli przyjąć teorię Konrada, że proroctwa Joachima z Fiore rzeczywiście odnosiły się do roku 1293, można dojść do wniosku, że właśnie Bonifacy uosabiał Ohydę Spustoszenia przepowiedzianą przez opata.

Jacopone da Todi w roku 1278 wstąpił do zakonu franciszkanów. On również stał się wiodącą postacią wśród spirytuałów. Swoimi poetyckimi hymnami pochwalnymi, pisanymi prostym językiem, zaskarbił sobie uwielbienie ludu i wzbudził zazdrość u rywalizującego z nim poety, Dantego Alighieri. Za otwarte piętnowanie zepsucia szerzącego się w łonie Kościoła, papież Bonifacy VIII wtrącił Jacopone do papieskiego lochu. Ale to już zupełnie inna historia.

Rok po wstąpieniu ojca do zakonu nastoletnia Teresina przeniosła się z Orfeem, Amatą i ich czworgiem dzieci do Palermo na Sycylii. Orfeo założył tam faktorię i handlował z Lewantem przez tych kilka lat, jakie pozostały do Nieszporów Sycylijskich — ale to też zupełnie inna historia.

14 kwietnia 1482 roku papież Sykstus IV kanonizował byłego ministra generalnego, brata Bonawenturę. W roku 1588 Sykstus V ogłosił świętego Doktorem Kościoła i nadał mu specyficzny tytuł Doktora Seraficznego.

W roku 1818 robotnicy rozkopujący krypty pod dolnym kościołem Bazyliki Świętego Franciszka natrafili na szczątki świętego Franciszka — pięćset pięćdziesiąt lat po ich zniknięciu. Nigdy nie zbadano, czy są na nich oznaki trądu.

Spis treści

Tego autora

ŚMIERĆ ANIOŁA

Akcja książki toczy się w II połowie XIII wieku po śmierci świętego Franciszka z Asyżu, w okresie jednego z najgorszych pontyfikatów w historii.

Todi, Italia. Młody, szlachetnie urodzony Angelo Lorenzini dziedziczy po swoich przodkach nie tylko tytuł, ale również straszliwą ułomność. Przed laty kmiecie z zamku *Il Lupo* obłożyli jego dziadka morderczą klątwą. Z każdą kolejną pełnią księżyca ciało Angela nabiera coraz więcej wilczych cech, a on sam mimo wewnętrznego oporu przeobraża się w stworzenie z mitów i legend – *lupo mannaro*, czyli wilkołaka. Tylko jedna osoba naprawdę wierzy, że drzemiące w młodzieńcu zło można zdusić. Maria Vidone, prosta wieśniaczka z osady pod zamkiem, pierwsza miłość Angela i matka jego nieślubnego dziecka, odkrywa w swym ukochanym nieprzebrane pokłady dobra. Czy podążając śladami św. Franciszka uda mu się uwolnić od klątwy i obudzić drzemiącego w sobie anioła? Od najmłodszych lat zaprzysięgłym wrogiem Angela jest Benedetto Gaetani, bratanek biskupa Todi, późniejszy papież Bonifacy VIII. To z jego rozkazu Angelo trafi do lochu...